Frerichs, Friedrich Theodor

Klinik der Leberkrankheiten

1. Band

Frerichs, Friedrich Theodor

Klinik der Leberkrankheiten

1. Band

Inktank publishing, 2018

www.inktank-publishing.com

ISBN/EAN: 9783750105508

KLINIK

DER

LEBERKRANKHEITEN

VON

DR. FRIED. THEOD. FRERICHS,
ordentlichem Professor der medicinischen Klinik und Königlichem Geheimen Medicinal-Rathe
in Breslau.

IN ZWEI BÄNDEN.

ERSTER BAND.

Mit einem Atlas von 12 sorgfältig colorirten Stahlstich-Tafeln in Royal-Quart
und zahlreichen in den Text eingedruckten Holzschnitten.

BRAUNSCHWEIG,
DRUCK UND VERLAG VON FRIEDRICH VIEWEG UND SOHN.
1 8 5 8.

Vorrede.

> Not the experience of one man only or of one generation, but the accumulated experience of all mankind in all ages.
>
> *Herschel.*

Mit der vorliegenden Klinik der Leberkrankheiten beabsichtige ich eine Reihe von Arbeiten zu eröffnen, in welcher die Ergebnisse meiner klinischen Erfahrungen und pathologischen Untersuchungen niedergelegt werden sollen. Der Standpunkt, auf welchen ich mich hierbei stellte, wird sich aus dem Werke selbst ergeben, weshalb es unnöthig erscheint, denselben ausführlicher zu erörtern; einige kurze Andeutungen werden zum Verständniss genügen.

Unsere Zeit ist darüber einig geworden, dass die Wissenschaft des Lebens eine ungetheilte sei, dass zwischen den verschiedenen Erscheinungsformen desselben im gesunden und kranken Zustande keine im Wesen begründete Grenzen bestehen, sondern dass dieselben Gesetze hier wie dort gelten. Man versucht es, die Bedingungen, unter welchen das kranke Leben sich gestaltet, in derselben streng empirischen Weise zu erforschen, wie die des allgemeinen Lebensprocesses, wovon ersteres nur ein Bruchstück darstellt. Neben der einfachen Beobachtung am Krankenbette benutzt man die Hülfsmittel der physikalischen, chemischen und mikroskopischen

Forschungsweise, so wie das experimentelle Verfahren, um Materialien für den Aufbau einer wissenschaftlichen Medicin zu sammeln.

Es unterliegt keinem Zweifel, dass durch diese Richtung, welche zwar nicht neu, jedoch zu keiner Zeit in solchem Umfange, mit solcher Consequenz und mit so reichen Mitteln, wie in den letzten Decennien verfolgt wurde, Grosses gefördert ist. Die allgemeinen Gesichtspunkte gestalteten sich einfacher, seitdem man aufhörte, die Krankheit von der Summe der Lebenserscheinungen als etwas Fremdartiges, für sich Bestehendes und Selbstständiges abzutrennen; die einzelnen pathologischen Vorgänge wurden, indem man sie auf die physiologische Grundlage zurückführte und ihre materiellen Substrate nach allen Seiten hin durchforschte, dem Verständniss näher gebracht. Die Theilung der Arbeit, welche hieraus hervorging, lieferte bereits reiche Schätze vereinzelter Thatsachen, schwer zu übersehen und zu ordnen, noch schwerer zu verwerthen. Dass sie hie und da zu Einseitigkeiten führte, dass man hier diese, dort jene Seite vorzugsweise bearbeitete und verwerthete, liegt in der menschlichen Natur: Suo quisque studio delectatus alterum contemnit. Dauernder Nachtheil erwuchs indessen daraus nicht.

Die medicinische Klinik und die ärztliche Praxis hatten diesen Erfolgen gegenüber einen schwierigen Stand. Die Vertreter derselben konnten, was die Richtung der Studien mit sich brachte, aus ihrem viel durchforschten Gebiete weniger zum Ausbau des Ganzen beitragen, als die Hülfswissenschaften; in der Literatur führten daher die letzteren fast ausschliesslich das Wort. Im Leben wurde das Feld ihrer Thätigkeit überwuchert von fremden Elementen, welche aus dem immer grösser werdenden Riss zwischen Wissenschaft und Praxis üppig emporschossen. Wie zu anderen Zeiten wissenschaftlichen Aufschwunges, wie namentlich zu Anfange des 17. Jahrhunderts, so wurde auch jetzt das Verhältniss der wissenschaftlichen zur praktischen Medicin sehr verschiedenartig aufgefasst.

Ein grosser Theil der Aerzte hielt an der althergebrachten Therapie fest. Dieselbe habe allein empirisch ihren Weg zu suchen und mit der medicinischen Wissenschaft wenig gemein. Die letztere gilt ihnen als etwas Fremdes, sie wählen aus ihr das praktisch Brauchbare, was zur Förderung der Diagnose, zur Deutung einzelner Symptome und anderen naheliegenden Zwecken dienen kann. Auf ihre Anschauungen im Grossen und Ganzen übt dieselbe keinen Einfluss.

Ein anderer Theil nahm die wissenschaftliche Medicin oder einzelne Gebiete derselben, wie die pathologische Anatomie für den Inhalt der Klinik; die Therapie trat in den Hintergrund, weil die traditionelle Form derselben der Kritik gegenüber unhaltbar erschien. Missverstandene pathologisch-anatomische Erfahrungen führten auf der einen Seite zur vollständigen Entmuthigung und zum therapeutischen Nihilismus, während auf der anderen Seite Ueberschätzung der wissenschaftlichen Errungenschaften aller historischen Warnungen ungeachtet zu der sogenannten rationellen Therapie als der allein berechtigten verleitete.

Neben diesen Hauptrichtungen, von welchen, je nachdem die anatomische, die chemische oder die physikalische Seite der Processe vorzugsweise bearbeitet und verwerthet wird, mehrfache Schattirungen bestehen, traten zahlreiche therapeutische Secten auf, welche, von dem historischen Boden und der Wissenschaft sich lossagend, auf eigene Hand die Therapie zu construiren suchten.

Der Standpunkt, von welchem in der vorliegenden Arbeit die Aufgabe der Klinik aufgefasst wurde, ist von den bisher berührten verschieden.

Grundlage der Klinik ist die wissenschaftliche Medicin

in ihrer ganzen Ausdehnung; sie bearbeitet dieselbe ohne Rücksicht auf praktische Verwerthung. Wie die Physik und Chemie erst dann ihre Früchte trugen, als man unbekümmert um die Zwecke des Tages sich ihnen hingab, ähnlich die Medicin. Objecte der klinischen Beobachtung bilden nicht die vereinzelten Krankheitserscheinungen oder mehr oder minder künstliche Gruppen derselben, sondern das kranke Individuum im Ganzen; alle Seiten des veränderten Lebensprocesses sind mit den Hülfsmitteln zu durchforschen, welche die Naturwissenschaften uns zur Verfügung stellen. Die Klinik hat die Ergebnisse, welche auf den verschiedenen Wegen der Forschung erzielt werden, in einem Brennpunkte zu concentriren, sie hat die Einseitigkeiten der Standpunkte, welche die Arbeitstheilung mit sich bringt, zu versöhnen und zu ergänzen.

Zwischen dem wissenschaftlichen Inhalt der klinischen Medicin und der Praxis ihrer eigentlichen Aufgabe besteht eine Kluft, über welche nur an wenigen Stellen unsichere Stege führen. Zwar gewinnt das Handeln am Krankenbette um so festeren Boden, je mehr die Einsicht in die Vorgänge des kranken Lebens wächst; allein wir sind weit davon entfernt, die Therapie durch einfache Verstandesrechnung zu leiten, und Uebereilungen in diesem Punkte haben sich stets schwer gerächt. Der grössere Theil der Krankheitslehre ist rein descriptiver Art, eine wissenschaftliche Interpretation der Thatsachen, eine klare Einsicht in den inneren Zusammenhang derselben, welche das rationelle Heilverfahren voraussetzt, wurde erst an wenigen Punkten erreicht. Die Therapie bleibt daher im Wesentlichen auf die Empirie angewiesen wie bisher, aber nicht auf die sogenannten Erfahrungen, welche ohne klares Bewusstsein der Aufgabe, ohne feste Consequenz, ohne scharfe Sonderung der heterogenen Elemente gesammelt und von Geschlecht zu Geschlecht überliefert wurden. Die therapeutischen Studien sind nach derselben Methode zu regeln, wie die pathologischen. Die wissenschaftliche Medicin lieferte, wenn sie auch kein rationelles Verfahren ermöglichte, hierzu bereits wichtige Vorarbeiten. Die genauere Verfolgung des Verlaufs, die Einsicht in die Vor- und Rückbildung der Processe gestattet eine klarere Feststellung der Heilaufgaben als bisher; die schärfere Diagnose sichert die Verarbeitung gleichartiger Grössen, die pharmakologischen Studien lieferten die ersten Elemente zur Einsicht in die Wirkungsweise der Arzneikörper.

Es handelt sich indess in der Therapie noch weniger als in der Pathologie um einen vollständigen Neubau, sondern zunächst um die Prüfung und Verwerthung der überlieferten Erfahrungen. Die Materialien, welche die wissenschaftliche Medicin vorfand, gleichen in vielen Stücken den Vorarbeiten der Alchymisten für die neuere Chemie. In beiden Fällen liegen Beobachtungen vor, welche unter beschränkten Gesichtspunkten gesammelt, daher einseitig und nicht selten unzuverlässig sind. Wie dort die Idee des Steins der Weisen, so war es hier die Idee des Heilens, welche die unbefangene natürliche Verknüpfung der Data in den Hintergrund drängte und auf Abwege führte. Die Medicin darf so wenig, wie die Chemie es gethan hat, diese Vorarbeiten vernachlässigen, sondern muss auf der historischen Grundlage weiter bauen. Die therapeutischen Erfahrungen der Alten sind in vieler Hinsicht werthvoller, als die pathologischen, weil es sich bei der Behandlung weniger um das Eindringen in das Detail der örtlichen Processe, als um die Beurtheilung des Allgemeinzustandes handelt, auf welchen die Alten vorzugsweise ihre Aufmerksamkeit richteten.

Dies sind die Grundsätze, welche ich bei der Bearbeitung der vorliegenden Klinik der Leberkrankheiten festzuhalten mich bemühte, und welche auch für die folgenden Theile maassgebend sein werden. Ich weiss, dass es leichter ist, sie auszusprechen, als ihnen stets treu zu bleiben. Vielleicht war der Wille besser als die That.

Die Schwierigkeiten, welche die Pathologie der Leber umschliesst, sind genügend bekannt. Der feinere Bau und die physiologische Function dieser Drüse sind erst theilweise aufgeklärt, über die Beziehungen derselben zum Stoffwandel haben erst die letzten Jahre einiges Licht verbreitet. Ein grosser Theil der die Leber betreffenden Anomalieen veranlasst keine auffallenden Störungen der offen zu Tage liegenden Vorgänge, sondern Abweichungen in der vegetativen Sphäre, welche erst, wenn sie eine gewisse Höhe erreichen, deutlicher sich kundgeben. Man erwarte daher nicht überall scharf gezeichnete Krankheitssymptome, wie sie bei Affectionen des Herzens, der Lunge, des Hirns etc. vorzukommen pflegen.

Wo ich neue Ansichten aussprach, welche noch nicht nach allen Seiten fest begründet werden konnten, wie bei der Deutung des Icterus ohne materielle Läsion des Leberparenchyms, bitte ich um sorgfältige Prüfung; thatsächliche Grundlage und individuelle Meinung habe ich zu sondern mich bemüht. Die experimentellen Beläge werden dem Schluss des Werkes angehängt werden.

Was den Plan der Arbeit anbelangt, so habe ich bei der Vertheilung des Materials weniger den anatomisch-physiologischen, als den ärztlichen Standpunkt festgehalten. Daraus erklärt es sich, weshalb das Gebiet des Icterus so umfangsreich ausfiel und diesem auch die Lehre von der Acholie und der acuten Leberatrophie, welche letztere streng genommen zu der Entzündung des Organs gehört, angereiht wurde. Am Schlusse des Werkes werde ich die Processe ihrem inneren Zusammenhange nach ordnen.

Die vorliegende Hälfte der Arbeit enthält die Geschichte der Leberkrankheiten, die Grössenbestimmung des Organs, die diagnostische Technik, die Lehre vom Icterus, der Acholie, der acuten und der chronischen Atrophie; ferner die Fettleber, die Pigmentleber [1]) die Hyperämieen und die Blutungen der Leber.

In der zweiten Hälfte des Werkes werden die wichtigeren Krankheiten der Leber Platz finden: die Entzündung mit ihren Folgen, die Cirrhose, die colloide oder speckige Degeneration, die pathologischen Neubildungen, die Krankheiten der Gallenwege und der Pfortader etc. Am Schlusse des Ganzen beabsichtige ich, die sich aus den einzelnen Daten ergebenden allgemeinen Resultate über Pathologie und Therapie des Organs zusammenzustellen und zu verwerthen.

Schliesslich wolle man mir gestatten, Derjenigen zu gedenken, welche bei der Ausführung der Arbeit mir helfend zur Seite standen. Es sind dies vor Allen meine Freunde und Collegen, der Herr Staatsrath Reichert und der Herr Professor Dr. G. Staedeler in Zürich. Der gediegenen Einsicht des Ersteren in alle Gebiete der feineren Anatomie verdanke ich vielfache Anregung und Förderung, seine Meisterschaft in der Herstellung von Präparaten hat wesentlich dazu beigetragen, den von Herrn Assmann gezeichneten Atlas in der vorliegenden Form herzustellen. Mein Freund Staedeler unterstützte mich vielfach durch chemischen Rath, ihm verdanken wir die Elementaranalysen der in der Leber und im Harn nachgewiesenen abnormen Producte des Stoffwandels.

Herr Dr. Valentiner führte einen grossen Theil der chemischen Arbeiten in meinem Laboratorio aus. Die Herren Prof. Rühle, Sanitätsrath Graetzer, Dr. Hasse, Cohn

[1]) Bei der Pigmentleber war ich genöthigt, weiter auszuholen und Störungen zu schildern, welche zum Theil mit der Leberaffection nicht in directem Zusammenhange stehen. Ich hoffe, dass die seltene Gelegenheit, grössere Reihen von Pigmentbildung im Blute zu beobachten, und die geringe Zahl der bis jetzt genauer beschriebenen Fälle, diese Abschweifung entschuldigen wird.

und andere Aerzte des Allerheiligen-Hospitals halfen mir bei den zahlreichen Messungen und Wägungen der Eingeweide oder durch die Nachweisung interessanter Krankheitsfälle. Ihnen Allen sage ich meinen wärmsten Dank.

Der Verfasser.

Breslau, im März 1858.

Inhaltsverzeichniss.

Anhang.

I.

Historische Einleitung.

Es ist von grossem Interesse, historisch die Anschauungen zu verfolgen, welche die Aerzte über die Bedeutung einzelner Organe und deren Krankheiten im Laufe der Zeit sich bildeten. Der Baum der Erkenntniss mit seinen Blüthen und Früchten, wie uns die Gegenwart ihn bietet, tritt uns minder fremd entgegen, wenn wir seine Wurzeln verfolgen, wie sie im geschichtlichen Boden bald mehr, bald weniger tief sich ausbreiten, und den Quellen nachforschen, welche sie befruchteten. Was die Gegenwart als neu errungenes Eigenthum anspricht, war nicht selten schon der Besitz längst verflossener Jahrhunderte.

Bei keinem Organ beurkundet sich ein Wechsel der Ansichten in auffallenderer Weise, als bei der Leber[1]).

Das Pfortadersystem und die Leber erregten schon frühzeitig die Aufmerksamkeit der Aerzte. In das weit verbreitete, mit dem Gastrointestinaltractus innig verbundene Gefässnetz und in das mächtige Drüsenorgan verlegte man, mehr durch vage Vermuthung, als durch klar bewusste Gründe geleitet, den Sitz vielseitiger, für das gesunde wie das kranke Leben wichtiger Vorgänge. Die Leber war den Alten das

[1]) Vergl. Beau, Arch. génér. de Méd. 1851.

Centralorgan der vegetativen Thätigkeit[1]; in ihr suchte Galen den Heerd der Wärmeentwickelung, die Bildungsstätte des Blutes aus dem Chylus und den Ursprung der Venen[2]. Der Chylus, welcher durch die Pfortader aus dem Magen der Leber zugeführt werde, erfahre hier die Umwandlung in Blut[3]. Diese Metamorphose beginne schon in der Pfortader, werde aber erst in der Leber beendet, welche hierbei als Abfall die gelbe und schwarze Galle aussondere: die erstere gehe zur Gallenblase, die letztere zur Milz.

Galen's Ansichten gingen in kaum modificirter Form auf die Araber über und blieben bis zur Mitte des 17. Jahrhunderts in unbestrittener Geltung. Selbst Vesalius, welcher durch seine anatomischen Forschungen mehr als irgend ein Anderer zum Sturze der Galenischen Autorität beitrug, wagte es nicht, den physiologischen Ideen des Pergameners in Betreff der Leber entgegenzutreten; nur die assimilirende Eigenschaft der Pfortader stellte er in Abrede[4].

Die Versuche von Argentieri[5], die functionelle Bedeutung unseres Organs zu beschränken, fanden keinen Anklang.

Erst die Entdeckung der Chylusgefässe durch Aselli, 1622, und des Ductus thoracicus durch Pecquet, 1647, gaben den Ansichten Galen's einen mächtigen Stoss. Man hatte einen Weg kennen gelernt, auf welchem der Chylus aus dem Darm ins Blut übergeführt wurde, ohne jede Betheiligung der Pfortader und Leber; beide erschienen fortan

---

[1] Plato nennt in seinem Timaeus die Leber, um ihre Wichtigkeit für das vegetative Leben im Gegensatz zum geistigen anzudeuten, ein θρέμμα ἄγριον, vergl. Galen, de dogm. Hippocr. et Plat.

[2] De usu partium libr. IV. In hepate, quod supponitur venarum principium esse, primum sanguificationis instrumentum.

[3] Prius elaboratum in ventriculo alimentum venae ipsae deferunt ad aliquem concoctionis locum communem totius corporis, quem hepar nominamus. De usu partium libr. IV.

[4] De corporis humani fabrica, 1542, libr. III. 267, libr. V. 508. Quod vero iidem rami, priusquam jecori succulentum id porrigant, rudem aliquam sanguinis formam cremori seu succulento illi conferant, et ut Galenus attestatur, modo jecori simillimo istud praeparent, non facile concessero.

[5] De errorib. veter. med. Flor. 1553, und Comment. tres in art. med. Galen. Paris 1553.

für die Blutbildung ohne Werth. Bartholinus[1]) und Glisson[2]) waren die Ersten, welche diese Ansicht bestimmt aussprachen; dieselbe fand bald weitere Verbreitung, um so mehr, als die Umwälzungen, welche durch Harvey's[3]) Arbeiten die physiologischen Anschauungen eben erlitten hatten, den Organen der Brusthöhle eine bisher nicht gekannte Bedeutung verliehen.

Zwar versuchten Riolan und später de Bils die Wichtigkeit der Leber für die Sanguification dem Bartholinus gegenüber zu vertheidigen; allein der Letztere ging siegreich aus diesem Streite hervor und schrieb für die Leber eine launige Grabschrift, in welcher das Ende ihrer Herrschaft verkündet wurde: ihre Function sollte fortan lediglich in der Gallenabsonderung bestehen[4]).

Fast zwei Jahrhunderte hindurch blieb diese Ansicht die allgemein geltende. Swammerdam wagte es noch einmal, für die ältere Theorie sich auszusprechen, indess ohne Erfolg; „dudum," bemerkt Boerhaave, „in meliori parte Europae obsolevit haec sanguificatio nunquam ab eo viscere expectanda."

Es war der Experimentalphysiologie unseres Jahrhunderts vorbehalten, den Gesichtskreis auf diesem Gebiete zu erweitern und in neuer exacterer Form Anschauungen wiederherzustellen, welche längst begraben schienen. Der erste Schritt auf diesem Wege geschah durch Magendie[5]) und Tiedemann[6]), welche den Nachweis lieferten, dass die Aufnahme von Nutritionsstoffen nicht lediglich ein Werk der Chylusgefässe sei, sondern dass ein Theil der im Gastrointestinalcanal verdauten Ingetsa durch die Pfortader dem

[1]) Vasa lymphatica nuper in animantibus inventa et hepatis exequiae. Paris 1653.

[2]) Anat. hepat. p. 289. Edit. nova Amstelodami 1665.

[3]) Harvey selbst legte wenig Gewicht auf die Chylusgefässe und hielt in Bezug auf die Leber die Galenischen Ansichten fest.

[4]) Defensio lacteorum et lymphaticorum contra Riolanum. Hafniae 1655. Bartholini responsio de experimentis Bilsianis et difficili hepatis resurrectione. Hafniae 1661.

[5]) Précis élémentair de physiol. Tom. II, p. 268.

[6]) Tiedemann und Gmelin, Versuche über die Wege, auf welchen Substanzen aus dem Magen und Darmcanal ins Blut gelangen. Heidelberg 1820.

1*

Blute einverleibt werde. Tiedemann und Gmelin gelangten durch eine Reihe sorgfältiger Versuche überdies noch zu dem Resultat, dass „die Leber zugleich als ein Organ der Assimilation von Substanzen, die aus dem Darmcanal aufgenommen würden, zu betrachten sei".

Die späteren Forscher, welche diesem Gegenstande ihre Aufmerksamkeit zuwandten, wie Blondlot[1]), Cl. Bernard[2]), Lehmann[3]), C. Schmidt u. A, mussten die Betheiligung der Pfortader bei der Darmresorption im Allgemeinen bestätigen, wenn auch über die Ausdehnung und Bedeutung derselben Manches zweifelhaft blieb. Dass Wasser, Salze, Zucker, riechende und färbende Stoffe hauptsächlich durch Venenresorption ins Blut übergeführt werden, ist als feststehend anzusehen, ebenso, dass der grösste Theil des Fettes durch die Chylusgefässe ins Blut gelangt; fraglich bleibt noch, welchen Weg die wichtigsten Nutritionsstoffe, die Albuminate, einschlagen: Cl. Bernard und die Mehrzahl der französischen Forscher lassen ihre Resorption durch die Venen erfolgen, während Lehmann, Schmidt und Ludwig sie den Chylusgefässen überweisen.

Ein zweiter ebenfalls nicht genügend erledigter Punkt ist der Einfluss, welchen das Leberparenchym auf die durchtretenden Stoffe äussert. Nach den Erfahrungen von Cl. Bernard, Mialhe u. A. erleiden die Kohlenhydrate nicht weniger als die Albuminate unter der Einwirkung dieser Drüse bei ihrem Durchgange durch das Pfortadersystem wesentliche Veränderungen, vermittelst welcher sie erst für die Blutbildung geeignet werden. Ein detaillirter Nachweis dieser Metamorphose wurde indess bisher nicht mit genügender Schärfe geliefert.

Wir werden am Schlusse der vorliegenden Arbeit auf diese wie auf andere allgemein physiologische Fragen zurück-

[1]) Essai sur les fonctions du foie. Paris 1846.
[2]) Leçons de physiologie expérimentale appliquée à la médicine. Paris 1855.
[3]) Physiolog. Chemie, Bd. III.

kommen und die Materialien zusammenstellen, welche für die Lösung derselben sich finden werden; hier soll zunächst nur historisch angedeutet werden, wie die Bedeutung der Leber für die Aufsaugung und Verarbeitung der Verdauungsproducte nach und nach wieder erkannt wurde.

Während auf diese Weise das Experiment der Leber einen mittelbaren Einfluss auf die Blutbereitung wiederum sichert, wurden Beobachtungen bekannt, welche für eine directe Betheiligung derselben an der Bildung der Formbestandtheile des Blutes zu sprechen schienen, wenn sie dieselbe auch nicht über alle Bedenken hinaus feststellen konnten. Es gehören dahin die Erfahrungen, welche Reichert[1]), E. H. Weber[2]) und Kölliker[3]) an Embryonen und den aus dem Winterschlaf erwachten Fröschen in Bezug auf die Entstehung von Blutkörperchen in der Leber machten. Dieselben fanden eine bedeutende Stütze an den von Lehmann[4]) durch wiederholte sorgfältige Analysen nachgewiesenen Differenzen zwischen dem Blute der Pfortader und der Lebervenen, sowie in den Veränderungen, welche nach der Exstirpation der Leber das Gesammtblut nach Moleschott's Beobachtungen erleidet.

Ausser diesem mittelbaren und unmittelbaren Antheil an der Blutbereitung lehrte die neueste Zeit Beziehungen unseres Organs zu den Vorgängen des intermediären Stoffwandels kennen, welche für eine tiefere Einsicht in das gesunde wie das kranke Leben von grösster Wichtigkeit sind. Bernard[5]) wies durch eine Reihe exacter Versuche mit Bestimmtheit nach, dass unabhängig von der Aufnahme stickstoffloser Nahrungsmittel neben der Galle in der Leber stetig ansehnliche Mengen von Zucker entstehen, welche zur weiteren Verwer-

---

[1]) Entwickelungsleben im Wirbelthierreiche. S. 22.

[2]) Berichte der königlich sächsischen Gesellschaft der Wissenschaften zu Leipzig. 1850, S. 15 bis 20.

[3]) Henle's u. Pfeufer's Zeitschrift. Bd. IV, S. 147 ff.

[4]) Berichte der königlich sächsischen Gesellschaft der Wissenschaften. 1851, S. 131 ff.

[5]) Nouvelle fonction du foie etc. Paris 1853.

thung in die Blutmasse übertreten und ebenso nothwendig für das Bestehen der normalen Lebensvorgänge erscheinen, als andere Umsetzungen, deren Producte durch die Secretionsorgane nach aussen entleert werden.

Neben dieser Abtrennung von Zucker aus dem Atomencomplex der Albuminate gehen hier noch andere Zerlegungen vor sich, deren Bedeutung wir kennen lernen werden. Für ihr Bestehen spricht das Vorkommen von Inosit, Hypoxanthin und Harnsäure in dieser Drüse, ferner das bei vielen Krankheiten zu beobachtende massenhafte Auftreten von Leucin und Tyrosin in derselben, sowie endlich die merkwürdigen Abweichungen, welche bei bestimmten Erkrankungen dieses Organs in der Zusammensetzung des Harns sich zu erkennen geben. — Auch die Bedeutung der Leber für die Wärmeerzeugung fand in Cl. Bernard (Leçons de physiol. expérim. I. p. 199) von neuem einen Vertreter.

Die Leber hat mithin wiederum aufgehört, ein blosses Absonderungsorgan der Galle zu sein; die Ansichten Galen's, welche Bartholinus für immer beseitigt zu haben glaubte, gewannen, wenn auch in veränderter und beschränkter Form, von Neuem Leben und Bedeutung; es steht fest, dass innerhalb dieser Drüse Processe ablaufen, welche in die Centralheerde der vegetativen Thätigkeit, in die Blutbildung und Stoffmetamorphose wesentlich eingreifen; Aufgabe wird es sein, die Tragweite derselben am Krankenbett und auf dem Wege des Experimentes zu verfolgen, ihren Einfluss auf die Gestaltung des gesunden und kranken Lebens genauer festzustellen.

Es ist begreiflich, dass der eben angedeutete Wechsel der Ansichten über die Beziehungen der Leber zu dem Gesammtorganismus nicht ohne Rückwirkung auf die pathologischen Anschauungen bleiben konnte. Wir begegnen auf dem Gebiete der Pathologie ähnlichen Schwankungen wie auf dem physiologischen, nur treten sie minder auffallend hervor, weil die klinische Beobachtung stets auf eine über die Gallenabsonderung hinausreichende Bedeutung der Leber hinweisen musste.

In der Pathologie der Alten, besonders des Galen, galten Leber und Pfortadersystem für den Ausgangspunkt vielfältiger Störungen. Man beschrieb nicht bloss eine Menge anatomischer und functioneller Läsionen dieser Organe, wie die Entzündung, Abscessbildung, Obstruction, verschiedene Arten von Intemperies der Leber etc., sondern führte auch einen grossen Theil allgemeiner Erkrankungen auf diese Quelle zurück. Anomalieen der Leber galten für die wichtigste Ursache veränderter Blutmischung. Sanguificatio vitiatur hepate vitiato: Plethora, Anämie, Cachexie und Hydropsie wurden von bestimmten Veränderungen in der Thätigkeit dieser Drüse abgeleitet. Eine weitere Veranlassung allgemeiner Störungen fand man in den Secretionsproducten derselben, der gelben und schwarzen Galle, welche als elementare Bestandtheile des Organismus eine wichtige humoralpathologische Bedeutung hatten. Die gelbe Galle sollte acute, mit Temperaturerhöhung verlaufende Krankheiten bedingen, wie das Erysipelas etc., die schwarze dagegen chronische Leiden, wie Geistesstörungen, Apoplexie, Convulsionen etc. Kein Wunder, dass auf diese Weise ein grosser Theil der Pathologie in Causalnexus mit der Leber gebracht wurde. In den pathologischen Schriften, welche von der Galenischen Zeit bis zur Mitte des 17. Jahrhunderts erschienen, herrscht in dieser Beziehung überall derselbe Geist. Die Grunddogmen wagte Niemand anzutasten, nur in Einzelnheiten erlaubte man sich Erweiterungen und Abweichungen. Noch im Jahre 1626 forderte Riolan die Aerzte auf, fleissig sich mit der Leber zu beschäftigen, welche das vitae et nutricatus fundamentum sei.

Als die Entdeckung der Chylusgefässe die physiologischen Ansichten änderte, musste nothwendiger Weise eine Rückwirkung auf die Krankheitstheorieen eintreten. Einer der Grundsteine, auf welchen das künstliche Gebäude der Galenischen Pathologie ruhte, war entfernt; Ansichten, die durch langes Bestehen den Werth von Thatsachen gewonnen zu haben schienen, waren unhaltbar geworden, neue Gesichtspunkte hatten sich eröffnet.

Während der functionelle Werth der Leber beschränkt werden musste, waren neue bisher verborgene Wege der Aufsaugung erkannt; gleichzeitig hatte die glänzende Arbeit von Harvey in der Blutcirculation ein Moment kennen gelehrt, welches der Schlüssel für viele Erscheinungen zu werden versprach.

Bartholinus [1]), der rüstige Bekämpfer Galenischer Theorieen, hatte das Verdienst, eine Revision der Heilkunde im Sinne der neuen physiologischen Erwerbungen vorzunehmen. Mit lobenswerther Besonnenheit hob er hervor, dass die ältere Heilmethode nicht umgestürzt, sondern erläutert werde; die Ursachen der Krankheiten würden klarer und richtiger als bisher erkannt, und deshalb leichter beseitigt; besonders habe man Rücksicht zu nehmen auf das Herz, das Organ der Blutbewegung. Er gestand dabei ein, dass Fehler der Blutmischung von Obstructionen und anderen Krankheiten der Leber abhängig seien, obgleich dieselbe nicht zur Blutbereitung diene. Starre Anhänger der Galenischen Medicin, wie Riolan u. A., versuchten umsonst diese Neuerungen zu bekämpfen; mehr und mehr modificirten sich die Ansichten der Aerzte, und an die Stelle der bisher geltenden Dogmen beeilte man sich die Entdeckungen der Zeit theoretisch und praktisch zu verwerthen.

Es liegt in der menschlichen Natur die Neigung, neue Errungenschaften zu überschätzen und deshalb unrichtig zu verwenden. Begreiflich erscheinen daher die unreifen medicinischen Theorieen, welche auf diese Umwälzungen in dem Gebiete der Anatomie und Physiologie folgten, um so mehr, als gleichzeitig die Anfänge einer geläuterten Physik und Chemie über viele Fragen ein neues trügerisches Licht verbreiteten. Für die praktische Medicin im Allgemeinen und

---

[1]) An hepatis funus immutet medendi methodum. Hafniae 1653.

für die Lehre von den Krankheiten der Leber insbesondere begann ein unfruchtbares Zeitalter, welches, weniger der Beobachtung als der theoretischen Construction zugewandt, immer mehr den festen Boden der Thatsachen verlor. Weder die Nachfolger des Sylvius, die Iatrochemiker, noch die Iatrophysiker liessen auf dem Felde, welches uns hier beschäftigt, Früchte von positivem Werthe zurück. Nur die Theorie des Franz de le Boë Sylvius über die Fermentation der von der Milz, dem Pancreas und der Leber gebildeten Säfte und deren Wichtigkeit für Chylification und Blutmischung im gesunden und kranken Organismus gewann einen weittragenden Einfluss, weil durch sie ein Ersatz geliefert wurde für die seit Entdeckung des Ductus thoracicus beseitigte Galenische Erklärungsweise von mancherlei Leiden, welche man als Folgen gestörter Verrichtungen der Leber ansehen zu müssen glaubte. Nicht viel mehr geschah von Seiten Sydenham's als er die klinische Erfahrung in hippocratischer Weise wiederum in ihre Rechte einsetzte und dem Missbrauch steuerte, welchen man mit unreifen Hülfswissenschaften getrieben hatte. Er schenkte, so gross seine Verdienste um die ärztliche Praxis im Allgemeinen waren, den Affectionen der Leber wenig Aufmerksamkeit.

Eine bessere Zukunft wurde während dieser Periode, zum Theil schon vor derselben, allmälig angebahnt durch die pathologisch-anatomischen Forschungen, denen sich die Aerzte mit steigendem Eifer hinzugeben begannen. Durch sie wurde nach und nach das Material gesammelt, aus welchem die spätere Zeit die Anfänge einer auf Thatsachen beruhenden, wenn auch einseitigen Pathologie der Leberkrankheiten construiren konnte. Schon vor dem allgemeinen Umschwunge der Ansichten hatten Benivieni[1]), Vesal[2]) und Fallopia[3]) bei ihren anatomischen Studien Beiträge gesammelt, welche

[1]) De abditis morbor. causis. Cap. 3, p. 94. 140. 263.
[2]) Epistola de radic. Chin. Basil. 1540 p. 642. [3]) Observ. anat. p. 401.

geeignet waren, über einzelne Gebiete der Leberaffectionen ein neues Licht zu verbreiten. Sie lieferten zuerst genauere Beschreibungen von den Gallensteinen und den Folgen, welche das Verweilen derselben in der Gallenblase nach sich ziehe. Vesal berichtet von einer Pfortaderzerreissung in Folge cirrhotischer Entartung der Leber, von dem nachtheiligen Einfluss der Spirituosen auf dieses Organ, von der Milzanschwellung bei Leberleiden etc.

Dankenswerthe Mittheilungen finden sich in den Schriften von Glisson[1]) über Lebertumoren bei Rhachitis etc., von Bartholinus[2]) über Abscesse und Concremente, ferner in denen des praktisch gewandten Baillou[3]) über bösartigen Icterus etc., vor Allem aber in dem grossen Sammelwerke von Th. Bonnet[4]). Der Letztere beschreibt eine lehrreiche Reihe von Obductionen Gelbsüchtiger (p. 994 seqq.) und theilt Beobachtungen über Entzündungen, Tumoren, Scirrhen, Obstructionen, Cysten, Steine etc. der Leber mit, welche zwar an vielen Stellen eine schärfere Kritik vermissen lassen, jedoch als erste Rudimente unser Interesse verdienen; die Schilderung der Cirrhose Sect. I, Observ. 4 lässt wenig zu wünschen übrig. Die allgemeine Bedeutung der Leber wird von Bonnet nach dem Vorgange des Sylvius ausführlich erörtert[5]).

So mangelhaft und unvollkommen diese Anfänge pathologisch-anatomischer Forschung bei dem gegenwärtigen Stande der Wissenschaft erscheinen mögen, so wichtig waren dieselben für eine Zeit, wo jede fest begründete Thatsache

---

[1]) Anatom. hepat. [2]) Histor. anat. Cent. VI.

[3]) Ballonii opera omn. Genev. 1662. T. I, p. 188.

[4]) Sepulchretum anatom. Genev. 1679.

[5]) Wenn die Leber kalt sei und die sauren Säfte, die von der Milz herkämen, nicht verarbeite, so entstehe eine mangelhafte Fermentation, der Chylus werde unvollkommen, das Blut bleibe serös und Wassersucht bilde sich. Wenn die Leber heiss sei, so entstehe unpassende Fermentation, welche Fieber, Entzündung, Putrescenz bedinge, unter Umständen Icterus, Diarrhöe, Cholera, Dysenterie einleite. Bei verstopfter und scirrhotischer Leber entständen Cruditäten verschiedener Art (p. 26 seqq.).

ganze Reihen irriger Anschauungen beseitigen und der Ausgangspunkt neuer erfolgreicher Studien werden musste.

Was auf diesem Wege im Laufe der Zeit für die Lehre von den Leberkrankheiten gewonnen war, versuchte J. B. Bianchi in seiner „Historia hepatica seu Theoria et praxis omnium morborum hepatis et bilis" zusammenzustellen. Das Werk, welches drei Auflagen erlebte, enthält viel Unreifes und flüchtig Gearbeitetes, und wurde daher mit Recht von Morgagni und Haller einer scharfen Kritik unterworfen. Der Einfluss desselben auf die weitere Bearbeitung der Leberkrankheiten blieb ein beschränkter, um so mehr, als bald nachher hervorragende Geister Leistungen veröffentlichten, welche alles Bisherige verdunkeln mussten. Auf dem Felde der Klinik waren es H. Boerhaave und G. E. Stahl, auf dem der pathologischen Anatomie J. B. Morgagni.

H. Boerhaave, welcher, die technische Richtung Sydenham's mit gründlicher naturwissenschaftlicher Forschung vereinend, ein leuchtendes Vorbild späterer Zeiten wurde, pflegte das Gebiet der Leberkrankheiten mit Vorliebe, weil er in ihnen die Quelle eines grossen Theils chronischer Krankheiten zu finden glaubte[1]). In der Störung der Digestion, welche mangelhafte Absonderung der Galle nach sich ziehe, lag für Boerhaave die Ursache einer fehlerhaften Chylification, aus welcher Hydrops, Cachexie, Leucophlegmasie etc. hervorgehe[2]). Neben der mangelhaften Assimilation gilt ihm als zweites pathogenetisches Moment der Leberaffectionen Stockung des Blutes in der Pfortader. Die Bewegung des Blutes in diesem Theil des Gefässsystems war nach Boerhaave's Ansicht unabhängig von der Herzthätigkeit[3]); sie

---

[1]) Praelect. academ. Edid. Haller Vol. III, p. 186: Duo viscera sunt, a quibus fere omne morborum chronicorum genus oritur, pulmo a quo tabes, hepar, a quo innumerabiles lenti morbi. Ibidem p. 190: Atqui ex centum morbis chronicis vix unus, cujus princeps sedes non sit in hepate.

[2]) Quamprimum bilis languet, nata est origo morbi alicujus chronici; chylus enim non potest legitime praeparari, inde hydrops, cachexia, leucophlegmasia etc.

[3]) L. c. III, 183: Sanguis enim venae Portarum . . . amittit omnem a corde ac-

werde vermittelt durch die Contractilität der Glisson'schen Capsel und durch die Bauchpresse; Stockungen kämen daher hier oft zu Stande, es bilde sich Humor atrabilarius, welcher Obstruction der Eingeweide, besonders der Leber, Hypochondrie, Melancholie und viele andere Leiden veranlasse[1]). In der Abhandlung „Hepatitis et Icterus multiplex", welche Boerhaave für eine seiner besten Arbeiten erklärt, wird die specielle Pathologie der Leber zusammengestellt. Es ist bemerkenswerth, wie ungeachtet der veränderten physiologischen Anschauung dennoch die Krankheitslehre der Alten im Wesentlichen festgehalten wurde.

Fast zu derselben Zeit versuchte G. E. Stahl[2]), weniger auf Thatsachen als auf theoretische Voraussetzungen sich stützend, der Pfortader und der Leber eine sehr umfassende pathologische Bedeutung zu vindiciren. Die ausschliessliche Betheiligung der Chylusgefässe bei der Aufnahme von Nutrimenten, welche seit der Entdeckung des Ductus thoracicus nach und nach allgemein angenommen war, stellt er in Frage, indem er behauptete, „dass durch die mesaraischen Venen mit dem Blute nicht weniger Chylus zur Leber geführt werde, als durch die Milchgefässe Eingang finde." Die Aufnahme unpassender Ingesta in die V. portae war für ihn eine wichtige Quelle der Inhaltsveränderungen dieses Gefässes. Die Bewegung des Blutes in der Pfortader stellte Stahl wie Boerhaave nicht unter Einfluss des Herzens, sondern unter den der Respiration und einer eigenthümlichen tonischen Bewegungskraft, welche den Abdominalorganen, vor allen der Milz, den Gedärmen, dem Mesenterio, sowie auch den Gefässwandungen selbst zugeschrieben wurde.

Die Krankheiten der V. portae, zu welchen Stahl fast alle Unterleibsorgane zog, mit welchen dieselbe in Zusammen-

---

ceptum impetum; ibid. p. 115: cum sinus Portarum pariter sit cor hepatis uti cor dictum universo corpori.

[1]) Cf. Prax. medic. pars V, p. 48 seqq.

[2]) De vena portae, porta malorum hypochondriaco — splenetico — suffocativo, hysterico — colico haemorrhoidariorum. Hal. 1698.

hang steht, wurden auf vier Elemente zurückgeführt aus denen er eine Theorie der verschiedenartigsten pathologischen Processe construirte. 1. Abnorme Capacität, Verengerung und Erweiterung. 2. Consistenzzunahme des Blutes, vermittelt durch Aufnahme der Ingesta acida, faeculenta et mucido crassa, durch träge Respiration etc. 3. Passive Stagnation. 4. Active Störungen der Blutbewegung, welche letztere Relaxation und Constriction, anomale Ortsveränderungen des eingedickten Blutes vermitteln sollte.

So mangelhaft die physiologische Begründung dieser Ansichten und der aus ihnen gezogenen Folgerungen begreiflicher Weise bleiben musste, so blieb diese Lehre dennoch für die weitere Zukunft nicht ohne Folgen. Zwar fand Stahl unter seinen Zeitgenossen und auch später im Allgemeinen wenig Anhänger; allein die Theorie der Abdominalplethora und der Stockungen des Blutes im Unterleibe, die sich später unter den Händen von J. Kämpf[1]) zu der Lehre von den Infarcten umgestaltete, blieb seitdem ein stehender wichtiger Artikel der Pathologie, welcher noch gegenwärtig unter den Aerzten viele Anhänger zählt und für das hypochondrische Laienpublicum die Kraft eines Glaubensbekenntnisses gewonnen hat. Das sorgfältigere Studium der Unterleibskrankheiten wurde durch diese vage, für alle Zufälle leicht zugängige Erklärung bietende Doctrin wesentlich beeinträchtigt.

Während so von Seiten der Aerzte Manches geschah, was dem Fortschritt eher hinderlich als fördernd werden musste, sammelte J. B. Morgagni[2]) einen reichen Schatz anatomischen Materials und klinischer Casuistik, dem er durch klare und besonnene Verarbeitung auch für spätere Zeiten einen unvergänglichen Werth zu sichern wusste. Für die meisten Krankheitsformen der Leber finden wir hier in den

---

[1]) Abhandlung von einer neuen Methode, die hartnäckigsten Krankheiten, die ihren Sitz im Unterleibe haben, besonders die Hypochondrie, sicher und gründlich zu heilen. Frankfurt und Leipzig 1787.

[2]) De sedibus et causis morborum per anatom. indagatis. Ebroduni 1779.

Grundzügen angedeutet, was gegenwärtig als gültig angesehen wird[1]. Seit Morgagni gewann die anatomische Forschung mehr und mehr an Umfang und Bedeutung für die Klinik wie im Allgemeinen, so für die Leberkrankheiten insbesondere: die einzelnen Structurveränderungen dieser Drüse wurden immer klarer erkannt und von ähnlichen unterschieden, man fing an, ihre Genese und ihre Folgen festzustellen, wozu das heranwachsende mikroskopische Studium der feineren Texturverhältnisse immer bessere und bequemere Mittel und Wege bot. Was in den Werken von Lieutaud, A. Portal, Mathew Baillie, Carswell, Andral, Cruveilhier, Rokitansky und vieler Anderer in diesem Sinne niedergelegt wurde, bildet den festen Kern, um welchen die neuere Pathologie der Leber sich gestaltete.

Indem auf diese Weise das anatomische Element in der Bearbeitung der Leberkrankheiten an Gewicht und Einfluss zunahm, verlor die allgemeine pathologische Bedeutung des Organs mehr und mehr an Terrain. Zwar finden wir bei van Swieten und dessen Zeitgenossen im Wesentlichen noch die Ideen Boerhaave's erhalten, zwar gewannen später in der Stoll'schen Schule, getragen von der eben herrschenden epidemischen Constitution, die biliösen Stoffe für die Pathogenese eine Wichtigkeit wie kaum je zuvor, so dass bald darauf Uebertreibungen, wie die Kämpf'sche Infarctenlehre, Eingang finden konnten; allein dies Alles war von kurzem Bestande; die Arbeit der Anatomen, die chemische Untersuchung der Galle, die physiologischen Experimente über die Absonderung und Verwendung dieses Secrets, die Studien über Verdauung etc. zerstörten von Jahr zu Jahr mehr die Grundlagen, auf welchen die umfassende allgemeine Bedeutung der Leber für das gesunde und kranke Leben bisher gestützt war.

Seit man die elementare Zusammensetzung der Galle erkannt hatte, galt die Leber als Reinigungsorgan des Blutes

[1]) Vergl. Epist. XXXVII über Icterus.

von kohlenstoffreichen Producten, sie sollte in dieser Beziehung mit den Lungen vicariiren; von der vielseitigen Einwirkung derselben auf die Mischung des Blutes, wie sie die alten Aerzte annahmen, blieben nur geringe Spuren übrig. Die Bearbeitung der Leberkrankheiten erhielt auf diese Weise den einseitigen anatomischen Charakter, in welchem wir sie gegenwärtig kennen; mehr am Leichentisch als am Krankenbette cultivirt, verlor sie das Studium der schwieriger zugängigen functionellen Störungen, der Theilnahme derselben an anderen acuten und chronischen Krankheitsprocessen mehr und mehr aus den Augen; was die Alten in dieser Hinsicht gedacht und geschrieben, erschien in dem Lichte der Mythen längst abgethaner Zeiten.

Die Physiologie unserer Tage hat auf diesem Felde Manches verändert, sie hat nach mehreren Seiten hin neue Gesichtspunkte eröffnet. Die Secretion der Leber ist sorgfältiger studirt: neben der Galle, deren Constitution, Entstehung und Verwendung genauer erkannt wurde, hat man als constantes Ergebniss der Absonderungsthätigkeit dieser Drüse Zucker gefunden, dessen physiologische Verwerthung jedoch noch unklar blieb. Man hat ferner in der Leber eine grössere Anzahl von Producten der retrograden Metamorphose nachgewiesen, welche auf complicirtere Umsetzung innerhalb derselben hinweisen, deren Umfang und Bedeutung indess noch festzustellen sein wird. Es haben sich endlich Anhaltspunkte ergeben, welche einer directen Betheiligung der Leber an der Blutbereitung das Wort zu reden scheinen.

Die Pathologie wird die Aufgabe haben, am Krankenbette und am Leichentisch diese neuen Gesichtspunkte zu prüfen und zu verwerthen; eine Aufgabe, deren Lösung mancherlei Schwierigkeiten im Wege stehen. Abgesehen von den Lücken, welche die Physiologie unseres Organs fast überall bietet und welche zum Theil so wesentlicher Art sind, dass eine Verwerthung derselben für die Pathologie grosse Vorsicht gebietet, findet das sorgfältigere Studium der Leberkrankheiten Hindernisse in der versteckten Lage des Organs, in der Art der Entleerung ihres Secrets hoch oben im Darmcanal, in ihrer Beziehung zu dem intermediären Stoffwandel, dessen Producte in den Excreten nicht direct zu Tage treten, in der häufigen Combination mit anderen auf die Blutbildung und den Stoffumsatz influirenden Krankheiten, wie die der Digestionsorgane, der Milz etc.

Die nächste Zukunft wird daher manche Fragen vorläufig nur andeuten, nicht lösen können, andere werden nur eine fragmentäre Antwort finden; indess die Arbeit auf diesem Felde verspricht, wenn sie nicht einseitig den anatomischen Läsionen, sondern auch den Veränderungen des Stoffwechsels, welche diese begleiten, sich zuwendet, nicht arm an Früchten zu bleiben.

— —

Es mögen hier noch einige Andeutungen über die wichtigste monographische Literatur der Leberkrankheiten einen Platz

J. B. Bianchi, Historia hepatica seu Theoria et praxis omnium morborum hepatis et bilis. Tom. I et II.

Fr. Hoffmann, De morbis hepatis ex anat. deducend. Ferner: De bile medicina et veneno corporis. Oper. omn. phys. med. T. V.

J. Andrée, Considerations on bilious diseases and some particular affections of the liver and gallbladder. London 1790.

Saunders, A Treatise on the structure, economy and diseases of the liver. Deutsche Uebersetzung. Leipzig 1795.

A. Portal, Observations sur la nature et le traitement des maladies du foie. Paris 1813.

J. Abercrombie, On diseases of the stomach etc. Edinburgh. Deutsch durch v. d. Busch. 1833.

Bonnet, Traité des maladies du foie. Paris 1828 und 1841.

G. Budd, On diseases of the liver. London 1845 und 1851. Deutsch von Henoch.

Von Wichtigkeit sind ausserdem, namentlich in Betreff der Leberentzündung, die Arbeiten über die Krankheiten der Tropenländer, wie:

Annesley, Researches into the cause, nature and treatment of the more prevalent diseases of India. Vol. I, II with plates.

Cambay, Traité des maladies des pays chauds, et spécialement de l'Algérie Paris 1847.

Haspel, Maladies de l'Algérie 1852. Tom. II.

II.

Grössen- und Gewichtsverhältnisse der Leber im gesunden und kranken Zustande.

Um für die Lösung mancher Fragen feste Ausgangspunkte zu gewinnen, erschien es mir nothwendig, den Umfang und das Gewicht der Leber sowohl an und für sich wie auch in ihrem Verhältniss zum Körpergewicht genauer festzustellen, als es bisher geschehen ist. Es handelt sich hierbei nicht bloss um diagnostische Zwecke oder um den richtigen Maassstab für den Nachweis der Grössenanomalieen des Organs, der Atrophie etc., sondern es lag auch nahe, von dieser Seite her einige Auskunft zu erwarten über die Art und Weise, wie allgemeine und locale Krankheitsprocesse auf die Leber zurückwirken, sowie über den Antheil, mit welchem dieselbe unter verschiedenen Verhältnissen des Organismus (Alter, Geschlecht, bestimmten Krankheiten etc.) an dem Stoffwandel sich betheiligt.

Dass eine befriedigende Aufklärung solcher verwickelter Beziehungen durch die Force brutale des chiffres nicht zu erzielen sei, war allerdings im Voraus einzusehen; es durften indess einige feste Punkte, an welchen die weitere Forschung anknüpfen könne, erwartet werden.

Gleichzeitig mit der Leber wurde auch die Milz berücksichtigt, theils wegen ihrer nahen Beziehungen zum Galle bereitenden Organ, theils wegen der für die Diagnostik der Pfortaderstauung so wichtigen Volumsveränderungen dieser Drüse bei den verschiedenartigen Affectionen der Leber.

Zahlenwerthe zu finden, welche für die eben angedeuteten Zwecke verwendbar sind, ist mit grossen Schwierigkeiten verbunden, weil schon unter normalen Verhältnissen die Leber sehr auffallende Differenzen zeigt, deren Veranlassungen zum Theil schwer zu ermitteln sind. Es ist daher begreiflich, dass für das absolute[1]) wie für das relative Lebergewicht gesunder Individuen von den Autoren weit aus einander liegende Angaben gemacht werden. Bartholinus schätzte das Verhältniss der Leber zum Körpergewicht auf 1 : 36, Haller auf 1 : 25; das mittlere Gewicht der Drüse rechnet Haller zu 45 Unzen = 3,7 Pfund oder 1,8 Kg., Cruveilhier zu 3, Huschke zu 4 bis 6 Pfund. Nach meinen Erfahrungen kann bei gesunden Individuen das relative Lebergewicht von 1 : 17 bis 1 : 50 schwanken, für die mittlere Lebenszeit wechselt dasselbe von 1 : 24 bis 1 : 40; das absolute Gewicht für diese Periode beträgt 0,82 bis 2,1 Kg.[2]). Die Beobachtungen, aus welchen ich diese Zahlen entlehne, betrafen Individuen, welche durch Unglücksfälle plötzlich ohne Blutung ihr Leben verloren; deren Leber bei sorgfältiger Prüfung sich als vollkommen gesund erwies. Fälle von reichlicher Fettablagerung in der Drüse wurden ausgeschlossen.

Es bestehen also ziemlich weite Schranken, welche überschritten sein müssen, ehe wir von einer einfachen Hypertrophie oder Atrophie der Leber als pathologische Erscheinung reden dürfen.

Die Umstände, von welchen diese Differenzen des Lebergewichtes abhängig sind, liessen sich bis jetzt nur theilweise auffinden. Die wichtigsten derselben sind folgende.

1. Das Lebensalter.

Während der ersten Periode der Entwickelung ist das Organ im Verhältniss zum übrigen Körper am meisten ausgebildet; schon in den späteren Monaten des Fötallebens und

---

[1]) Das absolute Gewicht der Leber steigt und fällt im Allgemeinen proportional mit dem Körpergewicht, ist daher nur im Vergleich mit diesem zu verwenden.

[2]) Aehnliche Differenzen beobachteten Bidder und Schmidt (Verdauungssäfte etc. S. 152) bei gesunden Thieren, bei Katzen, wo Verhältnisse von 1 : 14 bis 1 : 38 vorkamen.

vorzugsweise bald nach der Geburt, ferner gegen das höhere Alter zu nimmt dieses relative Gewicht mehr und mehr ab. Es ist noch nicht entschieden, ob die während der Fötalzeit bemerklich werdende Abnahme eine gleichmässige sei, manche Erfahrungen sprechen dagegen; nach der Geburt verkleinert sich die Drüse wegen veränderter Blutzufuhr rascher, besonders der linke Lappen derselben[1]); während der Zeit des grösseren Wachsthums vermehrt sich das Lebergewicht nicht in einer der Zunahme des übrigen Körpers entsprechenden Weise; im höheren Alter geht die Abnahme desselben der des Gesammtkörpers meistens voraus. Es zeigt also die Substanz der Leber das umgekehrte Verhalten von dem der Herzmusculatur; während diese, nach Bizot, bis ins höhere Alter progressiv zunimmt, nimmt die Masse der Leber ab. Für das Greisenalter ist eine senile Atrophie des Organs die Regel.

Dies sind die Resultate, zu welchen die an gesunden Individuen ausgeführten Wägungen in Verbindung mit den weit zahlreicheren von Organen derer, welche an Krankheiten ohne Betheiligung der Leber starben, führten. Ausnahmen, bedingt durch das Vorwiegen anderweitiger auf das Volumen der Drüse influirender Umstände, kommen vor; verschwinden aber, wenn man grössere Zahlenreihen zusammenstellt und die Mittel sucht[2]).

---

[1]) Nach Portal und Meckel soll die Leber bei Neugeborenen ¼ schwerer sein, als bei acht- bis zehnmonatlichen Kindern; damit stimmen meine Erfahrungen nicht überein.

[2]) Es wurden von uns gegen 800 Wägungen und Messungen ausgeführt, deren Werthe verrechnet sind. Eine grosse Anzahl von Wägungen erschien nothwendig, weil zahlreiche zufällige Einflüsse, welche das Gewicht der Leber oder des Körpers modificiren, wie Hyperämieen und Anämieen des Organs, Hydrops, Retentionen oder profuse Ausscheidungen etc. ausgeschlossen werden müssen. Für eine detaillirte Mittheilung dieser Zahlen ist hier kein Raum. Die in den Tabellen angegebenen Maasse sind Pariser Zolle, die Gewichte bezeichnen Kilogramme.

Tabelle I. Die Leber unter normalen Verhältnissen.

Alter.	Gewicht		Proportion beider.	Milzgewicht.	Proportion zwischen Milz- und		Dimensionen der Leber.					Dimensionen der Milz.		
							Länge		Breite					
	des Körpers.	der Leber.			Körpergewicht.	Lebergewicht.	rechts.	links.	rechts.	links.	Dicke (grösste.)	Länge.	Breite.	Dicke.
5monatl. Fötus	0,22	0,035	1:20,5	0,0025	1:288,0	1:14,0	—	—	—	—	—	—	—	—
6monatl. Fötus	1,3	0,060	1:21,6	0,004	1:325,0	1:15,0	2 1/2	2	2	1 3/4	2/3	3/4	7/10	1/6
7monatl. Fötus	2,2	0,13	1:17,0	0,006	1:366,6	1:21,6	3	2 1/2	2	2 1/6	1	1 1/2	11/12	5/12
Neugeborenes Kind	1,6	0,056	1:28,57	0,008	1:200,0	1: 7,0	2 1/2	2	2	1 1/4	1	1 1/4	1	1/2
Neugeborenes Kind	1,4	0,058	1:24,1	0,011	1:145,54	1:5,27	2 1/4	1 3/4	2 1/2	1 1/4	11/12	1 1/4	1	1/2
Einige Tage alt. Kind	3,8	0,185	1:20,5	0,011	1:345,4	1:16,8	2 1/4	2 1/2	2 3/4	2	1 1/12	1 1/2	1	5/12
8 Tage geboren	2,7	0,103	1:26,1	0,009	1:248,8	1:11,0	2 1/2	2 1/4	2 1/2	1 3/4	11/12	1 3/4	1 1/2	5/12
5wöchentl. Kind	1,95	0,090	1:21,66	0,016	1:121,8	1:5,62	2 1/2	2	1	1 1/2	1	2	1 1/2	1/6
1 1/2 Jahr	8,3	0,25	1:33,2	0,020	1:415,0	1:12,5	3 1/2	4	3 1/2	1 3/4	1 1/2	2 1/2	1 1/4	1/3
5 Jahr	8,8	0,48	1:18,3	0,1	1: 88,0	1: 4,8	3 1/2	4 3/4	4 1/4	2 3/4	1 1/2	3 1/2	2 1/4	1
11 „	24,8	0,97	1:25,56	0,14	1:177,14	1: 6,9	6 1/4	3	6 1/4	3 1/6	3 1/4	4 1/2	3	3/4
22 „	64,5	1,6	1:40,3	0 16	1:403	1:10	—	—	—	—	—	—	—	—
27 „	50,0	1,9	1:26,5	0,22	1:227	1: 8,6	—	—	—	—	—	—	—	—
35 „	33,0	0,82	1:39,0	0,08	1:400,0	1:10,2	6	4 1/4	5 1/4	2 1/2	2	3 3/4	2 1/2	1/3
36 „	55,5	1,5	1:37,0	0,15	1:370,0	1:10,0	7	5 1/2	5 1/2	4	2 1/4	4	2 1/2	3/4
44 „	56,2	1,4	1:40,1	0,25	1:224,8	1: 5,6	7 1/4	6 1/2	6	3 1/4	2 1/4	5	3 1/4	1 1/4
48 „	59,5	1,47	1:40,1	0,15	1:390,0	1: 9,8	7 1/4	4 1/2	6 1/2	3 1/2	2 1/4	5 1/4	3	5/12
63 „	45,5	1,4	1:32,5	0,12	1:379,0	1:11,6	7 1/2	5 1/2	6	3	2 1/2	5	3	3/4
80 „	30,1	0,7	1:43,5	0,1	1:300,0	1:7	—	—	—	—	—	—	—	—

2. Das Geschlecht.

Nach Glisson ist die Leber bei Männern im Allgemeinen schwerer als bei Weibern; nach Dumas gestaltet sich das Verhältniss umgekehrt. Ich habe vom Geschlecht abhängige Unterschiede nicht auffinden können; nur bei tuberculösen Frauen ist im Allgemeinen die Leber grösser, als bei Männern, weil sie häufiger durch Fettreichthum sich auszeichnet.

3. Die Nahrungsaufnahme

äussert auf das Volumen der Leber einen wesentlichen Einfluss. Während der zweiten Periode der Verdauung nimmt das Organ an Umfang und Gewicht zu, theils wegen der Hyperämie, welche alsdann sich einstellt, theils wegen der reichlicheren Ablagerung körniger und amorpher Stoffe innerhalb der Leberzellen. Nach anhaltendem Fasten wird die Drüse kleiner und leichter. Bidder und Schmidt fanden bei Katzen drei Stunden nach der Mahlzeit das relative Gewicht = 1 : 30, nach 12 bis 15 Stunden = 1 : 25, nach 24 bis 48 Stunden = 1 : 31, nach 7tägigem Fasten = 1 : 37. Bei Kaninchen fand ich ähnliche Verhältnisse; das relative Gewicht sank von 1:25 und 1:27, wie es bei reichlicher Nahrung zu sein pflegt, nach 3tägigem Fasten auf 1 : 34, auf 1 : 37 und auf 1 : 43, bei einem Gesammtverluste von je 31,1, 29,6 und 17,8 Proc. Dass beim Menschen die Folgen der Nahrungsentziehung sich in gleicher Weise gestalten, dafür scheinen folgende Beobachtungen zu sprechen. Für ein gesundes Individuum von 27 Jahren, welches durch einen Sturz vom Gerüst mit vollem Magen verunglückte, ergab sich das Verhältniss = 1 : 26,5; für ein anderes von 36 Jahren, welches unter gleichen Umständen starb, = 1 : 37; ein 25jähriger Mann dagegen, welcher in Folge von Trismus nach 3tägiger vollkommener Abstinenz verschied, zeigte das Verhältniss = 1 : 40, eine Frau von 33 Jahren, welche nach 7tägigem Fasten in Folge von Aetzung des Pharynx mit Schwefelsäure erlag, = 1 : 50.

Es erscheint hiernach begreiflich, dass bei der Behandlung chronischer Leberhyperämieen strenge Diät einen wesentlichen Theil des Heilverfahrens ausmacht. Bei anhaltender Nahrungsentziehung, welche den Tod durch Inanition zur Folge hat, gleicht sich das Verhältniss der Abnahme der Leber im Vergleich mit der des übrigen Körpers wieder aus. Bei vier Individuen, welche an Stenose der Speiseröhre zu Grunde gingen, ergaben sich folgende Werthe:

Alter.	Gewicht		Verhältniss beider.	Milzgewicht.	Verhältniss zwischen Milz- und	
	des Körpers.	der Leber.			Lebergewicht.	Körpergewicht.
48 Jahr	32,2	1,1	1 : 29,3	0,13	1 : 8,4	1 : 247
30 "	30,8	0,92	1 : 33,47			
65 "	39,0	1,20	1 : 32,5	0,12	1 : 10	1 : 325
44 "	39,7	1,75	1 : 22,7			

Noch stärker tritt der Einfluss der Diät hervor, wenn dieselbe übermässig fettreich oder bei mangelndem Verbrauch zu massenhaft ist. In diesem Falle führt die Ablagerung des Fettes im Leberparenchym ein ungleich grösseres Missverhältniss herbei. Bidder und Schmidt fanden unter solchen Umständen das Verhältniss = 1 : 16. Lereboullet sah bei Gänsen nach 2wöchentlicher Maisfütterung das relative Gewicht von 1 : 26 auf 1 : 18, und nach 4wöchentlicher auf 1 : 12,8 steigen.

Wie gross der Einfluss der Ernährung auf das Volumen der Leber sei, erkennt man leicht bei der Vergleichung einer grösseren Anzahl von Gewichtsbestimmungen bei Individuen, welche an Pneumonie, Typhus und anderen fieberhaften Processen starben. Es gestalten sich hier die Verhältnisse viel einfacher und gleichmässiger, als da, wo eine anhaltende Entziehungsdiät dem Tode nicht vorausging (vergl. Tabelle II.).

4. Der Blutreichthum der Leber

influirt auf das Gewicht und den Umfang derselben in hohem Grade; es entstehen dadurch Differenzen, welche weniger wesentlich sind, weil die Ursachen der ungewöhnlichen Blutvertheilung zum Theil nur eine vorübergehende und zufällige Bedeutung haben. Wir besitzen kein Mittel, die hieraus resultirende Fehlerquelle vollständig zu umgehen, indem Versuche, das Blut vor der Wägung durch Injection von Wasser zu entfernen, zu anderen Uebelständen führten.

Es ist nicht unwahrscheinlich, dass ausser den angedeuteten noch andere Momente auf die Volumenentwickelung der Leber einwirken, dass je nach der constitutionellen Anlage das Organ bald mehr bald minder ausgebildet gefunden wird. Mit Gewissheit lassen sich indess hierüber keine Nachweise liefern, weil wir die Grenzen nicht kennen, bis zu welchen die anderen, wenigstens theilweise bekannten Einflüsse, den Umfang des Organs modificiren, im einzelnen Falle also nicht im Stande sind, dieselben auszuschliessen.

Gewichts- und Grössenverhältnisse der Leber in Krankheiten.

Um eine Einsicht zu gewinnen in die Art und Weise, wie bei allgemeinen und localen Krankheitsprocessen die Volumsverhältnisse der Leber sich gestalten und wie dieselben bei Texturerkrankungen der Drüse verändert werden, wurden besondere Reihen von Messungen zusammengestellt. Die wichtigsten Ergebnisse derselben sind in den nachstehenden Tabellen niedergelegt, wo sie leicht übersehen werden können. Sie werden in den späteren Abschnitten ihre Verwerthung finden und uns für die Lösung mancher Frage einen festen Ausgangspunkt gewähren.

Tabelle II. Acute Processe ohne directe Betheiligung der Leber.

a) Männer.

Namen der Krankheit.	Alter zwischen den Jahren.		Zahl der Fälle.	Gewicht des Körpers.	Gewicht der Leber.	Proportion beider.	Gewicht der Milz.	Proportion zwischen Milz- und Körper-Gewicht.	Proportion zwischen Milz- und Leber-Gewicht.	Dimensionen der Leber. Länge rechts.	Länge links.	Breite rechts.	Breite links.	Dicke. (grösste).	Dimensionen der Milz. Länge.	Breite.	Dicke.
Pneumonie	15	20	2	35,5	1,33	1:26,4	0,45	1:173,4	1: 6,5	6 1/2	5 1/4	6 2/3	3 3/4	2 1/3	5 1/2	3 5/8	1 2/3
	20	40	13	49,76	1,82	1:28,3	0,235	1:270,7	1: 9,37	7 [illegible]	5 1/2	6 1/2	3 1/2	2 1/2	5 1/2	3 1/10	1 1/12
	40	50	13	55,0	2,05	1:27,72	0,32	1:192,2	1: 7,1	7 1/2	5 3/4	7 2/3	3 1/3	2 7/8	5 3/4	3 3/8	1 1/3
	50	60	4	43,5	1,65	1:26,2	0,2	1:252,4	1:10,2	7 1/3	5 1/3	6 1/2	3 1/3	2 3/4	5	3 1/4	3/4
	60	80	11	47,7	1,66	1:29,2	0,33	1:226,0	1: 7,4	7	5 1/2	6 2/3	3 3/4	2 1/2	5 1/2	3 1/4	1 1/2
			42			1:28,4		1:241,9	1: 8,6								
Typhus	7	20	9	37,6	1,34	1:27,15	0,34	1:304,1	1: 8,97	6 2/3	5 1/4	6	3	2 1/2	3	3 3/4	1 1/2
	21	60	20	46,93	1,63	1:28,8	0,45	1:194,7	1: 4,3	7 1/2	5 1/4	6 1/4	3 1/2	2 3/4	6 1/2	3 3/4	1 1/2
			29			1:28,00		1:132,75	1, 4,24								
Acute Miliartuberculose	22	60	8	43,6	1,30	1:32,4	0,206	1:180,1	1: 5,53	7 3/4	5 3/4	3 3/4	3	2 2/3	5 3/5	3 1/2	1 1/2
Pyämie	17	45	3	47,2	1,55	1:31,1	0,24	1:192,5	1: 6,4	7 1/2	5	6	3 3/4	2 1/2	5	3 1/4	1 1/2
Exantheme (Variola)	36	62	3	46,06	1,73	1:26,4	0,15	1:299,3	1:11,3	6 2/3	5 2/3	5 1/3	3 2/3	2 2/3	4 1/2	2 3/4	1
Acute Bright'sche Krankheit	30	62	3	52,16	1,55	1:33,7	0,26	1:207,4	1: 6,4	7	5 1/3	6 2/3	2 1/2	2 1/2	5 3/4	3 1/4	3/4
Acute Peritonitis	—	—	—	—	—	—	—	—	—	—	—	—	—	—	—	—	—

b) Weiber.

Namen der Krankheit.	Alter zwischen den Jahren		Zahl der Fälle.	Gewicht		Proportion beider.	Gewicht der Milz.	Proportion zwischen Milz- und		Dimensionen der Leber.					Dimensionen der Milz.		
				des Körpers.	der Leber.			Körper-Gewicht.	Leber-Gewicht.	Länge		Breite		Dicke. (grösste.)	Länge.	Breite.	Dicke.
										rechts.	links.	rechts.	links.				
Pneumonie	—	—	—	—	—	—	—	—	—	—	—	—	—	—	—	—	—
	20	40	5	36,06	1,41	1:27,04	0,23	1:210,14	1: 7,86	7 3/4	4 9/10	5 1/3	3 3/8	2 2/3	4 5/6	3 1/3	1
	—	—	—	—	—	—	—	—	—	—	—	—	—	—	—	—	—
	50	60	4	40,7	1,4	1:29,8	0,19	1:223,12	1: 7,42	7	5 1/4	5 1/2	3	2 3/4	4 7/8	3	1
	60	80	11	39,8	1,39	1:29,4	0,18	1:248,3	1: 8,5	7	5 1/3	5 8/11	3 3/4	2 3/8	4 7/11	2 9/11	9/11
			20			1:29,0		1:282,1	1: 8,05								
Typhus	17	20	5	38,9	1,72	1:25,8	0,25	1:178,7	1: 8,0	7	5 3/4	5 3/8	3		5	3 2/3	1 1/2
	21	50	10	41,16	1,44	1:28,45	0,35	1:120,67	1: 4,25	7 1/2	5 1/4	6 1/5	4	2 1/4	6 5/6	3 1/2	1 1/4
			13			1:27,72		1:140,4	1: 5,36								
Acute Miliartuberculose	—	30	1	26,2	1,4	1:18,7	0,3	1: 87,3	1: 4,6	8 1/4	5 1/8	6	3 3/4	2	5 1/2	3 3/4	1 1/4
Pyämie	25	49	2	48,8	1,56	1:27,9	0,35	1:136,2	1: 8,0	6 3/4	6	5 3/4	4	2 1/2	6	3 1/4	1 1/4
Exantheme (Variola)	28	35	2	43,2	1,65	1:26,2	0,14	1:302,7	1:12,24	7	5 1/4	5 7/8	3	2	3 1/4	2	1
Acute Bright'sche Krankheit	—	—	—	—	—	—	—	—	—	—	—	—	—	—	—	—	—
Acute Peritonitis	33	84	5	41,9	1,27	1:32,9	0,13	1:340,1	1:10,5	7 1/2	4 3/4	6	3	2 1/8	4 1/2	2 3/4	7/8

Tabelle III. Chronische Processe ohne directe Betheiligung der Leber.

a) Männer.

Namen der Krankheit	Alter zwischen den Jahren		Zahl der Fälle.	Gewicht des Körpers.	Gewicht der Leber.	Proportion beider.	Gewicht der Milz.	Proportion zwischen Milz- und Körper-Gewicht.	Proportion zwischen Milz- und Leber-Gewicht.	Dimensionen der Leber. Länge rechts.	Länge links.	Breite rechts.	Breite links.	Dicke. (grösste.)	Dimensionen der Milz. Länge.	Breite.	Dicke.
Tuberculose	10	20	4	20,6	0,81	1:24,9	0,10	1:212,2	1: 8,6	5 7/11	4 11/16	4 11/16	2 11/16	2 3/4	3 7/8	2 1/7	3/4
	20	40	43	41,3	1,47	1:23,7	0,23	1:193,8	1: 6,5	7 1/14	5 1/2	6 1/4	3 3/4	2 1/2	5 1/3	3 1/4	1 5/10
	40	60	30	44,36	1,42	1:31,23	0,198	1:270,84	1: 8,1	6 5/8	6 1/3	6	3 1/2	2 9/16	4 11/16	2 13/16	1 3/7
	60	80	7	40,9	1,19	1:34,6	0,19	1:227,1	1: 6,6	6 5/7	5 3/4	5 5/8	3 3/14	2 3/4	4 1/3	2 1/3	1 1/7
			86			1:30,0		1:224,17	1: 7,3								
Lungenemphysem	50	80	3	38,7	1,30	1:29,9	0,16	1:258,8	1: 8,5	6 3/4	5	5 2/3	3	2 1/4	4	2 1/3	1 1/7
Organische Herzfehler:																	
A. ohne Hydrops	19	76	13	50,4	1,58	1:35,66	0,23	1:276,11	1: 7,5	7	5	5 11/12	3 1/2	2 2/3	4 3/4	3	1 1/4
B. mit Hydrops	—	38	1	75,0	1,5	1:50,0	0,19	1:394,0	1: 8,0	7 3/4	5	6 2/3	3 1/4	2 3/4	4 3/4	3	3/4
Carcinome:																	
A. ohne Hydrops	50	60	4	39,55	0,92	1:43,7	0,128	1:317,1	1: 7,07	5 13/16	4 1/4	5 7/16	3 11/16	2 3/16	4 1/3	2 3/4	1
B. mit Hydrops	—	59	1	48,07	1,37	1:35,1	0,14	1:343,3	1: 9,6	6 1/2	4 1/3	5 1/6	3	3 1/4	4	2 1/4	1
C. Carcinome mit Stenose des Oesophagus (Inanition.)	45	80	5	37,3	1,23	1:30,6	0,12	1:378,2	1:12,4	7	5	5 3/11	3	2 1/16	3 17/20	2 11/40	1/3
Säuferdyscrasie (Delirium tremens)	28	62	10	35,8	2,05	1:27,2	0,30	1:189,9	1: 6,8	7 1/4	5 3/4	5	3 1/3	3	3 1/4	3 1/4	1/4

b) Weiber.

Namen der Krankheit	Alter zwischen den Jahren		Zahl der Fälle	Gewicht des Körpers	Gewicht der Leber	Proportion beider	Gewicht der Milz	Proportion zwischen Milz- und Körper-Gewicht	Proportion zwischen Milz- und Leber-Gewicht	Dimensionen der Leber: Länge rechts	Länge links	Breite rechts	Breite links	Dicke (grösste)	Dimensionen der Milz: Länge	Breite	Dicke
Tuberculose	10	20	5	23,6	1,18	1:21,06	0,18	1:156,6	1: 7,7	6 3/5	5 7/12	5 13/20	3 2/3	2 3/4	4 11/20	2 3/4	1
	20	40	30	34,5	1,35	1:25,45	0,196	1:193,24	1: 7,54	7 1/3	5 1/2	5 1/4	3 5/8	2 3/7	5	2 3/5	1 1/2
	40	60	16	38,6	1,17	1:26,6	0,14	1:200,27	1: 8,94	7 5/10	5 9/10	5 9/10	3 4/5	2 7/10	4 7/10	2 3/5	13/18
	60	80	10	62,48	1,252	1:50,02	0,102	1:333,3	1:10,23	6 1/5	5 1/2	5	2 5/7	1 7/8	3 11/16	2 3/5	2/3
			61			1:28,53		1:245,8	1: 8,61								
Lungenemphysem	50	80	6	39,6	1,18	1:35,4	0,28	1:242,1	1: 6,04	6 5/6	4 1/2	5 4/5	3 1/4	2 3/10	4 3/5	2 5/12	1 5/24
Organische Herzfehler: A. ohne Hydrops	20	80	9	41,8	1,22	1:37,9	0,17	1:282,5	1: 8,09	6 5/6	4 3/4	5 1/6	3 1/4	2 1/4	4 5/6	2 5/8	11/12
B. mit Hydrops	25	80	13	57,3	1,29	1:47,6	0,14	1:464,02	1: 9,3	7 1/6	5 1/4	5 4/5	3	2 3/10	3 17/18	2 13/10	1 1/12
Carcinome: A. ohne Hydrops	40	80	13	39,4	1,1	1:37,2	0,13	1:341,3	1: 9,72	7	5 1/4	5 1/2	3 1/6	2 1/3	4 1/6	2 7/18	11/18
B. mit Hydrops	30	60	6	56,6	1,28	1:41,25	0,19	1:268,3	1: 6,48	6 11/12	5 1/4	5 4/5	3 1/4	2 5/6	4 1/2	3	1 1/4
C. Carcinome mit Stenose des Oesophagus (Inanition)	—	—	—	—	—	—	—	—	—	—	—	—	—	—	—	—	—
Säuferdyscrasie (Delirium tremens	—	—	—	—	—	—	—	—	—	—	—	—	—	—	—	—	—

Tabelle IV. Gewichtsverhältnisse der Leber im kranken Zustande.

a) Männer.

Namen der Krankheit.	Alter zwischen den Jahren.		Zahl der Fälle.	Gewicht		Proportion beider.	Gewicht der Milz.	Proportion zwischen Milz- und		Dimensionen der Leber.					Dimensionen der Milz.		
				des Körpers.	der Leber.			Körper-Gewicht.	Leber-Gewicht.	Länge		Breite		Dicke, (grösste.)	Länge.	Breite.	Dicke.
										rechts.	links.	rechts.	links.				
Acute Atrophie	—	—	—	—	—	—	—	—	—	—	—	—	—	—	—	—	—
Chronische Atrophie:																	
A. ohne Hydrops	33	64	4	41,2	0,81	1:53,8	0,108	1:344,5	1 : 5,0	3 15/16	3 3/4	5 1/4	2 7/8	1 1/2	4 5/6	3	1/6
B. mit "	35	58	4	61,3	0,56	1:71,0	0,18	1:300,6	1 : 5,29	5 5/6	5 3/5	5 1/3	4 5/12	1 7/8	5 1/6	3 11/16	1
Lebercirrhose:																	
A. ohne Hydrops	20	71	9	44,84	1,693	1:82,13	0,21	1:270,55	1 : 7,3	6 11/12	5 5/8	5 2/5	3 2/3	2 5/6	4 11/12	3 1/2	1 1/5
B. mit "	30	50	3	73,0	1,76	1:42,2	0,58	1:130,7	1 : 4,03	5 5/6	5 5/6	5 7/12	4 5/6	2 5/6	7 5/12	4 7/12	1 3/4
Speckleber:																	
A. ohne Hydrops	18	24	2	33,1	1,37	1:24,0	0,267	1:130,1	1 : 5,2	6 1/4	4 3/4	5 3/5	3 1/8	2 3/4	5 1/6	3 1/4	1 5/8
B. mit "	—	57	1	73,0	1,18	1:61,18	0,46	1:158,6	1 : 2,5	6 3/4	2 1/2	5 3/4	4 1/4	2 3/4	6 1/4	4	2 1/4
Pigmentleber nach Intermittens	22	45	2	60,7	1,61	1:41,9	0,71	1: 94,4	1 : 2,2	6 5/8	5 4/7	6 3/4	3 1/4	2 1/9	7 1/4	5	2
Fettleber	20	68	18	47,0	1,66	1:28,55	0,22	1:247,8	1 : 8,51	7 2/3	5 1/9	6 4/5	3 5/6	2 5/6	4 1/3	3	1 5/8
Gallenretention	36	55	8	45,8	1,48	1:33,2	0,8	1:196,9	1 : 4,18	7 7/8	5 3/4	6	3 5/8	2 5/6	6	4 5/6	1 3/4
Lebercarcinom	41	54	3	58,4	3,16	1:21,2	0,22	1:249,6	1 : 4,2	8 1/4	5 11/12	7 1/6	4	3 5/12	4 1/6	3	1 1/3
Diabetes mellitus	—	—	—	—	—	—	—	—	—	—	—	—	—	—	—	—	—

b) Weiber.

Namen der Krankheit.	Alter zwischen den Jahren.		Zahl der Fälle.	Gewicht		Proportion beider.	Gewicht der Milz.	Proportion zwischen Milz- und		Dimensionen der Leber.					Dimensionen der Milz.		
				des Körpers.	der Leber.			Körper-Gewicht.	Leber-Gewicht.	Länge		Breite		Dicke (grösste.)	Länge.	Breite.	Dicke.
										rechts.	links.	rechts.	links.				
Acute Atrophie	—	24	1	50,2	0,82	1:08,5	0,87	1:151,9	1: 2,2	5 1/2	5 1/4	5 1/4	3	1 1/2	5 1/2	3 1/4	1 1/2
Chronische Atrophie:																	
A. ohne Hydrops . . .	50	78	3	30,4	0,68	1:44,76	0,096	1:358,9	1: 7,8	5 1/2	4 5/16	4 1/3	3	1 3/4	3 3/4	2 1/2	1/2
B. mit " . . .		56	1	30,2	0,96	1:32,9	0,08	1:627,0	1:11,8	6 3/4	5	5 1/2	2 1/2	2 1/4	4	2 1/2	3
Lebercirrhose:																	
A. ohne Hydrops . . .	34	77	8	41,02	1,28	1:31,7	0,17	1:209,15	1: 8,62	8 11/12	6 1/10	5 1/3	3 3/16	2 1/3	4 3/12	3	2/3
B. mit " . . .	27	58	3	53,76	0,928	1:60,1	0,12	1:541,35	1: 9,0	6 11/18	4 11/21	4 2/3	2 19/24	2 1/3	4	2 7/18	3/4
Speckleber:																	
A. ohne Hydrops . . .	—	—	—	—	—	—	—	—	—	—	—	—	—	—	—	—	—
B. mit " . . .	14	42	4	55,0	1,31	1:42,9	0,248	1:206,0	1: 6,0	7 3/16	4 3/8	5 1/7	2 3/4	2 4/18	4 15/18	3 5/18	1 5/18
Pigmentleber nach Intermittens	—	—	—	—	—	—	—	—	—	—	—	—	—	—	—	—	—
Fettleber	17	84	16	36,8	1,5	1:25,7	0,24	1:183,7	1: 7,56	7 3/5	5 3/8	6 5/8	3 3/8	2 3/8	5 1/4	3 1/8	1 5/16
Gallenretention	—	—	—	—	—	—	—	—	—	—	—	—	—	—	—	—	—
Lebercarcinom	31	72	2	38,1	1,94	1:21,47	0,17	1:228,3	1:11,1	8	6 5/8	6 3/4	1	2 3/4	5 3/8	2 3/4	1
Diabetes mellitus	—	37	1	30,3	1,4	1:23,5	0,21	1:157,1	1: 6,6	8 1/4	6 1/4	5 1/2	2	2 1/3	5 3/4	2 3/4	1

III.

Bestimmung der Grössen- und Formverhältnisse der Leber am Krankenbette und ihre diagnostische Verwerthung.

Es ist eine der ersten Aufgaben der Diagnostik, wenn es sich um Krankheiten der Leber handelt, die Grösse und Form des Organs genauer festzustellen. Hierdurch werden wichtige Anhaltspunkte gewonnen, welche in einzelnen Fällen für die Erkennung ausreichen, gewöhnlich wenigstens eine Gruppensonderung gestatten, welche die engere Wahl erleichtert. Die positiven Data, die auf diesem Wege gefunden werden, sind stets von grossem Werthe, umgekehrt ist es jedoch nicht gestattet, aus normalen Grössen- und Formverhältnissen auf Integrität des Organs zu schliessen. Tiefe Erkrankungen des Leberparenchyms können vorhanden sein, obgleich die directe Untersuchung keine wesentlichen Abweichungen des äusseren Verhaltens ans Licht bringt[1].

Es gilt dies nicht bloss von den feineren Texturveränderungen und den Functionsstörungen, sondern auch gröbere anatomische Läsionen, wie Carcinome, Echinococcen etc., erreichen nicht selten innerhalb der Leber einen ansehnlichen Umfang, ohne das Volumen und die Gestalt des Organs auffallend zu modificiren.

Ich lege hier als ein Beispiel unter vielen ähnlichen Befunden die Abbildung eines grossen, im rechten Leberlappen unter dem Diaphragma liegenden Echinococcussackes bei (Fig. 1), welcher, ohne den Umfang und die Form der Leber auf eine

[1]) Schon die Praktiker älterer Zeiten waren mit dieser Wahrheit vertraut: Baillou (Consultationes med. T. II, p. 56) bemerkt mit Recht: Hepar non desinit male haberi, etsi nihil foras appareat.

für unsere diagnostischen Hülfsmittel nachweisbare Weise zu verändern, keilförmig in das Parenchym tief hineindringt.

Gleiches Verhalten beobachtet man nicht selten in Bezug auf die Carcinome; hier ist es auch nach der Herausnahme

Fig. 1.

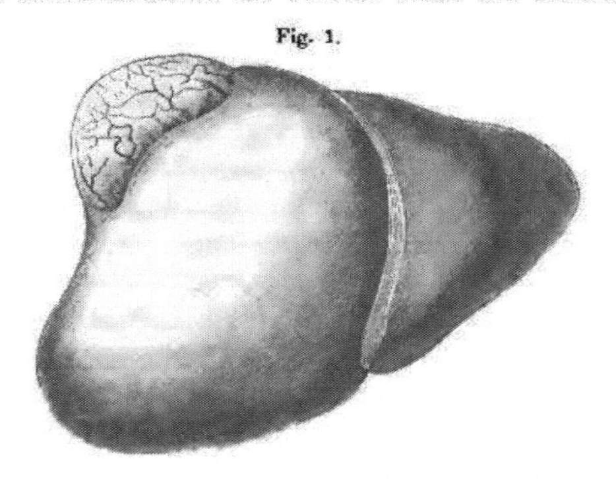

des Organs bei der Obduction zuweilen unmöglich, mit geschlossenen Augen durch das Tastgefühl allein in die Lebersubstanz eingetragene Knoten zu unterscheiden.

Es ist bei einiger Uebung nicht schwierig, durch Percussion und Palpation sich die Data zu verschaffen, welche die Lösung der diagnostischen Aufgaben ermöglichen; viel schwieriger ist es, diese Daten richtig zu verwerthen. Die Hindernisse, welche hierbei obwalten, lassen sich nicht durch die Technik überwinden, sondern nur durch eine umsichtige Berücksichtigung aller in Betracht kommenden Verhältnisse und durch sorgfältige Ausscheidung der. zahlreichen Quellen des Irrthums. Ein Theil der letzteren hat ihren Grund in der bei gesundem Zustande mannigfach wechselnden Form der Leber, ein anderer in der so häufig vorkommenden abnormen Lagerung und Stellung dieser Drüse, ein dritter endlich in der Schwierigkeit einer genauen Abgrenzung derselben von benachbarten Organen und pathologischen Neubildungen mittelst der uns zu Gebote stehenden diagnostischen Hülfsmittel.

Lage und Umfang der Leber unter normalen Verhältnissen.

Im rechten Hypochondrio, die Excavation des Zwerchfells auf dieser Seite ausfüllend, liegt die Leber fast vollständig überdacht vom Rippenbogen, welcher gewöhnlich nur den in das Epigastrium hineinragenden Theil des linken Lappens unbedeckt lässt. Nach oben ragt sie, der Wölbung des Zwerchfells folgend, mit ihrer convexen Fläche in den rechten Thorax hinein, und wird hier theilweise durch den spitz zulaufenden unteren Rand der rechten Lunge von der Brustwand geschieden, während die grössere Partie dieser unmittelbar anliegt. Die obere Grenze wird auf diese Weise für den Untersuchenden eine zwiefache: die eine, welche der unmittelbaren Anlagerung des Organs an die Brustwand entspricht, zeichnet sich durch leeren Percussionston aus, die andere, welche die absolute Höhe repräsentirt und auch den vom Lungensaume überragten Theil umfasst, wird durch den Uebergang des gedämpften in den vollen Lungenton erkannt. Die Lage dieser oberen Grenze ist bei gesunden Individuen eine ziemlich constante.

Die Leber berührt die Brustwand in der Medianlinie an der Vereinigungsstelle der Basis des Schwertfortsatzes mit dem Sternum und erstreckt sich von hieraus fast horizontal, nur ein wenig nach hinten abwärts laufend, ringsum die rechte Brusthälfte gegen die Wirbelsäule.

In der von der Brustwarze senkrecht nach unten gezogenen Linie, in der Linea mammalis, liegt die obere Grenze meistens an der sechsten Rippe, in der Linea axillaris an der achten und neben der Wirbelsäule an der elften Rippe. Die Höhe des von dem Lungensaume überdeckten Theils beträgt 2 bis 5, gewöhnlich 3 Centimeter, um welche die wahre obere Grenze des Organs höher liegt; dieselbe ist in der Axillarlinie etwas bedeutender, als in der Mammallinie, ebenso gewöhnlich bei hoher Statur des Individuums grösser als bei kleiner. Die wahre obere Lebergrenze liegt mithin in der Linea mammalis meistens im fünften Intercostalraume, seltener hinter der fünften Rippe oder im vierten Intercostalraume; in der Linea axillaris im siebenten Intercostalraume, seltener an der siebenten Rippe; neben der Wirbelsäule im zehnten Intercostalraume, seltener im neunten.

In der Medianlinie lässt sich die obere Grenze der Leber gewöhnlich nicht von der unteren Herzgrenze unterscheiden [1]). Nach links erstreckt sich die Leber 3 bis 12, meistens gegen 7 Centimeter über die Mittellinie hinaus, ihre obere Grenze fällt hier mit der unteren des Herzens zusammen und lässt sich nur da, wo sie dieselbe nach links überragt, mit Sicherheit durch Percussion feststellen.

Viel weniger constant als die Lage der oberen Grenze ist die der unteren. Dieselbe wird wegen der auch bei Gesunden vielfach wechselnden Gestalt der Leber und der abweichenden Configuration des unteren Thoraxraumes eine sehr veränderliche. In der Linea mammalis findet man den unteren Rand der Leber bald am Saume des Rippenbogens, bald und häufiger 2 bis 4 Centimeter unterhalb desselben, er kann jedoch bis zu 7 Centimeter und bei gewissen Formveränderungen des Organs, wie bei der Schnürleber, noch tiefer sich hinaberstrecken, ohne auf eine Erkrankung hinzuweisen.

In der Linea axillaris liegt der untere Rand gewöhnlich im zehnten Intercostalraume, selten im neunten, er kann jedoch auch hier 2 bis 4 Centimeter und unter Umständen noch mehr den Rippensaum überragen, ohne eine Läsion des Organs anzuzeigen. Neben der Wirbelsäule ist eine Feststellung der unteren Lebergrenze wegen der rechten Niere nicht ausführbar.

Der untere Rand des linken Lappens ist von der Basis

---

[1]) Man bezeichnet nach dem Rath von Conradi die obere Lebergrenze an dieser Stelle am einfachsten dadurch, dass man von dem Berührungspunkte der rechten Seite der Herzdämpfung mit der oberen Grenze der Leber bis zur Herzspitzendämpfung linker Seite eine gerade Linie zieht.

des Schwertfortsatzes (genauer von der oben angegebenen, die untere Grenze des Herzens bezeichnenden Linie) 5 bis 14 Centimeter entfernt; er liegt meistens etwas höher als die Mitte einer vom Nabel zur Spitze des Schwertfortsatzes gezogenen Linie.

Bis zur linken Grenze der Leber verläuft der untere Rand bald mehr, bald minder abgerundet, je nach der Form dieses Lappens, welche sehr verschiedenartig sein kann. Im Allgemeinen ergiebt sich, dass die Lage der unteren Lebergrenze und ihr Verhalten zum Rande des Brustkorbes bei gesunden Individuen so ungleich ausfällt, dass die diagnostische Verwerthung derselben die grösste Vorsicht erheischt. Aus der Ueberragung der Leber über den Thoraxsaum einen Schluss auf Vergrösserung oder Dislocation derselben zu ziehen, ist nur dann gestattet, wenn dieselbe sehr bedeutender Art ist.

Die eben angedeuteten Lagerungsverhältnisse der Leber betreffen zunächst Männer vom 20. bis 40. Lebensjahre. Bei weiblichen Individuen gilt in Bezug auf die obere Grenze im Allgemeinen dasselbe; die untere dagegen pflegt den Rand des Rippensaumes wegen der grösseren Kürze des weiblichen Thorax etwas weiter zu überragen, als bei Männern.

Noch mehr ist dies bei Kindern in den ersten Lebensjahren der Fall, weil hier das Organ, besonders was den linken Lappen anbelangt, relativ grösser ist und der Brustkorb erst im Verlaufe der Pubertätsperiode einer stärkeren Entwickelung entgegen geht.

Zur Feststellung der Grössen- und Lagerungsverhältnisse der Leber am Krankenbette dient die Percussion, welche nur in wenigen Punkten durch die Palpation und noch seltener durch die Auscultation unterstützt werden kann. Dieselbe verlangt, wenn sie genaue Resultate liefern soll, gewisse Vorsichtsmaassregeln und einige technische Erfahrung, ohne welche Irrthümer leicht sich einschleichen. Anfüllung des Magens und Darmcanals mit festen Stoffen darf nicht zugegen sein, weil sonst die untere Grenze nicht immer gefunden werden kann. Untersuchungen unmittelbar nach der Mahlzeit sind daher zu vermeiden; anhaltende Obstipation ist vorher durch Evacuantien zu heben; ebenso sind Gasanhäufungen störend; Grenzen, welche bei tympanitischer Auftreibung des Gastrointestinaltractus festgestellt wurden, bedürfen einer späteren Controle, scheinbare Verkleinerungen der Leber werden dann gewöhnlich auf das richtige Maass zurückgeführt.

Zur Percussion bedient man sich am besten eines nach Centimeter oder Linien eingetheilten Plessimeters und des Hammers. Um die obere Grenze zu finden, percutirt man vom dritten Intercostalraume abwärts, bis man die Stelle findet, wo der Ton leer ist. Hier berührt die Leber direct die Brustwand; oberhalb dieser Stelle liegt noch der convexe Theil, welcher durch den allmälig dicker werdenden Lungenrand bedeckt wird. Die Höhe dieser Partie, welche die wirkliche obere Grenze der Leber darstellt, schwankt zwischen 2 und 5 Centimeter, gewöhnlich beträgt sie 3. Man begrenzt, wo es sich um exacte Resultate handelt, die Drüse ringsum die rechte Brusthälfte bis zur Wirbelsäule und bezeichnet die gewonnene Linie mit Höllenstein etc. Für die gewöhnlichen Fälle genügt es, die Grenzpunkte in der Lin. mammalis und axillaris, sowie neben der Wirbelsäule und in der Medianlinie zu bestimmen, am letzteren Punkte am besten dadurch, dass man von der Berührungsstelle der rechten Seite der Herzdämpfung und der oberen Lebergrenze eine Linie bis zur Herzspitze zieht.

Um die untere Lebergrenze zu gewinnen, percutirt man abwärts, bis der tympanitische Magen- oder Darmton sich hören lässt. Bei mässig festem und elastischem Anschlage fällt diese Grenze gewöhnlich zu hoch aus[1]), weil der Darmton durchklingt, namentlich wenn der Rand der Leber scharf

---

[1]) Man kann sich davon am besten überzeugen in Fällen, bei welchen die untere Grenze auch durch Palpation sich finden lässt; die letztere weist den unteren Rand fast immer etwas tiefer nach, als die Percussion, wenn dieselbe nicht mit grosser Vorsicht gemacht wird.

zugespitzt ist und die unterliegenden Theile viel Gas enthalten. Um hier sicher zu gehen, muss man sehr schwach anschlagen; am besten bedient man sich für diesen Zweck der gedämpften Piorry'schen Percussionsweise, indem man die zwei oder drei ersten Finger gleichzeitig auffallen lässt. Feinere Unterschiede werden dann leichter erkannt.

Ein Irrthum entgegengesetzter Art kommt nicht selten bei stark gespannten Bauchdecken in Folge grosser Schmerzhaftigkeit der epigastrischen Gegend vor. Hier erscheint in Folge der Muskelspannung die Dämpfung ausgebreiteter, als dem Umfang der Leber entspricht, eine Täuschung, welche durch die Palpation noch vermehrt wird. Die so häufig angenommenen Entzündungen und Anschoppungen des linken Leberlappens beruhen zum grossen Theile auf diesem in Praxi nicht genügend gewürdigten Umstande.

Auch die untere Grenze bezeichnet man, wo es nöthig erscheint, in ihrer ganzen Ausdehnung von der Spitze des linken Lappens bis zur Nähe der Wirbelsäule. Meistens ist es ausreichend, sie in der Mammal-, Axillar- und Sternallinie zu bestimmen. Durch die Nachweisung der oberen und unteren Grenzen in den drei bezeichneten Richtungen gewinnt man die Maasse dreier Durchmesser, welche Rückschlüsse auf das wahre Volumen der Leber gestatten.

Diese Maasse unterliegen indess bei gesunden Individuen ziemlich ansehnlichen Schwankungen, deren Grenzen festgestellt werden müssen, ehe eine Verwerthung der am Krankenbette gefundenen Zahlen gestattet sein kann. Eine grosse Anzahl von Messungen erscheint hier nothwendig, um die vom Alter, der Körperlänge, dem Geschlechte und anderen physiologischen Zuständen abhängigen Differenzen kennen zu lernen, um die Maasse zu gewinnen, deren Ueberschreitung für ein sicheres Zeichen pathologisch veränderten Lebervolumens angesehen werden darf.

	Alter.	Körperlänge.	Axillarlinie.	Mammillarlinie.	Sternallinie.		Alter.	Körperlänge.	Axillarlinie.	Mammillarlinie.	Sternallinie.
		Centimeter.						Centimeter.			
1	10 Monate	67	4	8¼	½	29	22 Jahr	160	8	9	6
2	10 »	69	5	8	2	30	23 »	158	8	10	8
3	5 Jahr	108	8½	7	2	31	24 »	170	9	9	7
4	6 »	99	6	6	4	32	24 »	156	9	9	5
5	7 »	98	8½	7	3	33	24 »	154	10	10	6
6	8 »	115	7	7	4	34	25 »	150	10	10	6
7	9 »	102	7	6½	4	35	25 »	151	8	9	5
8	11 »	125	7	6	3	36	25 »	158	9	10	6
9	12 »	126	5	6½	3	37	26 »	168	12	12	7
10	14 »	124	7	8	6	38	27 »	140	8	6	8
11	15 »	144	7	8	6	39	27 »	160	10	9	5
12	16 »	150	7½	10	6	40	27 »	160	11	10	6
13	17 »	142	7½	9	5	41	28 »	160	11	12	8
14	17 »	146	10	8	5	42	29 »	150	9	8	6
15	17 »	144	10	10	7	43	29 »	150	11	11	7
16	17 »	162	10	6	8	44	30 »	170	10	10	9
17	17 »	145	8	7	5	45	32 »	160	10	12	6
18	17 »	154	8	8	7	46	32 »	154	11	11	6
19	17 »	157	8	6	7	47	34 »	150	10	11	8
20	18 »	151	8	7	4	48	34 »	160	9	10	6
21	18 »	150	10	9	7	49	34 »	152	10	10	4
22	19 »	150	10	10	6	50	37 »	160	8	11	5
23	20 »	155	12	11	7	51	38 »	168	12	10	4
24	20 »	168	9	9	7	52	42 »	171	11	11	8
25	20 »	153	9	11	6	53	44 »	150	10	9	4
26	21 »	155	9	10	6	54	45 »	168	8	9	6
27	21 »	155	8	9	5	55	48 »	160	9	9	7
28	22 »	164	12	12	5	56	55 »	155	10	10	4

II. Weibliche Individuen.

	Alter.	Körperlänge.	Axillarlinie.	Mammillarlinie.	Sternallinie.		Alter.	Körperlänge.	Axillarlinie.	Mammillarlinie.	Sternallinie.
		Centimeter.						Centimeter.			
1	$1\frac{1}{2}$ Jahr	68	4	4	$2\frac{1}{2}$	30	30 Jahr	136	$9\frac{1}{2}$	9	6
2	$1\frac{1}{2}$ „	67	4	5	$4\frac{1}{2}$	31	30 „	138	10	8	3
3	$2\frac{1}{2}$ „	80	$2\frac{1}{2}$	$1\frac{1}{2}$	2	32	30 „	139	10	9	5
4	3 „	90	$5\frac{1}{2}$	$4\frac{1}{2}$	$4\frac{1}{2}$	33	30 „	132	10	10	7
5	$3\frac{1}{2}$ „	$76\frac{1}{2}$	4	4	5	34	30 „	130	10	8	9
6	4 „	77	$2\frac{1}{2}$	$2\frac{1}{2}$	$2\frac{1}{2}$	35	30 „	150	11	10	7
7	5 „	91	4	2	1	36	33 „	146	9	9	4
8	5 „	87	7	7	3	37	34 „	156	10	11	7
9	6 „	90	$5\frac{1}{2}$	5	$4\frac{1}{2}$	38	35 „	147	10	9	8
10	11 „	124	10	8	3	39	36 „	147	8	8	7
11	12 „	127	7	6	$4\frac{1}{2}$	40	38 „	146	11	9	6
12	14 „	127	8	9	4	41	40 „	142	13	11	6
13	15 „	131	6	7	6	42	42 „	152	8	9	5
14	17 „	150	9	9	6	43	42 „	142	13	12	7
15	18 „	139	10	10	5	44	42 „	142	9	8	4
16	18 „	154	6	8	7	45	43 „	152	10	8	6
17	19 „	136	8	9	7	46	47 „	150	8	9	5
18	20 „	136	9	8	3	47	48 „	150	9	8	7
19	21 „	142	6	7	4	48	49 „	136	9	8	7
20	21 „	138	7	8	5	49	50 „	140	9	8	8
21	22 „	152	8	9	$4\frac{1}{2}$	50	52 „	135	11	11	6
22	23 „	146	8	9	5	51	53 „	144	9	10	8
23	23 „	158	8	10	5	52	59 „	148	10	10	7
24	24 „	147	9	8	5	53	61 „	146	7	7	6
25	24 „	152	8	11	6	54	69 „	137	10	12	6
26	26 „	131	8	7	6	55	78 „	146	9	7	4
27	27 „	150	6	8	5	56	79 „	144	8	7	7
28	27 „	162	9	8	6	57	80 „	154	10	8	5
29	27 „	142	8	9	7	58	80 „	150	10	7	$4\frac{1}{2}$

III.

Mittelzahlen nach der Körperlänge.

	Axillar-linie.	Mammillar-linie.	Sternallinie.	Individuen.
Von 67 bis 100 Cent.	5,09	4,23	2,71	13
» 100 » 150 »	8,88	8,55	5,48	58
» 150 » 160 »	9,17	9,54	5,88	35
» 160 » 170 »	10,00	9,56	6,28	7
» 170 » 180 »	11,00	11,00	8,0	1

IV.

Mittelzahlen nach dem Alter

	Axillar-linie.	Mammillar-linie.	Sternallinie.	Individuen.
Bis zu 2 Jahren	4,25	3,85	2,37	4
Von 2 bis 6 Jahren . . .	5,8	4,38	3,72	9
» 6 » 10 » . . .	7,55	6,83	3,33	3
» 10 » 15 » . . .	7,12	7,6	4,44	8
» 15 » 20 » . . .	8,89	8,89	5,90	19
» 20 » 40 » . . .	9,36	9,5	5,82	49
» 40 » 60 » . . .	9,75	9,91	6,18	16
» 60 » 80 » . . .	9,0	8,0	5,41	6

V. Vergleichung der Geschlechter.

	Axillarlinie			Mammillarlinie			Sternallinie			Individuenzahl		
	männl.	weibl.	Mittel.	männl.	weibl.	Mittel.	männl.	weibl.	Mittel.	männl.	weibl.	Summa.
A. Nach der Grösse.												
Von 67 bis 100 Centimeter . . .	5,87	4,36	5,09	4,87	3,94	4,28	2,37	3,28	2,71	4	9	13
» 100 » 150 » . . .	8,57	9,04	8,68	8,3	8,64	8,55	5,25	5,74	5,48	20	38	58
» 150 » 160 » . . .	9,2	9,09	9,17	8,76	9,1	8,94	5,96	5,77	5,88	24	11	35
» 160 » 170 » . . .	10,0	—	10,00	9,56	—	9,56	6,28	—	6,28	7	—	7
» 170 » 180 » . . .	11,0	—	11,00	11,0	—	11,00	8,0	—	8,0	1	—	1
B. Nach dem Alter.												
Bis zu 2 Jahren	4,5	4,40	4,25	3,25	4,55	3,85	1,35	3,40	2,37	2	2	4
Von 2 bis 6 Jahren	7,25	4,80	6,8	6,5	2,38	4,88	3,5	3,94	3,72	2	7	9
» 6 » 10 »	7,55	—	7,55	6,83	—	6,83	3,33	—	3,33	3	—	3
» 10 » 15 »	6,5	7,74	7,12	6,62	8,38	7,5	4,5	4,38	4,44	4	4	8
» 15 » 20 »	9,07	8,71	8,89	8,92	8,86	8,89	6,07	5,73	5,90	14	5	19
» 20 » 40 »	9,61	9,11	9,36	10,0	9,0	9,5	5,85	5,79	5,82	26	23	49
» 40 » 60 »	9,6	9,9	9,75	9,6	9,02	9,31	5,8	6,56	6,18	5	11	16
» 60 » 80 »	—	9,0	9,0	—	8,0	8,0	—	5,41	5,41		6	6

Für die Formbestimmung der Leber dient, abgesehen von den gröberen Umrissen, welche durch die Percussion gewonnen werden, die Betastung des Organs, soweit es derselben zugängig ist.

Während der Ausführung der Leberpalpation muss Alles vermieden werden, was eine Spannung der Bauchmuskeln, durch welche das freie Eindringen der Hand verhindert wird, hervorrufen kann. Dieselbe wird am besten in der Rückenlage ausgeführt, wobei man durch starke Beugung der Schenkel, sowie durch Erhebung des Oberkörpers mittelst untergelegter Kissen die Bauchmuskeln thunlichst erschlafft. Man legt die nöthigenfalls vorher erwärmte Hand vorsichtig auf die Bauchdecken und dringt, nur langsam und allmälig rotirend, mit den Fingerspitzen in die Tiefe; durch rasches Vordringen mit der kalten Hand steigert man die Spannung der Muskeln in dem Grade, dass ein tiefes Eindringen nicht möglich ist. Es bedarf nicht selten mehrerer Versuche, ehe man ängstliche Kranke soweit beruhigt hat, dass sie die Untersuchung durch Muskelcontraction nicht unnöthiger Weise erschweren. Manche bewegliche Theile, wie die ausgedehnte Gallenblase etc., fühlt man bei leichtem Auflegen der Hand viel deutlicher, als bei festem Aufdrücken, wodurch dieselben dislocirt werden und dem Finger ausweichen, während bei festen Tumoren der Leber, namentlich der unteren Fläche, das Letztere nicht zu vermeiden ist, jedoch stets, wenn es gelingen soll, nicht plötzlich, sondern nur nach und nach steigend ausgeführt werden darf. Am leichtesten erreicht man die Leber neben dem äusseren Rande des Rectus; soweit sich dieser Muskel erstreckt, ist wegen Straffheit desselben das Organ schwer zugängig. Dass man die Lage der Inscriptiones tendineae kennen muss, versteht sich von selbst.

Erreicht man mit den Fingerspitzen den Rand der Leber, so umgehe man denselben nach oben und unten, um die Dicke kennen zu lernen, ob normale Zuspitzung oder Abrundung vorhanden ist; man achte darauf, wo die Abrundung, welche dem rechten Lappen in der Norm zukommt, beginnt, ob die Oberfläche glatt oder höckerig sich anfühlt, ob grössere schmerzhafte Knollen oder von tiefen schmerzlosen Furchen umschlossene Lappenbildungen sich vorfinden. Man berücksichtige dabei die Consistenz des Organs, ob hart oder teigicht, die Beweglichkeit der Tumoren, welche bei Schnürlappen nicht selten so gross ist, dass man den Tumor umklappen, auf die Oberfläche des Organs legen kann. Bei der Abschätzung der Grösse von Höckern oder Geschwülsten der Leber muss begreiflicher Weise die Dicke der Bauchdecken einfach oder doppelt, je nach der Art der Untersuchung, abgezogen werden, ehe der wahre Umfang gefunden wird. Den Rand der Leber verfolgt man, soweit es thunlich ist, nach rechts und links, wobei man sich bemüht, die Lage der Incisura hepatis und des Ligam. teres festzustellen, weil dieselbe bei der Beurtheilung von Dislocationen des Organs diagnostisch wichtig ist.

In manchen Fällen bleibt wegen der hohen Lage der Leber jeder Versuch der Palpation fruchtlos, in anderen ist nur der linke Lappen im Epigastrio zugängig. Hier muss alsdann bei der Schwierigkeit, welche der Rectus macht, die Untersuchung mit besonderer Vorsicht ausgeführt werden.

Die Inspection der Lebergegend liefert selten diagnostische Anhaltspunkte, welche nicht noch genauer und vollständiger durch die Percussion und Palpation gewonnen würden. Sichtbare gleichmässige oder höckerige Hervorwölbung des rechten Hypochondriums kommt bei speckigen Infiltrationen, bei Lebercarcinomen und Leberechinococcen nicht selten vor, sogar in dem Grade, dass man die Begrenzungen des Organs durch die Bauchdecken erkennen kann (vergl. Fig. 15); jedoch diese selteneren Fälle bereiten der Diagnostik nur ausnahmsweise Schwierigkeiten. Gewöhnlich lässt uns die Besichtigung ohne Anhalt, nur in zwei Beziehungen kann dieselbe wichtig werden, einmal durch die Erweiterung der Bauchdeckenvenen, sodann aber in Bezug auf die Lage des Nabels.

Die Lage des Nabels verändert sich bei bedeutenden Anschwellungen und bei Dislocationen der Leber nach unten in der Art, dass dieselbe der Symphyse der Schambeine näher rückt, während sie bei Tumoren, welche, von der Beckenhöhle ausgehend, das Abdomen erfüllen, höher hinauf gegen das Brustbein geschoben wird. Diese Veränderung, auf welche Ballard (The physical Diagnosis, London 1852, p. 11) einiges Gewicht zu legen scheint, ist indess nur mit grosser Vorsicht zu verwerthen, weil die Distanz des Nabels von der Basis des Schwertfortsatzes und der Symphyse auch unter normalen Verhältnissen nach den Messungen, welche hier ausgeführt wurden, schon auffallende Differenzen zeigen kann.

Erweiterungen der Aeste der V. V. epigastricae etc. kommen zwar in mässigem Grade jederzeit vor, wenn die Bauchdecken stark ausgedehnt und gespannt werden; wo sie indess ohne letzteren Umstand einen höheren Grad erreichen, liefern sie den Beweis, dass eine Störung der Blutbewegung in der V. cava inferior oder der V. portarum stattfinde. Die Unterscheidung zwischen beiden Gefässgebieten fällt gewöhnlich nicht schwer, indem, wenn in der V. cava das Hinderniss seinen Sitz hat, die Venenwurzeln dieses Strombettes in den unteren Extremitäten sich von vorn herein betheiligt zeigen, während sie lange verschont bleiben, wenn die Pfortader verengt oder verschlossen wird. Wir werden später bei der Lebercirrhose und den Krankheiten der Pfortader hierauf und auf die als Caput Medusae beschriebene Erweiterung der Venen im Umkreise des Nabels zurückkommen.

Die Auscultation ist für unseren Zweck von geringem Belange, sie kann dazu dienen, die Grenzbestimmung des Zwerchfells zu controliren.

Bei Compression des rechten unteren Lungenlappens durch Vergrösserung oder Hinauftreibung der Leber soll man, nach Walshe, an der Grenze beider Organe gegen das Ende einer tiefen Inspiration ein trockenes Crepitiren, hepatic compression rhonchus, hören; in einzelnen Fällen fand ich unter solchen Umständen consonirende Athmungsgeräusche, ohne dass, wie die Obduction bestätigte, ein Infiltrat der Lungen vorhanden war.

Verwerthung der Untersuchungs-Resultate für die Diagnostik.

Sie ist weniger einfach, als es auf den ersten Blick scheinen möchte; Schwierigkeiten mancherlei Art, welche die Quelle von Irrthümern werden können, treten uns vielfach in den Weg.

Die mit der Brust- und Bauchwand in Berührung stehende Fläche der Leber bildet denjenigen Theil des Organs, welcher uns über seine Grösse Auskunft geben muss. Diese Fläche ist indess auch bei gleich bleibendem Lebervolumen eine wechselnde, weil die Stellung des Organs veränderlich werden kann. Abwärtsneigung, wie sie in Folge des Druckes enger Kleidungsstücke, bei Deformität des unteren Theiles des Brustkorbes, bei Erschlaffung des Leberparenchyms etc. vorkommt, bringt einen grösseren Theil der Oberfläche mit der Bauchwand in Berührung und veranlasst daher eine scheinbare Vergrösserung, während die Aufrichtung, die Kantenstellung in Folge von Ausdehnung des Unterleibes den vorderen scharfen Rand des Organs den Bauchdecken zuwendet und eine scheinbare Verkleinerung desselben zur Folge hat. In diesem Umstande sowie in den angeborenen und erworbenen Formverschiedenheiten der Leber liegen die ersten Schwierigkeiten der Diagnostik; andere ergeben sich aus der Dislocation des ganzen Organs und aus den Hindernissen, auf welche man bei der Grenzbestimmung des Organs stossen kann, wenn benachbarte Theile pathologisch verändert sind.

1. Angeborene und erworbene Formanomalieen der Leber.

Die Gestalt der Leber ist von der ersten Bildung her mancherlei Abweichungen unterworfen, welche bei der Untersuchung des Organs am Krankenbette leicht irre leiten können. In manchen Fällen erscheint sie nahezu viereckig (Fig. 2), in anderen abgerundet und mit abnormen Ein-

Fig. 2. Fig. 3.

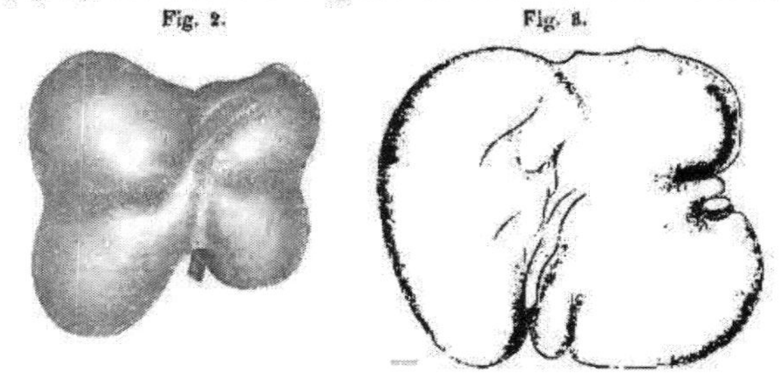

schnitten versehen (Fig. 3), wobei die linke Grenze kaum bis zur Medianlinie reicht, während in anderen Fällen der linke Lappen zungenförmig verlängert ist (Fig. 4) und tief in das linke Hypochondrium hinüberreicht. Die Leber überdeckt un-

Fig. 4. Fig. 5.

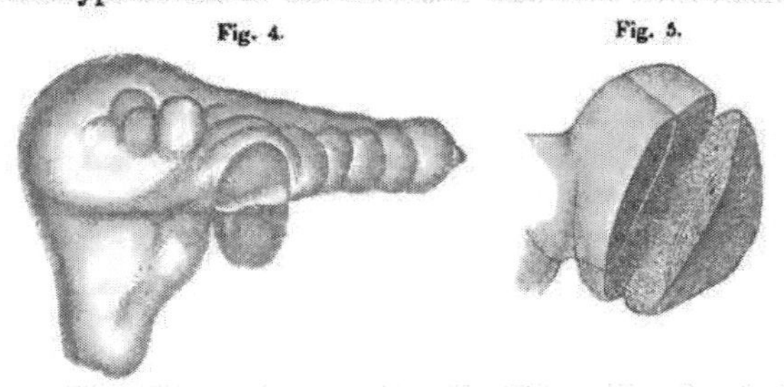

ter solchen Umständen zuweilen die Milz und geht mit der Oberfläche derselben feste Verwachsungen ein, so dass eine Abgrenzung beider unmöglich wird (Fig. 5.)

Die Grösse und Form des linken Leberlappens ist unter normalen Verhältnissen in so hohem Grade schwankend, dass Umfangsbestimmungen desselben für klinische Zwecke nur mit grosser Vorsicht verwerthet werden dürfen.

Zu diesen angeborenen Formanomalieen, von welchen man sich nur durch häufige Anschauungen bei Obductionen eine Uebersicht verschaffen kann, kommen noch erworbene mehrfacher Art hinzu, zum Theil veranlasst durch Erkrankung des Leberparenchyms, zum Theil durch Compression des Organs von aussen her, von deformer Thoraxformation etc. Zu den

Fig. 6.

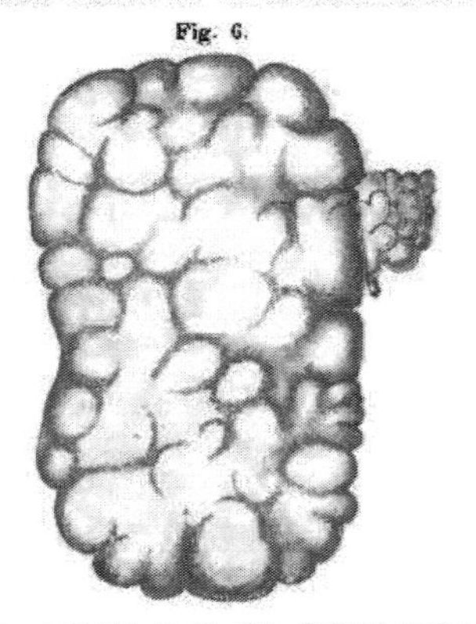

Leberkrankheiten, welche auf die Gestalt dieses Organs influiren, gehören, abgesehen von den Tumoren, den Carcinomen und Echinococcen, sowie den Abscessen, welche nach allen Richtungen hin sich entwickeln können, besonders die chronischen Processe, welche mit cirrhotischer Entartung der Drüse enden und gewöhnlich, jedoch keineswegs immer, einen vorwiegenden Schwund des linken Lappens, ein Zurücktreten desselben gegen den rechten veranlassen. Wie auffallend das Missverhältniss beider Lappen unter solchen Umständen werden kann, zeigt das anliegende auf $^1/_4$ der natürlichen Grösse verkleinerte Exemplar.

Es gehört ferner hierher die Lappung des Organs, welche in Folge von Verschliessung einzelner Pfortaderäste oder von partieller Entzündung des Parenchyms mit Narbenbildung etc. zu Stande kommt, ausnahmsweise auch als congenitale Lappung in ähnlicher Weise wie in den Nieren beobachtet wird.

Viel häufiger als diesen Deformitäten begegnet man, besonders beim weiblichen Geschlecht, Abweichungen der Lebergestalt, veranlasst durch festes Schnüren der Kleidungsstücke, an welche sich andere anreihen, die von Scoliose des Thorax herrühren. Bei Scoliotischen erfolgt, wenn die Verengerung des Brustkorbes diejenige Partie betrifft, welche die Leber beherbergt, entweder eine Verdrängung des Organs oder eine Formveränderung. Zuweilen wird die Leber zu einer abgerundeten conischen Masse zusammengerollt, häufiger wird durch den einwärts gekehrten Rippenrand das Organ mehr oder minder tief eingekerbt. Von ungleich grösserer Wichtigkeit ist für die Diagnostik als tägliches Vorkommniss die sogenannte Schnürleber.

Das feste Binden der Kleidungsstücke zur Erzielung einer dünnen Taille trifft, je nach dem Wechsel der Mode, bald höher, bald tiefer gelegene Theile des Brustkorbes, seltener das Hypochondrium unterhalb der Rippen. Am meisten von allen Organen leidet hierbei die Leber; sie wird nicht bloss in ihrer Form verändert, sondern gewöhnlich auch, worauf wir später kommen werden, in ihrer Lage und Stellung. Durch die Verengerung der Basis des Brustkorbes wird zunächst das Organ der Quere nach zusammengeschoben, wodurch nicht selten, zumal wenn dasselbe einen grossen Querdurchmesser hat, eine Reihe von Falten entsteht, welche sich wie flach prominirende Höcker anfühlen (Fig. 7).

Gleichzeitig wird durch die ringförmige Verengerung ein Theil des rechten, meistens auch des linken Lappens abgeschnürt, bald an einer höheren, bald an einer tieferen Stelle, je nach der Lage der Einschnürung. Die so gebildete Furche greift oft tief in das Parenchym ein, so dass nicht viel mehr, als eine schlaffe ligamentöse Verbindung übrig bleibt, welche ein Umklappen der abgeschnürten Partie gestattet (Fig. 8).

Fig. 7.

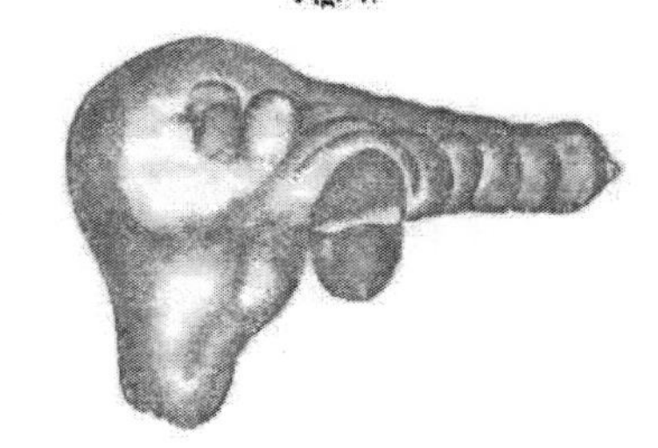

Fig. 8.

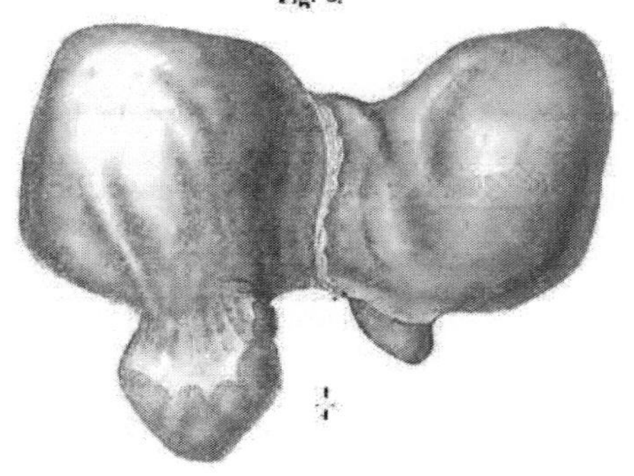

Der seröse Ueberzug erscheint an dieser Stelle fast immer verdickt und weisslich getrübt, vor ihr sieht man unter der Peritonealhülle erweiterte, mit bräunlichem Schleim gefüllte Gallenwege, deren Entleerung durch die Schnürfurche behindert wurde (Fig. 9).

Die venösen Gefässe sind an der Einschnürungsstelle constant erweitert. Die Ränder der abgefurchten Partien werden kolbig gerundet (Fig. 10 a. f. S.), ihr Parenchym ist hyperämisch, fühlt sich fester an und zeigt eine feinkörnige Granulation in ähnlicher Art, wie sie bei Blutstauungen in Folge von Herzfehlern durch das ganze Organ gefunden wird.

Fig. 9.

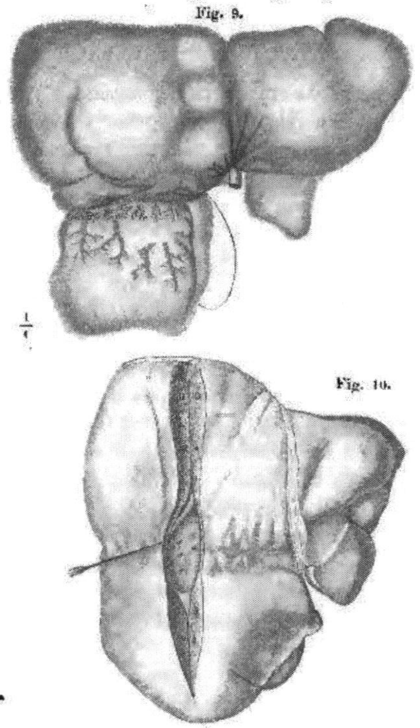

Fig. 10.

Am rechten Leberlappen entsteht so eine bewegliche kolbige Geschwulst, welche sich hart und körnig anfühlt, daher leicht mit Neubildungen verwechselt werden kann; eine kleinere Geschwulst, welche sich mit den Fingern umlegen lässt, wird am linken Lappen wahrgenommen. Die Möglichkeit eines diagnostischen Irrthums wird unter diesen Umständen noch dadurch vermehrt, dass die Stellung und Lage des Organs fast immer gleichzeitig in mehrfacher Beziehung verändert wird.

2. Anomale Stellung.

Wir verstehen darunter Abweichungen von der normalen Richtung, welche die von dem vorderen scharfen Rande bis zur Mitte des hinteren stumpfen Randes gezogene Achse der Leber erleiden kann. Dieselbe kann sich tiefer abwärts neigen, in welchem Falle ein grösserer Theil der convexen Oberfläche des Organs gegen die Bauchwand gekehrt, die Leber also scheinbar grösser wird; sie kann sich andererseits aufwärts wenden bis zu dem Grade, dass bloss der scharfe vordere Rand der Abdominalwand zugekehrt bleibt, wodurch die Ausdehnung der Fläche des matten Percussionstons auf ein Minimum reducirt wird. Das Ligamentum suspensorium hepatis beschränkt die Beweglichkeit nur in weiteren Grenzen; als eigentliches Tragband der Leber ist dasselbe, wie Hyrtl mit Recht bemerkt, nicht zu betrachten.

Die Ursachen der Stellungsveränderung sind verschiedener Art: bald wird dieselbe bewirkt durch mechanische Gewalt, welche das Organ von unten oder oben her trifft; bald dagegen durch Erkrankung des Parenchyms, welche Erschlaffung desselben herbeiführt. Sie besteht in manchen Fällen rein für sich, gewöhnlicher ist sie mit Lageveränderungen, Dislocationen der Leber verbunden.

Eine häufige Ursache von anomaler Leberstellung ist das Schnüren, dessen Wirkung verschieden ausfällt, je nach der Stelle der Drüse, auf welcher der Druck lastet. Wird durch den circulären Druck des Corsetts oder durch die Bänder des Unterrockes etc., was das gewöhnlichste ist, die mittlere oder untere Partie der Leber getroffen, so senkt sich die Achse des Organs abwärts, der Rand des rechten Lappens tritt weit unter dem Rippensaume hervor, so dass er mitunter in der Coecalgegend in der Nähe des Darmbeinkammes fühlbar wird. Die Verdrängung des Parenchyms in der Schnürfurche trägt dabei gleichzeitig zur Verlängerung des Durchmessers bei. Ist die Schnürfurche tief, so lagern sich in dieselbe nicht selten Darmschlingen hinein und man findet in der rechten Regio iliaca einen festen Tumor mit stumpfen Rändern [1]), welche durch tympanitischen Darmton scheinbar von der Leber geschieden ist. Der linke Lappen kann, wenn er klein ist, dabei ganz unbetheiligt bleiben, oft findet man dagegen an seinem Rande eine bewegliche runde Abschnürung, welche man vor- und rückwärts schieben kann Die obere Grenze des Organs bleibt hierbei unverändert oder sie wird durch die Einschnürung des oberen Theils gegen den Thorax hinaufgedrängt.

Trifft dagegen die Compression das obere Drittheil der Leber, wo die Substanz beträchtlich dicker ist, so wird zwar die Achse ebenfalls stärker abwärts geneigt, meistens wird aber gleichzeitig das ganze Organ gegen die Medianlinie hinübergerückt; man findet dann das Lig. teres am achten oder neunten Rippenknorpel der linken Seite, die Mitte des rechten Lappens unter der Linea alba oder links von derselben, während der linke tief in das linke Hypochondrium hineinragt (Fig. 11, a. f. S.). Eine Leber von approximativ normalem Umfange scheint dann bei der Untersuchung bedeutend vergrössert, weil sie die ganze obere Hälfte der Bauchhöhle ausfüllt; auch bei der Obduction macht sie zunächst diesen Eindruck, bis man durch Maassstab und Wage sich vom Gegentheil überzeugt.

Fällt die Einschnürung, was gegenwärtig seltener vorkommt, unterhalb der Leber oder ganz nahe dem unteren

[1]) Cruveilhier, livr. 40, pl. I, p. 5, wirft die Frage auf, wie die Leber, welche durch Einwirkung der Schnürbrust verdrängt wurde, von derjenigen zu unterscheiden sei, welche in Folge entzündlicher Anschwellung hervortrete, und nimmt an, dass die erstere sich durch ihren zugeschärften Rand auszeichne. Dies ist ein Irrthum. Der rechte Lappen, welcher allein in Betracht kommt, hat bei der Schnürleber stets einen kolbig abgerundeten Rand.

Rande derselben, so wird das Organ gegen die Brusthöhle gedrängt und die obere Grenze steigt um einen Intercostalraum und mehr.

Die Verwechselung der eben angedeuteten Lagerungsabweichungen der Leber mit Anschwellungen und Tumoren derselben ist bei einiger Uebung leicht zu vermeiden, weil

Fig. 11.

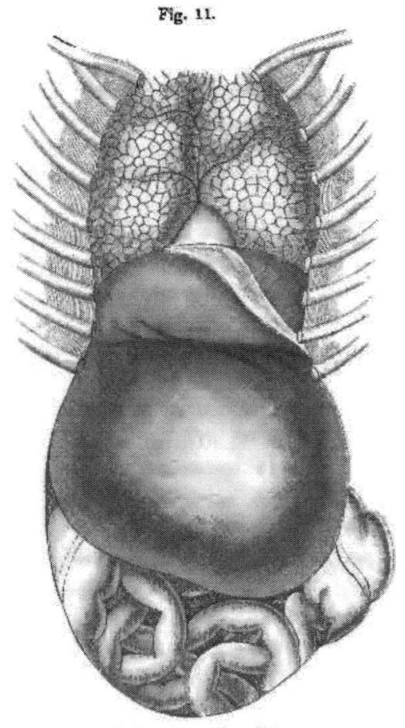

man bei sorgfältiger Palpation die Schnürfurche finden kann, oft auch in der Haut Spuren des Druckes sichtbar sind. Man glaube jedoch nicht, dass an dem Rippenbogen diese Einschnürungen jederzeit auffallend hervortreten; nach Entledigung der comprimirenden Kleidungsstücke gleicht sich die Einkerbung, wenn sie nicht sehr gewaltsam und anhaltend geübt wurde, theilweise wieder aus und wird dann leicht übersehen. Wir werden später bei der Diagnostik der einzelnen Krankheiten diesen Gegenstand weiter berühren.

Eine ähnliche Wirkung, wie die Schnürbrust, äussert unter Umständen die Scoliose; ferner Tumoren, welche sich zwischen Leber und Diaphragma entwickeln, wenn sie nicht den hinteren Theil vorzugsweise treffen, wo sie das Organ abwärts drängen, ebenso abgesackte Peritonealexsudate etc.

Eine geringere Stellungsveränderung der Leber, welche zu Täuschungen führen kann, kommt am linken Lappen unter vollkommen normalen Verhältnissen vor und ist abhängig von dem Zustande des Magens. Ist der letztere leer, so sinkt der linke Lappen der Leber tiefer herab, während er bei Anfüllung desselben hinaufgehoben wird.

Eine Veränderung der Leberstellung nach entgegengesetzter Richtung beobachtet man, wenn grosse Mengen von Gas im Magen und Darmcanal sich anhäufen, oder wenn bei Ascites etc. die lufthaltigen Darmtheile gegen das Zwerchfell sich drängen. Der vordere Rand der Leber wird dann gehoben, so dass die Fläche des Organs, welche mit den Bauchdecken in Berührung steht, immer kleiner wird. Nicht selten bleibt nur die vordere scharfe Kante allein mit derselben in Contact. Bei der Percussion verkleinert sich unter solchen Umständen die Dämpfung mehr und mehr, bis es schwer wird, an der Stelle, wo der Lungenton in den Darmton übergeht, die Leber nachzuweisen; in der Mammillar- und Medianlinie wird dies oft unmöglich, weil sich hier gasgefüllte Darmschlingen über den Rand drängen; in der Axillarlinie kommt dies nur ausnahmsweise vor.

Die Leber erscheint unter solchen Verhältnissen beträchtlich verkleinert, wenn auch factisch ihr Volumen in keiner Weise verändert ist. Es muss aus diesem Grunde als feststehende Regel gelten, dass man Verkleinerungen der Leberdämpfung, welche bei Tympanie oder bei Ascites mit Hinaufdrängung gashaltiger Darmtheile etc. beobachtet wurden, immer nur mit grossem Rückhalt verwerthet. Oft wiederholte Untersuchung ist hier unerlässlich; nach Entleerung der Gase stellen sich die Resultate der Percussion häufig in ganz anderer Weise dar. Wo langwierige Obstipation besteht, entleere man zunächst den Darm durch Abführmittel, ehe man sich ein Urtheil gestattet.

Texturerkrankungen der Leber veranlassen nur dann eine anomale Stellung, wenn sie mit Erschlaffung des Parenchyms verbunden sind. — Man findet die letztere bei der Fettentartung und bei der acuten Atrophie. Ihre Wirkung ist nach dem Grade der Erschlaffung verschieden. Bei mässigen Graden, wie

Fig. 12.

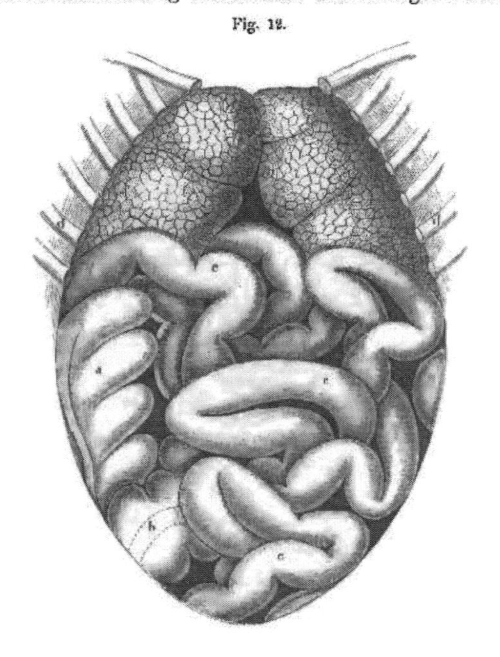

sie bei fettreicher Leber vorkommen, senkt sich die Achse abwärts und die Drüse tritt weiter unter dem Rippensaume hervor. Die Fettleber erscheint daher bei der Percussion gewöhnlich grösser als sie ist. Erreicht die Erschlaffung einen hohen Grad, wie bei der acuten Atrophie, wo die Drüse biegsam wird, wie ein Lappen, so sinkt dieselbe gegen die Wirbelsäule faltig zusammen, und der Raum wird vorn durch gashaltige Gedärme ausgefüllt. Es verschwindet dann vorn jede Leberdämpfung, während sie hinten nachweislich bleibt. In Fig. 12 ist die Lage der Theile bei einem Falle von acuter Atrophie wiedergegeben. *a* Colon ascendens, *b* Flexura iliaca, *c* Dünndarm, *d* sechste Rippe.

3. Anomale Lagerung. Dislocation der Leber.

Die Leber wird häufig im Ganzen aus ihrer gewöhnlichen Lage verdrängt durch Druckwirkungen, welche von der Brust- oder von der Bauchhöhle her auf sie eindringen; gewöhnlich verändert sich dabei gleichzeitig auch ihre Stellung.

Die Eingeweide der Brusthöhle influiren stetig auf ihre Lage insofern, als bei jeder tiefen Inspiration das Organ um 1 bis $1\frac{1}{2}$ Centimeter abwärts gedrängt wird und bei der Exspiration wieder aufwärts steigt. Dauernde Dislocationen nach unten werden durch alle Erkrankungen der Brusteingeweide veranlasst, welche das Zwerchfell anhaltend herabdrücken; die Stellung ändert sich hierbei in verschiedenartiger Weise, je nachdem vom rechten oder linken Thorax her der Druck einwirkt, zum Theil auch je nach der Art der Erkrankung, von welcher es abhängt, ob dieser oder jener Theil des Diaphragmas mehr verdrängt wird als ein anderer.

a. Bei Emphysem der Lungen steigt, wenn dasselbe einen höheren Grad erreicht und nicht auf die Ränder der Lunge beschränkt bleibt, die Leber um $\frac{1}{2}$ bis $1\frac{1}{2}$ Intercostalräume abwärts. Ist die rechte Lunge vorzugsweise stark erkrankt, so wird gleichzeitig eine Schiefstellung bemerklich.

b. Bei Pleuritis mit reichlichem eitrigen Exsudat[1]) und noch mehr bei Pneumothorax erfolgen ausgiebigere Dislocationen der Leber nach unten. Nicht selten wendet sich unter solchen Umständen das Zwerchfell convex abwärts, so dass der unterste Theil desselben unter dem Rande der Rippen weit hervortritt, wobei es die Leber vor sich her in das Abdomen hinabtreibt. Ein wesentlicher Unterschied für die übrige Lagerung der Drüse hängt davon ab, ob die rechte oder die linke Pleurahöhle das Exsudat enthält. Bei rechtsseitiger Pleuritis verschiebt das sich convex abwärts wölbende Diaphragma *c*, Fig. 13, den rechten Lappen der Leber

Fig. 13

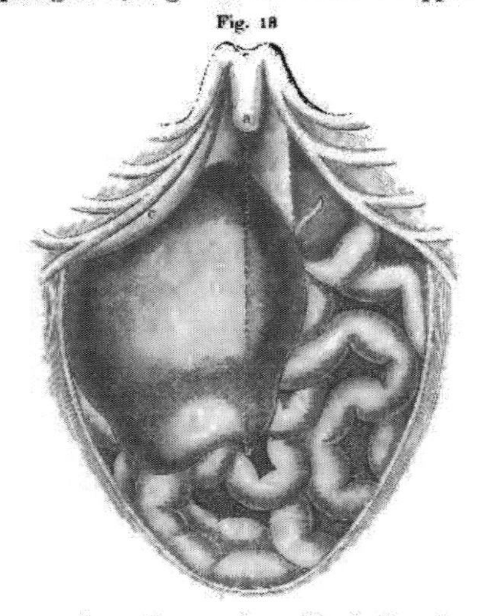

nach unten, so dass der vordere Rand desselben um viele Zolle die Rippen überragt (in anliegendem Falle lag der vordere Rand des rechten Lappens *b* 8 Zoll unter der Spitze

---

[1]) Geringere fibrinöse Ausschwitzungen bleiben ohne bemerkenswerthe Folgen für die Lage der Leber.

des Schwertfortsatzes *a*). Gleichzeitig wird die Leber nach links geschoben, das Lig. suspensorium kommt schräg gerichtet und gespannt links von der Medianlinie zu liegen. Der linke Lappen der Leber senkt sich gewöhnlich nicht, sondern wird im Gegentheil hebelartig wegen der Suspension des Organs am Lig. suspensorium nach oben und links gehoben, die Herzspitze in derselben Richtung vor sich her schiebend. Diese Hebung erfolgt jedoch keineswegs immer, sie fehlt vollständig, wenn, was oft vorkommt, der linke Lappen zu dünn und schlaff ist, um den Widerstand zu überwinden, oder wenn das Mediastinum durch das pleuritische Exsudat weit nach links hinübergerückt wird, so dass dasselbe in gleicher Weise auf dem linken wie auf dem rechten Lappen lastet.

Fig. 14.

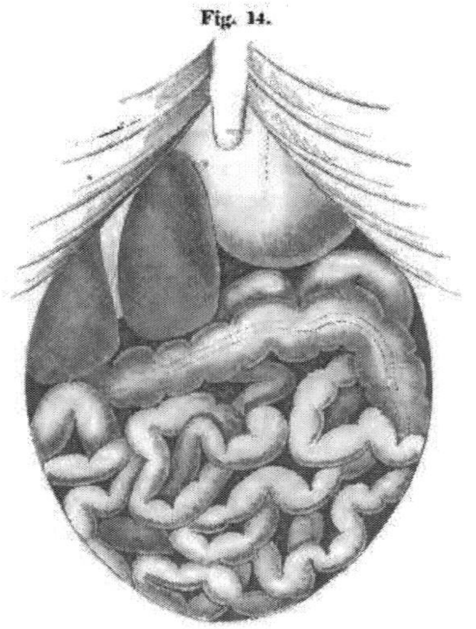

Bei linksseitigem pleuritischen Exsudat gestaltet sich die Lagenveränderung der Leber ganz anders. Zwar wird auch hier, wenn das Zwerchfell nach unten sich ausbaucht und das

Mediastinum nach rechts sich verschiebt, die Leber abwärts gedrängt, allein in einem viel geringeren Grade; vorwiegend ist hier die Verrückung des Organs nach rechts in der Art, dass das Lig. suspensorium gegen den Knorpel der achten oder neunten rechten Rippe hin verläuft, der linke Lappen der Drüse vollständig über die Medianlinie hinaus nach rechts und gleichzeitig abwärts sich wendet[1]), Fig. 14 (a. v. S.).

c. Von geringerem Einfluss auf die Lage der Leber sind pericardiale Exsudate und excentrische Vergrösserungen des Herzens. Die ersteren können jedoch, wenn sie massenhaft sind, die Drüse um einen halben bis ganzen Intercostalraum abwärts drängen, wobei vorzugsweise der linke Lappen betheiligt ist, Fig. 15. Die hyperämische Schwellung der Leber, welche unter solchen Verhältnissen vorhanden zu sein pflegt, vergrössert scheinbar diese Lagenveränderung, welche daher nicht nach dem Grade der Prominenz des Organs über den Rippenrand beurtheilt werden darf.

Fig. 15.

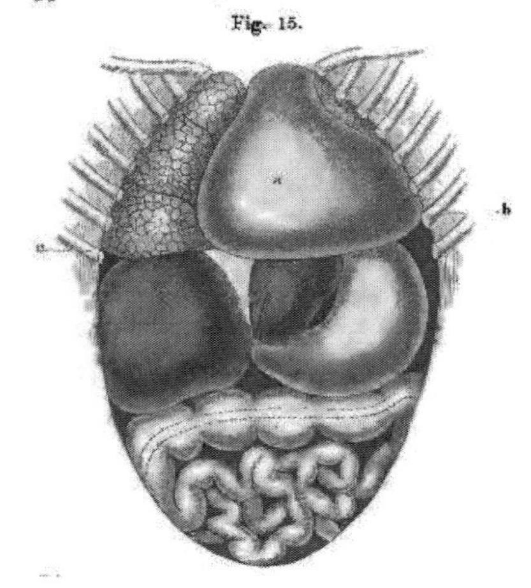

[1]) In Fig. 14 ragt das Zwerchfell um $4\frac{1}{2}$ Zoll unter dem Rippensaume hervor.

Es ist im Allgemeinen nicht schwierig, die eben angedeuteten Abwärtslagerungen der Leber von Vergrösserungen derselben zu unterscheiden. Leicht ist dies besonders bei Emphysem und Pneumothorax, bei welchen die tiefe Lage der oberen Grenze durch die Percussion sofort zu constatiren ist. Irrthümer, wie ich sie bei einer Consultation erlebte, wo entschieden werden sollte, ob das von zwei sonst erfahrenen Aerzten empfohlene Marienbad passend sei für eine Leberanschoppung, welche sich als eine Verdrängung dieser Drüse durch Pneumothorax in Folge von Lungentuberkulose ergab, dürften gegenwärtig nicht mehr zu entschuldigen sein. Schwerer ist es, in einigen Fällen die Dislocation der Leber durch pleuritische Exsudate richtig zu beurtheilen, besonders in Fällen, wo die Exsudatschicht in Bezug auf Höhe und Art der Lagerung diejenigen Grenzen einhält, bis zu welchen die vergrösserte Leber allenfalls hinaufsteigen kann[1]). Unter solchen Umständen lässt man sich, wenn aus der Anamnese keine klare Einsicht in den Entwickelungsgang der Affection gewonnen wird und wenn nicht die conisch in die Brusthöhle aufsteigende Form der Lebertumoren eine Unterscheidung von den meistens horizontal begrenzten pleuritischen Ergüssen gestattet, am besten durch die Beweglichkeit der Leber bei tiefer Inspiration leiten. Wenn die letztere sich unversehrt erhalten hat, was durch die Palpation und Percussion während angestrengter Athmungsbewegungen gewöhnlich ohne Schwierigkeit sich constatiren lässt[2]), so ist nicht anzunehmen, dass das Zwerchfell und mit ihm die Leber unter dem Drucke eines pleuritischen Exsudates sich senkt, sondern dass eine

[1]) Dieselbe kann sehr beträchtlich sein; Lebertumoren, namentlich Echinococcen, welche vom convexen Theil des Organs sich entwickeln, heben das Zwerchfell nicht selten bis zur dritten und zweiten Rippe. Der Grund hiervon liegt in dem geringeren Widerstande, welchen die wachsende Geschwulst von Seiten des Brustraumes findet, im Vergleich zu dem von Seiten der Bauchhöhle.

[2]) Man halte sich hierbei an den unteren Rand der Leber, weil der obere auch bei unthätigem Zwerchfell sich während einer tiefen Inspiration zu senken scheint, indem wegen veränderter Stellung der Rippen und erweiterter Brusthöhle der Rand der Lunge sich zwischen Thoraxwand und Leber abwärts bewegt.

Volumszunahme die obere und untere Grenze des Organs veränderte. Umgekehrt darf jedoch nicht aus der fehlenden Beweglichkeit der Leber auf ein Empyem geschlossen werden, weil auch ohne ein solches das Diaphragma die Contractilität einbüssen kann durch die fettige oder bindegewebsartige Degeneration, welche dieser Muskel, wenn er mit Lebertumoren verwächst, so oft erleidet. Bei hoch in den Thorax hinaufreichenden Geschwülsten ist dies sehr oft der Fall.

Nebenher achte man darauf, ob der knorpelige Saum des rechten Rippenbogens nach aussen umgeworfen erscheint, was bei Vergrösserung der Leber häufig, nicht aber bei Empyem beobachtet wird.

Stokes legt ein grosses Gewicht für die Diagnostik auf die Furche, welche bei Thoraxexsudaten zwischen dem Rippenrande und der convexen Oberfläche der Leber nachweislich ist. Dieselbe wird, wie es Fig. 13 *c* andeutet, durch die Berührung der convex nach unten gewandten rechten Hälfte des Diaphragmas mit der oberen Fläche der Leber gebildet und kann allerdings oft während des Lebens gefühlt zuweilen auch gesehen werden; allein für die Diagnostik ist sie aus mehrfachen Gründen von geringem Werthe. Bei Empyemen, welche das Zwerchfell convex nach unten drängen, ist die Diagnose bei der bedeutenden Höhe der Exsudatschicht meistens auch ohne dieses Zeichen klar; in den schwierigeren Fällen, bei welchen dieses Zeichen werthvoll sein würde, fehlt es, weil hier eine so bedeutende Dislocation des Diaphragmas nicht vorhanden ist. Häufig ist ausserdem noch die Spannung der Bauchmuskeln so gross, dass die Furche, selbst wenn sie besteht, sich nicht nachweisen lässt. Endlich kann bei allen höckerigen Lebertumoren, wie bei stark prominirenden Carcinomen und Echinococcen, eine ähnliche Furche entstehen, indem durch jene Geschwülste die Leber von der Rippenwand abgedrängt und so für das Eindringen der Finger zwischen Rippen und Leber ein Raum geschaffen wird.

Dass die Verstreichung der Intercostalräume und die Fluctuation derselben, sowie die Verschiebung des Mediastinums nicht, wie man annimmt, ein sicheres Zeichen des Empyems sei, kann der folgende auch in anderer Beziehung interessante Fall lehren.

Beobachtung. Nro. 1.

Tertiäre Syphilis, Lebertumor, welcher bis zur zweiten Rippe aufsteigt und durch Echinococcen nebst speckiger Infiltration der Leber gebildet wird. Prominenz und Fluctuation der Intercostalräume. Dislocation des Herzens, Unbeweglichkeit der Geschwulst bei tiefer Inspiration. Diagnostischer Werth des Explorativtroikars.

Wilhelmine Köhler, 38 Jahre alt, früher wiederholt an secundären und tertiären Formen der Syphilis behandelt, kam am 15. Januar 1855 mit Fussödem und Ascites auf die Klinik. Die Untersuchung des Unterleibes ergab eine bedeutende Vergrösserung der Leber und der Milz. Von der vierten Rippe rechter Seite bis 3 Centimenter oberhalb des Nabels war der Percussionston matt, nach links erschien eine Abgrenzung von der Milz nicht ausführbar. Die Oberfläche der Leber war etwas uneben, die Ränder, mässig zugeschärft, fühlten sich derb und fest an. Die Milz erstreckte sich bis zum vorderen Rande der zehnten und elften Rippe, weiter nach oben bildete sie mit dem linken Leberlappen eine Continuität. Appetit normal, Stuhl regelmässig und von blassbrauner Farbe; der spärlich gelassene Urin schmutzig gelb, jedoch frei von Eiweiss und Gallenpigment. Die Hautfarbe der Kranken gelblich grau, die Ernährung wenig beeinträchtigt; Menstruation fehlt seit drei Monaten. An den Schienbeinen zeigten sich Auftreibungen syphilitischer Natur, welche besonders zur Nachtzeit schmerzhaft wurden. Am Gaumensegel sah man Narben älteren Datums. Die Diagnose wurde auf syphilitische Speckleber und Speckmilz gestellt und Ferr. jodat. nebst einem diuretischen Thee verordnet.

Das Oedem der unteren Extremitäten verlor sich nach wenigen Tagen vollständig, der Ascites grösstentheils, eine Veränderung im Volumen der Leber und der Milz trat jedoch nicht ein, obgleich die Jodpräparate (Ferr., später Kali jodat.) gegen zehn Wochen lang fortgesetzt wurden.

Während der Ferienzeit, welche die Kranke auf einer anderen Abtheilung des Hospitals zubrachte, hatte der Zustand sich wesentlich verändert. Es sollte sich, wie berichtet wurde, ohne die gewöhnlichen subjectiven Erscheinungen im rechten Thorax ein vorn abgesacktes pleuritisches Exsudat gebildet haben, welches die Leber und das Herz dislocirte.

Ende April, wo die Kranke auf der Klinik von Neuem untersucht werden konnte, liess sich Folgendes constatiren. Die rechte Thoraxseite ist aufgetrieben, von der zweiten Rippe abwärts fehlt vorn das Respirationsgeräusch vollständig, der Percussionston ist von hier bis zum Niveau des Nabels und in der Mammillarlinie noch 6 Centimeter unterhalb desselben matt, während hinten bis zur neunten Rippe Vesiculärathmen gehört wird. Die Incisura hepatis liegt unmittelbar hinter der Umbilicalfalte *c*, Fig. 16,

Fig. 16.

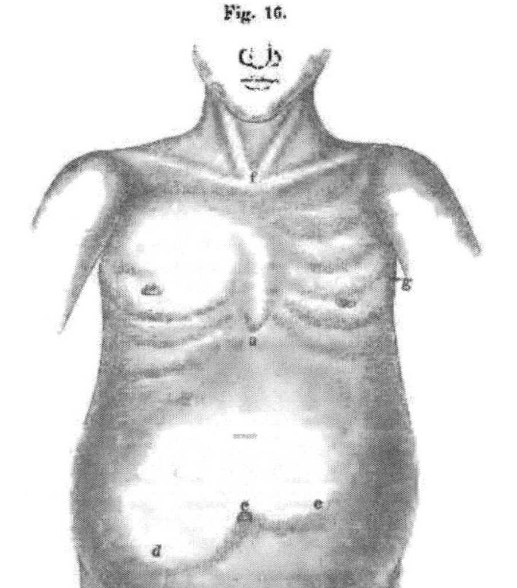

von hieraus erstreckt sich der linke Lappen *e* bis unter den Knorpel der zehnten Rippe, wo er in der Axillarlinie von dem tympanitischen Magenton begrenzt wird. Das Herz ist nach oben und links gedrängt, der Stoss desselben wird im vierten Intercostalraume 3 Centimeter links von der Brustwarze fühl- und sichtbar (*g*). Im linken Thorax ist hinten und unten eine schwache Dämpfung und bronchiales Athmen (der Ueberrest eines früher behandelten pleuritischen Exsudats) nachweislich, sonst nichts Abnormes. Die Oberfläche und die Ränder der Leber zeigen, wie früher, leichte Unebenheiten und eine derbe Consistenz. Ein Abwärtsrücken der Grenze des Organs bei tiefer Inspiration war nicht bemerkbar. Das Allgemeinbefinden erscheint wenig beeinträchtigt, die Verdauung ungestört, die Ausleerungen erfolgen regelmässig, nachdem ein paar Wochen lang spontaner Durchfall bestanden hatte; nur bei Bewegungen, wie beim Treppensteigen, wird über Athemnoth geklagt.

Der vierwöchentliche Gebrauch des Carlsbader Mühlbrunnen hatte keine wesentliche Volumsabnahme der Leber zur Folge, nur der Rand derselben wurde weicher und schlaffer, so dass er sich umklappen liess.

Von Zeit zu Zeit stellten sich die Erscheinungen der Perihepatitis ein, welche spontan oder nach Anwendung warmer Cataplasmen vorübergingen, und ausserdem Blutungen aus der Nase in ziemlich regelmässigen monatlichen Blutungen.

Die Kranke verliess von Zeit zu Zeit das Hospital, um ihre häuslichen Angelegenheiten zu ordnen, ihr Zustand blieb bei einfach symptomatischer Behandlung mehrere Monate hindurch unverändert. Allmälig nahm der Ascites zu, die Venen der Bauchdecken, besonders der rechten Seite, erweiterten sich ansehnlich und unter dem rechten Rippenbogen entstand eine von dem festen Leberparenchym umgrenzte flache fluctuirende Prominenz; die gleiche Fluctuation liess sich in den unteren Intercostalräumen nachweisen. Es erschien fraglich, welcher Art diese Flüssigkeit sei: ob sie aus serösem Fluidum bestehe, welches in den Maschen der zahlreichen, in Folge oft wiederholter Perihepatitis entstandener Bindegewebestränge zwischen Leber und Bauchwand abgesackt lag, ob aus dem Eiter eines durch das Diaphragma sich senkenden pleuritischen Exsudats oder eines Leberabscesses, oder endlich aus dem dünnen wässerigen Inhalt eines Echinococcussackes. Die Anhaltspunkte, welche die Anamnese und die directe Untersuchung für die Entscheidung dieser Fragen darbot, blieben ungenügend. Es wurde daher am 8. Juni 1856 mit einem feinen Explorativtroikar eine Probe der Flüssigkeit vorsichtig entleert. Dieselbe bestand aus einem völlig farblosen klaren Wasser, welches kaum eine Spur von Eiweiss in der Siedhitze und auf Zusatz von Salpetersäure fallen liess, aber Leucin und, soweit man aus dem Verhalten gegen Eisenchlorid schliessen konnte, bernsteinsaure Salze enthielt. Das Fluidum musste also aus einem Echinococcusbalge stammen. Mit der Constatirung dieses letzteren war die Annahme eines abgesackten rechtsseitigen pleuritischen Exsudats, welche hauptsächlich auf dem uns mitgetheilten Bericht, sowie auf das Fehlen der respiratorischen Lagenveränderung der Leber sich stützte, mehr als fraglich geworden. Die Verschiebung der Leber und des Herzens fand in der Ausdehnung der Echinococcuscolonie nach oben eine genügende Erklärung.

Am 16. Juli verliess die Kranke auf einige Tage das Hospital und setzte sich Schädlichkeiten aus, welche den letalen Ausgang herbeiführten. Bei ihrer Rückkehr am 21. war bedeutendes Oedem der Füsse und ein mit Lungenödem sich verbindender weit verbreiteter Catarrh der Luftwege entstanden.

Am 23. früh Frost, 130 Pulse, grosse Dyspnoee, Auswurf schaumiger mit Blut vermischter Flüssigkeit, Cyanose, Tod durch Asphyxie gegen Mittag.

Obduction.

Das Diaphragma reichte rechterseits bis zur Höhe der zweiten Rippe; oberhalb desselben sah man vorn nur den zu einer blaugrauen luftleeren Membran comprimirten mittleren Lungenlappen *b* und den oberen; der untere lag nach hinten gedrängt an der Thoraxwand, fest mit dieser und dem Zwerchfell verwachsen. Im linken Thorax war das Herz *c* nach oben und

Fig. 17.

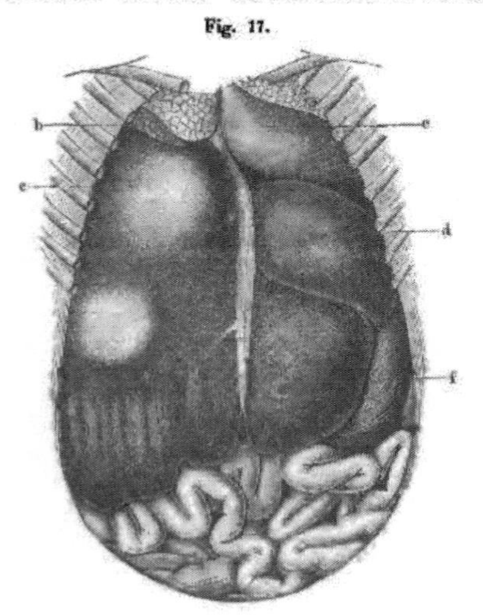

links gedrängt, dasselbe hatte eine Querlage angenommen, die Spitze lag im dritten Intercostalraum. Das Diaphragma erreichte auf dieser Seite nahezu die Höhe der vierten Rippe; es war emporgehoben durch die bedeutend vergrösserte Milz *d*, welche sich quer über den linken Leberlappen gelagert hatte und mit dem stumpfen oberen Ende das Lig. suspensorium berührte. Die Oberfläche der Leber ist durch Adhäsionen theils frischeren, theils älteren Datums vielfach mit der Bauchwand und dem Zwerchfell verwachsen, an dem linken Lappen ist die Milz fest angeheftet. Die Musculatur des Zwerchfells erscheint von blassgelber Farbe; sie erweist sich bei genauerer Untersuchung als im hohen Grade fettig degenerirt. Der obere Theil des rechten Leberlappens besteht aus einer 9³/₄ Zoll im Durchmesser haltenden Cyste, welche

13 Pfd. hellgelber, leicht getrübter Flüssigkeit und eine einzige grosse gallertartige auf der Innenfläche mit Echinococcusbrut bedeckte Blase enthält. Die Flüssigkeit war in Folge der durch die Punction veranlassten Entzündung wesentlich verändert; sie liess jetzt in der Siedehitze reichliche Mengen von Eiweiss fallen, welches in der bei Lebzeiten entleerten Probe nicht vorhanden war. Die Oberfläche der Leber ist uneben, das Parenchym körnig, von zäher Consistenz und von hellgraubrauner Farbe. Das Gesammtgewicht der Leber beträgt 8,68 Kilogr.; die Dimension des rechten Lappens von oben nach unten ist = $14\frac{1}{2}$", querüber $8\frac{1}{2}$", die entsprechenden des linken messen 6" und $1\frac{3}{4}$", die Dicke des Organs beträgt 7". Die Milz ist von derber Consistenz, braunrother Farbe und glänzender Schnittfläche; sie wiegt 0,4 Kilogr., ist 6" lang und 4" breit.

In der Schädelhöhle nichts Abnormes; die Schleimhaut der Bronchien lebhaft geröthet und mit blutigem Schaum bedeckt; beide Lungen stark ödematös; am unteren Saume der linken ist die Pleura verdickt, das Parenchym indurirt und mit erweiterten Bronchien durchzogen.

Das Herz in der rechten Hälfte erweitert, sonst normal. Die Schleimhaut des Magens und Darmcanals ist blass, letztere mit graugelben Fäces bedeckt; am After ist eine $1\frac{1}{2}$" in das Rectum sich hinein erstreckende weisse Narbe sichtbar. Die Harn- und Genitalorgane zeigen nichts Bemerkenswerthes.

Andere Erfahrungen ähnlicher Art werden bei der Lehre von den Leberechinococcen ihren Platz finden.

d. Die Dislocationen der Leber, welche von Anomalieen abhängig sind, die in der Bauchhöhle ihren Sitz haben, erfolgen grösstentheils in der Richtung nach oben und verbinden sich in diesem Falle fast immer mit Kantenstellung des Organs. Alles was die Unterleibshöhle ausfüllt und den Raum für die Gedärme beengt, oder was die letzteren stark ausdehnt, kann diese Lagenveränderung herbeiführen: Ascites, Gravidität, Ovariumtumoren, Geschwülste die vom Omentum, von den Nieren etc. ausgehen, ferner Tympanie des Gastrointestinaltractus, Kothanhäufung etc. Fast immer erfolgt unter solchen Umständen die Dislocation der Leber durch gasgefüllte Darmschlingen, welche sich gegen die Hypochondrien drängen, und die Drüse vor sich her gegen die Brusthöhle treiben, so dass ihre obere Grenze hinter der fünften, ja zuweilen hinter der vierten Rippe gefunden wird; der vordere scharfe Rand, welcher beweglicher ist, hebt sich dabei vorwiegend und bleibt oft allein mit der Brustwand in Berührung, wobei die Breite des matten Percussionsschalles immer kleiner wird und in der Median- und Mammallinie kaum nachweisslich bleibt.

Viel seltener geschieht es, dass von unten her aufsteigende Abdominaltumoren die Leber direct verdrängen; jedoch erreichen Ovariumgeschwülste, Neubildungen in den Nieren etc. zuweilen die Leber und verschieben das Organ nach oben, wobei begreiflicher Weise die Richtung je nach der mehr oder minder starken seitlichen Wirkung des Druckes vielfachen Modificationen unterliegen kann.

Nur ausnahmsweise kommt es vor, dass pathologische Vorgänge innerhalb der Bauchhöhle die Leber abwärts oder seitwärts dislociren. Man beobachtet das Erstere bei abgesackten Peritonealexsudaten, welche zwischen Diaphragma und Leber liegen, bei Echinococcen an derselben Stelle, während seitliche Verdrängungen hauptsächlich durch starke Ausdehnung benachbarter Darmtheile, besonders des Colons in Folge von Stenose oder Compression tiefer liegender Stellen, wie der Flexura iliaca, der Curvatura coli sinistra, des Rectums etc. veranlasst werden. Eine starke Verdrängung der Leber gegen die rechte Excavation des Diaphragma's und die Rippen dieser Seite mit consecutiver Atrophie des Organs beobachtete ich bei einem Individuum, bei welchem durch ein abgesacktes peritonitisches Exsudat im linken Hypochondrio, veranlasst durch ein Ulcus perforans ventriculi, die Flexura coli sinistra comprimirt war und im Queercolon eine beträchtliche Anhäufung von Fäcalstoffen und Gasen sich gebildet hatte. Eine ähnliche Dislocation der Leber sah ich bei der Obduction eines 60jährigen Mannes, welcher an carcinomatoser Strictur des Colons descendens gelitten hatte. Noch gegenwärtig behandle ich eine Frau mit Verengerung des Rectums durch syphilitische Narben, bei welcher das fast immer durch Gas oder Darmcontenta ausgedehnte Colon den linken Leberlappen über die Medianlinie nach rechts gedrängt hat.

4. Schwierigkeiten der Grenzbestimmung der Leber wegen pathologischer Beschaffenheit benachbarter Theile.

Der grössere Theil von Irrthümern, welche im praktischen Leben bei der Untersuchung der Leber gemacht werden, stammt aus dieser Quelle. Die meisten derselben lassen sich allerdings bei klarer Anschauung der Verhältnisse und bei einiger Uebung und Erfahrung mit Sicherheit vermeiden; allein in einzelnen Fällen wird die Täuschung so nahe gelegt, dass sie schwer zu umgehen ist. Hier ist oft schon viel gewonnen, wenn nur mit Sicherheit nachgewiesen werden kann, dass die Vergrösserung der Leber eine scheinbare sei und dass das Volumen des Organs überall nicht positiv festgestellt werden könne.

Die Schwierigkeiten der Abgrenzung der Leber können von sehr verschiedenen Theilen und Organen ausgehen:

a. Von den Bauchdecken.

Die Musculatur des Unterleibes zeigt regelmässig an den Stellen eine bemerkliche Spannung, wo von ihr schmerzhafte Organe bedeckt werden. In der Lebergegend beobachtet man sehr oft solche partielle Muskelcontractionen in Folge von Catarrhen und Entzündungen des Pylorustheils der Magenschleimhaut oder umschriebener Peritonitis, Perihepatitis, Gallensteinen etc. Sie erschweren die Untersuchung insofern, als der ungeübte Beobachter die contrahirte Muskelparthie wegen ihrer Härte und Resistenz bei der Palpation leicht mit Vergrösserungen der Leber, besonders des linken Lappens, verwechseln kann. Man vermeidet solchen Missgriff leicht durch die Percussion, welche nicht den leeren Ton ergiebt, welche man dem Resistenzgefühle nach erwartet hatte. Es ist indess unter solchen Umständen der Percussionston jederzeit etwas kürzer und gedämpfter in Folge der stärkeren Spannung, wodurch man sich nicht irreleiten lassen darf.

Schwieriger zu vermeiden sind Verwechselungen von ent-

5*

zündlichen Infiltraten der Bauchmuskeln mit Anschwellungen oder Entzündungen der Leber, wenn, was hie und da vorkommt, die Erkrankung der Musculatur der Form und Lage dieser Drüse conform ist. Ich beobachtete einen Fall dieser Art, wo die Aehnlichkeit so auffallend war, dass ein alter erfahrener Arzt den Kranken viele Wochen lang Carlsbader Brunnen zur Beseitigung der Leberanschoppung hatte trinken lassen, als derselbe in der Klinik sich vorstellte. Cataplasmen brachten hier nach 8 Tagen einen Abscess zur Reife und das Bistouri entleerte leicht, was der Schlossbrunnen nicht hatte beseitigen können. Die Unterscheidung beider Zustände ist gewöhnlich ohne Schwierigkeit, weil selten die Myositis genau die Contouren der unter der Decke liegenden Leber einhält. Wo dies der Fall ist, entscheidet das Festliegen der Hautdecken auf der kranken Stelle, das Ausbleiben anderweitiger Anomalieen der Leber, die Geringfügigkeit der allgemeinen Störungen. Ueberdies giebt die sich allmälig verlierende Dämpfung des Percussionstons, welcher bei Anschwellung oder Abscessbildung der Leber viel schärfer begrenzt ist und plötzlicher aufhört, einen genügenden Anhalt. Schon Galen (de loc. affect. libr. V, cap. 7.) kannte die Unterscheidungsmerkmale und diagnosticirte mit Hülfe derselben beim Stesianus einen Abscess der Bauchmuskeln, wo andere Aerzte einen Leberabscess angenommen hatten.

b. Von Krankheiten des Bauchfells.

Es sind besonders abgesackte Peritonealexsudate und Carcinome des Bauchfells, welche das Urtheil über das Volumen der Leber irreführen können. Die Unterscheidung der ersteren ist besonders dann schwierig, wenn das Exsudat in der Excavation des Zwerchfelles liegt und die Leber vor sich her drängte. Hier kann, wie ich es in einem Falle erfuhr, wenn nicht die Anamnese aushilft, die Diagnose unmöglich werden. Wenn dagegen, was gewöhnlicher der Fall ist, die Ausschwitzung sich über die Grenzen der Leber hinaus erstreckt, so erkennt man sie leicht an der wegen der Zuschärfung der Exsudatschicht ganz allmählig abnehmenden Dämpfung, ein Zeichen, welches bei der Unterscheidung der im linken Hypochondrio häufiger vorkommenden Exsudate von Milztumoren uns in mehreren Fällen sicher geleitet hat. Massenhaftere Ausschwitzungen zwischen Leber und Zwerchfell veranlassen überdies Ausbuchtung des rechten Hypochondrii, Fluctuation der erweiterten Intercostalräume und Paralyse des Diaphragmas. Carcinome des Bauchfells sind an der unregelmässigen Vertheilung leichter zu erkennen.

Allgemeine oder abgesackte Gasanhäufungen im Peritonealraume, wie sie bei Perforation des Magens etc. vorkommen, können die Leber ganz oder theilweise überdecken und für die Percussion unzugängig machen. Ihre Anwesenheit ergiebt sich gewöhnlich von selbst aus der gleichmässigen Wölbung des Unterleibes, der Anamnese und den nebenhergehenden Zufällen der Peritonitis ex perforatione.

c. Von Krankheiten des kleinen und grossen Netzes.

Sie kommen im Allgemeinen selten vor und können nur ausnahmsweise die Untersuchung der Leber erschweren. Ich theile aus meiner Erfahrung zwei Fälle dieser Art mit, von welchen der eine nicht diagnosticirt werden konnte.

Nro. 2.

Carcinom des kleinen Netzes, Compression der Pfortader und Atrophie der Leber, blutiger Ascites, Ecchymosen auf der Darmserosa und dem Bauchfell.

C. Hesse, 62 Jahr alt, litt seit einigen Monaten an zunehmender Erschöpfung, Oedem der Füsse und Verdauungsbeschwerden. Der Unterleib war schmerzhaft und in dem rechten Hypochondrio sowie im Epigastrio halbkugelig aufgetrieben. Man fühlte hier eine mit wallnuss- bis apfelgrossen Knollen bedeckte Geschwulst, welche bis 6 Centimeter unterhalb des Nabels sich verfolgen liess und einen Theil des linken Hypochondriums ausfüllte. Auf derselben liessen sich deutlich fluctuirende Blasen erkennen, zum Theil von dem Umfang einer halben Wallnuss und darüber, welche von einer festeren Umgebung begrenzt waren. Die Geschwulst verlor sich unter den Rippen und konnte durch die Percussion aufwärts bis zur Mitte des vierten

Intercostalraumes nachgewiesen werden; ihr senkrechter Durchmesser betrug in der Medianlinie 32 Centimeter. Der Darmcanal war mit Gasen angefüllt, im unteren Raume des Bauchfells liess sich flüssiger Erguss erkennen; die Milz vergrössert, bis zum Rande der elften Rippe reichend.

Graugelb belegte Zunge, Appetitlosigkeit, Gefühl von Völle nach jedem Genuss; träger, blassbraun gefärbter Stuhl. Puls 60; kein Icterus.

Die Geschwulst, welche von der Leber nirgend sich abgrenzen liess, auch die Contouren dieses Organs einhielt, musste für eine Intumescenz dieser Drüse genommen werden, und zwar entweder für ein Carcinom mit Cystenbildung oder für einen Echinococcus. Gegen letzteren sprach die grosse Empfindlichkeit beim Druck, das Fehlen des Hydatidenzitterns und die derbe Beschaffenheit der meisten Knollen, deren Zahl überdies die gewöhnliche der Echinococcen weit übertraf. Mit einem feinen Explorativtroikart wurde vorsichtig aus einer Blase eine kleine Menge des flüssigen Inhalts entleert; derselbe war blutig und reich an Eiweiss; unterschied sich also wesentlich von dem Fluidum der Echinococcen. Es blieb also nur die erste Annahme übrig.

Ordin. Inf. r. Rhei. mit Aq. lauroc. und Aeth. acet. Am folgenden Tage, am 11. November 1854, war in Folge reichlicherer Ausleerung, das Abdomen weniger gespannt, die Empfindlichkeit geringer; die Appetitlosigkeit blieb dieselbe. Am 13. unveränderter Zustand, die Erschöpfung nimmt zu, die am 10. entleerte Blase ist wieder gefüllt. Puls klein, 72.

Am 16. November erfolgt der Tod unter den Erscheinungen des Lungenödems. Bei der Obduction wurde in der Schädel- und Brusthöhle, abgesehen von den gewöhnlichen Veränderungen des höheren Alters und dem Lungenödem, nichts Abnormes gefunden.

In der Unterleibshöhle reichlicher Erguss blutig seröser Flüssigkeit; das Peritoneum sowie der seröse Ueberzug des Dünndarms sind mit zahllosen

Fig. 18.

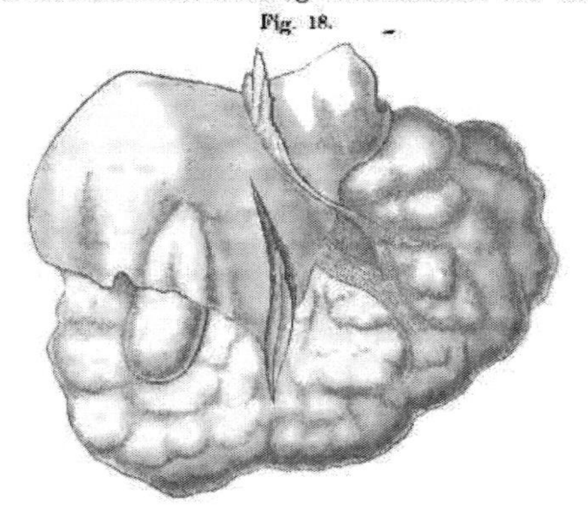

linsen- bis erbsengrossen Blutextravasaten bedeckt, welche stellenweis so dicht zusammengedrängt stehen, dass die Serosa braunroth gefärbt erscheint; die Schleimhäute sind davon grösstentheils verschont geblieben. Die Milz um die Hälfte vergrössert und blutreich. Die im rechten Hypochondrio liegende Geschwulst reicht bis zum unteren Rande der dritten Rippe aufwärts. Sie besteht der Hauptsache nach aus weicher, graugelber, mit zahlreichen wallnussgrossen Cysten durchsetzten Markschwammmasse, welche im kleinen Netz ihre Lage hat, den Magen und das Quercolon überdeckt und von unten her keilförmig in das Leberparenchym eindringt. Das letztere ist beträchtlich atrophirt und liegt tief in der Excavation des Diaphragmas. Die Gallenblase ist auf der Oberfläche des Carcinoms sichtbar. Ein Theil der Pfortaderäste, besonders der rechte Ast, ist durch das Carcinom vollständig comprimirt. (Fig. 18.) Pancreas, Retroperitonealdrüsen, Nieren und Harnblase unverändert.

Es ist unmöglich, während des Lebens eine Neubildung der vorliegenden Art von einem Lebertumor zu unterscheiden, und die Grenzen des Pseudoplasmas und der Leber gehen so unvermerkt in einander über, dass bei der Palpation durch die Bauchdecken an keine Unterscheidung zu denken ist.

Aehnliche, jedoch im Allgemeinen geringere Schwierigkeiten der Diagnostik können Carcinome des grossen Netzes veranlassen. Die Aufgabe wird hier gewöhnlich dadurch er-

Fig. 19.

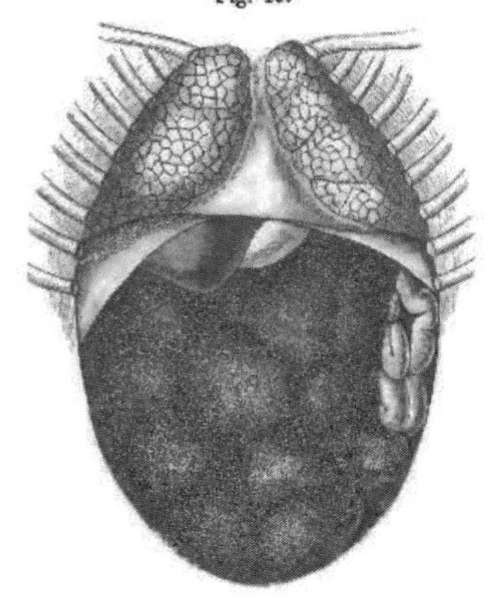

leichtert, dass die knolligen Tumoren im Omentum magnum fast immer Parthieen übrig lassen, an welchen bei der Percussion der hellere Darmton durchdringt, so dass die fehlende Continuität des matten Percussionstons von einer Verlegung der Neubildung in die Leber abmahnen muss. Allein auch hiervon giebt es, wenn auch nur selten, Ausnahmen. In der Fig. 19 (s. vor. S.) ist der Situs eines Carcinoms des grossen Netzes gezeichnet, welches von der Leber aus die ganze Bauchhöhle ausfüllt. Die Dicke des Netzes war so bedeutend, dass bei der Percussion nirgend der Darmton gefunden werden konnte. Auch tuberkulöse Infiltrationen des Netzes erreichen hie und da eine ansehnliche Dicke; ich fand dieselbe bis zu einem Zolle und darüber.

d. Von Anomalieen des Darms und Magens.

Die grosse Beweglichkeit des Darmrohrs, welche Lagenveränderungen mannigfacher Art gestattet, erschwert die Untersuchung der Leber nicht selten in hohem Grade, um so mehr als der bald gasförmige, bald feste Inhalt desselben die Beurtheilung der Darmlage unsicher macht[1]).

Fäcalanhäufungen im Quercolon können, wenn sie auf dem rechten Hypochondrio beschränkt bleiben, sehr leicht zur Annahme gleichmässiger oder höckeriger Anschwellungen der Leber verleiten. Das mit festen Kothmassen gefüllte Colon, welches unter dem vorderen Rande der Leber liegt, veranlasst eine Umfangszunahme des matten Percussionstons, welche um so leichter auf diese Drüse bezogen wird, als nicht selten wegen gleichzeitiger Compression der Gallenwege ein

[1]) Die Lagerungsverhältnisse des Dickdarms sind sehr mannigfacher Art und daher schwierig zu beurtheilen. Schon de Haen, in seiner ratio medendi, schenkte diesem Gegenstande seine Aufmerksamkeit und lieferte eine Anzahl von Skizzen anomaler Lagerungen, welche ihm praktisch wichtig erschienen. Auch Annesley theilte interessante Beispiele in seinem Atlas mit. Ich habe seit Jahren Vorkommnisse dieser Art bei Obductionen zeichnen lassen und werde in einem späteren Hefte bei den Krankheiten des Dickdarms die wichtigsten derselben vorlegen. Der Gegenstand verdient nicht bloss in diagnostischen, sondern auch in vielen anderen Beziehungen unsere Beachtung.

mehr oder minder intensiver Icterus besteht. Auch die Palpation scheint diese Annahme zu bestätigen, zuweilen sogar noch dahin zu erweitern, dass ausser der Vergrösserung auch höckerige Tumoren, den Carcinomen ähnlich, nachweisslich werden. Für letztere können von dem minder geübten Beobachter leicht die harten knolligen Scybala genommen werden, welche unter solchen Verhältnissen sich vorfinden. Fälle dieser Art kommen besonders bei Frauen vor, und ich könnte eine Reihe hierher gehöriger Erfahrungen mittheilen, wenn es derer bedürfte[1]. Es ist im Allgemeinen nicht schwierig, die

[1] Ich lege hier eine derselben bei, welcher deshalb von Interesse ist, weil eine doppelte Verwechselung dabei stattfand. Eine 25jährige auf dem Lande lebende Dame, welche bereits wiederholt abortirt hatte, glaubte sich wegen ausbleibender Menstruation, Uebelkeit etc. schwanger. Der Hausarzt verordnete ihr die strengste Ruhe, welche sie, weil ein neuer Abort um jeden Preis vermieden werden sollte, 6 Monate lang liegend auf dem Sopha einhielt. Eine innere Exploration wurde nicht gestattet, nur durch Befühlen des Unterleibes hatte der Arzt einen rundlichen, aus der Beckenhöhle emporsteigenden Tumor erkannt, welcher nach und nach bis zum Nabel aufstieg. Die sehnlichst erwarteten Kindesbewegungen stellten indess sich nicht ein, der sorgfältigsten Pflege ungeachtet magerte die junge Frau ab, wurde blassgelblich von Farbe, verlor den Appetit, bekam Oedem der Füsse und zuletzt einen ausgebildeten Icterus. Ein zweiter Arzt, welcher hinzugerufen wurde, erklärte das Leiden für eine enorme Anschwellung der Leber und stellte die Schwangerschaft in Abrede, wogegen der erste das von ihm beobachtete Emporwachsen der Geschwulst geltend machte. Um meine Ansicht befragt, untersuchte ich das Abdomen genauer. Dasselbe war bedeutend aufgetrieben und empfindlich; aus der Beckenhöhle schien von der linken Seite her eine Geschwulst aufzusteigen, welche sich teigicht anfühlte und am Nabel die Medianlinie um 1½ Zoll überschritt; die Coecalgegend ergab einen vollen tympanitischen Ton bis zur Linea alba. Die Leberdämpfung erstreckte sich in der Mammallinie von der fünften Rippe bis 8 Centimeter unter dem Arcus costarum, in der Axillarlinie jedoch nur bis zum Rande derselben; quer durch die Regio epigastrica lief ein wulstartiger Strang, welcher auf Druck empfindlich war und bei der Percussion stellenweise einen leeren, stellenweise aber einen vollen Ton ergab. Ausleerungen waren den anderen Tag erfolgt und hatten eine ungleiche, bald blasse, bald dunkele Färbung gezeigt. Meine Ansicht ging dahin, dass Schwangerschaft nicht bestehe (dagegen sprach die Form wie auch besonders die teigichte Beschaffenheit der Geschwulst, welche für eine ungewöhnlich lange, mit Fäcalstoffen überfüllte Flexura iliaca genommen werden musste) und dass über die Beschaffenheit der Leber nur nach Entleerung des Darmcanals geurtheilt werden könne. Durch Klystiere und Inf. Senn. compos. wurden bedeutende Quantitäten von Fäcalstoffen entfernt. Nach acht Tagen wurde mir berichtet, dass der untere Tumor verschwunden und die Leber bedeutend verkleinert, der Icterus vermindert sei. Drei Wochen später, wo sich die Kranke mir vorstellte, nachdem sie Marienbader Kreuzbrunnen getrunken hatte, war von einer Vergrösserung der Leber nichts mehr zu constatiren; sie hatte durch die Purgantien ihre Hoffnung, aber auch ihre Sorge um die kranke Leber verloren.

in Rede stehende Ursache diagnostischer Missgriffe zu vermeiden. Selten halten Fäcalgeschwülste die Grenzen ein, welche den Contouren einer vergrösserten Leber entsprechen würden; sie überschreiten dieselben nach der einen oder der anderen Seite hin in einer Weise, wie es bei Voluminszunahmen dieser Drüse nicht denkbar ist. Sind die Bauchdecken nicht allzu dick, so entscheidet allein schon das eigenthümlich teigichte Gefühl, welches die Fäcalstoffe in Vergleich mit der derberen Lebersubstanz bei der Palpation darbieten. In zweifelhaften Fällen versäume man nicht die für jede Untersuchung der Leber giltige Regel, den Darmcanal zu entleeren, und lasse sich nicht durch die Angaben der Kranken, dass

Fig. 20.

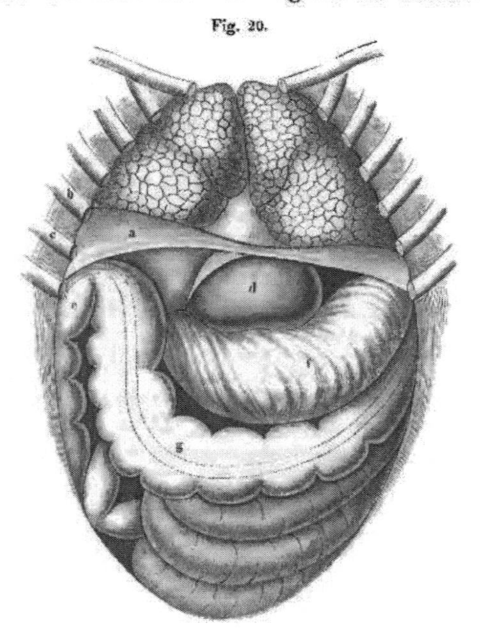

täglich Ausleerung erfolge oder das zeitweise Diarrhoe eintrete, davon abhalten, weil demungeachtet massenhafte Anhäufungen vorhanden sein können.

Der Darmcanal erschwert zuweilen die Untersuchung der Leber noch in anderer Weise, nämlich dadurch, dass sich Schlingen des Dickdarms, seltener des Dünndarms, zwischen die Drüse und die Bauchwand lagern. Meistens ist es die Flexura coli prima, welche sich vordrängt und bald auf die obere Fläche des rechten (Fig. 20), bald auf die des linken Lappens legt. Man darf eine solche Auflagerung vermuthen, wenn man den einen oder anderen Durchmesser der Leber in Vergleich zu dem benachbarten ungewöhnlich klein findet. In manchen Fällen überdeckt das Colon fast in ihrer ganzen Ausdehnung, so dass an eine Grössenbestimmung nicht gedacht werden kann (Fig. 21).

Fig. 21.

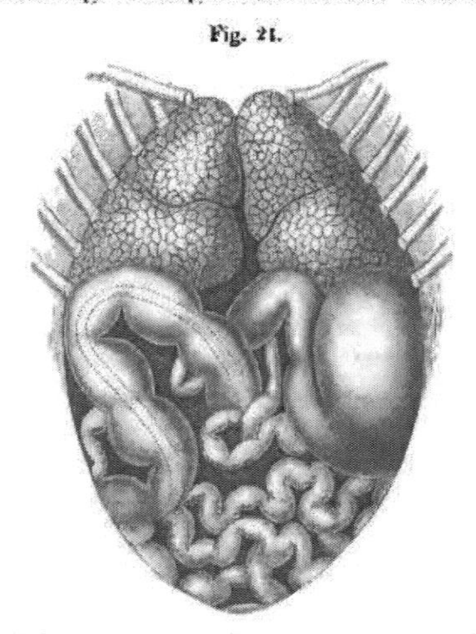

Der Dickdarm ist zuweilen von ungewöhnlicher Länge, wodurch Lagerungen möglich werden, welche man nicht erwartet. Ich habe hier die Skizze eines Situs vor mir, welche vor einigen Tagen bei der Obduction eines 33jährigen

Mannes gezeichnet wurde; der mittlere Theil der Leber ist hier verdeckt durch die Schlinge der Flexura iliaca, welcher von der Beckenhöhle gerade auf durch das Abdominalcavum bis zur Leber sich erstreckt, während die seitlichen Parthieen von dem sich über dieser Schlinge liegenden Quercolon versteckt werden. Solche Dislocationen des Darms sind gewöhnlich vorübergehend; es kommen jedoch Fälle vor, wo sie Monate lang auf derselben Stelle verharren und schliesslich Atrophie, Furchenbildung der Oberfläche, dieser Drüse herbeiführen.[1])

Der Magen trägt seltener als der Darmcanal dazu bei, die Untersuchung der Leber zu erschweren. Die Hindernisse, welche ein mit Speisen überfüllter Magen der Grössenbestimmung des linken Lappens entgegenstellt, wird man leicht vermeiden, wenn man die Exploration zur geeigneten Zeit vornimmt. Dass bei vollkommen leerem Magen der linke Lappen etwas herabsinkt, wurde bereits erwähnt.

Viel schwieriger ist es, Carcinome des Magens, besonders des Pylorus und Tumoren des Pancreaskopfes von Geschwülsten zu unterscheiden, welche an der untern Fläche der Leber sitzen. Es giebt Fälle, wo durch Verwachsung diese Theile so innig mit einander verbunden sind, wo der kranke Pylorus so vollständig mit dem grössten Theil seines Umfangs von der Leber überdeckt wird, dass an eine Unterscheidung durch Palpation oder Percussion nicht zu denken ist. Man kann sich davon am Leichentische, wo die Theile frei liegen, leicht überzeugen. In solchen Fällen sind es die anderweitigen Symptome des Pyloruskrebses, die Erweiterung des Magens, das charakteristische Erbrechen etc., welche den Ausschlag geben. Der Icterus ist wie hier von geringem Gewicht für die Localisirung des Uebels in der Leber, weil die

[1]) Eine Beobachtung der letzteren Art wurde hier auf Klinik an einem 49jährigen Mann gemacht, bei welchem 3 Monate hindurch eine Schlinge des Colons den linken und einen Theil des rechten Lappens überdeckte. Die während des Lebens erkannte Lageveränderung wurde durch Obduction constatirt.

Infiltrate des Pylorus und Pancreas mit Krebsmasse sehr oft den D. choledochus verschliessen, ohne das Leberparenchym zu berühren.

e. Krankheiten der Nieren.

Nur die sehr umfangsreichen Tumoren der Nieren, wie die Markschwämme, die Echinococcen und die Hydronephrose können hier in Betracht kommen, da die kleineren viel zu tief liegen, um mit Leberaffectionen confundirt zu werden. In den meisten Fällen wird die Diagnose dadurch erleichtert, dass vor den Geschwülsten der Niere gashaltige Darmschlingen liegen, was bei denen der Leber nicht der Fall zu sein pflegt. Nach meinen Erfahrungen tritt die Geschwulst, welche bei grossen Carcinomen etc. der Niere sich bildet, meistens viel tiefer, gewöhnlich in der Coecalgegend mit den Bauchdecken in Berührung und wird dann durch Darmparthieen von der Leber getrennt. Ich erinnere mich nur eines Kranken, bei welchem dies nicht der Fall war und eine Verwechselung des Nierenkrebses mit Lebercarcinom stattgefunden hatte. Der kindskopfgrosse Nierentumor berührte die untere Fläche der Leber und hatte dieses Organ fast um einen ganzen Intercostalraum emporgehoben. Von gashaltigen Darmschlingen war sie nicht bedeckt. In der Rückenlage des Kranken war es leicht, mit den Fingern in den Raum zwischen der Geschwulst und dem Rippenbogen einzugehen, ein Zeichen, welches, wie schon Bright mit Recht hervorhob, gegen ein Lebercarcinom sprechen musste. Für letzteres konnte die Geschwulst hier nur dann gelten, wenn man annahm, dass sie eine aus den hinteren Parthieen der Leber isolirt hervortretende Neubildung sei. Diese erheben sich aber niemals so weit aus dem Leberparenchym, in welchem sie eingebettet liegen, als es im vorliegenden Falle hätte angenommen werden müssen. Wo es sich um Tumoren der Nieren handelt, rechne man nicht darauf, in der Lumbargegend neben dem Rande des Quadratus eine Prominenz zu finden, welcher zur Unterscheidung von

Leberaffectionen dienen könnte; eine solche wird man gewöhnlich vergebens suchen, weil die Geschwülste im Nierenparenchym sich bei ihrem Wachsthum meistens hauptsächlich nach vorn und unten wenden.

Ein instructiver hierher gehöriger Fall kann diese Verhältnisse weiter erläutern.

Nro. 3.

Carcinom der rechten Niere, Dislocation der Leber nach oben und links.

J. Rother, ein 16 Jahr alter Zögling des Blindeninstituts, wurde, nachdem er wegen eines sogenannten Hüftgelenkrheumatismus eine zeitlang in der chirurgischen Abtheilung des Hospitals behandelt war, am 19. August 1856 auf die innere Station verlegt. Seit drei Wochen bemerkte man eine rasch an Umfang zunehmende Geschwulst, welche unter dem rechten Rippenbogen hervorragte und mit erweiterten Hautvenen bedeckt war. Der Tumor fühlte sich glatt und elastisch an, schien stellenweis zu fluctuiren, bei tiefer Inspiration war eine Verschiebung bemerklich. Die Percussion ergab in der Mammar- wie Axillarlinie einen von der dritten Rippe an 21 Centimeter abwärts reichenden matten Ton; hinten erstreckte sich die Dämpfung bis zum sechsten Brustwirbel; dieselbe liess sich nach links über das Epigastrium bis zur Axillarlinie und aufwärts bis zur fünften Rippe linker Seite verfolgen; die unteren Intercostalräume rechter Seite waren erweitert. Den Herzstoss fühlte man zwischen der dritten und vierten Rippe; Puls 120 bis 130, Respiration frei, Appetit mässig, Stuhl normal, Urin blass, ohne Eiweiss und Blut.

Die Anämie des Knaben machte rasche Fortschritte, so dass schon am 24. September der Tod eintrat. Bei der Obduction fand man die Leber anscheinend bedeutend vergrössert; sie füllte beide Hypochondrien und das Epigastrium bis zum Nabel aus; das Zwerchfell war durch sie zur dritten, links zum unteren Rande der vierten Rippe emporgehoben; gleichzeitig war das Organ nach rechts verdrängt, so dass das Lig. suspensorium in der Lin. mamm. sin., die Gallenblase links von der Lin. alba lag. Bei genauerer Besichtigung ergab sich, dass die scheinbare Vergrösserung der Leber gebildet wurde durch ein enormes Carcinom, welches, von der rechten Niere ausgehend, die Substanz des rechten Leberlappens verdrängt und bis zu einem membranartigen Ueberreste verdünnt hatte. Das letztere war nach aussen durch eine feste Capsel begrenzt und bestand aus einem weissen, von zahlreichen apoplektischen Heerden zerklüfteten Markschwamm; die Geschwulst wog 8,7 Kilogr. Neben dem Lig. suspensor. lagen in dem Leberparenchym ein Paar bohnengrosse Krebsknoten. Aehnliche secundäre Ablagerungen fanden sich in dem oberen Lappen der linken Lunge, der untere war comprimirt. Das Herz nach oben gerückt, sonst normal. Die Milz blutarm, von mässigem Volumen, Magen und Darmcanal ohne wesentliche Texturveränderung; die linke Niere hypertrophisch.

Es kann hier nicht die Absicht sein, die Quellen diagnostischer Missgriffe zu erschöpfen, welche die Ergebnisse von Untersuchungen der Leber am Krankenbette unsicher machen können; ich wollte nur dasjenige mittheilen, was mir die Erfahrung im praktischen Leben und am Leichentische als das Wichtigste und Nothwendigste an die Hand gab[1].

Wer dieses Gebiet der diagnostischen Technik beherrschen will, soweit dasselbe zugängig ist, ja wer nur die Sicherheit, gröbere Irrthümer zu vermeiden, sich aneignen will, muss aus den pathologischen Lagerungsverhältnissen der Eingeweide des Unterleibes für die Zwecke der Diagnostik sich ein Studium machen, muss viel am Leichentische verkehren und keine Gelegenheit versäumen, die klinischen Befunde hier zu berichtigen und zu erweitern. Die Uebung, mit dem Plessimeter die Grenzen der festen Gebilde im Unterleibe genau und sicher nachzuweisen, ist die Vorschule zu dieser Arbeit; wer damit allein auszureichen meint, darf sich nicht wundern, wenn die Obduction ihn häufig eines Besseren belehrt.

[1] Verdrängungen der Leber durch Aneurysmen der Aorta und der A. hepatica, durch Retroperitonealgeschwülste, etc. habe ich hier nicht berücksichtigt, weil ich keine Fälle dieser Art vollständig, d. h. bis zur Obduction zu verfolgen Gelegenheit fand. Das Mitgetheilte dürfte auch zur Orientirung unter solchen Verhältnissen ausreichen.

IV.

Die Gelbsucht.

Icterus, Aurigo, Morbus regius, arquatus.

Historisches.

Die gelbe Färbung der Haut und einzelner Secrete durch Gallenpigment hat seit jeher die Aerzte vielfach beschäftigt. Wir begegnen ihr bei einer Reihe von Krankheitsprocessen, welche unter den Namen Icterus, biliöses Fieber, gallichte Zustände etc. bereits in den Incunabeln der Medicin und von da an durch alle Zeitalter bis auf unsere Tage je nach der epidemischen Krankheitsconstitution und den localen Einflüssen bald mehr, bald minder eifrig bearbeitet wurden. Ein massenhaftes Material wurde im Laufe der Zeit angehäuft[1]), theoretische Ansichten verschiedener Art entstanden und fielen, ohne dass die wichtigsten Grundfragen zu einem festen Abschluss gebracht wären.

Uebersehen wir das historische Gebiet im Grossen, so begegnen uns über die in Rede stehenden Krankheitsformen, welche wir vorläufig als ein Ganzes zusammenfassen, weil die Grenzen zwischen einzelnen Formen des Icterus und den biliösen Fiebern[2]) nicht überall scharf gezogen werden können, hauptsächlich zwei Theorieen, von welchen bald die eine, bald die andere, nicht selten auch beide gleichzeitig ihre Anhänger fanden.

1. Die **Grundlage** jener **Krankheiten** ist in einer **functionellen Störung** der **Leber** zu suchen; sie sind abhängig von **Anomalieen** der Gallenabsonderung oder der Ausscheidung des gebildeten Secrets, stellen also Symptome eines Leberleidens dar.

Während der Hippocratischen Zeit und bis zum Falle der Galenischen Autorität galt die in excessiver Menge und in fehlerhafter Beschaffenheit

---

[1]) Vergl. Eisenmann Krankheitsfamilie Cholosis. Erlangen 1836.

[2]) Wir rechnen hierzu, um das äusserst vage Gebiet der mit diesem Namen von Alters her bezeichneten Krankheitsprocesse wenigstens einigermassen zu umgrenzen, nur die Formen, welche mit icterischer Färbung der Haut und der Excrete verbunden sind.

abgesonderte Galle als eine reiche Quelle von Krankheiten, ihre Ergiessung in den Körper, ihr Uebergang aus dem Unterleibe ins Blut, ihre abnorme Farbe etc. waren ätiologische Momente, auf welche zahlreiche Störungen zurückgeführt wurden. Die Genese dieser Anomalieen blieb dahingestellt; man beruhigte sich dabei, die gesammelten Anschauungen mit den herrschenden Ideen in Einklang zu bringen.

Als im sechszehnten Jahrhundert die Ansichten über die functionelle Bedeutung der Leber eine andere Gestalt zu gewinnen anfingen, änderten sich die Theorieen und schlugen, wie es gewöhnlich geschieht, zunächst in das gegentheilige Extrem über. Paracelsus und van Helmont verwarfen fast alle pathogenetischen Beziehungen der Galle, der Eine, weil dieses Secret ein bedeutungsloses Unkraut sei, der Andere, weil ein so edler Saft, ein Balsam des Lebens, unmöglich Krankheiten veranlassen könne.

Dieser Umschlag hatte indess nur kurzen Bestand und fand niemals allgemeine Anerkennung. Schon bei Sylvius[1]) gilt die Galle wiederum als ein gewichtiges Krankheitsmoment, ähnlich wie bei den Alten, nur die Einkleidung war nach chemischen Voraussetzungen umgestaltet. Ueber Icterus und verwandte Zustände wurden die Anschauungen in so weit klarer, als man in der gestörten Auslcerung des in der Leber gebildeten Secrets die Ursache des Uebertrittes der Galle ins Blut immer deutlicher erkannte, je mehr der Eifer für anatomische Studien zunahm. Die Frage, ob auch unterdrückte Secretion beschuldigt werden dürfe, wurde bald bejaht, bald verneint, je nachdem man als Bildungsheerd der Galle die Leber oder das Blut ansah. Die Anhänger der letzteren Ansicht, welche mit Glisson die Leber nur als ein peculiare collatorium betrachteten, daher auch Hemmungen der Absonderung als Ursache biliöser Zustände statuirten, und es gehörten zu ihnen gewichtige Namen wie Morgagni, Boerhaave, van Swieten[2]) und Andere, verloren allmälig an Terrain gegen diejenigen, welche wie Monro[3]), Eller[4]), Werlhof, Selle[5]), Reil[6]) etc. nur die gestörte Ausscheidung als Causalmoment des Icterus gelten liessen. In Marcard's Medicinischen Versuchen, Theil I., S. 12 wurden die Gründe zusammenge-

[1]) Opera omnia p. 469.

[2]) Comment. in H. Boerhaave Aphor. III, 127:

Semper autem supponit (icterus) vel impeditam secretionem a sanguine venae portarum vel impedimentum tollens liberum exitum bilis secretae in duodenum.

[3]) Account of the diseases of the british military Hospitals 206.

[4]) De cognosc. et curand. morb. p. 221.

Icterum oriri non posse nisi bilis prius a sanguine segregata ejusque circulo deinceps commista.

[5]) De curand. hom. morb. Ed. Sprengel 184:

Secretionis bilis impedimenta icterum efficere nequeunt, quum bilis secretione producatur.

[6]) Icterus est bilis jam in hepate secretae redundantia in sanguinem ex quali cunque excretionis impedimento.

stellt, welche gegen einen Icterus in Folge unterdrückter Leberthätigkeit sich jener Zeit anführen liessen.

Zu demselben Resultate kam W. Saunders[1]), welcher zuerst auf experimentellem Wege den Uebergang der Galle ins Blut verfolgte.

Als man in neuerer Zeit die Secretion im Allgemeinen ihren chemischen und mechanischen Beziehungen nach sorgfältiger zu verfolgen anfing und man vergebens die Elemente der Galle im Blute der Pfortader wie anderer Gefässe suchte, gewann diese Theorie immer festeren Boden. Man musste daher für alle Fälle und Formen des Icterus nach Ursachen suchen, welche die Entleerung der Gallenwege stören konnten. Für die meisten Formen der Gelbsucht gelang dies ohne Schwierigkeit, für andere indess konnte man, so freigebig man auch mit der Annahme catarrhalischer Verengerung dieser Gänge umging, keine materielle Nachweise liefern, auch die supponirte spastische Verschliessung und die Paralyse derselben, konnte nicht überall befriedigen.

Solche Formen blieben mithin unerklärt, wenn man nicht die Erfahrungen der Physiologen in Frage stellen oder zu einer anderen Ansicht sich bequemen wollte. Ein grosser Theil der Aerzte hielt daher die Meinung fest, dass die Galle nicht in der Leber, sondern bereits im Blute entstehe, dass also Beeinträchtigung der Absonderung Icterus bedingen könne, so Darwin, Andral[2]), H. Mayo, Watson[3]), Budd[4]) etc. Auch in Deutschland erhoben sich dafür noch in neuester Zeit Stimmen, obgleich wiederholte chemische Forschungen über das Pfortaderblut sowie Exstirpationsversuche der Leber über die Absonderungsthätigkeit dieses Organs ein neues Licht verbreitet hatten; manche Pathologen dagegen schlossen sich der zweiten Theorie an.

2. Im Blute bilden sich unter krankhaften Verhältnissen ohne Mitwirkung der Leber Substanzen, welche den Gallenstoffen an Farbe etc. gleichen oder auch mit ihnen identisch sind, nur durch ihre excessive Menge eine pathologische Bedeutung gewinnen.

Diese Ansicht über die Entstehung biliöser Processe wurde, wenn wir von unbestimmten Andeutungen absehen, welche sich bereits in den Schriften von Galen[5]), Sydenham, Baillou etc. finden, bereits deutlich ausgesprochen von Bianchi[6]): „Sunt duo primaria icteri genera, primae classis icterus a vitio hepatis, alterius speciei icteritia a causa solutiva sanguinis." Ausführlicher erörterte diese Ansicht Grant[7]), welcher die gelbe

---

[1]) Abhandlung über die Structur etc. der Leber. Leipzig. 1795 S. 60.

[2]) Bullet. des scienc. méd. 1816.

[3]) Prakt. Heilkunde übers. von Steinau Bd. IV, S. 264 ff.

[4]) Diseases of the liver 374. In large proportion perhaps in the greater number of cases jaundice results primarily and solely from the secretion of bile being suppressed or deficient.

[5]) Videmus etiam sanguinem in bilem verti.

[6]) l. c. p. 75—78, 185, 813.

[7]) Observat. on the Fevers Vol. I, p. 80.

Materie des Serums succus biliarius nannte und in der excessiven Zunahme, sowie in qualitativen Veränderungen desselben unabhängig von der Leber die Grundlage gallichter Krankheiten suchte.

Reil vertheidigte 1782 in seinem Tractatus de Polycholia dieselbe Ansicht, nahm sie indess zehn Jahre später in den Memorabil. clinic. fasc. IV, S. 48. wieder zurück, indem er die in Frage stehende Veränderung der Säfte als Folgen einer abnorm gesteigerten Thätigkeit der Leber hinstellte: „Nunquam nisi hepatis ope neque bilis neque ipsius analogon conficitur."

Die Ideen von Grant finden sich wieder in den Beobachtungen, welche J. P. Schotte[1]) über die bösartigen Fieber an den Ufern des Senegal veröffentlichte. Ebenso hielt A. Diel[2]) nicht die gebildete Galle, sondern den vermehrten Elementarstoff derselben in den entmischten Säften für die Ursache biliöser Processe.

Auch Senac[3]) fand es wahrscheinlich, „dass der rothe Theil des Blutes die eigentliche Materie der Galle sei; wenn dieser faule oder sonst zerlegt werde, so nehme er eine gelbe Farbe an."

In neuerer Zeit, wo die Lehre von den Pigmenten eine sorgfältigere Bearbeitung fand und man sich mehr und mehr dahin einigte, dass das Hämatin des Blutes die Grundlage aller Pigmente ausmache, konnte es nicht an Beobachtern fehlen, welche nach der Idee von Senac icterische Färbungen der Haut, die, wie bei der Pyämie, bei putrider Infection und verwandten Processen, ohne Betheiligung der Leber sich entwickelten, auf eine directe Metamorphose des Hämatins zu einem gelben, dem Gallenpigmente ähnlichen oder mit demselben identischen Farbstoff zurückführten. Breschet, welchem das Verdienst gebührt, die Abstammung der Pigmente von dem Blute zuerst durch directe Nachweise gestützt zu haben[4]), sprach diese Ansicht über die Genese des Icterus mit dürren Worten aus:

Je présume ainsi, que l'ictère est occasionné bien moins par la bile que par le sang.

In ähnlicher Weise äussert sich Dubreuil[5]): *La teinte ictérique est la suite d'une modification maladive des parties constituantes du sang, peut-être de la matière colorante portée sur le serum.*

Neuere Anhaltspunkte gewann diese Theorie durch die von Virchow ausgeführten Studien über die pathologischen Pigmente[6]). Sie lieferten den Nachweiss, dass unter Umständen aus dem Hämatin ein gelber Farbstoff sich bildet, welcher in seinem Verhalten gegen Lösungsmittel und Rea-

---

[1]) Von einem ansteckenden schwarzgallichten Fieber, welches im Jahre 1778 am Senegal herrschte. Aus dem Englischen. Stendal 1786.

[2]) Baldinger's neues Magazin, Bd. 7, Stück 5.

[3]) De recondita febrium natura, p. 25.

[4]) Considérations sur une altération organique appelée dégéneration noire. Paris 1821. Journ. de Magend. T. I.

[5]) Ephémér. médic. 1826.

[6]) Dessen Archiv für patholog. Anatomie, Bd. I.

gentien eine grosse Aehnlichkeit mit dem Cholepyrrhin zeigt. Weitere Belläge für die nahen Beziehungen des Gallenpigmentes zu dem Blutroth brachten Zenker und Funke[1]), indem sie nachweisen, dass eine Modification des Gallenfarbstoffes, das Bilifulvin, sich mit Leichtigkeit in ein Derivat des Hämatins, in das Hämatoidin umwandele. Die Möglichkeit einer directen Umwandlung des Hämatins zu Cholepyrrhin schien somit erwiesen.

Wir werden später sehen, dass die Acten über die Pigmentbildung noch lange nicht zum Schlusse reif sind, sondern dass noch andere, bisher unberücksichtigte Quellen für die Entstehung von Farbstoffen vorliegen, welche für das Gallenbraun einen anderen Platz in der Reihe der Pigmentumwandlungen bestimmen dürften.

Die eben historisch beleuchtete zweite Theorie der biliösen Affectionen fand niemals eine allgemeine Anwendung. Man bediente sich ihrer lediglich, um die Formen von Icterus zu erklären, für deren Genese in dem gestörten Ausflusse der Galle kein Nachweis geliefert werden konnte. An Anfechtungen fehlte es derselben nicht. Ich erwähne bloss die Art und Weise, wie seiner Zeit P. Frank über selbige sich äusserte[2]):

„Ita quoque cutis flavedinem in ictero non tam a bile resorpta quam a cruoris ipsius in vasis metamorphosi aut combinatione, si Diis placet, chemica aliqui derivant. Sic cheu hypothesis in rebus medicis hypothesin tradit; et montem, qui praeoccupatos ante oculos prominet, in acervis formicini favorem arenae pro grumulo declarat."

Neben den erörterten Theorieen tauchten von Zeit zu Zeit noch andere auf, welche keiner ausführlicheren kritischen Beleuchtung bedürfen. Dahin gehört die bei den älteren Aerzten vielfach vorkommende Idee, dass die Galle in die Gewebe übertrete, weil sie wegen Einwirkung von Giften, Sumpfmiasma, putriden Stoffen etc. sich verflüssige; Regner de Graaf (de succo pancreatico Cap. VIII.), Godart (Journal de Médic. T. XVIII. 1763)[3]). Ferner die Ansicht, nach welcher der Icterus von einem Krampfe der Haut und gestörter Circulation des Blutes in derselben abhange, endlich die Theorie von Deyeux (Thèse de Paris 1804) und von Gaultier (Thèse de Paris 1811); welche meinten, der gelbe Farbstoff werde von der Haut abgesondert, ohne dass die Leber nothwendiger Weise betheiligt sei.

[1]) Lehmann, Lehrb. der physiol Chemie, Bd. I, S. 292.
[2]) De curand. homin. morbis epitome lib. VI, p. 356.
[3]) Schon Plinius beschuldigt eine zu grosse Verflüssigung der Galle.

Es unterliegt keinem Zweifel, dass, wenn auch nicht alle, jedenfalls die meisten Fälle von Icterus veranlasst werden durch Resorption bereits secernirter Galle. Gewöhnlich ist es leicht, die mechanische Störung der Gallenexcretion anatomisch nachzuweisen, und über den Modus der so entstehenden Gelbsucht durch Uebertreten des Secrets in die Lymphgefässe und Venen haben die von Saunders, Tiedemann und Gmelin nebst vielen Anderen auf experimentellem Wege ausgeführten Unterbindungen des Ductus choledochus schon vor Jahren einiges Licht verbreitet.

Der Icterus ex resorptione bildet daher den festen Ausgangspunkt für die weitere pathogenetische Untersuchung, deren Aufgabe sein wird, wo möglich für alle Fälle und Formen mechanische Hindernisse, welche der Entleerung des Lebersecrets im Wege stehen, oder sonstige Ursachen, welche den Uebertritt desselben ins Blut veranlassen, aufzusuchen. Erst wenn dies nicht ausführbar ist, können andere Theorieen in Betracht gezogen werden, deren positive Begründung bisher unmöglich blieb, deren Werth also hauptsächlich in dem Bedürfnisse einer die Beobachtungen erklärenden Hypothese liegt. Denn eine andere Bedeutung können wir weder der Annahme einer Gallenanhäufung im Blute wegen unterdrückter Absonderung, noch der Theorie von einem directen Zerfallen der Blutkörperchen oder des Blutroths zu Gallenpigment zuschreiben.

Die Aufstellung einer Gelbsucht wegen mangelhafter Secretionsthätigkeit der Leber, welcher noch in neuester Zeit Budd und Bamberger[1]) das Wort reden, ohne jedoch schlagende Beweise beizubringen, hat zu viele fest begründete

[1]) Handb. der Pathologie und Therapie von Virchow. Bd. VI, 518.

Thatsachen gegen sich, als dass man ihr sich anschliessen könnte. Man hat vergebens alle Mittel aufgeboten, Spuren von wesentlichen Bestandtheilen der Galle im Blute überhaupt, sowie in dem der Pfortader insbesondere, nachzuweisen; weder der Farbstoff, noch die Gallensäuren, Substanzen, für welche wir verhältnissmässig scharfe Reagentien besitzen, wurden aufgefunden. Wenn man auch zugiebt, dass wegen der stetig arbeitenden Drüsenthätigkeit, ähnlich wie beim Harnstoff, die Quantität der im Normalzustande mit dem Blute circulirenden Absonderungsproducte verschwindend klein sein könne[1]), so gilt dieser Einwurf doch in keiner Weise für krankhafte Verhältnisse, bei welchen Desorganisation des Drüsenparenchyms die secernirende Function beschränkt oder auch mehr oder minder vollständig aufhebt. Wie bei Granularentartung der Nieren Harnstoff, so müsste bei granulirter Leber Gallensäure und Gallenpigment im Blute reichlich sich anhäufen. Dass dies nicht der Fall ist, haben vielfältige Beobachtungen bewiesen. Ich werde weiter unten einen Krankheitsfall (Nr. XXIX) beschreiben, wo in Folge fettiger Degeneration der Leber die Absonderung von Galle fast vollständig sistirt war, so dass der Darminhalt blass, die Blase leer, die Lebergänge mit grauem Schleim bedeckt gefunden wurden, dennoch war die Haut von kreideartiger Blässe, der Harn frei von Gallenpigment[2]). Noch stringenter sind die Beweise für die Bildung der Galle in der Leber, welche uns durch die schö-

---

[1]) Nehmen wir an, was nicht weit von der Wahrheit fern sein kann, dass täglich 1 Kilogramm Galle mit 6 Procent fester Bestandtheile von einem erwachsenen Menschen secernirt wird, so würde die Menge der Gallensäure im Blute doppelt so gross sein müssen, als die des Harnstoffs, dessen tägliches Quantum wir zu 30 Gramm hinstellen. Die Pettenkofer'sche Probe zeigt aber geringere Menge Gallensäure an, als irgend ein Reagens für Harnstoff. Demgemäss sollte die Nachweisung der Gallenstoffe im Blute leichter sein, als die des Harnstoffs, ein Umstand, welcher den negativen Ergebnissen der Untersuchung grösseren Werth geben muss.

[2]) Haspel (Maladies de l'Algérie, T. I, p. 262) bemerkt: J'ai eu l'occasion de constater plusieurs fois l'absence d'ictère dans les cas de destruction presque complète de l'organe hépatique. La bile n'était plus sécrétée, la vésicule ne contenait qu'un mucus blanchâtre.

nen Versuche von Müller und Kunde[1]), sowie von Moleschott[2]) geliefert wurden. Entleberte Frösche, welche zwei bis drei Tage, bei Moleschott mehrere Wochen am Leben erhalten wurden, liessen weder im Blute, noch in der Lymphe und im Harn, noch im Muskelfleisch eine Spur von Bestandtheilen der Galle erkennen.

Weitere Beläge gegen die Annahme der Präexistenz von Galle im Blute ergeben die Anhaltspunkte, welche aus der verschiedenartigen Zusammensetzung des Pfortader- und Lebervenenblutes für die Verwendung einzelner Blutbestandtheile zur Gallenbildung innerhalb der Leber resultiren. Wenn auch die Differenzen zwischen beiden Blutarten, welche die Lehmann'schen Analysen nachwiesen, fast zu gross erscheinen, um aus der Secretionsthätigkeit erklärt zu werden, so eröffnen sie doch jedenfalls interessante Gesichtspunkte für die Genese der Galle. Wir werden später Gelegenheit haben, in dem Verschwinden gewisser Umsetzungsproducte innerhalb der Leber neue Elemente für die tiefere Einsicht in die Entstehung des Lebersecrets beizubringen.

Bamberger glaubt in dem Icterus, welcher bei der Pfortaderentzündung beobachtet wird, einen Beweis für die Gegenwart präformirter Galle innerhalb dieses Gefässes gefunden zu haben. Das Blut der V. portarum, welches auf Collateralwegen in den allgemeinen Kreislauf gelange, veranlasse hier durch spontane Elimination der Elemente der Galle Icterus. Ich habe in dem letzten Jahre drei Fälle von vollständiger Verschliessung der Pfortader beobachtet und die Gelegenheit benutzt, den Thrombus aus dem Gefässe genauer zu untersuchen: Leucin liess sich nachweisen, aber von Gallenpigment keine Spur. Ueberdies fehlt der Icterus bei Pfortaderobliteration ziemlich häufig[3]). Die Schlüsse, welche derselbe Autor aus dem Vorkommen von Gallenstoffen in der

---

[1]) Kunde, Dissert. inaugural. Berol. 1850.
[2]) Archiv f. physiol. Heilkunde. Bd. II, S. 479 ff.
[3]) Vergl. Gintrac, Sur l'oblitération de la veine-porte. Bordeaux 1856.

ascitischen Flüssigkeit bei der Lebercirrhose zieht, werden in dem Späteren eine einfachere Deutung finden, ebenso die Gallensteine, welche Realdus Columbus und Deway innerhalb der Pfortader beobachteten.

Was die zweite Hypothese, die spontane Umwandlung des Blutroths zu Gallenpigment bei Zersetzungskrankheiten anbelangt, so lässt sich gegen die Möglichkeit eines solchen Vorganges nichts einwenden, nachdem die engen Beziehungen zwischen Hämatin und Cholepyrrhin nachgewiesen wurden; allein positive Beweise für denselben fehlen gänzlich. Bis jetzt hat noch Niemand aus Blutroth Gallenfarbstoff gemacht, wenn auch die Zersetzungsproducte beider zusammentreffen. Die gelben Stoffe, die bei der Pyämie mit dem Blute circuliren und in den Harn übergehen, sind aber mit Gallenfarbstoff wenigstens in den meisten Fällen identisch, theilen alle Eigenschaften desselben. Wäre aber auch eine Ueberführung von Hämatin zu Cholepyrrhin unter Einwirkung bestimmter Einflüsse möglich, so bliebe noch der Beweis zu liefern, dass diese Metamorphose im lebenden Körper innerhalb der Gefässe bei Zersetzungskrankheiten wirklich erfolge. Auf das Fehlen von Pigment in den Leberzellen als Beweis gegen die Annahme einer Resorption wegen Stauung, welches Virchow[1]) besonders hervorhebt, ist kein Gewicht zu legen, wenn sich Wege nachweisen lassen, auf welchen auch ohne Gallenstase eine Pigmentanhäufung im Blute zu Stande kommen kann.

Wenn wir hiernach gerechte Bedenken tragen, von Hypothesen Gebrauch zu machen, deren Begründung auf unsicheren Füssen steht, so frägt es sich, wie jene Fälle von Icterus erklärt werden sollen, welche ohne auffallende mechanische Störung der Ausscheidung zu Stande kommen. Ihre Zahl ist nicht gering, denn es gehören dazu ausser der Gelbsucht bei Pyämie und verwandten Processen die Icterusformen, welche bei Chloroformnarcose und anderen Intoxicationen, ferner bei

---

[1]) Dessen Archiv f. path. Anatomie. Bd. I.

manchen Pneumonieen, Intermittens, biliösen Fiebern der Sumpfdistricte, bei Pfortaderentzündung etc. vorkommen; wir rechnen dazu ausserdem noch den Icterus nach Gemüthsaffecten, über welchen der gewöhnlich statuirte Spasmus der Gallenwege keine befriedigende Auskunft giebt.

Um hierüber, soweit es der gegenwärtige Stand der Dinge gestattet, ins Reine zu kommen, müssen wir die Ursachen, welche die Anhäufung von Galle im Blute veranlassen können, schärfer ins Auge fassen. Dieselbe kann, wenn die Bereitung der Galle zunächst als ein unveränderter Werth angenommen wird[1]), auf zwiefachem Wege erfolgen:

I. durch vermehrte Aufnahme von Galle aus der Leber ins Blut;

II. durch geringeren Verbrauch, verminderten Umsatz der ins Blut aufgenommenen Galle.

Wir lassen zunächst den letzteren unberücksichtigt und beschäftigen uns mit den Bedingungen, von welchen ein reichlicheres Uebertreten der Galle ins Blut abhängig sein kann.

Die Mechanik der Gallenausscheidung ist viel verwickelter als das, was von Seiten der Pathologen, welche gewöhnlich nur den Zustand der Ausführungsgänge der Leber beachteten, in Rechnung gebracht wurde. Es können hier Störungen während des Lebens bestehen, welche dem anatomischen Messer schwer, zum Theil gar nicht zugängig sind. In der Leber entstehen bekanntlich gleichzeitig zwei Producte der Zellenthätigkeit, die Galle und der Zucker, der letztere geht in das Blut der Lebervenen über, die erstere in die Anfänge der Gallengänge. Die Strömung nach dem Blute kann nur durch Diffusion, die nach den Lebergängen zugleich durch Filtration erfolgen. Wie die Scheidung beider möglich wird, warum der Inhalt der fast ringsum von Capillaren umgebenen Zellen theils nach der einen, theils nach der anderen Seite hin sich entleert, ist schwer zu bestimmen. Man muss,

---

[1]) Wir werden später die excessiv vermehrte Lebersecretion, die Polycholie, als Veranlassung einzelner Formen von Gelbsucht kennen lernen.

wie der scharfsinnige Ludwig[1]) mit Recht hervorhebt, entweder annehmen, dass die Diffusionsgeschwindigkeit der Gallenbestandtheile in das Blut hinein geringer ist, als die des Zuckers, oder dass der Zucker zu irgend einem Bestandtheile des Blutes Anziehungen besitzt, welche der Galle fehlen. Dieses Letztere ist sehr unwahrscheinlich, weil wir keinen Stoff im Blute kennen, zu welchem der Zucker eine vorzugsweise grosse Verwandtschaft besässe. Im ersten Falle würde die Scheidung eine unvollständige sein, mit dem Zucker stets etwas Galle ins Blut und in die Galle etwas Zucker übertreten[2]). Indess, welche Ansicht man sich auch über die Theilung der Lebersecrete bilden möge, jedenfalls bleibt feststehend, dass eine gesteigerte Aufnahme von Galle ins Blut abhängig sei von einer Spannungsdifferenz des Inhalts der Leberzellen und der Blutgefässe. Eine solche kann auf zwiefachem Wege entstehen: 1) durch gestörte Entleerung der Gallenwege, wodurch der Druck von Seiten des Zelleninhalts vermehrt wird, und 2) durch Störungen in der Blutzufuhr, wodurch der Seitendruck des Blutes vermindert wird.

Die erste Veranlassung ist die gewöhnliche und bisher allein berücksichtigte. Alle mechanischen Hindernisse, welche die Fortbewegung der Galle in den grösseren oder kleineren Ausführungsgängen der Leber erschweren oder aufheben, führen auf diesem Wege zum Icterus. Ein grosser Theil derselben ist anatomisch nachweisbar und aus diesem Grunde sicher festgestellt, andere dagegen, welche man statuirte, sind weniger klar und bedürfen einer weiteren Erörterung.

Die Fortbewegung der Galle durch die Lebergänge geschieht hauptsächlich durch die Vis a tergo des stetig nachrückenden Secrets; für die Annahme einer Contractilität als bewegende Ursache fehlt das anatomische Element, die Mus-

---

[1]) Physiolog. des Menschen. Bd. II, S. 232.

[2]) Nach Stockvis (Bijdragen tot de kennis der suikervorming in de lever, p. 35) fehlt Zucker in der Galle niemals; ich habe in manchen Fällen ansehnliche Mengen darin gefunden.

kulatur. Diese letztere wird erst an der Gallenblase und am Ductus cysticus und hepaticus nachweislich und kann daher bloss hier in Rechnung gebracht werden. Man hat seit Alters diese Muskelthätigkeit für die Erklärung mancher Formen des Icterus benutzt und namentlich einen Icterus spasmodicus aufgestellt, welcher in Folge von Erkältung, von Gemüthsbewegungen etc. entstehen solle. Mit Recht ist dieser Ansicht entgegnet, dass eine Verschliessung der grossen Gallengänge, und nur an diesen kommen Muskelfasern vor, welche einen Spasmus möglich machen [1]), erst nach drei Tagen Gelbsucht veranlasse, eine dreitägige Dauer des Krampfes ohne anhaltende Einwirkung einer örtlichen Ursache, wie die Gegenwart eines Concrements etc., sei nicht denkbar; überdies werde die icterische Färbung viel früher sichtbar, als nach jener Theorie begreiflich sei. Mehr für sich scheint auf den ersten Blick die schon von Galen und Darwin angenommene Paralyse der Gallenwege zu haben, für welche in neuester Zeit Frey [2]), Henle [3]) und von Dusch [4]) sich aussprachen. Es ist jedoch zweifelhaft, ob die Lähmung des Ductus hepaticus und cysticus bei dem Fortbestehen der übrigen auf die Fortbewegung der Galle einwirkenden Momente wirklich eine solche Stauung bedingen könne, dass Icterus die Folge wird. Ausserdem hat Niemand Beweise für das Bestehen einer so beschränkten Muskelparalyse ohne anatomische Läsion beigebracht; nach dem, was wir von der Muskelaction der übrigen Unterleibsorgane wissen, würde eine solche Erscheinung ganz exceptioneller Art sein. Ich habe, um der Sache näher zu treten, mit meinem Collegen Reichert an einer Katze beide NN. splanchnici durchschnitten und den grössten Theil des

---

[1]) Die älteren Aerzte verlegten den Sitz des Krampfes zum Theil in die Muskulatur des Duodenums, dessen Contraction die Mündung des D. choledochus verschliessen sollte.

[2]) Archiv f. physiol. Heilk. Bd. IV, 49.

[3]) Rationelle Pathol. II, 195.

[4]) Untersuchungen und Experimente als Beitrag zur Pathogenese des Icterus. Leipzig 1854.

Ganglion coeliacum exstirpirt nach der von Ludwig vorgeschlagenen Methode. Das Thier lebte noch drei und einen halben Tag. Bei der Obduction fanden wir die Leber blutreich und die Gallenblase mässig gefüllt; auf der hyperämischen Magenschleimhaut war ein groschengrosser runder Substanzverlust mit blutig suffundirten Rändern sichtbar; vom Icterus keine Spur. Ebensowenig gelang es, mittelst Durchschneidung des Rückenmarks, oberhalb wie unterhalb des Cervicalplexus, in der von Bernard geübten Weise Gallenstase zu veranlassen. Die Versuche wurden von Dr. Valentiner vielfach, jedoch stets mit negativem Resultate wiederholt.

Von grösserer Wichtigkeit für die Förderung des Lebersecrets ist die Compression, welche die Gallenorgane bei der durch die Athembewegungen bedingten Verengerung der Unterleibshöhle erleiden. Dieser Umstand war schon den älteren Aerzten bekannt: Bilis vix movetur, nisi aliunde urgeatur, neque protruditur nisi respirationis efficacia (Boerhaave) [1]. Auch Bidder und Schmidt [2]) heben hervor, wie sie „bei jedem ihrer Versuche die Bemerkung hätten wiederholen können, dass die Athembewegungen einen sehr bedeutenden Einfluss auf die Fortbewegung der abgesonderten Galle haben müsse.“ Wenn auch schwer nachweislich sein dürfte, dass das Ausfallen dieses Moments einen genügenden Grund zur Entstehung der Gelbsucht enthalte, so ist dasselbe als mitwirkende Ursache nicht ausser Acht zu lassen. Man sieht nicht selten Icterus bei Pleuritis diaphragmatica dextra und bei Perihepatitis der Leberconvexität, bei welcher zwar Beschränkung der freien Action des Zwerchfells, aber keine tiefere Läsion des Leberparenchyms oder der Gallenwege anzunehmen ist.

Im Allgemeinen ergiebt sich also, dass man bei der Annahme von Ursachen der Gallenstauung, für welche, wie für die Paralyse der Lebergänge, keine anatomische Grundlage gefunden werden kann, sehr vorsichtig sein muss.

---

[1]) Praelect. acad. in propr. institution. Ed. Haller, Vol. III, S. 186.
[2]) Verdauungssäfte und Stoffwechsel. S. 210.

Was die zweite Veranlassung des Uebertritts der Galle ins Blut anbelangt, die Störung der Blutzufuhr und der verminderte Seitendruck in den Capillaren der Pfortader, so ist dieselbe, bei unserer verhältnissmässig geringen Kenntniss von dem complicirten Blutlauf in der Leber, schwierig zu beurtheilen, so leicht sich auch nachweisen lässt, dass die Spannung des Blutstroms hier vielfachen Schwankungen unterworfen sein muss. Es ist unzweifelhaft, dass bei Verstopfung des Stammes oder grosser Zweige der Pfortader, wie sie bei der Pylephlebitis vorkommt, die Spannung in dem Capillargefässsystem der Leber vermindert, der Uebertritt des galligen Inhalts der Leberzellen erleichtert wird. Icterus tritt daher hier häufig ein [1]). Aehnliche Verhältnisse kommen vor bei Verstopfungen eines grossen Theils der Interlobularvenen der Leber durch Pigmentschollen, welche man bei bösartigen Intermittenten vielfach beobachtet. Hier fällt das Hinderniss der Blutbewegung in die Leber; in einem Theile der Capillargefässe wird der Druck vermindert, während ein anderer stärker belastet wird. Man findet daher neben dem Icterus, welcher nur, wenn die Mehrzahl der Capillaren verstopft ist, einen höheren Grad erreicht, sehr oft Eiweiss in der Galle. Eine Abnahme der Spannung in den Lebergefässen kommt ferner vor bei Neugeborenen, unmittelbar nach der Geburt, wenn die Pfortader aufhört, von Seiten der Nabelvene Blut aufzunehmen; die Gelbsucht entwickelt sich häufig besonders bei Frühgeburten mit mangelhafter Respiration, deren Foetalwege sich langsam schliessen.

Nicht unansehnliche Schwankungen des Seitendrucks der Lebergefässe stellen sich ferner ein, wo anhaltende profuse Blutungen aus den Wurzeln der Pfortader stattfinden, wie bei gelben Fiebern.

---

[1]) Ob Icterus unter solchen Umständen sich einstellt oder nicht, darauf influirt ausserdem noch die Secretionsthätigkeit der Drüse, welche hier mehr oder minder stark beeinträchtigt werden kann.

Dass das Nervensystem hier wie überall auf die Blutvertheilung und deren Folgen einen Einfluss äussern könne, liegt auf der Hand, und wurde überdies auch durch Cl. Bernard auf experimentellem Wege festgestellt. Wir sind jedoch ausser Stande, diesen Einfluss für die Deutung pathologischer Verhältnisse mit einiger Sicherheit zu verwerthen, weil für diesen Zweck die nöthigsten Vorarbeiten fehlen[1]). Vorläufig mag es genügen, neben der Gallenstauung die Bedeutung der Blutvertheilung in der Leber für die Genese des Icterus kurz berührt und zur weiteren Erörterung gestellt zu haben.

II. Der verminderte Verbrauch, der geringere Umsatz der Galle im Blute.

Man war bis jetzt genöthigt, die Färbung der Gewebe und Secrete, welche bei Icterus beobachtet wird, durch die Aufnahme von fertig gebildetem Gallenpigment oder durch die oben erwähnte hypothetische Blutzersetzung zu erklären. Es giebt noch eine andere Quelle des Gallenfarbstoffes, welche viel näher liegt und von der sich nachweisen lässt, dass sie im Blute wirklich besteht und je nach der Art der Umwandlungen, welche hier vorkommen, bald mehr, bald minder grosse Mengen von Pigment liefern muss, ohne dass eine gestörte Ausleerung der Galle zu beschuldigen wäre.

Diese Ansicht stützt sich auf folgende Thatsachen: Reine farblose Gallensäuren lassen sich in Gallenpigment umwandeln mit allen Eigenschaften, welche diesen Farbstoff auszeichnen. Eine solche Umwandlung erfolgt nicht bloss unter Ein-

---

[1]) Aus den Versuchen von Cl. Bernard (Leçons de physiol. expérim. Paris 1855. p. 333 seq.) scheint hervorzugehen, dass einerseits Eingriffe, welche auf bestimmte Stellen des Nervensystems erregend einwirken, wie Einstiche in gewisse Regionen der Medulla oblongata, elektrische Reizung des centralen Endes der durchschnittenen N. N. vagi, andererseits Schädlichkeiten, welche die Energie der animalen Nerventhätigkeit herabsetzen, wie Contusionen des Kopfes, Vergiftung mit Curare, Aetherisation etc., Hyperämie der Leber veranlasse, während Durchschneidung des Rückenmarkes unterhalb des Cervicalplexus das Gegentheil zur Folge haben.

wirkung von Reagentien, sondern auch im Blute lebender Thiere, sie geschieht unter Aufnahme von Sauerstoff und ist zum Theil abhängig von dieser[1]). Durch Einwirkung von concentrirter Schwefelsäure bilden sich aus farbloser Galle Chromogene, welche an der Luft, und noch rascher unter Einwirkung von Salpetersäure, einen Farbenwechsel zeigen,

---

[1]) Wenn man vollständig entfärbtes reines glycocholsaures Natron mit concentrirter Schwefelsäure übergiesst, so bildet sich eine farblose harzähnliche Masse, welche in der Kälte mit safrangelber, beim Erwärmen mit rother Farbe sich auflöst. Aus dieser Lösung fällt Wasser farblose, grünliche oder bräunliche Flocken, je nach der Temperatur, bei welcher die Lösung erfolgte. Die durch Schwefelsäure veränderte Glycocholsäure hat die Eigenschaft, an der Luft rasch Sauerstoff aufzunehmen und damit in prachtvoll gefärbte Verbindungen überzugehen. Bringt man die durch Schwefelsäure entstandene amorphe, farblose Masse, nachdem sie möglichst von anhängender Säure befreit worden ist, auf ein Stück Filtrirpapier, so zerfliesst sie und es entsteht ein rubinrother Fleck, welcher bald blaue Ränder zeigt und nach kurzer Zeit indigblau wird. Nach einigen Tagen verschwindet auch diese Farbe und der Fleck wird braun.

Durch anhaltendere Einwirkung von Schwefelsäure auf Glycocholsäure wird eine Substanz gebildet, welche in Wasser mit tief grüner, in verdünnter Kalilösung mit brauner Farbe sich löst und auf Zusatz von Salpetersäure zuerst eine grüne, dann röthliche und zuletzt gelbe Färbung annimmt. Das Verhalten dieser Zersetzungsproducte gegen Salpetersäure erinnert an das der natürlichen Gallenpigmente, indess ist der Farbenwechsel weniger lebhaft. Ein mit dem Cholepyrrhin in jeder Beziehung sich gleich verhaltendes Product erhält man dagegen, wenn taurocholsaures Natron auf obige Weise behandelt wird. Mit wenig Wasser gelöst und mit concentrirter Schwefelsäure versetzt, färbt sich dasselbe prachtvoll roth und wird an der Luft allmälig blau. Vermischt man die roth gefärbte Lösung mit mehr Schwefelsäure, so geht die Farbe in braun über. Auf Zusatz von Wasser entsteht ein zarter, nach und nach blassgrün werdender Niederschlag; giesst man davon die saure Flüssigkeit ab und erwärmt den Rückstand, so treten intensiv grüne, blaue und violette Farben auf. Die gefärbten Producte lösen sich mit gallenbrauner Farbe in Kali, und die Lösung verhält sich gegen Salpetersäure vollkommen gleich einer alkalischen Cholepyrrhinlösung.

Dass dieselbe Metamorphose im Blute eines lebenden Individuums vor sich gehe, beweisen Injectionen von Auflösungen entfärbter Galle in die Venen von Hunden. Der nach einem solchen Versuche gelassene Harn lässt beim Stehen gewöhnlich grüne Flocken fallen, welche auf Zusatz von Salpetersäure den für Gallenfarbstoff charakteristischen Farbenwechsel von Grün, Blau, Violett und Roth in schönster Form erkennen lassen. Unveränderte Gallensäure wird durch die Pettenkofer'sche Probe vergebens gesucht. Nur in einem Falle, wo eine ungewöhnlich grosse Menge, gegen zwei Drachmen, trockener Galle zur Injection verwandt wurde, liess sich eine Spur davon nachweisen. Bemerkenswerth ist, dass die Quantität des in den Harn übergehenden Farbstoffes am grössten erschien, wenn das betreffende Thier an Respirationsnoth litt, so namentlich bei einem Hunde, welcher in Folge des Versuches an Lungenödem zu Grunde ging. In einem Falle, wo eine geringe Quantität Galle injicirt war, das Thier auch frei von Athmungsbeschwerden blieb, wurde gar kein Pigment gefunden.

vollkommen übereinstimmend mit Gallenpigment. Dieselben Chromogene und Farbstoffe, welche sich ganz wie Cholepyrrhin verhalten, entstehen, wenn man farblose Galle in reichlicher Menge ins Gefässsystem lebender Thiere injicirt. Die Gallensäuren werden in diesem Falle im Blute unter dem Einflusse der Respiration zu Gallenpigment umgewandelt. Dass solche Umwandlung auch die im Normalzustande aus dem Darm resorbirte und von der Leber direct ins Blut übertretende Galle erleidet, dafür scheint zunächst das reichliche Vorkommen von Taurin in der normalen Lunge, welches Staedeler und Cloëtta nachwiesen, zu sprechen. Die Pigmente, welche hierbei entstehen, treten indess erst dann mit dem Harn zu Tage, wenn der stetig weiterschreitende Umsetzungsprocess, welchem der Farbstoff unterworfen ist, schon eine Stufe erreicht hat, auf welcher er die Eigenschaften des Gallenpigments nicht mehr besitzt. Solche weitere Stadien der Umwandlung findet man bei leichteren Formen des Icterus nicht selten, zuweilen auch bei anderweitigen Krankheitsprocessen, wo kein gelbes Colorit der Haut auf Leberaffection hinweist. So beobachtete ich bei leichtem Icterus in Folge von Intermittens etc. mehrfach einen rubinrothen Harn, welcher durch Salpetersäure eine blutrothe Färbung annahm und tagelang behielt [1]), während seröse Ergüsse aus der Leiche gewöhnliches Gallenbraun enthielten. Nicht selten färbt sich der Harn, welcher bei chronischen Leberaffectionen entleert wird, durch Salzsäure violett, oder dunkelblau [2]). In anderen Fällen ist bei Icterus der Harn braun, zeigt aber, mit Salpetersäure versetzt, den Farbenwechsel nur unvollkommen oder auch gar nicht. Längst bekannt sind den Praktikern die lebhaft roth gefärbten Harnsedimente der Leberleidenden.

[1]) Ein ähnlicher Farbstoff lässt sich durch Einwirkung von Salpetersäure auf Tyrosin herstellen.

[2]) Vergl. über die Beziehungen des blauen Farbstoffes zur Galle und zum Tyrosin etc. Müller's Archiv. 1856.

Es lassen sich im Harn auf diese Weise sehr verschiedenartige Nuancirungen desselben Pigments nachweisen, und schwer möchte es sein, in dieser überall zusammenhängenden Reihe die Grenze anzugeben, wo Gallenpigment und Harnfarbstoff zusammentreffen. Einen unverkennbaren Einfluss auf Quantität und Beschaffenheit des Farbstoffes äussern stets allgemein auf den Stoffwandel modificirend einwirkende Einflüsse und locale Krankheiten, welche die respiratorische Action beschränken. In heissen Sommertagen enthält, was schon Scherer erwähnte und Valentiner mehrfach constatirte, der Harn gesunder Individuen oft deutlich nachweisbares Gallenpigment. Ein leichter, kaum bemerkbarer Icterus nimmt an Intensität zu, sobald ein fieberhafter Process sich entwickelt, welcher die Oxydationsprocesse im Blute erheblich beschränkt; noch auffallender ist der Einfluss einer Pneumonie. Es ist uns auf diese Weise die Annahme nahe gelegt, dass die Metamorphose der Galle im Blute unter bestimmten pathologischen Verhältnissen in derselben Weise unvollendet bleibt, wie es nach der Injection grösserer Quantitäten von Galle der Fall ist, dass also Gallenpigment in genügender Menge übrig bleibt, um alle Symptome der Gelbsucht hervorzurufen. Von wesentlichem Einfluss ist hierbei die Harnabsonderung, welche bald mehr, bald minder schnell die Pigmente ausscheidet und so die Anhäufung derselben im Blute regulirt (vergl. Beob. Nr. VII.). Es besteht in vieler Hinsicht eine Analogie zwischen dem Diabetes mellitus und einzelnen Formen des Icterus: wie dort unter Umständen, welche noch unvollkommen gekannt sind, der in der Leber gebildete Zucker nicht verbraucht, sondern mit dem Harn ausgeschieden wird, ebenso bleibt die Umwandlung der Gallensäuren unter bestimmten Bedingungen unvollendet. Diese letzteren treten, so weit uns klinische Erfahrungen Auskunft geben, hauptsächlich bei Krankheitsprocessen auf, welche störend in die umsetzenden und oxydirenden Processe des Blutes eingreifen, wie die putride Infection, die Pyämie und verwandten Zustände, die

Intoxication durch Schlangenbiss, Chloroform etc., ferner Störungen der Respiration bei Pneumonie etc. [1]).

Wir haben auf diese Weise im Allgemeinen drei Ursachen des Icterus kennen gelernt:

1) Stauung des Lebersecrets;
2) gestörte Blutbewegung in der Leber und in Folge derselben anomale Diffusion. Beide geben Veranlassung zu einer vermehrten Aufnahme von Galle ins Blut; in beiden Fällen ist die Leber mehr oder minder stark direct betheiligt;
3) gestörte Umsetzung, verminderter Verbrauch der Galle im Blute.

   Sie ist unabhängig von der Leber; auf sie influirt, so weit wir bis jetzt den Gegenstand übersehen, hauptsächlich die Blutmischung, und Alles, was die Umsetzungsprocesse innerhalb des Gefässsystems wesentlich beschränkt und modificirt.

Symptome des Icterus.

Wir wählen als Ausgangspunkt der Beschreibung des Icterus diejenige Form, welche ihren Ursprung von einer mechanischen Beeinträchtigung der Gallenexcretion her datirt. Sie eignet sich dazu am meisten, weil bei ihr die Verhältnisse am einfachsten sich gestalten und der Sache fremdartige Störungen, welche von ursächlichen oder nebenher gehenden Processen abhängig sind, am leichtesten vermieden werden.

Die in den Leberzellen und Gallenwegen in Folge eines mechanischen Hindernisses der Ausscheidung stagnirende Galle

---

[1]) In analoger Weise scheint auch der Uebergang von Zucker in den Harn nach der Punction des vierten Hirnventrikels in Zusammenhang gebracht werden zu müssen mit Störungen, welche Respiration und Herzthätigkeit in Folge dieser Verletzung erleiden (Berlin, Schrader, Uhle, Stockvis). Reynoso fand Zucker im Urin bei Aetherisirten, Bence Jones bei Chloroformirten, Garrod bei Bronchitis acuta. Es liegt jedoch auf der Hand, dass hier noch Nebenumstände unbekannter Art mitwirken.

wird mittelst der Venen und Lymphgefässe in die Blutmasse übergeführt. Sie manifestirt sich, wenn das Hinderniss im Ductus choledochus seinen Sitz hat, erst nach drei Tagen durch gelbe Färbung der Conjunctiva[1]). Die Aufnahme erfolgte viel früher,[2]) allein zum Sichtbarwerden des icterischen Colorits der Haut bedarf es einer gewissen Concentration. Eher als auf der Haut macht sich die Farbe bemerkbar in dem Nierensecret, und früher als im Harn zeigt sich das Pigment in den serösen Ergüssen der verschiedenen Körperhöhlen. Wiederholt habe ich im Blutserum und in den Transsudaten aus der Bauch- und Brusthöhle Cholepyrrhin gefunden, wo weder im Urin, noch auf der Haut Spuren icterischer Färbung vorhanden waren[3]).

Das Blut erleidet durch die Aufnahme der resorbirten Galle, abgesehen von der Färbung seines Plasma's, keine auf-

---

[1]) Tiedemann und Gmelin (Verdauung II, S. 48), sowie auch Blondlot, sahen den Icterus nach drei Tagen entstehen; ich kam bei meinen Versuchen im Allgemeinen zu demselben Resultate; der gelbe Ton der Conjunctiva wurde zwischen der sechzigsten und siebenzigsten Stunde nach der Unterbindung bemerklich; zuweilen erst später.

[2]) In Bezug auf die Schnelligkeit der Resorption beruft man sich gewöhnlich auf die Beobachtungen von Saunders (Abhandl. über die Structur etc. der Leber. Aus dem Englischen. Leipzig 1795. S. 61), welcher schon zwei Stunden nach der Unterbindung des D. choledochus die Lymphgefässe bis zum D. thoracicus mit gelbem Fluidum gefüllt und in derselben Frist das Blutserum der Lebervenen schon stark, das der Jugularvenen kaum merklich tingirt fand. Ich konnte bei meinen Versuchen diese Angaben nicht bestätigen. Vierundzwanzig Stunden nach Unterbindung des D. choledochus war weder im Blutserum und den Lymphgefässen, noch im Harn Gallenpigment nachweislich. Nach achtundzwanzig Stunden wurde es ein Mal im Blute der Jugularvenen erkannt, ein anderes Mal fand sich keine Spur. Nach achtundvierzig Stunden konnte der Farbstoff fast immer im Blute und im Harn nachgewiesen werden, im Inhalt des D. thoracicus dagegen nicht; sechzig Stunden nach der Unterbindung war derselbe ein Mal noch weisslich, ein anderes Mal dagegen gelb und pigmenthaltig. Es kamen Fälle vor, wo ungeachtet der vollständigen Verschliessung der Gallenwege nach zwei Tagen noch keine Spur von Farbstoff im Blute und Harn erschien, andere, wo das Serum blass und ohne Reaction war, das Blut aber längere Zeit mit Alkohol digerirt, an diesen eine nicht unbeträchtliche Menge von Cholepyrrhin abgab, welches erst während des Stehens aus Chromogen sich bildete.

[3]) Es giebt jedoch hiervon Ausnahmen, zuweilen enthält bei gelber Farbe der Haut der Harn kein Gallenpigment von gewöhnlicher Reaction, sondern Farbstoffe anderer Art, welche aus jenem sich bildeten. Ausserdem findet man bei Obductionen bald die Haut, bald die Nieren vorzugsweise stark pigmentirt.

fallende Veränderung; die näheren Bestandtheile desselben schwanken, wie zahlreiche Analysen lehrten, je nach der individuellen Constitution etc., ohne irgend eine constante Anomalie zu ergeben. Man hat viel von einer Auflösung der Blutkörperchen durch Galle gesprochen, allein mit Unrecht; der Inhalt der Gallenblase besitzt diese Eigenschaft in geringerem Grade als destillirtes Wasser; von der verhältnissmässig kleinen Quantität sich bald umsetzender Galle, welche ins Blut gelangt, ist daher keine auflösende Wirkung zu erwarten, wenn auch die reinen, gallensauren Salze nach von Dusch's Erfahrungen diese Eigenschaft besitzen [1]. Es ist daher begreiflich, dass Becquerel und Rodier [2] zuweilen sogar eine Zunahme der rothen Körperchen beobachteten; ebenso wenig ist eine Verminderung des Fibrins, eine Dissolution des Blutes zu constatiren.

Von den aufgenommenen Bestandtheilen der Galle ist nur der Farbstoff jederzeit nachweislich, die Gallensäuren scheinen unter dem Einflusse des Sauerstoffs im Blute sich sofort umzusetzen und bald spurlos zu verschwinden, in gleicher Weise wie die Gallensäuren, welche bei der Verdauung aus dem Darmkanal wiederum in den Kreislauf zurückkehren. Die zahlreichen, seit Thénard's Zeiten angestellten Versuche, ihre Gegenwart im icterischen Blute nachzuweisen, lieferten fast immer negative Resultate.

Ich habe das Blut Icterischer, welches bei Venäsectionen, häufiger noch bei Leichenöffnungen, aus dem Herzen und den Hohlvenen gesammelt war, vielfältig auf Gallensäuren und deren nächsten Derivate untersucht und in neuester Zeit durch meinen Assistenten Herrn Dr. Valentiner untersuchen lassen, allein immer mit negativem Erfolge. Im Alkoholextract des Blutes liess sich keine Substanz auffinden, welche durch

---

[1] Bemerkenswerth ist, dass Thiere nach der Injection von Galle ins Blut regelmässig einen Harn lassen, welcher Eiweiss und aufgelöstes Blutroth enthält; diese Beimengungen verlieren sich indess sehr bald wieder.

[2] Untersuch. S. 115.

die Pettenkofer'sche Probe Gallensäure angezeigt hätte. mochte dasselbe direct, oder, um fremdartige Beimengungen zu entfernen, ein wässriger Auszug desselben mit Schwefelsäure und Zucker behandelt werden. Damit stimmen die Erfahrungen der meisten älteren und neueren Beobachter überein [1]).

Die Gallensäuren verschwinden also aus dem Blute in kurzer Frist vollständig; nicht, weil sie durch Absonderungsorgane ausgeschieden worden, sondern weil sie eine Umwandlung erleiden, bei welcher sie ihre Eigenschaften gänzlich einbüssen.

Dass nicht etwa die Nieren, die Schweiss- und Speicheldrüsen etc. aus dem Blute der Gelbsüchtigen die Stoffe durch vermehrte Secretion entfernen, lehrt uns eine lange Reihe vergeblicher Versuche, sie oder ihre nächsten Derivate in jenen Absonderungen aufzufinden [2]). Es gelingt dies auch dann

---

[1]) Thénard, Chevreul, Boudet, Locanu, Deyeux, Gmelin u. A. suchten Gallenstoffe vergebens; die Angaben von Orfila, Collard de Martigny und Clarion, welche die harzigen Bestandtheile der Galle gefunden haben wollten, stammen aus einer Zeit her, wo die Unterscheidung des Gallenharzes von ähnlichen Stoffen noch nicht mit Genauigkeit ausführbar war. Seitdem man in der Pettenkofer'schen Probe ein leicht verwendbares, aber auch unter Umständen trügerisches Reagens auf kleine Quantitäten von Gallensäure gewonnen hatte, wurde vielfältig mit demselben nachgesucht, aber gewöhnlich vergebens (Scherer, v. Gorup-Besanez etc.); nur Lehmann erwähnt, geringe Mengen derselben im Blute, in Exsudaten und im Harn gefunden zu haben, jedoch, wie es scheint, nicht bei Icterus, sondern bei Krankheiten ohne Betheiligung der Leber. Ohne dieses Factum in Frage stellen zu wollen, muss ich bemerken, dass wir sehr oft mit serösen und entzündlichen Exsudaten aus der Bauch- und Brusthöhle verschiedener Kranken die Pettenkofer'sche Färbung erzielten und eine zeitlang diesen Gegenstand eifrig verfolgten, bis wir uns überzeugten, dass reines Hühnereiweiss, mit Schwefelsäure versetzt, oft dieselbe violette Farbe annimmt, und dass die Exsudate, welche, direct verwendet, ein positives Resultat ergeben hatten, eingetrocknet und mit Alkohol extrahirt, keine Substanz abgaben, welche jene Reaction gezeigt hätte.

[2]) Wir haben viele Versuche angestellt, im Harn Icterischer Gallenstoffe zu finden, und meistens, um sicherer zu gehen, mit grossen Quantitäten von Urin gearbeitet. Um die Gallensäuren auszuscheiden, wurde der Harn mit neutralem und basisch essigsaurem Bleioxyd versetzt, die gesammelten Niederschläge getrocknet und dann mit siedendem Alkohol extrahirt. Die alkoholische Lösung musste die gallensauren Bleiverbindungen enthalten. Sie wurden indess durch Schwefelwasserstoff kaum gefärbt und hinterliessen beim Verdunsten nur sehr geringe Mengen eines Rückstandes, welcher mit der Pettenkofer'schen Probe keine Gallensäure anzeigte.

nicht, wenn man durch Injection grösserer Mengen von Galle, die Schwierigkeiten, welche in der Auffindung kleiner Quantitäten liegt, beseitigt; immer war es der Farbstoff allein, welcher sich nachweisen liess. Worin die Umwandlung der resorbirten Galle, welche wir demnach anzunehmen genöthigt sind, bestehe, konnte im Detail bisher nicht verfolgt werden; nur so viel steht fest, dass dabei chromogene Körper entstehen, welche unter Mitwirkung des respiratorischen Sauerstoffes zu Gallenpigment werden. Dafür spricht nicht bloss die Menge des Farbstoffes, welche in keinem Verhältniss steht zu der in der Leber täglich gebildeten Quantität, so weit sich dieselbe abschätzen lässt, sondern auch das eben angedeutete Ergebniss der Injection von Gallensäuren und vor allem die directe Untersuchung des Blutes icterischer Kranken. Man findet in demselben neben Gallenfarbstoff chromogene Substanzen, welche wie die künstlich aus der Galle dargestellten Körper dieser Art sich verhalten, wie diese an der Luft blau, grün, roth und braun werden[1]).

Der Gallenfarbstoff selbst, welcher durch Alkohol aus

Ebenso wenig gelang es, durch Alkohol aus dem eingedampften Harn eine Substanz auszuziehen, welche jene Reaction gezeigt hätte.

Einige Male schieden sich auf Zusatz von Alkohol aus dem eingeengten Harn Krystalle ab, welche in ihrer Form und in dem Verhalten gegen Lösungsmittel dem Taurin glichen; die Krystalle waren indess nicht gross genug, um ohne besondere Apparate Winkelmessungen zu gestatten. Auch Glycin wurde vergebens gesucht.

Hiermit übereinstimmend fanden auch Griffith, Scherer, Gorup-Besanez u. A. niemals Gallensäure im Harn Icterischer. Die Angaben von Fourcroy und Vauquelin, dass solcher Harn durch den bitteren Geschmack Galle verrathe, sind ohne Bedeutung, ebenso wenig dürfte auf die von Orfila, dass derselbe Picromel enthalte, und von Simon, welcher viel Gallenharz gefunden zu haben glaubte, Gewicht zu legen sein, weil die Natur jener Körper nicht genügend festgestellt wurde. Viel wichtiger erscheint die Bemerkung Lehmann's, dass namentlich in schwach pigmentirtem Harn zuweilen viel Gallensäure nachzuweisen sei, während neben reichlichem Gallenfarbstoff nur Spuren vorkommen. Statt der erwarteten Gallenstoffe fanden wir stets nur das Pigment und gewöhnlich ausserdem kleine Mengen von Leucin.

[1]) Am reichlichsten waren die Chromogene nachweislich im Alkoholauszuge des Blutes nach der Injection von Galle, wo sie auch im Harn vorkamen; ferner zwei Tage nach der Unterbindung des D. choledochus, also unter Umständen, welche eine unvollständige Umwandlung erwarten liessen.

dem getrockneten Blute gewonnen wurde, war bald amorph, bald dagegen schied er sich in krystallinischer Form aus. Die letztere bestand aus kurzen Stengelchen, welche sich reihenförmig an einander legten, zuweilen auch strahlige Drusen bildeten (Taf. VII, Fig. 7), oder aus eckigen Körnchen, welche einzeln oder in Gruppen vereinigt vorkommen. (Fig. 8.) Sie waren wenig beständig und verloren ihre Eigenschaft bald, umkrystallisiren liessen sie sich nicht, die Lösung färbte sich dunkler und schied das Pigment als amorphe Masse aus[1]).

Ausser diesen färbenden Substanzen kam im Blute Leucin in mässiger Menge vor[2]) und überdies ein ungewöhnliches Quantum eines an Cholestearin reichen Fettes; das letztere stieg in einzelnen Fällen auf 4 bis 5 Procent[3]).

Als wesentliches Substrat der galligen Dyscrasie, welche aus der Retention des Lebersecrets hervorgeht, bleibt also nur das Gallenpigment übrig, und etwa der Einfluss, welchen die Umwandlung der aufgenommenen Gallensäuren auf die anderweitigen Vorgänge im Blute ausüben kann. Schon a priori lässt sich erwarten, dass die Folgen, welche eine solche Veränderung der Blutmischung auf die Lebensvorgänge äussert, nicht sehr auffallender Art sein dürften; sie sind es auch in der That nicht; die gewaltsamen Störungen, welche man auf Rechnung der Cholämie geschoben hat, fallen nicht dieser zur Last, sondern ganz anderen, später zu erörternden Vorgängen.

---

[1]) Der krystallinisch gewonnene Farbstoff war unlöslich in Aether, löslich in Alkohol; mit Salpetersäure zeigte er keine Farbenveränderung, Kalilauge löste ihn mit braungrüner Farbe.

[2]) Staedeler gewann in einem Falle aus dem Blute eines Icterischen, welches durch Schröpfköpfe entzogen war, auch Spuren von Tyrosin.

[3]) Die grösste Menge fand sich bei Icterus ex carcinom. hepatis, wo 3,78 und 4,98 Proc. gefunden wurden, bei Pneumonie mit Icterus 1,04; bei pyämischem Icterus 1,97: bei Typhus mit Icterus 1,93; bei Cirrhose der Leber mit Gelbsucht 1,10; bei catarrhalischem Icterus 0,90 Proc. des trockenen Blutes. Es ist zweifelhaft, ob die Vermehrung des Fettes vom Icterus oder von der zu Grunde liegenden Leberaffection abhängt; das letztere ist wahrscheinlicher. Bei Carc. hepatis ohne Icterus betrug das Fett 3,96, also mehr als bei einfacher Gelbsucht.

Die auffallendste Wirkung ist die Pigmentirung der verschiedenen Gewebe des Körpers und einzelner Secrete, welche um so stärker hervortritt, je grösser der Farbstoffreichthum des Plasma's wird und je länger ein solcher besteht.

Die Pigmentablagerung beginnt, wenn gehemmte Ausscheidung der Galle die Ursache des Icterus ist, zunächst in den Leberzellen. Es lagern sich zuerst in der Umgebung des Kerns braune oder gelbe Farbstoffe in feinkörniger Form ab, oder es füllt sich die ganze Zelle mit blassgelbem Inhalt. Der Kern selbst bleibt blass oder er wird grünlich gelb, zuweilen auch dunkelbraun (Taf. I, Fig. 3). Später bemerkt man feste Pigmentausscheidungen in Form von geraden oder kolbig endenden, nicht selten auch mehrfach verästelten Stäbchen; hie und da auch als rundliche Kugeln oder scharfkantige Stückchen. Dieselben haben eine gelbe, rothbraune, blass- oder gesättigt grüne Farbe, sind hart und lassen sich durch Druck zersplittern (Taf. I, Fig. 3 und 4).

Bemerkenswerth ist, dass die pigmentreichen Zellen fast immer in grösster Menge um die Centralvenen der Läppchen herum liegen und gegen die Peripherie derselben hin allmälig spärlicher werden (Taf. I, Fig. 1 und 2). Damit scheint auch das seltene Vorkommen von Fett in den farbstoffreichen Zellen zusammenzuhängen, indem die fetthaltigen Zellen vorzugsweise in der Peripherie der Läppchen ihre Lage haben.

Die Schnittfläche der Leber nimmt in Folge der Gallenstase eine mehr oder minder intensiv braune, zuweilen auch bräunlichgrüne oder olivengrüne Farbe an (Taf. I, Fig. 1); das Colorit ist in den Centralpartieen der Läppchen am gesättigsten und verliert gegen den Umkreis derselben hin allmälig an Intensität; aus diesem Grunde ist die Farbe niemals eine gleichmässige, sondern eine muskatnussartig scheckige (Fig. 1 und 2). Dauert die Stauung lange Zeit, so entstehen in den Ausführungsgängen, und unter Umständen auch im Leberparenchym tiefer greifende Structurveränderungen, welche wir später bei den Ausgängen kennen lernen werden.

Nächst der Leber und dem Blute wird die icterische Färbung am frühesten bemerklich in den serösen Ausschwitzungen, sodann in den Secreten, besonders in dem der Nieren und der Haut; erst wenn die Anhäufung im Blute beträchtlicher wird, manifestirt sich die Färbung überall in den Geweben, wohin das Blutplasma und mit ihm der aufgelöste Farbstoff geführt wird.

Der Harn nimmt frühzeitig eine veränderte Färbung an durch Aufnahme kleinerer oder grösserer Quantitäten von Cholepyrrhin. Er wird safrangelb, rothbraun, dunkelbraun, grünlichbraun oder schwarzbraun, je nach der Menge und Beschaffenheit des Pigments, welches in ihn übergeht. Ein geübtes Auge ist gewöhnlich im Stande, den beigemengten Gallenfarbstoff ohne weiteres Reagens an der safrangelben Färbung des Schaums und dünner Schichten des Urins zu erkennen, jedoch keineswegs immer. Die röthlichbraune Farbe, sowie die schwarzbraune, kommt nicht selten auch unter Umständen vor, wo keine Spur von Cholepyrrhin in das Nierensecret übergegangen ist. Dunkle Farbentöne, ähnlich denen des icterischen Harns, sieht man besonders bei gestörter Respiration, wenn dieselbe nicht von Blutarmuth begleitet ist, bei Emphysem, Lungenhyperämie in Folge von Krankheit der Bicuspidalklappen etc., ferner bei Nierenblutung etc., hellere, roth- oder safrangelbe besonders nach Gebrauch von Rhabarberpräparaten und von Santonin, jedoch auch ohne solche.

Zur sicheren Constatirung des Gallenfarbstoffes im Harn sind daher fast immer Reagentien nothwendig, welche allein unzweideutige Beweise seiner Gegenwart liefern. Am besten bedient man sich für diesen Zweck der Salpetersäure, welche nicht ganz frei von salpetriger Säure ist. Sie bewirkt den bekannten Farbenwechsel von Braun in Grün, Blau, Violett, Roth, welches letztere schliesslich schmutzig gelb wird. Man sieht diese Veränderung am deutlichsten hervortreten, wenn man den Harn in einem Spitzgläschen tropfenweise, ohne umzuschütteln, mit der concentrirten Säure versetzt, die Farben lagern sich dann schichtweise regenbogenartig übereinander. Nicht immer lässt indess der Urin, welcher Gallenpigment enthält, diese Reaction erkennen. Sehr häufig kommt es vor, dass das Pigment bereits im Blute oder im Harn weitere Veränderungen erlitt, welche ihm diese Eigenthümlichkeit rauben. Solche Umwandlungen treten schon beim Stehen des Harns an der Luft unter Einwirkung des atmosphärischen Sauerstoffes ein, die Farbe, welche anfangs braun war, wird allmälig grünlich, zu gleicher Zeit verliert nach und nach die Salpetersäure ihre charakteristische Wirkung. Die Modification des Gallenpigments, welche unter solchen Verhältnissen vorhanden ist, färbt sich unter Einwirkung von Säuren grün oder blaugrün, was besonders dann deutlich hervortritt, wenn der Harn gleichzeitig Eiweiss enthält; der durch Salpetersäure gebildete Niederschlag zeigt alsdann einen bläulichgrünen Farbenton.

Indess auch diese Reaction kann fehlen: der Farbstoff kann auch diese Stufe der Umwandlung bereits durchlaufen haben und in einen Zustand übergetreten sein, welcher weder die eine noch die andere Reaction darbietet, obgleich er, wie die übrigen Symptome des Icterus beweisen, als ein directes Derivat des Gallenpigments angesehen werden muss. Der Harn erscheint alsdann bald braun oder braunroth gefärbt und wird durch Salpetersäure roth, bald ist er hochroth und wird durch Salpetersäure dunkelblutigroth etc.

In einzelnen Fällen enthält der Harn Chromogene, er zeigt dann, frisch gelassen, keine Spur der charakteristischen Cholepyrrhinreaction, dieselbe tritt aber hervor, wenn er eine Zeitlang an der Luft stand und alsdann mit der Säure versetzt wird. Es ist dasselbe Chromogen, welches sich gewöhnlich auch im Blute der Icterischen vorfindet und bei der Umwandlung der Gallensäuren zu Pigmenten sich bildet.

Die vegetabilischen Farbstoffe, welche zu Verwechselungen mit den Pigmenten der Galle Veranlassung geben können, lassen sich leicht durch ihr abweichendes Verhalten gegen

Reagentien unterscheiden. Die Farbstoffe des Rhabarbers und des Santonins, welche besonders in Betracht kommen, färben sich durch kaustische und kohlensaure Alkalien blutroth, eine Eigenschaft, welche keine Art von Gallenpigment mit ihnen theilt.

Der icterische Harn ist gewöhnlich klar; nur bei fieberhaftem Icterus lässt er meistens harnsaure Sedimente fallen, welche durch eine lebhaft ziegel- oder rosenrothe Färbung sich auszeichnen. Selten findet man Niederschläge anderer Art, wie gelb tingirte Epithelien der Harnwege und der Nieren, noch seltener, und nur bei sehr hochgradigem Icterus. Schollen aus gelbbrauner fibrinähnlicher Substanz oder aus bröcklichen braunschwarzen Pigmentablagerungen, welche man bei der Niere zuweilen in reichlichem Maasse innerhalb der Tubuli abgelagert findet.

Eine durchgreifende Untersuchung des icterischen Harns in Bezug auf seinen Gehalt an Harnstoff, Harnsäure, Salzen etc. ist noch nicht in dem Maassstabe ausgeführt, dass eine umfassende Uebersicht des Stoffwandels bei diesen Zuständen gewonnen wäre; ebenso wenig wie die Producte der Respiration gemessen sind. Es ist nicht unwahrscheinlich, dass eine solche Arbeit lohnende Resultate geben dürfte.

Bei weitem die grösste Menge des Gallenpigments wird durch die Nieren ausgeschieden; die Excretion erfolgt von diesen Organen so massenhaft, dass in einzelnen Fällen die Textur derselben darunter wesentlich leidet Bei älteren und intensiveren Formen der Gelbsucht findet man in den Nieren Veränderungen, welche bisher keineswegs genügend gewürdigt sind. Die Organe nehmen ein olivengrünes Aussehen an; auf der Oberfläche sieht man einzelne gewundene Harnkanälchen von dunkeler Farbe, in den Pyramiden neben braunen oder saftgrünen Tubulis andere, welche mit schwarzen Ablagerungen gefüllt sind (Taf. I, Fig. 9). Bei genauerer Untersuchung findet man die blässeren Harnkanälchen grünlich oder bräunlich gefärbt, ihre Epithelien, welche selten vollständig sich vorfinden, tief braun tingirt, besonders die Kerne (Taf. I, Fig. 10 und 11). Die Zellen selbst erscheinen theils blutroth, theils grün, theils braun gefärbt, einige enthalten concentrisch um den Kern gelagerte Schichten von Pigment; nicht selten begegnet man fettig degenerirten Epithelien von rother, brauner oder schwarzer Farbe (Taf. I, Fig. 12 *a*, *b*, *c*). Wo die Pigmentablagerung den höchsten Grad erreichte, zeigen sich die Harnkanäle mit kohlschwarzer, harter, brüchiger Masse ausgefüllt, welche, wie die Substanz schwarzer Gallensteine, sich entweder gar nicht oder nur langsam und unvollständig in Kalilauge auflöst (Fig. 12, *d*). Nebenher bemerkt man cylindrische Schollen, welche aus amorpher Grundsubstanz von brauner gegen die Peripherie zu allmälig blasser werdender Farbe bestehen (Fig. 12, *d*). Auf diese wirkt die Kalilauge rascher ein, ihr Pigment löst sich, sie werden durchsichtig und quellen auf, ähnlich den längere Zeit in den Harnkanälchen zurückgehaltenen Fibringerinnseln.

Die Ablagerung von Pigment ist unter solchen Umständen über das ganze Nierenparenchym verbreitet, schon an den Epithelien der Malpighischen Körper (Taf. I, Fig. 8) wird sie wahrnehmbar, stärker tritt sie in den gewundenen Harnkanälchen (Fig. 10) hervor, und am meisten in den geraden Tubulis der Pyramiden (Fig. 9), deren Lichtung durch harte, kohlenartige Massen verstopft wird. Dass durch solche Deposita die Absonderungsthätigkeit der Nieren eine wesentliche Beschränkung erleiden muss, ist begreiflich, und wurde auch durch die Beobachtung festgestellt (vergl. Beob. Nr. VI.).

Neben den Nieren betheiligen sich bei der Ausscheidung des Gallenpigments besonders die Schweissdrüsen. Ihr Secret färbt nicht selten die weisse Wäsche in der Achselhöhle und an anderen stärker secernirenden Hautstellen deutlich gelb. Schon Chomel (Académ. des scienc. 1737, p. 69) kannte dieses Symptom, und Cheyne (Dubl. Hospit. reports Vol. III, p. 269) beobachtete einen Kranken, welcher auf sein Leiden erst dadurch aufmerksam wurde, dass sein Taschentuch beim Abtrocknen der Stirn eine gelbe Färbung annahm. Andral (Cliniq. méd. Tom. II, p. 373) beschreibt einen Fall, wo der Schweiss die Wäsche gelb färbte, auch der Harn Gallenfarbstoff enthielt, ohne dass Haut und Conjunctiva ein icterisches Colorit darboten.

Die Menge des Farbstoffes, welche durch die Schweissdrüsen ausgeschieden wird, ist immer in Vergleich zu der von den Nieren excernirten sehr unbedeutend. Wesentliche Texturveränderungen der Schweissdrüsen, ähnlich denen der Nieren, kommen nicht vor; der Inhalt der Drüsenschläuche erscheint etwas gelb gefärbt und hie und da sieht man braune Körnchen und dunkle Kernbildungen, nirgend aber massenhafte Pigmentablagerungen (Taf. I, Fig. 6).

Die Betheiligung der übrigen Secretionsorgane an der Entfernung des Farbstoffes ist sehr geringfügig und unbeständig. Wright will im Speichel das Cholepyrrhin gefunden haben, was mir bei wiederholten Versuchen nicht gelingen wollte; auch im Parenchym der Parotis und Submaxillardrüse, sowie des Pancreas, sah ich nur schwache Pigmentablagerung[1]). Ebensowenig gelang es mir, jemals im Schleim Gallenfarbstoff zu constatiren. Die catarrhalischen Sputa einer Frau mit sehr intensivem Icterus, welche in grossen Quantitäten ausgeworfen wurden, zeigten die gewöhnliche graugelbe Farbe und reagirten auf Salpetersäurezusatz in keiner Weise (vergl. Beobachtung Nr. VIII.), selbst der Schleim, welcher in einem Falle die Gallenwege stark ausdehnte, war wasserklar und ohne Spur von Pigment (Beob. Nr. VI.); ebenso blieb das schleimige Secret der Dünn- und Dickdarmdrüsen weissgrau und farbstofffrei. Nur in einem Falle zeigte derselbe eine

---

[1]) Huxham (Opera physico-medica Tom. III, p. 12) beschreibt den Krankheitsfall eines 40jährigen Mannes, welcher, an Icterus und Steinkolik leidend, nach der Anwendung von 8 Gran Calomel einen Speichelfluss bekam und enorme Mengen eines anfangs grünen, später gelben Speichels entleerte; die Fauces und die Zähne sahen wie mit Grünspan überzogen aus. Bei der Mercurialsalivation kommen indess eiweisshaltige Transsudate im Speichel vor, und der Fall beweist daher nichts für das normale Secret der Parotiden.

bläuliche Farbe, welche jedoch nicht von Gallenpigment herrührte, sondern von melanotischen in dem abgestossenen Epithel liegenden Körnchen. Ich kann daher die Meinung Derer nicht theilen, welche mit Fourcroy u. A. bei Icterus eine gallige Färbung des Schleims annehmen. Ganz anders ist das Verhalten der eiweiss- und faserstoffhaltigen Exsudate; sie sind jederzeit reich an Farbstoff. Die Sputa bei biliöser Pneumonie haben eine braune, oder gewöhnlicher eine lauchgrüne Farbe und zeigen bei Zusatz von Salpetersäure eine lebhafte Reaction. Diese Beschaffenheit behält der Auswurf, so lange noch etwas von dem Exsudate ausgehustet wird; man findet daher mitunter denselben noch grün, nachdem die icterische Farbe der Haut und des Harns sich längst verloren hat.

Nr. IV.

Pneumonia duplex, Icterus, gallige Stühle, grüner Auswurf bis zehn Tage nach dem Aufhören der Pneumonie und acht Tage nach dem Verschwinden der icterischen Hautfarbe.

Carl Jänsch, Tagelöhner, 64 Jahr alt, wurde am 7. December 1855 aufgenommen. Der Kranke trug am 3. eine schwere Bürde Holz, mit welcher er, die Treppe aufsteigend, gegen die Decke stiess, so dass eine heftige Erschütterung des Thorax die Folge war. Am 4. stellten sich Brustschmerzen mit Husten und blutigem Auswurf ein, begleitet von Frost etc.

Am 11. wurde Patient auf die Klinik verlegt. 118 Pulse, icterische Farbe der Haut und der Conjunctiva, Harn schwarzbraun, zähe, dunkelgrüne, auf Gallenpigment reagirende Sputa. Rechts und hinten eine bis zur Mitte der Scapula aufsteigende Dämpfung mit bronchialem Athmungsgeräusch, links dasselbe Verhalten, einen Intercostalraum weniger hoch hinaufreichend; beide oberen Lappen der Lunge frei; Stühle dünn, gallig gefärbt. Ord. Inf. hb. Digit. mit Gi. arab.

Am 12. wird auch der rechte obere Lappen infiltrirt. Lage und Volumen der Leber normal.

Am 13. Nachmittags lässt das Fieber nach; am 14. Schweiss, 88 Pulse. Ord. Inf. r. Ipecac.

Am 16. ist keine icterische Färbung der Haut mehr sichtbar, das Infiltrat wird rückgängig, lautes consonirendes Rasseln an den gedämpften Stellen. Stühle normal, gallehaltig, der Appetit kehrt wieder.

Seit dem 18. ist der Harn frei von Gallenpigment, die Sputa bleiben dunkelgrün und mit Salpetersäure deutlich reagirend bis zum 24., also zehn

Tage nach dem Aufhören des pneumonischen Processes und acht Tage nach dem Verschwinden des icterischen Colorits der Haut.

Die biliöse Pneumonie ist aus diesem Grunde vorzugsweise geeignet, die Entfernung des Exsudats durch den Auswurf zu verfolgen. Man überzeugt sich dabei leicht, dass dieselbe viel massenhafter und anhaltender erfolgt, als man gewöhnlich glaubt.

Wenn hie und da schleimige Flüssigkeiten Gallenpigment enthielten, so ergab sich jedes Mal, dass Eiweiss vorhanden war, dass also der Schleim mit Exsudat sich vermischt hatte.

Auch die Angabe von Heberden, nach welcher die Thränen Icterischer gelb werden, habe ich nicht bestätigen können.

Dagegen kommen unzweifelhaft Fälle vor, wo in der Milch gelbsüchtiger Frauen der Farbstoff nachweisslich wird. Schon Mende und P. Frank erwähnen dieses Factum, Marsh entleerte aus den vollen Brüsten einer an Icterus gestorbenen Frau eine gelbe zähe Flüssigkeit, welche alle Eigenschaften reiner Galle darbot; eine ähnliche Beobachtung machte Bright (Guy's hospit. Reports Vol. I.), und in neuester Zeit wiess Gorup-Besanez (Archiv f. physiol. Heilk. 1849) in der Milch einer Gelbsüchtigen das Gallenpigment mit Sicherheit nach. Constant ist jedoch diese Beimengung nicht.

Gleichzeitig mit der Pigmentirung der erwähnten Secrete beginnen Farbenveränderungen der Gewebe sich bemerklich zu machen. Am frühesten sieht man dieselbe an der Haut und Conjunctiva des Auges.

Die Haut wird anfangs blass schwefelgelb, sodann safran- oder citrongelb, olivenartig und bronzefarben. (Melas icterus.) Die Farbennuance hängt zum Theil von der Intensität und Dauer der Krankheit ab, zum Theil von der glatten oder faltigen Beschaffenheit der Haut, der Dicke ihrer Epidermisdecke und der Lebhaftigkeit ihrer Secretion. Bei jungen Individuen, deren Haut durch ein reiches Fettpolster glatt erhalten wird, treten die dunkelen schmutzigen Farbentöne, welche die gerunzelte Haut älterer Leute zeigt, nicht hervor. Die Färbung wird zunächst sichtbar an den Stellen, wo die Epidermis dünn und die Absonderung reichlich ist, an den

Nasenflügeln, den Mundwinkeln, auf der Stirn und am Halse; die obere Körperhälfte sah ich zuweilen schon deutlich tingirt, während an der unteren noch keine Veränderung hervortrat.

Einige ältere Aerzte, wie Morgagni, Behrends u. A. beschreiben einen partiellen Icterus, welcher bald auf einer Körperhälfte beschränkt blieb, bald auf einzelnen Stellen. P. Frank, welchem eine reiche Erfahrung über Gelbsucht zu Gebote stand, hat nichts der Art gesehen. Es scheint, dass man hier anderweitige gelbe Pigmentirungen der Haut mit Gelbsucht confundirt habe, jedenfalls fehlen sichere Nachweisungen des gleichzeitigen Vorkommens von Gallenfarbstoff im Harn etc.

Die icterische Färbung der Cutis geht hauptsächlich von den tieferen Schichten der Epidermis aus, wo die rundlichen Zellen sich intensiv gefärbt zeigen und braune Molecule enthalten, die älteren, platten Zellen sind blasser tingirt. (Taf. I, Fig. 5.) Nach der Beseitigung der Ursache des Icterus und dem Verschwinden des Farbstoffes aus dem Urin besteht daher die Färbung der Haut noch lange Zeit, bis die Epidermis durch Abschilferung entfernt und regenerirt ist; ein Umstand, welcher bei der Therapie nicht unberücksichtigt bleiben darf.

An den Schleimhäuten ist die gelbe Farbe viel weniger deutlich, die Lippen und Zunge, besonders die letztere, wenn sie mit einem grauen Belege überzogen ist, contrastiren daher auffallend gegen die safranfarbige Umgebung.

An den tiefer liegenden Theilen, deren Anschauung erst bei Obductionen gestattet ist, macht sich die gelbe Farbe, welche mit dem Blutplasma alle Gewebe durchdringt, fast überall bemerklich. Das Fettzellgewebe nimmt, wie schon Valsalva hervorhob, eine citrongelbe Färbung an, in gleicher Weise färben sich mehr oder minder intensiv die serösen und fibrösen Häute, das Bindegewebe, die Wandungen der Blut- und Lymphgefässe, die Knochen- und Zahnsubstanz, weniger die Knorpel; auch das Roth der Muskeln bekommt einen gelblichen Schein, hauptsächlich veranlasst durch die Färbung des Perimysiums und des interstitiellen Bindegewebes.

Selten bemerkt man an der Hirnsubstanz eine merkliche gelbe Tingirung; ich sah dies nur in wenigen Fällen, wo das Hirn ödematös war und die Farbe von der Durchtränkung der Hirnsubstanz mit gelbem Serum herrührte. Aehnlich verhalten sich die Nerven.

Am Auge sind, abgesehen von den äusseren Häuten, die Flüssigkeiten, besonders das Corpus vitreum, weniger der Humor aqueus, bei intensiveren Formen des Icterus[1]) mit Cholepyrrhin getränkt; der Glaskörper nimmt eine blass citrongelbe Farbe an und reagirt deutlich auf Zusatz von Salpetersäure, ebenso die wässerige Feuchtigkeit; an der Linse habe ich niemals diese Eigenschaft beobachtet.

Bei schwangeren Frauen theilt sich die gelbe Farbe auch der Frucht mit. Schon Bonetus (Sepulchret T. II, p. 333) beschreibt einen Fötus, welcher von einer Gelbsüchtigen geboren war, als: ita flavum, ut e cera confectus puer non partus humanus videretur. Aehnliche Erfahrungen machten Wrisberg und Finke (De morb. bilios. anomalis). Es bedarf jedoch hierzu eines längeren Bestehens der Krankheit, bis die Frucht das icterische Colorit annimmt; bei Gelbsüchtigen, welche 5 bis 14 Tage nach dem Eintritt des Icterus abortirten, habe ich keine Farbenveränderung wahrnehmen können (vergl. Beob. Nr. XIII. und Nr. XIV.).

Neben der Farbenveränderung kommt, indess weniger constant, eine Reihe von Symptomen zur Beobachtung, welche auf Anomalieen der Nerventhätigkeit beruhen. Zu diesen gehört zunächst:

1) das Hautjucken, welches in vielen Fällen, jedoch bei weitem nicht immer (nach meinen Erfahrungen nur bei einem Fünftel der Fälle), den Beginn der Gelbsucht begleitet. Das

---

[1]) Nur bei Gelbsucht hohen Grades konnte ich diese Veränderung nachweisen; gewöhnlich war keine abnorme Färbung der Augenflüssigkeiten vorhanden.

Jucken ist meistens allgemein über die Haut verbreitet und besonders zur Nachtzeit lästig; selten partiell auf einzelnen Hautstellen, wie der Achselhöhle, der Leistengegend etc., beschränkt, es verschwindet gewöhnlich nach einigen Tagen, auch wenn der Icterus noch an Intensität zunimmt. Graves beobachtete einen Fall, wo das Jucken vor dem Beginn der Gelbsucht sich zeigte und nach dem Eintritt derselben wieder verschwand. Die Haut bleibt dabei meistens unverändert; zuweilen entwickelt sich nebenher ein Knötchen- oder Bläschenausschlag, welcher meistens frühzeitig zerkratzt wird, ausnahmsweise auch, nach den Erfahrungen von Graves, Urticaria. Ich sah bei einem Gelbsüchtigen die Haut mit zahlreichen viergroschengrossen ringförmigen Quaddeln bedeckt, sie veranlassten keine Beschwerden und verloren sich erst acht Tage nach ihrem Auftreten.

2) Ein zweites, ebenfalls nicht constantes hierher gehöriges Sympton ist die Verstimmung des Allgemeingefühls; grosse Mattigkeit und Schwäche nebst trüber, verdriesslicher Laune, verbunden mit Kopfschmerz, Schwindel etc. Diese Zufälle fehlen bei einfachem Icterus oft vollständig, in anderen Fällen finden sie eine genügende Erklärung in dem nebenher bestehenden Magencatarrh; nur selten sieht man sie bei chronischen Formen ohne anderweitige Veranlassung, und dann kündigen sie meistens schwere Nervenzufälle an, welche nicht vom Icterus, sondern von anderen Störungen der Leberthätigkeit abhangen, auf welche wir später kommen werden. Noch seltener sind

3) Anomalieen der Sinneswahrnehmungen, subjective Geschmacks- und Gesichtsempfindungen. Bitterer Geschmack bei reiner Zunge, über welchen hie und da geklagt wird, verliert sich gewöhnlich nach wenigen Tagen; dass derselbe von Anhäufung galliger Stoffe im Blute herrühren könne, beweist die Erfahrung, welche ich oft bei der Injection von Galle in die Venen der Hunde machen konnte; die Thiere lecken anhaltend mit der Zunge, sobald die Flüssigkeit eindringt. Häufig

ist der bittere Geschmack die Folge des Aufsteigens gallehaltiger Magencontenta.

Viel Aufsehen erregte von jeher eine andere Sinnestäuschung Icterischer, das Gelbsehen, die Xanthopsie. Schon den Alten scheint, wenn man einer Stelle des Lucrez [1]) trauen darf, dies Symptom bekannt gewesen zu sein. Fr. Hofmann (Med. rat. syst. Tom. IV, p. 353) erwähnt zweier Fälle; später wurde es mehrfach beobachtet, jedoch verhältnissmässig selten. P. Frank sah es unter tausend Icterischen nur bei fünfen; ich habe niemals dazu Gelegenheit gefunden, obgleich ich stets darnach fragte [2]). Den Kranken erscheinen weisse Gegenstände gelb, meistens nur einige Stunden, zuweilen aber auch mehre Tage lang. Als Veranlassung dieser Anomalie der Sehthätigkeit betrachtete man in früheren Zeiten die gelbe Färbung der Cornea und des Humor aqueus, welche man in Begleitung dieses Symptoms beobachtet hatte [3]). Indess schon von P. Frank wurden gegen diese Ansicht Bedenken erhoben, weil ihm die gelbe Farbe der Cornea ohne jene Störung des Sehens vorgekommen war, sodann weil das Gelbsehen intermittire, und endlich, weil man auch bei Typhus ohne Gelbsucht demselben Symptom zuweilen begegne. Frank beschuldigt daher neben der icterischen Färbung der Häute und der Flüssigkeiten des Auges eine anomale Nerventhätigkeit. Die letztere wurde in neuerer Zeit gewöhnlich als das alleinige Causalmoment angesehen, einmal, weil neben intensiver Färbung der Gewebe des Auges dieses Symptom häufig fehlt, und sodann, weil unter denselben Verhältnissen, wie das Gelbsehen, auch andere Abweichungen des

---

[1]) Lurida praeterea fiunt quaecunque videntur arquatis.

[2]) Man muss, zumal wo man mit Ungebildeten zu thun hat, bei der Fragestellung vorsichtig zu Werke gehen, wenn man zuverlässige Antworten erzielen will; ich erhielt mitunter bejahende Antworten, welche bei genauerer Nachforschung wieder zurückgenommen wurden.

[3]) Vergl. Morgagni, De sed. et causs. morb., Epist. 37. 8, und J. P. Frank, De curand. homin. morb., lib. VI, pars III, p. 343. Die Bemerkung von Frank, dass der H. vitreus nicht an der gelben Färbung Theil nehme, ist irrthümlich; ich fand darin stets mehr Farbstoff, als im Humor aqueus.

8*

Sehvermögens, wie Tagblindheit [illegible] Nachtblindheit vorkommen. Stokes betrachtet daher d[illegible] Gelbsehen als ein drohendes Zeichen gestörter Innervation[illegible] und Bamberger bemerkt, dasselbe sei ihm nur bei Ict[illegible]n vorgekommen, welche an Lebercirrhose etc. zu Grunde [illegible]n. Dass jedoch die Farbstoffanhäufung im Blute und in d[illegible] Augenflüssigkeiten nicht ohne Bedeutung sei, dafür scheint mir die analoge Erscheinung zu sprechen, welche nach Gebrauch von Santonin beobachtet wird. Auch hier erscheinen, während das Santonin unter dem Einflusse der Alkalien im Blute in eine gefärbte Modification sich umwandelt, bei schwacher Beleuchtung alle Gegenstände mit grünlichgelber Farbe, was aufhört, sobald der Farbstoff durch die Nieren ausgeschieden wird. Der Fall von Elliotson, welcher das Gelbsehen bei einem Icterischen beschränkt auf einem mit varicosen Gefässen bedeckten Auge beobachtete, während das andere die Farben unverändert sah, dürfte eine andere einfachere Erklärung zulassen.

4) Verlangsamung der Herzthätigkeit. Sehr gewöhnlich sinkt beim Icterus die Frequenz der Herzcontractionen unter die Normalzahl mehr oder minder tief herab; meistens auf 50 oder 40 Schläge; hie und da noch tiefer; in einem Falle zählte ich 28, in einem anderen 21 Schläge. Diese Verlangsamung, welche nicht selten von gestörtem Rhythmus der Herzaction begleitet ist, besteht oft mehrere Wochen lang, ehe sie sich verliert; sie schwindet augenblicklich, um einer mässigen Frequenz zu weichen, sobald Entzündungen oder anderweitige acute Processe als Complicationen zum Icterus hinzutreten. Gesellt sich die Gelbsucht zu einer fieberhaften Krankheit, wie zu einem acuten Gastrointestinalcatarrh, zum Typhus etc., so macht sich meistens bei Sichtbarwerden der gelben Farbe eine Abnahme der Pulsfrequenz bemerklich, der Puls sinkt von 110 auf 80 bis 70 und darunter.

Der langsame Puls ist kein constantes Symptom des Icterus, es giebt Fälle, wo derselbe während der ganzen Dauer der Krankheit ausbleibt. Wesshalb, ist mit Sicherheit ebenso wenig zu entscheiden, als die Ursachen dieser Erscheinung überhaupt unklar sind. Es liegt nahe, einen der Digitaliswirkung ähnlichen Einfluss der Galle auf den N. vagus oder das Gehirn anzunehmen; allein weitere positive Beweise für eine solche Annahme besitzen wir nicht; die vollkommene Integrität aller übrigen Functionen des Nervensystems, sowie das Verhalten der Respiration, macht dies wenig wahrscheinlich. Während die letztere beim Gebrauche der Digitalis neben der abnehmenden Frequenz des Pulses häufiger zu werden pflegt, sinkt dieselbe beim Icterus gleichzeitig mit dem Pulse, wenn auch nicht in demselben Maasse. Die Zahl der Athemzüge verhielt sich zu der der Pulse in den meisten Fällen = 1 : 3. Es ist denkbar, dass die erregende Wirkung des Blutes auf den Herzmuskel vermindert wird, oder dass die Adhäsion des Blutes zu den Gefässwandungen steigt, indess entscheiden lässt sich hierüber nichts.

5) Die Temperatur bleibt bei einfachem Icterus unverändert; sie schwankte in der Achselhöhle von 36,8° bis 37,25°, die niedrigen Zahlen betrafen Individuen, welche durch Carcinom der Leber oder andere organische Leiden weit heruntergekommen waren. Dass bei Icterus febrilis die Verhältnisse anders sich gestalten, liegt auf der Hand; bei fieberhafter catarrhalischer Gelbsucht fanden wir 38,5° etc.

6) Störungen der Verdauung. Die Thätigkeit des Magens bleibt bei Gelbsüchtigen gewöhnlich unverändert; bei reiner Zunge äussern die Kranken einen Appetit, welcher nichts zu wünschen übrig lässt [1]. Erst im Darmcanal geben sich Anomalieen der hier ablaufenden Vorgänge kund, welche von dem mangelhaften oder fehlenden Uebertritt der Galle in das Darmrohr abhangen. Zwar haben die in neuerer Zeit so vielfältig wiederholten Versuche mit Anlegung von Gallenfisteln den Beweis geliefert, dass das Fehlen des Lebersecrets im Darm keineswegs auffallende und das Leben bald bedrohende Stö-

[1] Zuweilen ist die Esslust krankhaft gesteigert und auf besondere Speisen gerichtet, so in einem von Budd beobachteten Falle auf Schellfische, Muscheln etc.

rungen der Ernährung herbeiführt, dass im Gegentheil die meisten Zwecke des Chylificationsprocesses ohne Galle erreicht werden können; allein es entstehen dennoch eine Reihe von Anomalieen, deren Wirkung sich nach und nach summirt und bei längerem Bestehen der Gelbsucht schliesslich zu mangelhafter Ernährung Veranlassung giebt.

Das Ausbleiben des Gallenergusses beeinträchtigt zunächst die Diffusionsvorgänge, welche im oberen Theil des Darmcanals zwischen den flüssigen Theilen des Chymus und dem Blute in den Gefässen der Darmwandungen statthaben. Für diese kann es nicht gleichgültig sein, ob in 24 Stunden ein Kilogramm Flüssigkeit mehr oder minder den Darmcontentis sich beimengt.

Auf die Verarbeitung der Nahrungsstoffe, soweit sie aus Albuminaten und Kohlenhydraten bestehen, äussert das Fehlen der Galle allerdings keinen wesentlichen Einfluss; allein die Resorption des Fettes wird, nach den Erfahrungen aller auf diesem Gebiete thätigen Forscher, ansehnlich beschränkt. Gelbsüchtige haben im Allgemeinen einen Widerwillen gegen fettreiche Nahrungsmittel, nach dem Genusse derselben erscheint ein grosser Theil des Fettes in den Ausleerungen wieder. — Der Ausfall, welchen hierdurch die Ernährung erleidet, ist gross genug, um sich im Laufe der Zeit bemerklich zu machen. Ein anderes, weniger wichtiges Moment ist das Fehlen der antiseptischen Wirkung der Galle, welche abnorme, mit Gasentwickelung verbundene Umsetzungen der Darmcontenta aufkommen lässt. Flatulenz ist daher eine gewöhnliche Beschwerde der Gelbsüchtigen, besonders dann, wenn sie vorzugsweise von animalischer Kost leben; die Fäcalstoffe verbreiten in diesem Falle einen putriden Geruch, wesentlich verschieden von den normalen Ausleerungen, sie enthalten zahlreiche Vibrionen und Stoffe, die in ihrem chemischen Verhalten denen gleichen, welche in faulendem Eiweiss und Käsestoff gefunden werden. Besteht dagegen die Nahrung hauptsächlich aus vegetabilischen amylumreichen Substanzen, so sind sie gemeiniglich ohne auffallenden Geruch und von saurer Beschaffenheit, weil ein Theil der Kohlenhydrate bei seinem Durchgange durch den Darmtractus die saure Gährung erleidet [1]). Die letztere kommt auch unter normalen Verhältnissen vor, ob sie bei Ausschluss der Galle in gesteigertem Maasse sich geltend macht, dürfte schwer zu entscheiden sein.

Von grösserer Wichtigkeit für die praktische Verwerthung sind die Farbenveränderungen, welche die Fäces bei der Gelbsucht zu zeigen pflegen, weil wir nach ihnen am besten die mehr oder minder vollständige Ausschliessung der Galle vom Darmcanal abschätzen können. Bei vollkommener Verschliessung der Gallenwege verschwindet jede Spur von Gallenpigment aus den Stühlen [2]); sie nehmen asch- oder thonartige Farbe an, welche nur nach der Qualität der Nahrung einigen Wechsel zeigt. Fast immer ist gleichzeitig ihre Consistenz vermehrt, sie wird derb und fest; die Ausleerung erfolgt träge und bedarf der Förderung durch Abführmittel. Diese Neigung zur Obstipation ist bei Icterus so constant, dass die Annahme, sie werde durch das Fehlen der Galle im Darm vermittelt, vollkommen gerechtfertigt erscheint. Ob die Galle durch Belebung der peristaltischen Bewegung oder durch Steigerung der Darmdrüsensecretion oder durch Verdünnung der Ingesta die Ausleerungen fördere, lassen wir dahingestellt. Spontaner Durchfall ist bei Icterus selten, ich beobachtete ihn wiederholt in Folge dysenterischer Processe, welche sich im Endstadio der Krankheit hie und da einstellen. Häufiger sieht man, dass ungeachtet des Ausbleibens der Galle im Darm die Stühle sich allmälig reguliren (Graves und Stokes Dublin. hospit. rep. Vol. V, p. 109.). Nicht immer ist die Beschaffenheit der Fäcalstoffe die eben angegebene. Oft erscheint die

---

[1]) Sauren Geruch der Fäcalstoffe bemerkten schon Monro und Pringle.

[2]) Osborne (Dublin. Journ. Febr. 1853) meint, dass die Darmschleimhaut ähnlich wie die äussere Haut und die Nieren Gallenbraun ausscheiden könne, und dass dadurch, vollständiger Verschliessung der Gallenwege ungeachtet, die Fäces gefärbt werden könnten. Dies ist, so weit meine Erfahrung reicht, niemals der Fall.

Farbe zwar blässer als gewöhnlich, jedoch fehlt das Pigment nicht gänzlich. Dies ist stets der Fall, wenn die Abschliessung der Galle unvollständig ist, sei es, weil nur ein Theil der Gallenwege comprimirt wird, oder weil die Verengerung der grossen Gänge den Durchtritt der Galle zwar erschwert, nicht aber vollständig aufhebt. Das Erstere ist häufig der Fall bei Cirrhose, wo die Endverästelungen der Gallenwege unter dem Drucke des neugebildeten Bindegewebes zum Theil obliteriren, bei Carcinomen und anderen Tumoren, welche nur einzelne grössere Zweige derselben zu treffen pflegen; das Andere dagegen bei Catarrhen des Duct. choledochus und hepaticus, bei welchen die Schwellung der Schleimhaut nur einen erschwerten Durchgang der Galle bedingt, bei eckigen Concrementen, welche dieselben nicht vollkommen schliessen etc.

Selten sieht man Gelbsüchtige normal gefärbte oder ungewöhnlich stark tingirte dünne Stühle entleeren. Hier kann die Ursache eine doppelte sein. Entweder wurde die Veranlassung der Gallenstauung plötzlich beseitigt, die Galle trat wieder in den Darm über, während die Färbung der Haut noch unverändert besteht, was oft bei Concrementen und anderen rasch weichenden Hindernissen vorkommt, oder es liegt, worauf wir später weiter eingehen werden, eine übermässig gesteigerte Gallenabsonderung, eine Polycholie, zu Grunde.

Die Dauer der Gelbsucht ist eine sehr verschiedene, sie kann zwischen wenigen Tagen und mehren Jahren schwanken. Bedingungen der kürzeren oder längeren Dauer der Krankheit liegen hauptsächlich in den Ursachen, welche mehr oder minder lange bestehen oder durch Nebenwirkung schneller oder langsamer den lethalen Ausgang einleiten. Sehen wir hier von den Formen ab, bei welchen die anderweitigen Folgen der Causalmomente des Icterus den Ausschlag geben, so kann die Gelbsucht, welche durch einfache Gallenstauung, wie sie bei Obliteration des D. choledochus vorkommt, Jahre lang bestehen, ehe sie durch ihre Folgen tödtlich wird. Graves und Stokes (Dublin hospit. rep. Vol. V, p. 103) berichten über zwei Gelbsüchtige, von welchen bei dem einen die Krankheit elf Monate, bei dem anderen zwei Jahre bestand, ehe Störung der Ernährung eintrat; Budd (a. a. O. S. 371) sah einen Mann, welcher bei vierjähriger Gelbsucht mit vollständiger Retention der Galle wohl genährt war; Deway (Gaz. méd. de Paris 1843) beschrieb einen Fall von siebenjähriger Dauer, und van Swieten (Comment. III, p. 130) erzählt von einer Frau, welche elf Jahre an Icterus litt und durch resolvirende Extracte geheilt wurde.

Die Fälle, welche ich beobachten konnte, endeten weit schneller, auch dann, wenn die Nebenwirkungen der Ursache des Icterus zur Beschleunigung des lethalen Ausganges der Krankheit nichts beitragen konnten. So starb eine Frau mit Obliteration des D. choledochus acht Monate nach Beginn der Gelbsucht, eine andere nach sechs Monaten und vierzehn Tagen; ein Mann mit einem wallnussgrossen Carcinom des Duodenums überlebte den Anfang der Gelbsucht nur neun Wochen. Bloss in einem Falle, wo ein Gallenconcrement den D. choledochus verschlossen hatte, dauerte der Icterus $2^1/_4$ Jahr.

Ausgänge des Icterus.

Die Gelbsucht verliert sich, sobald die Causalmomente beseitigt sind, welche die Anhäufung des Farbstoffes im Blute vermittelten, nach einiger Zeit vollständig. Wo ein Hinderniss des Uebertritts der Galle in den Darm als Ursache des Icterus vorlag, kündigt sich die Genesung durch die wiederkehrende Färbung der Stühle an; diese färben sich allmälig intensiver, wenn das Hinderniss nach und nach schwindet, wie bei Catarrh der Gallenwege etc., oder sie werden plötzlich mit Galle überladen, wenn nach rascher Beseitigung der Obstruction das gestauete Lebersecret plötzlich seinen Weg in den Darm findet, wie bei Concrementen etc. Gleichzeitig beginnt das Pigment aus den Theilen sich zu verlieren, welche unter normalen Verhältnissen davon frei sind. Zuerst verschwindet es aus dem Blute und dem Harn; die festen Theile bleiben noch längere Zeit gefärbt, um so länger, je träger der Stoffwandel vor sich geht. Der in der Epidermisdecke der Haut lagernde Farbstoff verliert sich nach und nach, sowie durch Abschilferung und Neubildung die Decke regenerirt wird; darüber können namentlich bei älteren Individuen Wochen verstreichen. Aus den anderen Geweben scheint der Strom der Nutritionsflüssigkeit nach und nach den Farbstoff auszuwaschen. Die vollständige Beseitigung der icterischen Färbung erfolgt also immer viel später, als das Aufhören der Krankheit, was bei der Handhabung der Therapie nicht unberücksichtigt bleiben darf.

Nicht selten endet der Icterus mit dem Tode, welcher auf sehr verschiedenartige Weise eingeleitet werden kann. Wir sehen hier ab von dem Einflusse, welchen die mannigfachen Veranlassungen der Gelbsucht direct oder indirect in diesem Sinne äussern können, dieser ist so vielgestaltig wie die Aetiologie unserer Krankheit und beendet meistens den Process früher oder später; wir beschäftigen uns hier zunächst nur mit den Nachtheilen, durch welche die Gallenretention an sich allmälig die Constitution untergraben und den Tod herbeiführen kann. Die Anhäufung der Gallenstoffe im Blute ist an sich von keinen gefährlichen Folgen; nur in seltenen Fällen kommt es vor, dass die Ablagerung des Pigments im Nierenparenchym die functionelle Thätigkeit dieses Organs auf bedenkliche Weise beeinträchtigt [1]). Fast immer geht die Gefahr von den consecutiven Veränderungen aus, welche als Resultat der Gallenstase in der Leber zu Stande kommen. Das aufgestaute Secret der Drüse erweitert nach und nach die Ausführungsgänge bis zu deren feinsten Verästelungen in mehr oder minder beträchtlichem Maasse; durch das Parenchym ziehen sich cylindrische, nicht selten auch ampullenartig

---

[1]) Schon Deway (Gaz. méd. de Paris 1848) beobachtete bei intensivem Icterus während der drei letzten Lebenstage vollständige Unterdrückung der Urinsecretion; vergl. ferner Beob. VI.

ausgebuchtete Gänge, welche das angrenzende Drüsengewebe erdrücken und einen Theil der Pfortaderverzweigungen comprimiren [1]). Macht man von der gehärteten Substanz einer

Fig. 22.

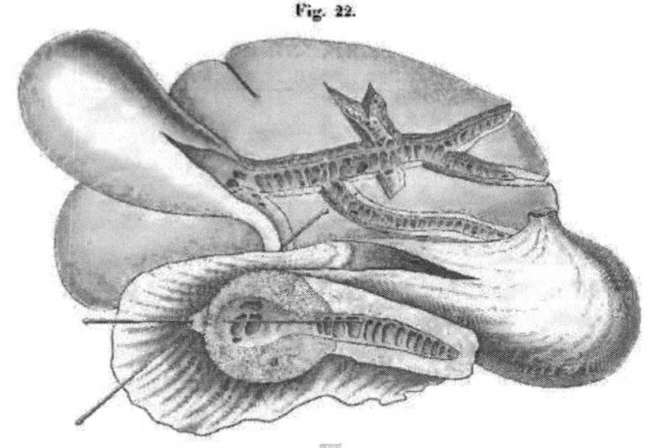

solchen Leber feine Schnitte, so sieht man bei mässiger Vergrösserung das Gewebe durchbrochen von zahlreichen Lücken, welche, gewöhnlich an der Peripherie, zuweilen in der Nähe des Centrums der Läppchen liegend, hie und da weite Hohlräume bilden [2]).

Die Wandungen der so erweiterten Gänge sind meistens ansehnlich verdickt. Ihr Inhalt besteht gewöhnlich aus dünnflüssiger Galle, welche mehr oder minder stark mit dem schleimigen Secret der Lebergänge vermischt ist. Selten kommt es vor, dass die Galle eingedickt wird und in Form eines festen, sich röhrenförmig ablösenden, dunkelbraunen Beschlages die Innenfläche der erweiterten Gänge bekleidet. Ich sah dies in einem Falle, wo Carcinome auf der Schleimhaut der Gallenwege wucherten; schon Stoll theilt eine Er-

[1]) Siehe Fig. 21 die Erweiterung der Gallenwege und des Wirsung'schen Ganges in Folge von Carcinom im Kopfe des Pancreas.
[2]) Fig. 22 ein Durchschnitt derselben Leber bei 80facher Vergrösserung.

fahrung dieser Art mit. Zuweilen ist ungeachtet des intensiven Icterus der Leber und der übrigen Gewebe keine Spur

Fig. 23.

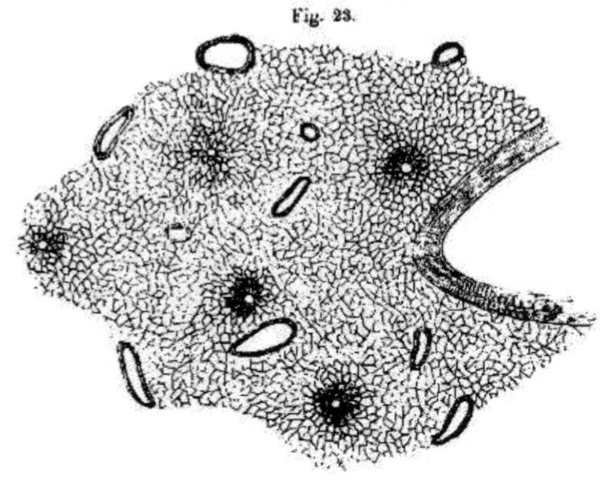

von Galle in der die Blase und die Ausführungsgänge der Drüse ausdehnenden Flüssigkeit vorhanden. Dieselbe stellt eine farblose durchsichtige Flüssigkeit dar, welche geringe Mengen von Schleimstoff und zu grauen Flöckchen vereinigte Schleimkörperchen enthält (vergl. das Nähere Beob. Nr. VI.).

Auf die eben angedeutete Weise geht gleichzeitig mit der Ausdehnung der Gallenwege ein grosser Theil des Leberparenchyms atrophisch zu Grunde. Ein anderer wird durch Anhäufung von Gallenstoffen innerhalb der Zellen functionsunfähig. Die Thätigkeit der Drüse wird so mehr und mehr beeinträchtigt und die Blutbewegung in derselben gestört. In einzelnen Fällen kommt es zu einer vollständigen Aufhebung der Leberfunction, dadurch veranlasst, dass die Drüsenzellen zu feinkörnigem Detritus zerfallen, in ähnlicher Weise, wie es bei der acuten Atrophie beobachtet wird. Beschränkung der Circulation und Ueberladung des Parenchyms mit Secretionsproducten scheinen diese letzte Veränderung herbeizuführen.

Im Allgemeinen selten, hauptsächlich nur bei Gegenwart von fremden Körpern, wie Concrementen etc., geschieht es, dass die ausgedehnten Gallengänge an der Oberfläche der Leber oder die Blase ulcerativ zerstört werden und, ihren Inhalt in die Bauchhöhle ergiessend, heftige Peritonitis veranlassen. Auf gleiche Weise sollen innerhalb der Leber Gallenextravasate entstehen und zur Abscessbildung Veranlassung geben.

Der lethale Ausgang wird unter solchen Verhältnissen vermittelt bald durch Erschöpfung, bald dagegen unter den Erscheinungen der Blutvergiftung durch die sogenannte cholämische Intoxication, bald endlich durch Perforationsperitonitis oder durch suppurative Hepatitis. Die erstere Todesart ist die gewöhnlichere. Die gestörte Ernährung, welche bereits mit der mangelhaften Chylification wegen Ausschluss der Galle vom Darm ihren Anfang nahm, tritt mehr und mehr hervor, so wie das Lebervolumen, bisher durch die aufgestauete Galle vergrössert, abzunehmen beginnt. Das Organ wird schlaff und welk, schrumpft ein, weil die Resorption der stagnirenden Galle die allmälig nachlassende Secretion übersteigt [1]. Gleichzeitig stellen sich in Folge des gestörten Pfortaderblutlaufes Gastrointestinalcatarrhe ein, in einzelnen Fällen kommt es zu Blutungen aus Magen und Darm [2]; es bilden sich hydropische Ergüsse im Peritonealsack, auf welche unter den Erscheinungen allgemeiner Hydrämie ein weit verbreitetes Anasarca zu folgen pflegt. Das lethale Ende kommt auf diese Weise unvermerkt heran, oder dasselbe wird, wie bei anderen Erschöpfungszuständen, durch entzündliche Ausschwitzungen: Pneumonie, pleuritische oder peritonitische

---

[1]) Budd (a. a. O. S. 198) ist der Ansicht, dass die Verkleinerung der Leber in einem Zerfallen der Leberzellen begründet sei, und beruft sich zu diesem Ende auf eine Untersuchung von Williams (Guy's Hosp. rep. Oct. 1843), welche diese Veränderung der Zellen constatirte. Dies ist ein Irrthum; die Leber kann sich bedeutend verkleinern bei vollständiger Erhaltung ihrer zelligen Elemente.

[2]) Beobachtungen dieser Art lieferte Bright (Guy's Hosp. rep.), Durand, Fardel (Arch. général.), Andral (Cliniq. méd.), Budd (a. a. O. S. 209).

Exsudate, Dysenterie etc., rascher herbeigeführt. Die andere Todesart, die durch Intoxication des Blutes, kommt dann zu Stande, wenn wegen Zerfallens der Drüsenzellen die Function der Leber gänzlich erlischt. Hier werden die Kranken unruhig, klagen über Kopfschmerzen, es stellen sich Delirien und Convulsionen ein, welche zum Coma und so zum Tode überführen (vergl. unten Acholie). Bei der Berstung der Gallenwege beschliesst der Symptomencomplex einer rapid verlaufenden Peritonitis oder einer in Suppuration übergehenden Hepatitis die Scene.

Die Diagnostik der Gelbsucht ist im Allgemeinen ohne Schwierigkeit, indem gewöhnlich die einfache Besichtigung bei Tageslicht [1]) dazu ausreichend ist. Nur die leichteren Grade werden hie und da übersehen oder mit Farbenveränderungen der Haut verwechselt, welche einen anderen Ursprung haben; so mit dem dunkeleren Colorit in Folge von Sonnenbrand, mit der graugelben Farbe, wie sie bei Krebs-, Intermittens- und Bleicachexie etc. beobachtet wird, mit dem gelbgrünlichen Teint einzelner Chlorotischer, mit der gelben Farbe, welche auf das Erythem der Neugebornen zu folgen pflegt. Alle diese Farbenanomalieen unterscheiden sich von der Gelbsucht durch das Freibleiben der Conjunctiva [2]) und des Harns von galliger Pigmentirung. Man vergesse jedoch nicht, dass bei einzelnen Individuen die Bindehaut des Auges wegen darunter liegenden Fettzellgewebes stets einen gelben Schein hat, welcher indess durch die ungleichmässige Vertheilung dieser Farbe leicht von dem icterischen Colorit unterschieden werden kann und sodann, dass im Harn gelbe und braune Farbstoffe vorkommen, welche dem Cholepyrrhin täuschend ähnlich sind.

---

[1]) Bei künstlicher Beleuchtung wird die icterische Färbung, selbst wenn sie intensiv ist, leicht übersehen.

[2]) Es giebt seltene Ausnahmen, wo ungeachtet der icterischen Färbung der Cutis und des Vorhandenseins von Gallenfarbstoff im Harn die Conjunctiva frei bleibt. Ich sah zwei Fälle dieser Art bei einem sehr anämischen Individuum.

Wie diese erkannt und unterschieden werden, wie überhaupt der Harn behufs sicherer Nachweisung des Gallenpigments zu untersuchen sei, ist bereits oben erörtert worden.

Die diagnostischen Schwierigkeiten beginnen gemeiniglich erst da, wo es sich um die Feststellung der Ursache des Icterus handelt. Wir werden diese, so weit es uns möglich ist, bei der Beschreibung der verschiedenen Arten und Formen der Gelbsucht zu lösen versuchen; über die Diagnostik mancher ätiologischer Momente kann erst später bei den entsprechenden Leberkrankheiten ausführlicher gehandelt werden.

Die Prognose der Gelbsucht hängt hauptsächlich von der Ursache derselben ab, der Verlauf und die Ausgänge, welche das zu Grunde liegende Causalleiden zu haben pflegt, die mehr oder minder sichere Aussicht, therapeutisch gegen dasselbe mit Erfolg einzuschreiten, sind für die Vorhersage maassgebend. Eine genaue ätiologische Kenntniss des einzelnen Falles giebt die Prognose von selbst an die Hand, nur wo diese nicht möglich ist, pflegen in Bezug auf den Ausgang Zweifel übrig zu bleiben. Man vergesse jedoch nicht, dass scheinbar einfache Fälle von Gelbsucht ohne organische Läsion der Leber etc zuweilen plötzlich und unerwartet mit Erscheinungen der Blutintoxication sich verbinden und dann regelmässig in kurzer Frist mit dem Tode enden. Wir sind, wie weiter unten ausführlicher gezeigt werden soll, bis jetzt noch ausser Stande, diese Formen von ihrem ersten Auftreten an als solche zu erkennen, und aus diesem Grunde ist über den Ausgang auch der einfachen Formen des Icterus das Urtheil niemals ein vollkommen sicheres.

Therapie.

Die Behandlung Icterischer hat als erste Aufgabe zunächst die Ursachen zu berücksichtigen, welche die Anhäufung galliger Stoffe im Blute herbeiführten. Lassen sich diese beseitigen, so bedarf es selten einer besonderen, gegen die Gelbsucht als solche gerichteten Therapie.

Die Wege, welche zur Erfüllung der Causalindication führen, sind begreiflicher Weise nach der Natur der ursächlichen Grundlage sehr verschieden, wir werden uns mit ihnen erst später bei den einzelnen Formen des Icterus, sowie den entsprechenden Affectionen der Leber und der Gallenwege ausführlicher beschäftigen können.

Nicht selten ist die Veranlassung der Gelbsucht für die Therapie unzugängig, und in diesen Fällen liegt die Aufgabe vor, die nachtheiligen Einflüsse, welche aus der abnormen Vertheilung der Galle für den Gesammtorganismus entspringen, in geeigneter Weise zu bekämpfen. Es müssen für diesen Zweck hauptsächlich drei Dinge im Auge behalten werden:

1) die Regulirung der wegen ausbleibenden Gallenergusses gestörten Darmfunction;

2) Befreiung des Blutes von der Masse des sich in demselben anhäufenden Farbstoffes;

3) Berücksichtigung der weiteren Folgen, welche aus dem Zusammenwirken jener Schädlichkeiten und besonders aus der durch die Gallenstauung bedingten Veränderung des Leberparenchyms für den Gesammtorganismus resultiren: Anämie, Hydrops, Cholämie etc.

Die Störungen der Darmfunctionen, welche hauptsächlich durch hartnäckige Obstipation und durch Blähungsbeschwerden sich kundgeben, lassen sich mittelst passender Auswahl der Diät, Beschränkung auf leicht verdaulicher magerer Fleisch-

und vegetabilischer Kost mit Vermeidung aller fettreichen und blähenden Sachen wesentlich vermindern. Die trägen Ausleerungen fördert man am besten durch Rheum in Form des Extracts oder als Infusum, ferner durch kleine Gaben von Aloe, Elix. proprietat. oder nöthigenfalls durch Tinct. Colocynth. Salinische Abführmittel sind hier für den anhaltenden Gebrauch unpassend; sie eignen sich nur für den zum acuten Gastrointestinalcatarrh hinzutretenden Icterus catarrhalis. Wo die Blähungsbeschwerden lebhaft sind, kann man mit der Rhabarberwurzel R. Calam. ar., Hb. Menth. etc. infundiren lassen oder dem Aufguss etwas Aether zusetzen.

Was die zweite Aufgabe anbelangt, so tragen unter den Secretionsorganen vor allen die Nieren dazu bei, das Blut von Gallenfarbstoff zu befreien; erst in zweiter Reihe die Hautdrüsen. Die Harnabsonderung, welche bei hochgradiger Gelbsucht wegen Ablagerung von Farbstoff in das Nierenparenchym in späteren Stadien nicht selten auf eine bedenkliche Weise vermindert wird, ist daher von Zeit zu Zeit durch Diuretica zu fördern. Man gebraucht für diesen Zweck die leichteren vegetabilischen Diuretica und kleine Gaben von Mittelsalzen, wie Tart. borax., Kal. tartar., Kal. acet. etc., ferner Selterser und verwandte Wässer; Valleix empfahl besonders Nitrum zu 4 bis 6 Gramm täglich. Günstiger wirkt nach meinen Erfahrungen der Citronensaft zu 1½ bis 3 Unzen täglich, derselbe sagt den Verdauungsorganen besser zu und veranlasst eine reichliche Diurese.

Die Hautthätigkeit belebt man durch laue Bäder oder milde Diaphoretica; die Bäder, welche man mit einigen Unzen Soda versetzen kann, sind namentlich geeignet, wenn es sich darum handelt, die nach dem Freiwerden der Gallenwege noch lange in der Epidermisdecke der Haut haftenden Pigmentablagerungen zu beseitigen. Bei der Bethätigung der Harnabsonderung halte man Maass und vermeide jede Veranlassung von Digestionsstörungen.

Am schwierigsten zu erfüllen ist die dritte therapeutische

Aufgabe, die Bekämpfung der nachtheiligen Folgen, welche dem Organismus aus der consecutiven Atrophie der Leber, aus der Verödung zahlreicher Pfortaderäste durch erweiterte Gallengänge und endlich aus dem Zerfallen der Leberzellen schliesslich erwachsen.

Die Kachexie und Anämie, welche sich zunächst bemerklich macht, wenn der Schwund des Leberparenchyms und die Störung des Pfortaderblutlaufes einen höheren Grad erreicht, behandelt man am besten durch bittere, die Digestion fördernde Mittel und vorsichtig gewählte, leicht assimilirbare Nahrung, welche beide um so nöthiger werden, je mehr die Stauungshyperämie des Magens die Function dieses Organs erschwert. Milde Eisenpräparate, wie das Ferr. carbon. und lactic., kleine Gaben Spaaer, Schwalbacher oder Pyrmonter Wasser sind zeitweise zu versuchen. Gegen die regelmässig als Ascites beginnende Hydropsie muss das angedeutete tonisirende Verfahren abwechselnd mit leichten Diureticis das Meiste thun, da der Gebrauch von stärker auslecrenden Medicamenten nicht gestattet ist.

Gegen die in einzelnen Fällen als Folge von consecutiver Erweichung des Leberparenchyms auftretende Acholie vermag die Therapie nichts, hier bleibt nur eine rein symptomatische Behandlung übrig (vergl. unten Cap. Acholie).

Empirisches Verfahren.

Man hat gegen den Icterus eine Reihe empirischer, durch vielseitige Erfahrungen erprobter Mittel empfohlen, von welchen die meisten ihr Ansehen den Beziehungen verdanken, in welchen sie zu den gewöhnlichen Ursachen der Gelbsucht stehen. Von einem specifischen Verhältniss derselben zum Icterus ist begreiflicherweise nicht die Rede. Bei der Auswahl unter denselben kann uns daher nur die Aetiologie des Icterus leiten.

1. In erster Reihe stehen die Abführmittel, von welchen man bald die Mittelsalze, besonders aber Calomel (Mi-

chaelis, Hufeland), bald die vegetabilischen bitteren und drastischen Mittel, wie Rheum, Aloe (Pitschaft), Coloquinthen etc. vorzugsweise rühmt. Sie wirken durch Belebung der Absonderungsthätigkeit des Darms und des Motus peristalticus, welche, auf die Gallenwege und die Leber sich fortpflanzend, die Gallenausscheidung steigert, so dass leichtere Hindernisse der Excretion, wie catarrhalische Schwellung der Schleimhaut, kleinere Concremente etc. beseitigt werden können. Man halte mit diesen Mitteln Maass und vermeide jede erschöpfende Wirkung. Ob Calomel besondere Vorzüge habe, bleibt noch dahingestellt, jedenfalls ist es nicht rathsam, den Gebrauch desselben bis zur Salivation fortzusetzen. Extr. Aloes aq. zu ½ bis 2 gr. oder Tinct. Colocynth. zu 5 bis 10 Tropfen einige Male täglich sind meistens für diesen Zweck ausreichend.

2. Brechmittel aus Tart. stibiatus oder Rad. Ipecacuanha. Fr. Hoffmann rühmte besonders den ersteren, während Richter und Baldinger der letzteren das Wort redeten. In neuerer Zeit empfahl Corrigan Ipecacuanha zu 2 Gramm alle 2 Tage anzuwenden. Sie besitzen allerdings eine grosse Wirksamkeit, wo es sich darum handelt, die Schwierigkeit der Gallenexcretion zu überwinden. Während des Brechactes werden Leber und Gallenwege von drei Seiten her gewaltsam comprimirt, so dass der flüssige Inhalt der letzteren mit grosser Kraft gegen das Hinderniss gedrängt wird. Ich fand die Gallenwege von Hunden, denen durch Injection von Tart. stib. in die Venen heftiges Erbrechen erregt worden war, meistens vollständig entleert. Es gelingt nicht selten bei catarrhalischem Icterus und bei Gallensteinen durch Emetica die Gallenwege wieder frei zu machen, jedoch kann bei letzteren der gewaltsame Eingriff gefährlich werden, indem Zerreissung der Blase und Gallenaustritt in die Bauchhöhle herbeigeführt wird. Man sei daher unter solchen Umständen vorsichtig.

3. Die Extr. resolventia, wie das Extr. Gramin., Taraxac., Card. ben., Chelidon. etc. verdanken ihre Wirkung

theils dem Gehalte an Salzen, theils dem Bitterstoffe, wodurch sie geeignet werden, auf chronische Catarrhe der Gastroduodenalschleimhaut günstig zu influiren. Ob die pflanzensauren Alkalien, welche sie enthalten, zur Vermehrung oder qualitativen Veränderung der Gallensecretion beitragen können, bleibt dahingestellt, bis unzweideutige Versuche mit Gallenfisteln die Frage erledigen.

Die Alten legten auf diese Extracte, sowie auf die frisch ausgepressten Kräutersäfte grosses Gewicht. Van Swieten erzählt ausführlich die Heilung eines sehr langwierigen hartnäckigen Icterus durch Grasabkochungen.

4. Aehnlich in seinen Wirkungen gegen Gastroduodenalcatarrhe ist der Salmiak, welcher von Baglivi (Prax. medic. lib. I. de ictero flavo) besonders gerühmt wurde, ferner der Tartar. depuratus. natronat. etc. verwandte Salze.

5. Die Narcotica, wie die Cicuta (Stoerck), die Belladonna (Richter), Theriak (Galen) können bei Icterusformen, welche auf Einkeilung von Concrementen und spastischer Umschliessung derselben durch die Musculatur der Gallengänge beruhen, mit Erfolg angewandt werden; ihre Beziehungen zu anderen Formen der Gelbsucht erscheinen sehr problematisch.

6. Die Säuren, wie die Citronensäure, die Essigsäure, das Chlorwasser (Siebert) und besonders die Salpetersalzsäure, die aqua regia.

Die letztere wurde zuerst von Scott (Medico-chirurg. Transact. Vol. VIII.) zu Fuss- und allgemeinen Bädern, sowie auch zum innerlichen Gebrauche bei Icterus und anderen nicht genauer festgestellten Störungen der Leberthätigkeit empfohlen, später von Annesley, Copland u. A. gerühmt. In neuester Zeit lobte Henoch ihre Wirkung gegen hartnäckigen Icterus catarrhalis und das mit Recht. Der Erfolg dürfte hier zum Theil abhängig sein von der günstigen Wirkung, welche die Säure auf die aufgelockerte Gastroduodenalschleimhaut äussert, hauptsächlich aber von dem Einflusse, welchen saure Ingesta bei ihrem Uebertritt von dem Magen ins Duodenum auf die Gallenexcretion ausüben. Cl. Bernard machte die leicht zu bestätigende Erfahrung, dass bei Berührung der Mündung des D. choledochus mit einem in verdünnte Säure getauchten Glasstab ein Strahl Galle hervorspritzt, was durchaus nicht der Fall ist, wenn dieselbe Stelle mit einer schwach alkalischen Lösung berührt wird.

Die allgemeine Wirkung der Salpetersalzsäure auf Stoffwandel und Blutmischung lässt sich noch nicht mit der nothwendigen Klarheit übersehen, ihr Werth für die Behandlung von chronischen Leberaffectionen, abgesehen von der Verengerung der Gallenwege, kann daher nur rein empirisch festgestellt werden; die Materialien, welche bis jetzt vorliegen, sind dazu aber nicht ausreichend.

7. Die Alkalien, das Natron, Kali und Ammon. carbon., wurden besonders empfohlen bei Formen der Gelbsucht, welche von Unwegsamkeit der Gallenwege wegen Eindickung des Secrets oder Concrementbildung abhangen. Man hoffte durch sie die Galle zu verflüssigen und die Concremente zu lösen. Inwieweit dies von dem kohlensauren Alkali erwartet werden darf, werden wir später sehen. Man verordnet dasselbe bald rein für sich, bald in Verbindung mit Extr. Rhei, Aloes etc.

8. Die Mineralwässer von Carlsbad, Marienbad, Kissingen, Homburg, Vichy, Ems etc. verdanken ihre Wirksamkeit, abgesehen von dem Einflusse des in grosser Menge aufgenommenen Wassers, welches seinen Weg durch die Pfortader nimmt und reichliche Absonderung einer dünnen Galle veranlasst, hauptsächlich dem Gehalte an Natron und Mittelsalzen und sind, wo chronische Hyperämieen der Leber mit hartnäckigen Catarrhen der Gallenwege und der Gastroduodenalschleimhaut, Gallensteine etc. der Gelbsucht zu Grunde liegen, schwer zu ersetzende Mittel. Bei ihrer Auswahl muss stets das zu Grunde liegende Leberleiden nebst dem constitutionellen Verhalten des Kranken maassgebend sein. Wo Neubildungen, wie Carcinome oder tiefer greifende Degenerationen des Organs,

Cirrhose etc. vorhanden sind, ist anhaltender Gebrauch dieser Wässer nachtheilig. Man gehe daher zu ihnen nicht über, ohne die Diagnose ins Klare gebracht und somit die im einzelnen Falle zu erfüllende Indication genauer festgestellt zu haben.

Formen der Gelbsucht und specielle Aetiologie derselben.

Man hat von jeher eine Reihe von Arten und Formen des Icterus unterschieden, wobei man bald von den näheren oder entfernteren Veranlassungen dieses Zustandes ausging, bald dagegen das Lebensalter und anderweitige Verhältnisse der Erkrankten zu Grunde legte. Es würde ein unfruchtbares Unternehmen sein, die verschiedenen Eintheilungen, welche auf diese Weise entstanden, näher zu beleuchten, weil bei keiner derselben ein bestimmtes Princip festgehalten werden konnte, Manches daher willkürlich angenommen oder bloss dem praktischen Bedürfniss angepasst wurde.

Im Ganzen betrachtet zerfällt die Gelbsucht ätiologisch in zwei grössere Gruppen. Für die erste lassen sich materielle Veränderungen der Leber nachweisen, welche über die Entstehung des Icterus genügende Auskunft geben, derselbe ist hier lediglich Symptom einer Leberkrankheit. Für die zweite Gruppe ergiebt der anatomische Befund keine Läsion des Organs, welches durch Gallenstase etc. das Zustandekommen des Icterus klar machen könnte; die Ausführungsgänge sind hier intact, der Abfluss der Galle unbehindert. Unsere Anschauungen über die Genese dieser Icterusformen sind weniger klar; anomale Diffusion der Lebersecrete wegen Störung der Blutbewegung oder mangelhafter Umsatz der Galle im Blute geben uns hier eine Deutung an die Hand, welche zwar auf Thatsachen gestützt, jedoch keineswegs allseitig begründet werden kann. Von den hierher gehörigen Formen steht nur ein Theil in enger Beziehung zu den functionellen Vorgängen in der Leber, ein anderer dagegen, welcher auf gestörtem

Verbrauch der Galle beruht, ist abhängig von Einflüssen, welche modificirend in den Stoffwandel eingreifen, von Infectionen der Blutmasse, Störungen der Respiration und der Herzthätigkeit und mittelst der beiden letzteren vom Nervensystem.

Ob diese ätiologischen Kategorieen die verschiedenen Möglichkeiten der Entstehung des Icterus erschöpfen, lässt sich gegenwärtig nicht entscheiden; für einzelne Fälle ist es schwierig, einen bestimmten Platz in denselben nachzuweisen.

Eine generelle Zusammenstellung der verschiedenen Arten des Icterus mit Berücksichtigung der von der ursächlichen Grundlage herrührenden Eigenthümlichkeiten wird durch diese verwickelten Beziehungen der Gelbsucht zu localen und allgemeinen Vorgängen geboten, für die späteren Abschnitte der Leberkrankheiten wird dieselbe uns manche Schwierigkeiten der Diagnostik etc. ebenen.

I. Gelbsucht durch Gallenstauung in Folge von Krankheiten der Leber und der Gallenwege.

Die Hindernisse, welche die Entleerung der Galle aus der Leber beschränken oder aufheben, sind mannigfacher Art, sie äussern ihre Wirkung bald auf die grossen, ausserhalb der Leber liegenden Gänge, den Ductus hepaticus und choledochus, bald dagegen auf die kleineren Gänge innerhalb der Drüse, bald endlich auf die Anfänge der Gallenwege in der Peripherie der Läppchen; in allen Fällen entsteht Gallenstase und Gelbsucht; allein die Grade derselben und die Nebenwirkungen gestalten sich sehr verschieden.

A. Icterus in Folge von Verengerung des Ductus choledochus und hepaticus.

Die Lichtung der grösseren Gallenwege wird am häufigsten beschränkt durch Catarrhe der sie auskleidenden Schleimhaut; der Icterus catarrhalis ist die gewöhnlichste Form der Gelbsucht. Sie wird eingeleitet durch die Symptome des

Gastrointestinalcatarrhs, welche einige Tage, zuweilen auch längere Zeit bestehen, bis die gelbe Farbe der Conjunctiva und der Haut bemerklich wird. Gleichzeitig wird meistens die Lebergegend auf Druck empfindlich, der Umfang des Organs vergrössert sich, der Harn nimmt eine bierbraune Farbe an, während die Färbung der Fäces verblasst, zuweilen auch jede Spur galliger Beimengung aus ihnen sich verliert. Verlangsamung des Pulses, Jucken der Haut sind häufige, aber keineswegs constante Erscheinungen. Der Appetit kehrt meistens frühzeitig wieder, nach 8 bis 14 Tagen nehmen die Stühle allmälig wiederum eine dunkelere Farbe an und nach 3 bis 4 Wochen ist in der Regel jede Spur der Krankheit verschwunden.

Selten zieht sich der Catarrh der Gallenwege in die Länge und veranlasst Erweiterungen derselben nebst tieferen Läsionen des Leberparenchyms (vergl. Krankheiten der Gallenwege).

Eine ähnliche Beschränkung der Gallenausscheidung beobachtet man bei Compression der Gallenwege an der unteren Fläche der Leber durch Anhäufung von Fäcalstoffen im Dickdarm und durch Ausdehnung des Uterus in Folge von Schwangerschaft. Im Allgemeinen ist dies jedoch selten, weil ausser der Erweiterung jener Organe noch eine geeignete Lagerung derselben nothwendig ist, um jene Zufälle zu veranlassen. Man hat die Möglichkeit einer solchen Compression in Zweifel gezogen, allein mit Unrecht. Ich beobachtete wiederholt Fälle von Icterus, welche zu bedeutenden, durch Percussion und Betastung leicht zu umschreibenden Anhäufungen von Fäcalstoffen im Colon sich hinzugesellten; Abführmittel beseitigten hier die Gelbsucht so rasch, dass eine andere Deutung ihrer Entstehung, z. B. durch gleichzeitigen Catarrh der Gallenwege, unzulässig erscheinen musste.

Ebenso können Lymphdrüsen in der Fossa hepatis, wenn sie durch speckige, tuberkulöse oder krebsige Infiltrate vergrössert werden, Icterus herbeiführen. Speckleber combinirt sich aus diesem Grunde nicht so ganz selten mit Gelbsucht, und es ist ein Irrthum, wenn, wie es in neuester Zeit geschah, das Fehlen dieses Symptoms als ein diagnostisches Criterium der speckigen Leberentartung hingestellt wird.

Verengerung oder vollständige Verschliessung der Gallenwege wird oft auch durch abnormen Inhalt derselben bedingt: so besonders durch Concremente; seltener durch eingedickte Galle, noch seltener durch fremde, vom Darm her hineingedrungene Körper.

Die durch Concremente veranlasste Form kündigt sich fast immer durch die Gallensteinkolik an und endet in der Regel mit dem Abgange eines oder mehrerer Steine durch den Darm. Die Gelbsucht erreicht je nach der Dauer der Einklemmung des Gallensteins und der Vollständigkeit der Ausfüllung des Canals eine grössere oder geringere Intensität; oft bleibt die Färbung der Haut und der Conjunctiva eine geringe und verliert sich nach kurzem Bestehen, um zu wiederholten Malen nach neuen Kolikanfällen wiederzukehren. Ausnahmsweise bleibt der Stein lange Zeit eingeklemmt, es treten dann alle diejenigen Zufälle ein, welche die Obliteration der Gallenwege zu begleiten pflegen.

Dass eingedickte zähe Galle Gelbsucht veranlassen könne, ist mehrfach behauptet, aber auch bezweifelt worden. Fälle dieser Art sind jedenfalls selten, verglichen mit der Häufigkeit, in welcher bei Obductionen dicke und krümliche Galle gefunden wird, die nur mittelst starken Druckes aus der Blase durch den D. choledochus in den Darm hinüber getrieben werden kann. Dass einzelne Fälle der Art vorkommen, glaube ich aus einer Beobachtung schliessen zu dürfen, wo beim Nachlass der Gelbsucht in den lehmartigen Fäcalstoffen schwarzbraune Flocken, anfangs spärlich, dann in zunehmender Menge erschienen, bis die normale Tingirung wieder eintrat. Die Gallenblase, die bis dahin schmerzhaft und gespannt war, collabirte, Concremente wurden vergebens gesucht.

Andere fremde Körper, welche durch ihren Aufenthalt in den Gallenwegen oder im Diverticulum Vateri Icterus veranlassen, werden sehr selten gefunden. Es gehören dahin die Spulwürmer, welche vom Zwölffingerdarm aus in die Ausführungsgänge der Leber hineinkriechen [1]); ferner die Erfahrung von **Saunders** [2]), welcher Kerne von Johannisbeeren in der Darmmündung des D. choledochus fand etc.

Ob Blutgerinnsel und feste fibrinöse Exsudate, welche ausnahmsweise in den Gallenwegen vorkommen, eine so anhaltende Verschliessung derselben bedingen können, dass Gelbsucht zu Stande kommt, bleibt noch fraglich, wenigstens kenne ich keine Beispiele dieser Art.

B. Verschliessung des Ductus choledochus oder hepaticus.

Sie ist bald die Folge einer Verwachsung der Wandungen dieser Gänge, welche durch Exsudativprocesse, besonders aber durch die Vernarbung von Ulcerationen der Schleimhaut veranlasst wurde, bald dagegen ist sie das Ergebniss der festen Einkeilung fremder Körper oder der Ausfüllung des Canals durch carcinomatöse Wucherungen auf der Auskleidung derselben; am häufigsten wird sie vermittelt durch Druck von Aussen her. Der letztere kann ausgeführt werden durch neu gebildete Bindegewebsstränge, Producte der Entzündung des Ligamentum hepato-duodenale, ferner durch Carcinome im Pylorus, Duodenum oder im Kopfe des Pancreas, durch Geschwülste in der Leber, welche nach abwärts sich entwickeln etc. [3]).

Die vollständige Unwegsamkeit der Gallenwege, welche auf diese Weise entsteht und sehr gewöhnlich eine dauernde wird, hat die intensivsten Formen der Gelbsucht in ihrem

---

[1]) **Lieutaud** (Histor. anatom. med. I, p. 211), **Roederer** und **Wagler**. **Cruveilhier** (Diction. de med. et chir. prat.; Entoz.), **Laennec** ibid. und **Guersant** (Dict. de Méd.; Vers int.) theilen Beobachtungen von Spulwürmern in den Gallenwegen mit; jedoch scheint Gelbsucht nicht immer vorhanden gewesen zu sein.

[2]) A. a. O.

[3]) **Job van Meekren** berichtet von einer Verschliessung der Gallenwege durch Intussusception; **Stokes** (Diseases of the heart p. 638) durch ein Aneurysma der Art. hepatica.

Gefolge. Die icterische Pigmentirung der Gewebe und Excrete erreicht hier einen Grad, wie er unter anderen Verhältnissen nicht leicht beobachtet wird. In Folge der Erweiterung der Gallenwege vergrössert sich das Volumen der Leber ansehnlich, so dass der Rand des Organs unter dem Saume der Rippe hervortritt und der Palpation leicht zugängig wird. Gleichzeitig wird, wenn das Hinderniss unterhalb des Abganges des Ductus cysticus seinen Sitz hat, die Gallenblase in mehr oder minder hohem Grade ausgedehnt. In den von mir beobachteten Fällen enthielt die Blase nicht über 8 bis 16 Unzen Galle, die älteren Aerzte berichten von Fällen, wo die Erweiterung viel beträchtlicher war; so fand de Jonge (Philosoph. Transact. T. XXVII.) sieben und van Swieten acht Pinten dicker Galle angesammelt. Bei vorsichtiger Untersuchung ist es gewöhnlich leicht, die birnförmige, glatte, den Leberrand überragende Geschwulst der Blase durchzufühlen; seltener wird sie als prominirende Geschwulst sichtbar [1].

Die Volumszunahme der Leber und der Gallenblase dauert gewöhnlich einige Monate, alsdann tritt ein Stillstand ein, auf welchen wiederum eine mehr und mehr bemerklich werdende Verkleinerung folgt. Dies ist ein Zeichen, dass die secernirende Thätigkeit der Drüse nachlässt. Gleichzeitig treten die Symptome gestörter Nutrition und beschränkten Pfortaderblutlaufes deutlicher hervor, die Kranken werden schlaff und mager, die Verdauung wird erschwert und in der Bauchhöhle sammelt sich Wasser, zuweilen kommt es zu Blutungen aus Magen und Darm. Gewöhnlich erfolgt der lethale Ausgang durch die allmälig vorschreitende Erschöpfung unter allgemeiner Hydropsie und consecutiven Exsudativprocessen; seltener rasch durch Perforationsperitonitis in Folge von Gallen-

[1]) Ich behandele noch gegenwärtig eine Dame, deren Gallenblase bis 1¼" unter dem Hüftbeinkamm abwärts reicht und als birnförmiger Tumor die Bauchdecken emporhebt. Die grosse Spannung und Schmerzhaftigkeit machte eine Punction nothwendig, welche wegen bestehender Verwachsungen ohne Gefahr ausgeführt werden konnte. Es flossen gegen 10 Unzen Galle ab.

extravasation oder unter den Anzeichen eines Suppurationsfiebers als Resultat einer Leververeiterung. Zuweilen führt die vollständig erlöschende Leberthätigkeit zur cholämischen Intoxication.

C. Verengerung oder Verschliessung der Gallenwege innerhalb der Leber.

Sie ist die Veranlassung, durch welche die Gelbsucht ein häufiges Symptom der Leberkrankheiten wird. Alle Veränderungen dieser Drüse, welche grössere Aeste der Ausführungsgänge unwegsam machen, wie Carcinome, Echinococcen, Entzündungsheerde etc. veranlassen Icterus, dessen Intensität um so grösser wird, je umfangsreicher das Volumen oder je grösser die Anzahl der getroffenen Gänge ist. Tumoren oder Entzündungen an der concaven Fläche des Organs sind daher gewöhnlich von Gelbsucht begleitet, während dieselbe bei Veränderungen, die an dem convexen Theil oder in den hinteren Parthieen des rechten Lappens ihren Sitz haben, gewöhnlich fehlt. Eine vollständige Absperrung der Galle vom Darmrohr wird selten auf diesem Wege erzielt, sofern nicht der Ductus hepaticus in das Bereich der Neubildung oder des Entzündungsheerdes kommt; fast immer zeigen die Fäces noch gallige Beimengungen. Es ist bemerkenswerth, dass der auf diese Weise entstandene Icterus ungeachtet der organischen Grundlage keineswegs einen gleichmässigen Verlauf zeigt, sondern bald stärker, bald schwächer hervortritt, je nach den Schwankungen, welche bei wechselnden Blutandrange die Schwellung der Neubildung, sowie die secretorische Thätigkeit der Leber und der hier regulirend wirkenden Nieren erleidet. Dieser Umstand darf in der Diagnose nicht beirren; die letztere ist übrigens gewöhnlich leicht, weil die Lage der Geschwulst meistens eine directe Nachweisung durch die Palpation gestattet.

Viel unbedeutender ist der Icterus, welcher durch Compression der Anfänge der Gallenwege in der Nähe ihres Ursprungs veranlasst wird. Man beobachtet diese Form hie und da in Begleitung der Cirrhose. Die Wirkung der Excretionsstörung beschränkt sich unter solchen Umständen gewöhnlich auf Erzeugung eines mehr oder minder intensiven Icterus des Leberparenchyms, während die Farbe der Cutis und des Auges, sowie die des Harns, unverändert bleibt. In manchen Fällen dagegen bemerkt man einen leicht gelben Anflug der Conjunctiva und eine dunkelere Farbe in der Umgebung des Auges, sowie an den Mundwinkeln, auf der Stirn, an den Schläfen und anderen Körperstellen entstehen bräunliche Flecke; später bekommt die bleiche Haut im Ganzen einen gelblichen Schein. Die Stühle sind bald lettig, bald braun, in derselben Ausleerung sieht man oft neben einander dunkele normal gefärbte und hellere gallenfreie Massen. Der Harn enthält zu Zeiten Gallenpigment, zu anderen wiederum nicht.

Aehnlich wie das Bindegewebe bei der Cirrhose wirkt die Ausdehnung der Leberzellen bei der Fettleber störend auf die Ausscheidung der Galle ein, jedoch kommt es hier noch seltener zum allgemeinen Icterus.

Denselben Einfluss äussern bedeutende Hyperämieen der Leber, wie sie neben Kreislaufsstörungen im Gefolge von Herzfehlern, Scoliose etc. vorkommen, durch Compression der Anfänge der Gallenwege von Seiten der erweiterten Capillaren. Der Icterus beschränkt sich meistens auf einen leicht gelben Anflug der Conjunctiva und der Cutis und tritt nach Anfällen starker Dyspnöe deutlicher hervor. Die gelbe Farbe wird in dem gerötheten oder lividen Gesicht (Icterus plethoricus der Alten) leicht übersehen [1].

Als Beläge für das eben Erörterte mögen die folgenden Beobachtungen hier Platz finden.

---

[1]) Stokes (Diseases of the heart p. 206) beobachtete bei Insufficienz der Bicuspidalklappe wiederholte Anfälle von Icterus und Hemiplegie, welche auf Anwendung von Reizmitteln sich jedes Mal im Verlauf eines Tages wieder verloren. Nicht selten ist die Gelbsucht bei Herzfehlern Folge eines Duodenalcatarrhs und dann von längerer Dauer.

Nro. 5.

Gestörte Magenverdauung, Erscheinungen des Ulc. chronic. simplex Ventric. Icterus, Ausdehnung der Gallenblase. Pleuritis der rechten Seite, Hydrops, Petechien, Tod. Carcinom des Duodenums und Ectasie der Gallenwege, einfaches Magengeschwür, rechtsseitiges pleuritisches Exsudat.

Marianne Dombrowsky, Bedienungsfrau, 63 Jahr alt, wurde am 13. December 1853 aufgenommen. Die Kranke klagte seit einem Jahre über Schmerzen im Epigastrio, welche nach dem Essen sich einstellten und mit Aufstossen, Uebelkeit, zeitweise auch Erbrechen, sowie mit Stuhlträgheit verbunden waren; später verlor sich der Appetit vollständig, während die Schmerzen sich über die Lebergegend verbreiteten. Vor vier Wochen entwickelte sich allmälig icterisches Colorit der Haut.

Die Patientin ist abgemagert, ihre Haut schlaff und welk, dabei mässig stark gelb tingirt. Oedeme sind nicht vorhanden. Die Organe der Brusthöhle bieten, abgesehen von einem vorzugsweise rechts stark entwickelten Emphysem der Lunge, nichts Abnormes. Der Leib ist weich, der Darmcanal zum Theil tympanitisch aufgetrieben. Die Leber liegt tief, ihr oberer Rand wird neben dem Brustbein im Niveau der siebenten Rippe gefunden, der Umfang des Organs ist etwas vergrössert; die Dämpfung beträgt in der Sternallinie 12, in der Mammillarlinie 15, in der Axillarlinie 18 Centimeter. Rechts neben dem Nabel und 2 Centimeter tiefer wird eine rundliche schmerzhafte Geschwulst gefühlt, welche beim tiefen Einathmen herabsteigt und nach oben bis zu dem scharfen Rande der Leber verfolgt werden kann. Die obere und untere Fläche der Leber, soweit sie der Palpation zugängig gemacht werden kann, fühlt sich glatt und eben an. Ein harter Tumor wird weder an ihr, noch in der Richtung des D. choledochus bis zur Pylorus-Duodenalgegend durch wiederholte, sorgfältige Untersuchung bei erschlafften Bauchdecken und in verschiedenen Lagen gefunden.

Die Milz ist etwas geschwellt. Die Stuhlausleerung lehmig, übelriechend. Der Harn porterartig braun gefärbt, in dünnen Schichten saffrangelb.

Der Puls ist weich, macht 60 Schläge. Hautjucken nicht vorhanden.

Ord. Inf. r. Rhei mit Extr. nuc. vom. aq. und Tinct. Valer. aeth. Der Appetit vermehrt sich, die Beschwerden bei der Digestion, sowie die Flatulenz werden erträglich, die Stühle erfolgen regelmässig, bleiben aber nach wie vor frei von Gallenpigment. Die ausgedehnte Gallenblase nimmt an Umfang allmälig zu, bleibt dabei glatt, schmerzhaft und beweglich. Der Icterus wird intensiver.

Drei Wochen nach der Aufnahme stellt sich unten und rechts im Thorax bis zur vierten Rippe aufwärts steigend eine Dämpfung des Percussionsschalles mit fehlendem Respirationsgeräusch ein; gleichzeitig wird eine Ueberfüllung der Luftwege mit Schleim bemerkt, die Respiration wird frequenter, die Kranke fängt an über Athemnoth zu klagen und expectorirt mit Anstrengung zähe, geballte Schleimmassen. Der Puls steigt auf 80 bis 85. Die Urinsecretion vermindert sich.

Ord. Dec. r. Seneg. mit Liq. Amm. anis. Einreibung von Linim. therebinth. in den Thorax und Unterleib; zur Unterhaltung der Stuhlausleerung Abends 2 Gran Extr. Aloes aq.

Die Kranke collabirt rasch, an den Füssen bilden sich Oedeme, die in wenig Tagen bis zum Becken aufsteigen. Der Unterleib wird fluctuirend und auf Druck empfindlich. Der Puls klein, 110 in der Minute.

Am 26. Januar verliert sich das Bewusstsein, die Stühle erfolgen unwillkürlich, Singultus; weite Pupillen, stertoröse Respiration. Auf der Haut des Rumpfes und der Extremitäten entstehen zahlreiche linsen- bis groschengrosse Ecchymosen.

Am 27. 9 Uhr früh stellte sich der Tod ein.

Obduction 26 h. p. m.

Schädeldach und harte Hirnhaut gelb gefärbt, sonst normal; im Sinus longitud. eine kleine Menge geronnenen Blutes. Die Arachnoidea ist neben dem Sichelleiter ansehnlich verdickt. Die weiche Hirnhaut blutreich; gelbes klares Serum in mässiger Quantität an der Basis des Schädels und in den Seitenventrikeln. Die Hirnsubstanz blutarm, von normaler Consistenz, eine gelbe Färbung ist hier nicht bemerklich.

Die Schleimhaut des Pharynx und der Luftwege leicht injicirt. Die Epiglottis saffrangelb.

Im linken Thoraxraume etwa 1 Pfund gelben Serums von klarer Beschaffenheit, im rechten gegen 4 Pfund, vermengt mit fibrinösen Flocken. Die Lunge links oben trocken und emphysematös, unten comprimirt, rechts stärker emphysematös ausgedehnt, der untere Lappen fast vollständig comprimirt.

Im Herzbeutel 3 Unzen gelber, klarer Flüssigkeit, das Epicardium icterisch, die Herzhöhlen enthalten wenig geronnenes Blut; Klappen und Muskulatur normal.

Bei der Eröffnung des Unterleibes sieht man den Magen durch Gas ausgedehnt, so dass die Leber von ihm theilweise überdeckt und nach oben und rechts gedrängt wird; in der Nähe des Pylorus tritt die ausgedehnte Gallenblase hervor. Das Quercolon ist mit der Leber und der hinteren Fläche der Gallenblase fest verwachsen; dasselbe bildet eine winkelige Knickung in der Art, dass die unter der Gallenblase liegende Curvatur zunächst nach rechts hin eine Schlinge bildet und erst dann vor der grossen Curvatur des Magens vorbei dem linken Hypochondrio sich zuwendet; auch die Flexura iliaca bildet eine winkelig geknickte, durch neugebildetes Bindegewebe fest zusammengehaltene Schleife. In der Bauchhöhle findet sich eine grosse Menge mit Faserstoffflocken vermischten Serums [1]). Die Gallenblase wurde von ihrer Verwachsung gelöst und der Duct. choledochus blossgelegt; er war bis zur Insertion in das Duodenum auf Zollweite ausgedehnt.

Fig. 24.

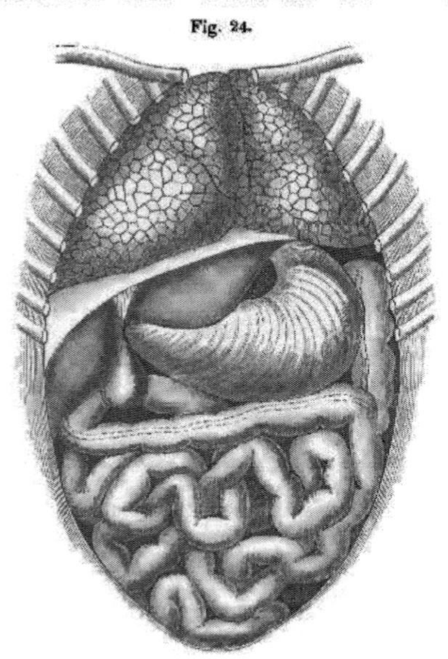

Der Magen enthielt ein schwarzbraunes schmieriges Fluidum; etwa $1\frac{1}{2}$ Zoll unterhalb der Cardia lag auf der hinteren Wand derselben ein ovales, beinahe achtgroschenstückgrosses einfaches Geschwür, an dessen Grundfläche eine taubeneigrosse, schwärzliche Geschwulst (festes Blutcoagulum) angeheftet war. Im Uebrigen zeigt die Magenschleimhaut, sowie auch der Pylorus nichts Abnormes. In dem oberen Theile des Duodenums ist die Schleimhaut verdickt und aufgelockert; an der Mündungsstelle des Duct. choledochus und Wirsungianus bemerkt man einen Substanzverlust von 1" Breite

---

[1]) Das Exsudat war von schwach alkalischer Reaction und grünlicher Farbe. Auf Zusatz von Essigsäure liess die filtrirte Flüssigkeit einen Niederschlag fallen, welcher im Ueberschuss dieser Säure unlöslich war. Gallenpigment war durch Salpetersäure nachweisslich; Gallensäure und Zucker konnten aus dem getrockneten Rückstande mit verdünntem Weingeist nicht ausgezogen werden.

und 1½" Länge, umgeben von schwammigen Wucherungen, welche in Verbindung stehen mit einer nach aussen sich erstreckenden markschwammartigen Geschwulst. Diese letztere durchsetzt nicht bloss die Häute des

Fig. 25.

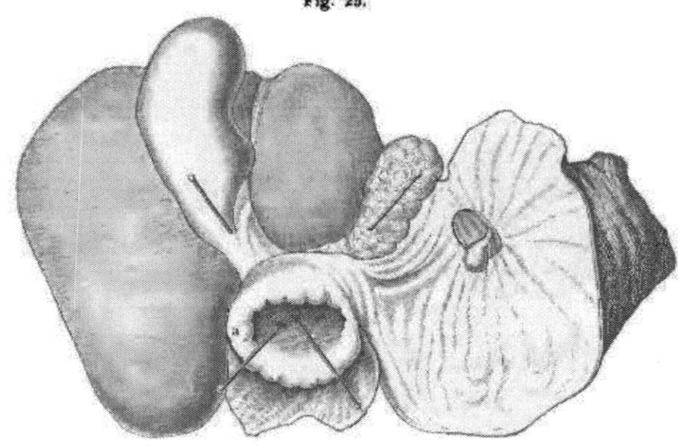

Darmes, sondern erstreckt sich auch bis in den Kopf des Pancreas hinein, wo in der Tiefe erweichte Heerde sich finden. Die Leber trägt eine tiefe Schnürfurche; ihr linker Lappen misst querüber 3", von hinten nach vorn 5¼", der rechte querüber 6", von hinten nach vorn 8"; die Dicke beträgt 3". Die Gallenblase überragt den Rand um 1½." Das Parenchym der Drüse ist derb und fest, muskatnussartig, grünlichbraun gefärbt und durchzogen von cylindrisch erweiterten Gallenwegen. Die Zellen der Leber sind theils blass, theils mehr oder minder stark mit Farbstoff durchtränkt, sonst wohl erhalten.

Die Milz klein, blutarm, fest, ihre Kapsel stark gerunzelt.

Das Pancreas normal.

Der Darmcanal enthielt graue, thonartige Fäces, seine Schleimhaut ist nicht verändert.

Die Nieren sind von normaler Grösse, ihr Parenchym icterisch gefärbt, jedoch frei von festen Pigmentausscheidungen. Der feinere Bau zeigt, abgesehen von der Färbung der Epithelien, nichts Abnormes. Die Schleimhaut des Nierenbeckens, der Ureteren und der Blase ist saffrangelb, ebenso die der Scheide. An der Stelle des Uterus finden sich mehrere zusammengeballte fibröse Geschwülste, welche die Substanz der Gebärmutter verdrängten; eine derselben ist steinhart und hat den Umfang eines Apfels. Auch diese Tumoren sind gelb gefärbt.

Kölliker (Würzburger Verhandl., Bd. VI, S. 474) hat in neuester Zeit auf das Vorkommen von Verkalkungen der Eingeweidearterien und von einfachen Geschwüren des Magens und Duodenums bei Thieren mit unterbundenen Gallenwegen aufmerksam gemacht und auf die Möglichkeit eines Zusammenhanges derselben mit Gallenretention hingewiesen. Im vorliegenden Falle bestand das Magenulcus bereits vor dem Beginne der Gelbsucht, wenigstens gingen derselben Symptome voraus, welche darauf hinwiesen; eine causale Beziehung des Geschwüres zum Icterus kann hier also nicht statuirt werden.

Nro. 6.

Carcinom im Kopfe des Pancreas und im Duodenum. Verschliessung und Ectasie der Gallenwege und des Wirsung'schen Ganges, Anfüllung der ersteren mit Schleim, Icterus, Dysenterie. Verminderte Harnabsonderung, Infiltration der Nieren mit festen Depositis von Gallenpigment. Tod durch Erschöpfung.

Carl Bohle, Tagearbeiter, 55 Jahre alt, wurde am 27. November 1854 aufgenommen und starb am 10. December.

Der Kranke, welcher bisher einer ungetrübten Gesundheit sich erfreut hatte, litt seit einem halben Jahre zu wiederholten Malen an heftigen, rasch vorübergehenden Schmerzen, welche, von der Gegend der Gallenblase ausgehend, sich gegen das Epigastrium zogen. Vor 7 Wochen wurde er allmälig ohne anderweitige Störung des Allgemeinbefindens icterisch und war bereits 4 Wochen lang mit Rheum, Aloë etc. poliklinisch behandelt worden.

Der Mann ist von robustem Körperbau, seine Haut braungelb gefärbt, er giebt träge und mürrische, jedoch vernünftige Antworten. Die Organe der Brusthöhle sind normal, der Puls weich, 64. Die Zunge graubraun belegt, der Appetit gering, der etwas tympanitisch aufgetriebene Leib enthält eine mässige Quantität Flüssigkeit. Die Leber ist wenig vergrössert; die Dämpfung in der Medianlinie beträgt 8, in der Mammillarlinie 15, in der Axillarlinie 12 Centimeter. Die dem Tastgefühl zugängige Oberfläche ist glatt, ohne Höcker, der Rand scharf; auf der Höhe des Nabels lässt sich am äusseren Rande des Rect. abd. eine birnförmige, glatte, bewegliche Geschwulst fühlen, welche bis unter den Rand der Leber sich verfolgen lässt. Ein harter Tumor in der Gegend, welche der D. choledoch. durchläuft bis zu seiner Insertion in den Zwölffingerdarm, konnte wiederholter Untersuchung ungeachtet nicht gefunden werden. Es lag daher mit Rücksicht auf die früheren Anfälle von Gallenkolik die Ansicht nahe, in einer durch Concremente veranlassten Verstopfung des Duct. choledoch. die Ursache der Ectasie der Gallenwege und des Icterus zu suchen. Mit positiver Sicherheit war jedoch in Bezug auf das Causalmoment der Verschliessung des Gallenganges keine Diagnose zu stellen.

Der Kranke nahm bis zum 2. December Calomel mit Opium. Die Stühle erfolgten nun regelmässig, verloren ihre graue Farbe und wurden grünlich, von Gallensteinen liess sich jedoch nichts bemerken.

Um Salivation zu vermeiden, wurde das Quecksilber bei Seite gesetzt; die Stühle wurden mit Aloë unterhalten, und zur Belebung der sehr darniederliegenden Verdauung Tinct. Chin. comp. mit Napth. Acet. gereicht.

Die Haut wurde allmälig bronzeartig, der Harn schwarzbraun. Die Menge desselben war gering und verminderte sich bei geringem Durst mehr und mehr. Die Farbe der Stühle war etwas bräunlich, jedoch nicht wegen beigemengten Gallenpigmentes, sondern, wie das Mikroskop lehrte, wegen zahlreicher schwarz pigmentirter Epithelialzellen, welche von der Schleimhaut und aus den Drüsen des Darmes herstammten.

Vom 4. December an nimmt die Abmagerung des Kranken rasch zu, die Kräfte sinken, der Appetit verliert sich vollständig, häufige mit Tenesmus verbundene blutige Stühle gesellen sich hinzu; der Puls weich, 70 Schläge. Das Sensorium träge, Antworten sind kaum zu erzielen. — Der Harn, soweit die Menge bei den immer häufiger erfolgenden dysenterischen Stühlen beurtheilt werden konnte, sehr spärlich.

In der letzten Nacht grosse Unruhe, der Kranke will das Bett verlassen, die Erschöpfung steigt.

Am 10. December 6½ Uhr früh der Tod.

Obduction 6 h. p. m.

Die Haut der Leiche ist braungelb, stellenweise bronzeartig, so an der inneren Fläche der Schenkel, während das Gesicht blasser ist; kein Oedem.

Das Schädeldach ist 7''' dick, arm an diploëtischer Substanz. Die dura mater gelb und verdickt, unter ihr findet sich, über beide Hemisphären ausgebreitet, ein dünnes Blutextravasat; die Hirnsubstanz von normaler Farbe und Consistenz.

Die Schleimhaut des Pharynx und der Speiseröhre icterisch gefärbt, sonst normal, ebenso die der Luftwege; die Lungen beiderseits oben und an den Rändern emphysematös, unten und hinten hypostatisch. Die rechte Herzhöhle enthält feste zwichen den Trabekeln verfilzte Fibringerinnsel. Muskulatur und Klappenapparat beiderseits normal; das Endocardium dunkelgelb.

In der Peritonealhöhle finden sich ein paar Pfund braunrother auf Gallenpigment reagirender Flüssigkeit.

Die Leber liegt noch genau in der bei der Aufnahme mittelst der Percussion und der Palpation festgestellten Lage. Ihr Volumen ist wenig vergrössert. Oberfläche glatt, Ränder scharf. Das Organ wurde mit den benachbarten Theilen herausgenommen, um das Verhalten der Gallenwege in

10*

situ zu untersuchen[1]). Dieselben sind enorm erweitert; der D. choledochus (*d*) misst $1^1/_2$ Zoll im Durchmesser nahe vor seinem Uebergange ins Duodenum; der D. cysticus, die Blase und die Lebergänge zeigen sich in

Fig. 26.

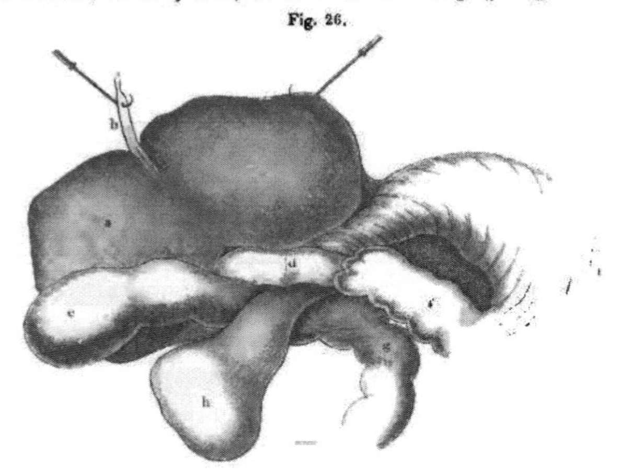

entsprechender Weise ausgedehnt[2]). Sie strotzen von einer weisslich getrübten, sonst durchsichtigen schleimigen Flüssigkeit. Diese reagirt schwach alkalisch, zeigt auf Zusatz von Salpetersäure keine Spur von Gallenfarbstoffreaction, ebensowenig liess sich durch die **Pettenkofer**'sche Probe Gallensäure nachweisen. Das gewöhnliche Epithel der Gallenwege konnte man nirgend durch das Mikroskop auffinden, dafür sah man den Schleimkörperchen gleiche Kugeln einzeln oder zu epithelienartigen Platten vereinigt in grosser Menge. Salpetersäure giebt mit dieser Flüssigkeit keinen oder nur höchst unbedeutenden Niederschlag; auf Zusatz von Essigsäure wird das Fluidum dicklich, gallertartig; Wasserzusatz bringt eine leichte Trübung hervor. Bei 100° C. getrocknet hinterliess die Flüssigkeit 1,80 Proc. festen Rückstand, von welchem 1,15 Proc. aus Asche und 0,65 Proc. aus organischen Stoffen bestanden; von den Aschenbestandtheilen waren 0,080 in Wasser unlösliche Erden, 0,070 lösliche Alkalisalze.

---

[1]) Fig. 26 *a* die zurückgeschlagene Leber, *b* Lig. teres, *c* die stark ausgedehnte Gallenblase, *d* der ausgedehnte D. choledochus, *e* der Magen, *f* das Pancreas, *g* das Duodenum, *h* die rechte Niere.

[2]) Der D. cysticus mass 11, der D. hepaticus 22, ein Gang im rechten Lappen 17'''.

Wasser	=	98,20
Feste Bestandtheile	=	1,80
Organische Stoffe, Schleim etc.	=	0,65
Alkalien	=	0,070
Erden etc.	=	0,080

Die Gallenblase enthielt ausser einigen sehr kleinen maulbeerförmigen Concrementen eine der eben beschriebenen ganz ähnliche Flüssigkeit mit 1,72 Proc. festen Rückstand.

Das Leberparenchym war gesättigt braun gefärbt, stellenweise erschienen die Verästelungen der Vv. hepaticae hyperämisch. An feinen, durch dünne Kalilauge durchsichtig gemachten Schnitten der gekochten Substanz

Fig. 27.

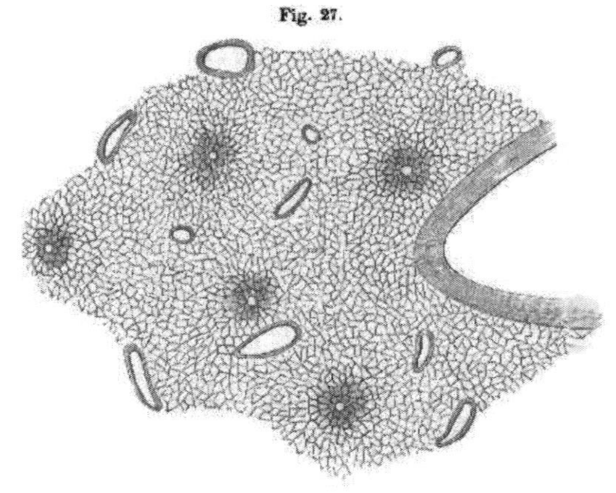

sah man zahlreiche, theils rundlich, theils buchtig erweiterte Gallencanäle mit verdickten Wandungen. In manchen Parthieen der Leber liessen sich dieselben bis zur Peripherie der Läppchen verfolgen (siehe Fig. 27), an anderen war dies nicht thunlich: von den stumpfen, zum Theil kolbigen Enden der ausgedehnten Gänge liess sich kein Uebergang zu den feineren Anfängen der Gallenwege innerhalb der Läppchen nachweisen. Dies war auch da nicht möglich, wo der Schnitt die erweiterten Ausführungsgänge in der Längsrichtung getroffen hatte; man sah hier deutlicher die buchtigen Aussackungen, allein an der Peripherie der Läppchen endete der Gang jedesmal stumpf ohne feinere Ausläufer.

Die Leberzellen waren zum grossen Theil von normaler Beschaffenheit, sie erschienen blass, arm an körnigem Inhalte, der Kern war nur in wenigen deutlich sichtbar; ein anderer Theil derselben war pigmentirt; sie enthielten vereinzelte braune Molekeln in der Nähe des Kernes oder am Rande der Zelle, hie und da dicht gedrängte Gruppen, zuweilen ausserdem noch grössere grünliche tropfenartige Kugeln (Taf. I, Fig. 3). Einzelne Zellen waren gleichmässig braungelb oder grünlich gefärbt. Nebenher sah man längliche, wurstförmige braun oder blaugrün gefärbte Körperchen, welche meistens frei umherschwammen, selten an der Seite einer Zelle angeheftet lagen; minder oft erschienen diese Körper kugelig oder baumartig verästelt oder scharfkantig.

Die grossen Gefässe der Leber, V. portarum, Vv. hepaticae und Art. hepatica liessen nichts Abnormes erkennen. Die Milz klein, wiegt 0,11 Kilogramm, gerunzelt, blutarm und consistent. Die Magenschleimhaut blassgelb, sonst normal; der Kopf des Pancreas ist vergrössert, hart, mit scirrhöser Neubildung durchsetzt; der Krebs hat den D. choledochus vollständig obliterirt und ragt in Form einer gelappten wallnussgrossen Geschwulst in

Fig. 28.

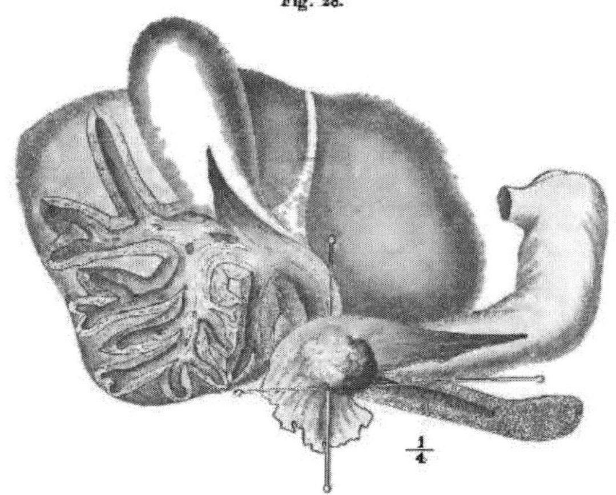

das Duodenum hinein. Der Wirsung'sche Gang ist ebenfalls verschlossen und gleichmässig auf 4''' im Durchmesser erweitert.

Die Darmschleimhaut ist im Dünndarm blaugrau gefärbt, weil die Epithelien der Zotten und das Drüsenepithel der Lieberkühn'schen Schläuche mit schwarzem Pigment durchsetzt sind. Die Schleimhaut des Rectums ist gewulstet und mit Ecchymosen bedeckt; noch stärker ist diese Wulstung in der Flexura secunda coli und im Colon transversum; dysenterische Ulcerationen wurden nach Entfernung des blutigen Schleimes nicht sichtbar.

Die Nieren waren von olivengrüner Farbe. Auf der Oberfläche sah man zahlreiche schwarzbraune Verästelungen, welche ihrem Umfange und Verlaufe nach den gewundenen Harncanälchen entsprachen. Noch deutlicher traten diese auf der Schnittfläche hervor, besonders in den Pyramiden; hier erschienen viele Tubuli als schwarze Längestreifen, neben welchen andere von brauner, saftgrüner und gelber Farbe sichtbar waren. Das Mikroskop verschaffte eine tiefere Einsicht in diese interessante, bisher nicht genügend beachtete Alteration des Nierenparenchyms.

Die blasseren Harncanälchen waren gleichmässig grünlich oder braun gefärbt; ihre Epithelien, welche nur in wenigen vollständig sich vorfanden, und dies waren regelmässig die mindest pigmentirten, zeigten ein tief braunes Colorit; am dunkelsten war dasselbe in den Kernen (Taf. I, Fig 12 *a*). Ein Theil der Zellen erschien blutroth tingirt (Fig. 12 *a*), andere von rundlicher Form und brauner oder grüner Farbe enthielten concentrisch um den Kern gelagerte Schichten von Farbstoff (Fig. 12 *b*). Hier und da sah man fettig degenerirte Epithelien, theils von rother, theils von brauner oder schwarzer Färbung (Fig. 12 *c*). An manchen Stellen lagen in der gefalteten gelbgrünen Grundmembran der Tubuli nur vereinzelte oder gruppenweise vereinigte braune Zellenkerne (Fig. 11), in anderen eine feinkörnige braune Masse. Wo die Ablagerung der Gallenbestandtheile den höchsten Grad erreicht hatte, waren die Canälchen mit einer brüchigen schwarzen Materie gefüllt, welche auf Zusatz von Kalilauge nur langsam und unvollständig mit brauner Farbe sich löste (Fig. 12 *d*). Seltener sah man cylindrische Schollen, welche aus einer amorphen Grundsubstanz von dunkelbrauner gegen die Peripherie allmälig blasser werdenden Färbung bestanden. Auf diese wirkte die Kalilauge rascher ein, ihr Pigment löste sich, die Grundsubstanz, welche erblasste, durchsichtig wurde und aufquoll, zeigte ein Verhalten ähnlich dem von älteren, lange Zeit in den Harncanälchen zurückgehaltenen Fibringerinnseln (Fig. 12 *d*).

Die eben beschriebenen Ausscheidungen pigmentreicher Stoffe waren im ganzen Nierenparenchym verbreitet. Schon in den Epithelien der Malpighi'schen Kapseln waren sie vorhanden (Fig. 8), stärker traten sie hervor in den gewundenen Harncanälchen (Fig. 10); die dunkelsten Deposita fanden sich in den geraden Tubulis der Pyramiden (Fig. 9). Die Natur derselben wurde genauer untersucht. Salpetersäure veranlasste in dem grösseren Theile der braunen Ablagerungen den bekannten für Gallenpigment charakteristischen Farbenwechsel. Die bröcklichen schwarzen Massen, welche augenscheinlich älteren Datums waren, reagirten nicht mehr; sie verhielten sich in dieser Beziehung wie das Cholepyrrhin schwarzer Gallensteine, in welchen das Pigment nach und nach weitere Umwandlungen erleidet, schwerer löslich in Kalilauge wird und die Reaction mit Salpetersäure einbüsst. Der Hauptsache nach bestanden also die Ausscheidungen aus theils frischem, theils umgewandeltem Gallenpigment. Für die Gegenwart von Gallensäure schien die Pettenkofer'sche Probe zu sprechen, indem die Harncanälchen auf Zusatz von Zuckerlösung und concentrirter Schwefelsäure eine gesättigte purpurrothe Färbung annahmen. Um sicherer zu gehen, wurde die Niere mit Alkohol ausgekocht, das so gewonnene Extract eingetrocknet und in Wasser gelöst. Die Probe fiel hier negativ aus: auch mit der spirituösen Lösung liess sich die charakteristische Reaction nicht erzielen. Gallensäuren durften somit in den Nieren nicht angenommen werden.

Die Harnblase enthält wenig dunkelen Urin, ihre Schleimhaut ist icterisch. Die Retroperitonealdrüsen sind gelb und carcinomatös infiltrirt. Das aus dem rechten Herzen entnommene fest coagulirte Blut wurde auf Bestandtheile der Galle untersucht: Pigment wurde gefunden, aber von Gallensäuren und deren nächsten Derivaten keine Spur.

Der Harn, welchen der Kranke vom 2. bis 7. December gelassen hatte, wurde wiederholt untersucht. Er war dunkelbraungrün, sauer und liess beim Stehen ein leichtes flockiges Sediment mit braunschwarzen eckigen Körnchen vermengt fallen. Eiweiss und Zucker wurden umsonst zu wiederholten Malen gesucht, die Farbstoffreaction mit Salpetersäure war deutlich, anderweitige Gallenstoffe konnten nicht gefunden werden, nur einzelne Cholestearintafeln schieden sich aus dem Alkoholextract des Urins aus.

Der Fall ist in mehrfacher Beziehung von Interesse: zunächst weil die Ablagerung von Gallenpigment in den Nieren hier eine seltene Höhe erreicht hatte, in der Art, dass die secretorische Leistung dieser Drüsen wesentlich beschränkt wurde; sodann weil die Gallenwege nicht wie gewöhnlich mit Galle, sondern mit farbloser schleimiger Flüssigkeit gefüllt waren. Schon de Graaf (Tract. de succo pancreatico, Cap. 8) hat einen Fall dieser Art beschrieben; der Zusammenhang der Gallenwege mit dem Leberparenchym war hier vollständig aufgehoben, so dass kein neues Secret übertreten konnte, nachdem der ursprüngliche Inhalt resorbirt und durch die Absonderungsthätigkeit der Schleimhaut der Gänge ersetzt war. Während fast alle flüssigen und festen Theile des Körpers gelb tingirt sich zeigten, erschien der Inhalt der Lebergänge farblos; ein Beweis, dass die Schleimhäute an der Ausscheidung der galligen Stoffe aus dem Blute keinen Theil haben.

Nro. 7.

Carcinom des Pancreaskopfes, Verschliessung des Duct. choledochus und Wirsungianus; Ectasie des letzteren und der Gallenwege. Icterus. Darmblutung. Diabetes mellitus, Dysenterie. Tod durch Erschöpfung.

Wilhelm Vogel, Maurer, 50 Jahre alt, wurde am 13. Februar 1854 in die Klinik aufgenommen und starb am 9. April.

Der Kranke litt, wie er berichtete, seit Jahresfrist an Schmerzen in der Oberbauchgegend, welche jedoch vorübergehend waren und seine Aufmerksamkeit wenig in Anspruch nahmen, weil sie keine auffallende Beeinträchtigung seines Wohlbefindens veranlassten. Seit Anfang December, also vor etwa 3 Monaten, fand sich allmälig icterische Färbung der Haut ein, gleichzeitig wurden heftigere, wenn auch vorübergehende Schmerzen in der Lebergegend empfunden, welche sich nach der rechten Schulter zu fortpflanzten. Zu wiederholten Malen wurden überdies theerartige Massen im Stuhl bemerkt, ohne dass etwa die Nahrungsmittel als Ursache dieser Färbung hätten beschuldigt werden können.

Die Hautfarbe des Kranken ist gelbbraun, sein Leib weich und leicht aufgetrieben, auf Druck nicht empfindlich. Die Leber liegt tiefer als gewöhnlich; ihr Umfang ist etwas vergrössert. Die Dämpfung des Percussionsschalles beträgt in der Sternallinie 13, in der Mammillarlinie 12 und in der Axillarlinie 11 Centimeter. Man fühlt den scharfen Rand des Organes beiläufig 2 Zoll unterhalb der falschen Rippen; links ist derselbe dünn und lässt sich umklappen; verfolgt man ihn weiter nach rechts, so gelangt man 2½" rechts von der Linea alba auf eine birnförmige, glatte, pralle Geschwulst, welche mit den Respirationsbewegungen sich verschiebt und auf Druck empfindlich ist. Die Geschwulst überragt um 7 Centimeter den Leberrand. Links neben ihr und etwas höher kommt die untersuchende Hand bei tieferem Eindringen auf einen harten, höckerigen, nicht verschiebbaren Tumor, dessen Form sich jedoch nicht genau umschreiben lässt. Ein theerartiger, deutlich durch Blut gefärbter Stuhl, welcher eben entleert war, zeugt für eine hoch oben im Darme stattfindende Blutung. Der Appetit ist dabei ungestört; kein Erbrechen; der Puls weich, macht 60 Schläge.

Das Herz normal. Die Lungen lassen in beiden Spitzen rauhes Vesiculärathmen und Rasselgeräusche hören, eine beschränkte Dämpfung des Percussionsschalles ist vorhanden.

Der Harn braungrün gefärbt, frei von Eiweiss und in entsprechender Menge.

Die Diagnose musste auf eine Verschliessung des D. choledochus durch ein Carcinom des Pancreas mit wahrscheinlicher Betheiligung des Pylorus gestellt werden. Für den Sitz der Neubildung im Pancreas sprach die Lage, die vollständige Fixirung und auch die mehr kugelige Form, wie sie bei einfachen

Pyloruskrebsen nicht gefunden zu werden pflegt. Gegen letztere Annahme musste auch das Fehlen des Erbrechens sowie die Betheiligung des D. choledochus, welcher seltener vom Pylorus her durch Neubildungen erreicht wird, uns bestimmen. Dass die Wandungen des Magens in der Nähe des Pförtners oder die des Duodenums mit ergriffen seien, dafür schien die von Zeit zu Zeit bemerkte theerartige Beschaffenheit der Stühle zu sprechen. Wir verhehlten uns hierbei nicht, dass die Blutung aus Carcinomen gewöhnlich nicht so bedeutend ist, um die Ausleerungen nach unten vollkommen schwarz zu färben, dafür aber anhaltender zu sein pflegt als im vorliegenden Falle, wo zwischen den Blutungen längere Pausen lagen.

Beim Gebrauche von Rheum, Aloë, Eisensalmiak etc. blieb der Zustand 6 Wochen lang der Hauptsache nach unverändert; nur magerte der Kranke bei gutem Appetit und reichlicher Kost allmälig ab. Darmblutung kehrt nicht wieder, die Stühle sind lehmartig, ohne gallige Beimengung.

Vom 15. März an bemerkt man, dass die icterische Färbung der Haut geringer wird, ohne dass sich im Stuhle Galle findet; die Ursache scheint in einer vermehrten Harnausscheidung zu liegen; diese ist allmälig auf das Doppelte gestiegen, der Urin dabei heller geworden; die genauere Untersuchung weist eine reichliche Menge von Zucker nach. Das specif. Gewicht schwankt von 1009 bis 1018. Der Harn wurde von nun an genauer untersucht; es ergaben sich folgende Resultate[1]):

Harnmenge in 24 Stunden,	Specif. Gewicht.	Procentischer Zuckergehalt. Bemerkungen.
26/27. März 4800 CC.	1012—1018,5. Bestimmung mit Wage und Densimeter.	Der Morgenharn ist der schwerste; er enthält am meisten Gallenpigment und viel Schleim. Reaction. Zucker qualitativ constatirt.
27/28. 4900 CC.	1017 schwerster Urin von der Nacht,	
	1011,5 leichtester vom Tage	Der 1011,5 schwere Harn enthält 1,28 Proc. Zucker.
28/29. 5000 CC.	1013	
	1010,5	
29/30. 4700 CC.	1014,5—1015	2,88 Proc. Zucker.
	1010,5	1,08 » »
30/31. 4500 CC.	1014,5	2,65 » »
	1009	1,00 » »
31/3—1/4. 3800 CC.	1014	2,45 » »
1/2. 3400 CC.	1019	3,8 » »
	1010	
2/3. 2800 CC.	1018	
	1009,5	0,822 » » (Soleil'scher Appar.)

[1]) Zur quantitativen Bestimmung des Zuckers wurde der Harn mit 19 Volumen Wasser verdünnt und mit einer kochenden stets frisch gemischten Lösung von schwefelsaurem Kupferoxyd, Weinsteinsäure und Kali mit bestimmtem Kupfergehalt

Der Kranke gebrauchte gegen quälende Schlaflosigkeit und die veränderte Diurese Opium in grösseren Gaben[1]); zur Unterhaltung des Stuhls wurde nebenher Extr. Aloës aq. mit Ferr. benutzt. Die Diät wurde mit Vorsicht mehr auf animalische Stoffe gerichtet.

Diese Veränderung der Nahrung fand Vogel, welcher im Uebrigen ein ruhiger und besonnener Mann war, unerträglich; er verlangte deshalb am 2. April seine Entlassung. Die Ausdehnung der Gallenblase, der harte Tumor, links daneben, der Umfang der Leber waren unverändert wie bei der Aufnahme.

Schon am 6. April kehrte er in einem sehr veränderten Zustande wieder. Seine Gesichtszüge waren bleich und verfallen, häufige aus Schleim, Blut und Faserstoffflocken bestehende Stühle mit quälendem Tenesmus hatten ihn erschöpft, dabei weicher Puls von 64 Schlägen, kühle Extremitäten, vollständige Appetitlosigkeit, Neigung zur Somnolenz, träge Antworten. Vom 7. bis 8. April wurden 2500 CC. Harn gelassen, von welchem der schwerste 1008, der leichteste 1005 als specif. Gewicht hatte. Derselbe reagirte sauer, enthielt Gallenpigment, aber keine Spur von Zucker. Die Menge des vom 8. bis zum 9. gelassenen Harnes betrug 2000 CC., war von 1008 bis 1006 specif. Gewicht und enthielt ebenfalls keinen Zucker.

Klystiere mit Argent. nitr. und Opium, innerlich Tinct. chin. comp. mit Aeth., Wein, Brühen und andere Analeptica vermogten nicht der Dysenterie und der Erschöpfung Einhalt zu thun.

Der Tod erfolgte am 9. April 1 Uhr Morgens.

Obduction 10. h. p. m.

Die Leiche ist mässig stark icterisch gefärbt; keine Oedeme. Die harte Hirnhaut gelb, die weisse mässig blutreich, ebenso die Hirnsubstanz, welche namentlich im Fornix, den Vierhügeln, der Varolsbrücke und am Boden des vierten Ventrikels etwas weicher gefunden wird. In der Substanz des Pons Varolii finden sich zahlreiche braunrothe Pigmenthäufchen als Ueberreste capillärer Apoplexieen.

Die Schleimhaut der Mund- und Rachenhöhle sowie des Oesophagus ist gelb, die des Kehlkopfes und der Luftröhre schwach injicirt. Die linke Lungenspitze enthält alte tuberkulöse Infiltrate von verdichtetem, stark pigmentirtem Gewebe umgeben, daneben emphysematöse Parthieen; der untere Lappen hypostatisch infiltrirt. Die rechte Lunge enthält ebenfalls einige bohnengrosse Tuberkelconglomerate.

Im Herzbeutel finden sich 5 Unzen gallig tingirter eiweissreicher Flüssigkeit, welche bald nach dem Herausnehmen einen ansehnlichen Kuchen von Faserstoff abscheidet. Gallenpigment ist darin reichlich vorhanden,

---

geschüttelt, bis einige Tropfen der abfiltrirten Flüssigkeit weder mit Salzsäure und Kaliumeisencyanür rothen Niederschlag, noch mit Kupferlösung Reduction zeigten. Aus drei Proben wurde das Mittel gezogen.

[1]) 3 Gran Opium waren nicht genügend, über Nacht Schlaf zu erzwingen.

Zucker und Gallensäuren sind weder direct, noch in dem spirituösen Auszuge des getrockneten Rückstandes nachweisslich. In beiden Herzhälften feste Fibringerinnsel, die Muskulatur und der Klappenapparat normal.

Im Peritonealsacke findet sich 1½ Pfund Flüssigkeit von blasserer Farbe als im Herzbeutel; dieselbe ist durch Eiterflöckchen getrübt, die Gallenfarbstoffreaction deutlich, wenn auch schwächer, als in dem pericardialen Erguss; die Pettenkofer'sche Probe giebt ein positives, die Trommer'sche ein negatives Resultat.

Die Milz ist mit der Colonflexur verwachsen, ihre Grösse normal (4³/₄" lang, 3" breit, ³/₄" dick), die Capsel trübe, das Parenchym weich, mässig blutreich.

Die Leber ist tiefer gelagert als gewöhnlich. Der vordere Rand des linken Lappens liegt 3½" unterhalb der Spitze des Proc. xiphoideus des

Fig. 20.

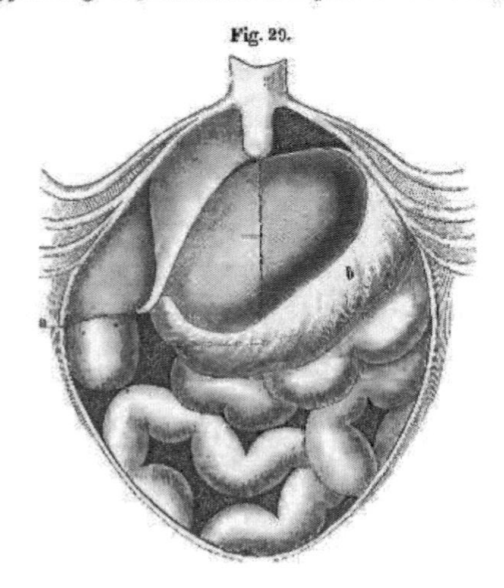

Brustbeines, der des rechten überragt die Knorpel der achten und neunten Rippe 2", die Spitze der Gallenblase geht noch um reichlich einen Zoll tiefer hinab; von der Medianlinie liegt der Rand der Blase 2½" entfernt.

Die Grösse des Organes ist nicht verändert; ihre Ränder scharf, die Oberfläche glatt. Die Gallenblase ist enorm ausgedehnt; sie enthielt gegen 11 Unzen schwarzbrauner trüber Galle, in welcher viele grosse und auffallend dicke Cholesterinplättchen flimmerten; Albumen ist nicht darin vorhanden. Die Gallenwege sind sämmtlich stark erweitert, so dass man sie an vielen Stellen der Leberoberfläche fluctuirend durchfühlt. Ihre Schleimhautauskleidung hat das Cylinderepithel verloren und ist mit zum Theile fettig degenerirtem Pflasterepithel bedeckt. Das Parenchym der Leber sehr feucht, mit grünlicher Galle durchtränkt, mässig blutreich, von etwas verminderter Consistenz. Der Gefässapparat lässt nichts Ungewöhnliches erkennen; der Umfang der V. portae misst 4 Centimeter. Die Leberzellen waren zum Theil auffallend blass und meistens frei von Fett, zum Theil vollständig mit grell orangegelber Materie erfüllt oder kleinere Häufchen braunen oder grünen körnigen Pigmentes enthaltend; nur wenige Zellen enthielten kleine nirgend confluirende Fetttröpchen. Leucin und Tyrosin konnten im Leberparenchym nur spärlich nachgewiesen werden; Zucker fehlte.

Der Magen ist eng zusammengezogen, seine Schleimhaut mit grauem zähem Schleime bedeckt, die Muskulatur des Pylorus verdickt und durchwachsen mit der vom Pancreas her gegen sie andringenden Neubildung. Das Duodenum ist mit einer dicken Lage weissen Schleimes bedeckt; seine innere Auskleidung gewulstet und schmutziggrau gefärbt. Die Einmündungsstelle des D. choledochus und Wirsungianus prominirt in Form einer harten weissen Papille; Ulceration ist nirgend vorhanden.

Der Kopf des Pancreas ist von einem grauen, stellenweise erweichten Markschwamme durchsetzt und mit der Duodenalwand eng verwachsen. Im Inneren der Krebsmasse sieht man cystenartige, dem Wirsung'schen Gange angehörige Hohlräume mit erodirten Wandungen und einem farblosen schlei-

Fig. 30.

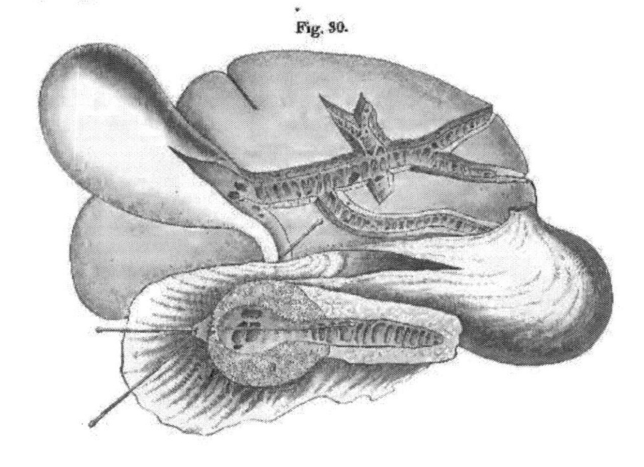

migen Inhalt. Der verschont gebliebene Rest der Bauchspeicheldrüse ist atrophirt; der D. Wirsung. stark ausgedehnt und mit vielfachen, durch klappenartige Vorsprünge gesonderten Aussackungen versehen, welche mit Secret gefüllt sind. Von dem letzteren konnte etwa $1\frac{1}{2}$ Drachme gesammelt werden. Das trübe Fluidum schien beim Contact mit der Luft theilweise zu gerinnen; die Coagula bestanden aus glänzenden gallertartigen Kugeln, unter dem Mikroskop sah man den Eiterkörperchen ähnliche, zum Theil fettig degenerirte Zellen in einer grauen streifigen Masse eingehüllt. Die Reaction schwach alkalisch; das nach Wasserzusatz erhaltene Filtrat giebt durch Siedehitze keinen Niederschlag. Salpetersäure veranlasst eine deutliche Trübung, ebenso Essigsäure; die letztere wird im Ueberschusse theilweise gelöst. Im Dünndarm nichts Abnormes, von der Coecalklappe an beginnt Röthung und Wulstung der Schleimhaut, welche je weiter dem Mastdarm zu immer intensiver wird; im letzteren überdeckt ein blutig tingirtes zähes Fluidum die sammtartige dunkelrothe Schleimhaut; tiefere Substanzverluste sind nicht vorhanden. In dem Blute der Pfortader, der Milzvene und der Lebervenen ist mikroskopisch nichts Abnormes aufzufinden.

Die Nieren von normaler Grösse, glatter Oberfläche und mässigem Blutreichthum; ihr feinerer Bau ist vollkommen intact; nur schwache icterische Färbung des Drüsenepithels.

In der Harnblase findet sich eine reichliche Menge eines Gallenpigmentes, aber keinen Zucker enthaltenden Harnes.

R. Bright beschrieb bereits einen Fall, wo unter ähnlichen Verhältnissen wie hier, Diabetes sich entwickelte. Beobachtungen dieser Art liefern den Beweis, wie wenig die Zuckerbildung in der Leber durch Gallenstase gestört wird. Auffallend erschien mir die Häufigkeit, in welcher bei Diabetes Krankheiten des Pancreas vorkommen; unter neun Fällen sah ich Atrophie oder fettige Degeneration dieser Drüse fünf Mal; ob hier causale Beziehungen bestehen und welcher Art sie sind, bleibt noch dahin gestellt.

Bemerkenswerth mit Rücksicht auf den Bernard'schen Diabetesstich sind die Veränderungen, welche in der Varolsbrücke gefunden wurden; ob sie in ätiologischer Beziehung zur Harnruhr standen, lässt sich freilich unter so complicirten Verhältnissen nicht entscheiden.

Wie gross der Einfluss der Harnabsonderung auf die Intensität der icterischen Farbe sei, lehrt das rasche Erblassen des Kranken von der Zeit ab, wo die Nierensecretion unter der Einwirkung des Zuckers im Blute sehr ergiebig zu werden anfing.

Nro. 8.

Abschnürung des Ductus choledochus durch neugebildetes Bindegewebe in Folge von Perihepatitis. Icterus, Ectasie der Gallenwege. Hydrops, secundäre Pneumonie. Tod.

C. Schmidt, Kaufmannsfrau, 74 Jahre alt, eine für ihr Alter ungewöhnlich rüstige und geistig regsame Dame, erkrankte, wie der Hausarzt berichtete, im November 1854. Sie wurde ohne nachweissliche äussere Veranlassung von Störungen befallen, welche den Gastrointestinalcatarrh bezeichnen; Appetitlosigkeit, grau belegte Zunge, Durchfall wechselnd mit Obstipation etc. Dazu gesellte sich Empfindlichkeit der Lebergegend, nach und nach bis zu dem Grade zunehmend, dass die Kranke das Bett zu hüten genöthigt war. Diese Beschwerden dauerten bis gegen Ende des Jahres, wo Besserung sich einstellte, die jedoch von kurzer Dauer war. Schon im Januar 1855 kehrte das Leiden mit vermehrter Intensität zurück; die Schmerzen im rechten Hypochondrio wurden so bedeutend, dass die Patientin die horizontale Lage nicht mit der sitzenden Stellung vertauschen konnte. Der Appetit verlor sich vollständig, ein hartnäckiger Durchfall trat ein. Durch Anwendung von Adstringentien, Rothwein etc. war der letztere gegen die Mitte des Februars eben beseitigt, als plötzlich Icterus eintrat, welcher bis zum Tode anhielt; die Stühle wurden vollständig entfärbt, die Haut wurde gelb und nach und nach grünlichbraun, bronzeartig.

Am 20. März, 5 Wochen nach dem Beginne des Icterus, wurde die Kranke vom Herrn Dr. Nega und etwas später von mir genauer untersucht. Die Leber lag tiefer als gewöhnlich; ihr oberer Rand wurde rechts neben dem Sternum im Niveau der siebenten Rippe gefunden; der Umfang des Organes war nach allen Richtungen hin etwas verkleinert. Der vordere Rand, welcher der Betastung leicht zugängig war, fühlte sich scharf an und wurde von einer 5 Zoll langen und 2 Zoll breiten, cylindrisch geformten, prallen Geschwulst überragt. Diese letztere lag am äusseren Rande des Rectus und musste für die ausgedehnte Gallenblase genommen werden. Die convexe wie die concave Fläche der Leber war, so weit sie befühlt werden konnte, glatt, ohne Knoten und Prominenzen. Die Empfindlichkeit des rechten Hypochondriums war vollständig gehoben, die Digestion dagegen lag gänzlich darnieder, die Zunge grauweiss belegt, der Appetit gering, hartnäckige Stuhlverhaltung und Flatulenz; der Puls 60 in der Minute [1]. Das Herz normal, die Lungen emphysematös, leichter Catarrh der Luftwege mit grauweissem zähen Sputis. Die Haut zu reichlicher Absonderung geneigt; starkes Jucken war vorhanden gewesen, hatte sich aber

---

[1]) Unter diese Zahl sank die Pulsfrequenz während der ganzen Krankheitsdauer nicht hinab.

wieder verloren. Der Urin spärlich, bierbraun, mit Salpetersäure lebhaft reagirend, meistens klar, zuweilen durch rothe harnsaure Sedimente getrübt.

Das Sensorium war frei, Sinnesstörungen, Gelbsehen etc. waren niemals vorhanden gewesen.

Dass eine Verschliessung des Ductus choledochus hier bestehe, lag auf der Hand; die Frage war nur, welche Ursache den Gang unwegsam mache. Eine Verbreitung des chronischen Gastrointestinalcatarrhs auf die Gallenwege konnte zur Erklärung nicht genügen, weil auf diese Weise eine vollkommene dauernde Verschliessung nicht zu Stande kommt. Gegen eine Compression des D. choled. durch ein Carc. hepat. oder einen anderweitigen Tumor sprach die durchaus glatte Oberfläche und der gleichmässig scharfe Rand der Drüse. Die Einkeilung eines Gallensteines verschliesst selten für die Dauer den Gang hermetisch; einer solchen gehen überdies fast immer Anfälle von Leberkolik voraus. Für letztere konnte die mehrere Wochen anhaltende Empfindlichkeit der Lebergegend, ohne Icterus, ohne lebhaftere spontane Schmerzen, ohne Erbrechen etc. nicht genommen werden; dieselbe sprach vielmehr für eine Perihepatitis. Wir nahmen daher diese für die Ursache der Verschliessung des Duct. choledochus, verhehlten uns indess nicht, dass diese Annahme nur die wahrscheinlichste sei, insofern, wie uns frühere Erfahrungen gelehrt hatten [1]), kleinere Tumoren in der Nähe des Duodenums und im Kopf des Pancreas den Gang verschliessen können, ohne der Palpation zugängig zu werden. Die Prognose musste ungünstig lauten, die Aufgabe der Therapie konnte die Grenzen der symptomatischen Cur nicht weit überschreiten.

Ord. Milde vegetabilische Kost. Milch. Selterbrunnen. Zur Förderung des Stuhles Extr. Gratiol.

Eine wesentliche Veränderung trat im Verlaufe der nächsten Wochen nicht ein; nur der Appetit verbesserte sich, die Flatulenz nahm ab, die Stühle erfolgten regelmässig, blieben aber stets von lehmartiger Beschaffenheit.

Mitte Mai entwickelte sich Oedem der Füsse und Ascites, beide nahmen ziemlich rasch zu und verbanden sich mit Anasarca der oberen Körperhälfte, der Harn wurde spärlicher und dunkler, blieb indess frei von Albumen. Auch der Catarrh der Luftwege nahm zu, der Auswurf wurde reichlicher, eiterartig [2]), in beiden Pleurasäcken liess die Percussion einen Erguss nachweisen. Der Appetit verlor sich wieder, die Zunge wurde von Neuem mit einem dicken grauen Ueberzuge bedeckt.

Ord. Tinct. Chin. comp. als Diäteticum. Zur Förderung der Expectoration Liq. Amm. anis.

---

[1]) Vergl. Krankheitsfall Nro. 5.

[2]) Die Sputa waren jederzeit frei von Gallenpigment. Sie wurden häufig mit Salpetersäure untersucht, aber niemals liess sich eine Farbenveränderung constatiren.

Eine vorübergehende Erleichterung wurde erzielt, der Hydrops machte indess Fortschritte; die Diurese stockte mehr und mehr, so dass die Befürchtung einer ausgedehnten Verstopfung der Harncanälchen mit festen Pigmentablagerungen nahe lag. Ein Aufguss von Rad. Calam. und Hb. Digit. mit Liq. Kali acet., daneben einige Gläser Carlsbader Mühlbrunnen, wirkten günstig auf die Menge und Beschaffenheit des Harnes ein; die Farbe wurde blass, die Quantität verdreifachte sich, der Hydrops nahm wieder ab.

Drei Wochen hielt beim Gebrauch des Mühlbrunnens diese günstigere Wendung vor; dann stieg ungeachtet der reichlichen Diurese die Wassersucht von Neuem. Die Leber verkleinerte sich, die Länge der Gallenblase war allmälig von fünf Zoll auf drei Zoll vermindert bei entsprechender Abnahme der Breite.

Mitte Juli entstand in der rechten Lunge ein pneumonisches Infiltrat, aufwärts gehend bis zur Spina scapulae. Die Pulsfrequenz stieg dabei auf 90. Die Expectoration stockte und wurde sodann eitrig. Theilweise bildete sich zwar die Hepatisation zurück; allein die grössere Hälfte blieb eine zeitlang stationär, um sodann in Suppuration überzugehen. Der Auswurf wurde übelriechend und reichlich, die Kranke collabirte mehr und mehr, der Hydrops wurde allgemein, bis am 11. August der Tod durch Erschöpfung erfolgte. Bis zum Ende blieb das Bewusstsein klar. Während der ganzen Krankheit war, was bemerkenswerth erscheint, die Laune der Patientin ungetrübt, sie scherzte, wenn die Leiden einigermaassen erträglich waren, über ihre Farbe, betastete ihre Leber und beauftragte uns mit der genaueren Untersuchung derselben nach ihrem Tode.

Obduction 18. h. p. m.

Die Haut dunkelgelb, stellenweise bronzeartig, allgemeines Anasarca. In der Bauchhöhle fanden sich gegen 12 Pfund klarer brauner Flüssigkeit.

Die Leber überragte den Rand der falschen Rippen um 3 Centimeter; ihr Umfang war etwas verkleinert. Beim Betasten der Oberfläche fühlte man erbsen- bis haselnussgrosse weiche Stellen durch, welche prominirten und beim Anschneiden ein graugelbes Fluidum ergossen (erweiterte Gallenwege). Der seröse Ueberzug ist stellenweise verdickt, zwischen der convexen Fläche des Organs und dem Zwerchfell liegen neu gebildete Brücken von Bindegewebe. Die Gallenblase überragt den vorderen Rand um 3 Zoll, ihre Breite beträgt 1¾ Zoll. Die Wandungen der Blase sind weissgefleckt, und verdickt durch organisirtes Exsudat, von ihrer hinteren Fläche erstrecken sich Bindegewebsstränge bis über den Zwölffingerdarm; D. cysticus und hepaticus sind beide bis auf einen Zoll im Durchmesser erweitert. Drei Linien unterhalb der Stelle, wo sie zum Duct. choledochus zusammentreten, ist der Canal vollständig obliterirt; hier liegt eine dicke, weissstrahlig auslaufende Bindegewebsschwarte, welche von aussen her den Gang abschnürt und ihn fest an das benachbarte Duodenum heftet. Der Inhalt der Blase

Fig. 31.

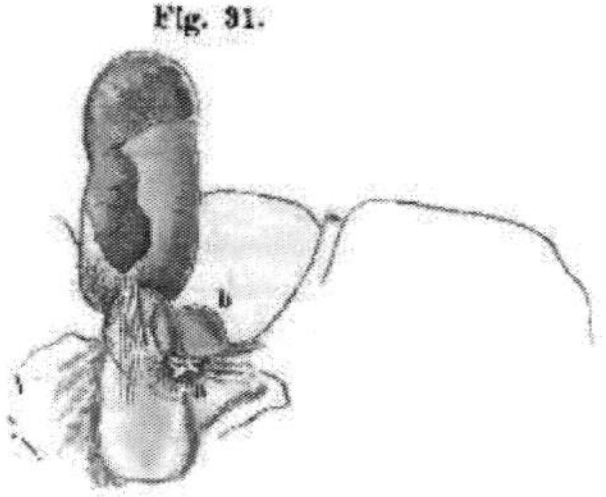

besteht aus graugelb gefärbtem Schleim, darin schwimmen schwarzbraune, unter dem Mikroskop amorph erscheinende Flocken, Ueberreste zersetzten Gallenpigments. Die Flüssigkeit giebt mit Salpetersäure keine deutliche Reaction. Ein ähnliches Fluidum, jedoch etwas brauner gefärbt, findet sich in den ausgedehnten Gallenwegen der Leber. Die Ausdehnung der letzteren ist eine gleichmässige, nur an einzelnen Stellen sieht man ampullenartige Erweiterungen. Die Wandungen der Gänge sind dick und rigide, von aussen her werden sie von weissen Bindegewebsschichten eingehüllt, welche von der Porta hepat. aus ihrem Laufe folgen (Taf. I, Fig. 1).

Das Leberparenchym ist von fester Consistenz, die Schnittfläche erscheint braungrün gefärbt an den peripherischen, schwarzbraun an den centralen Theilen der Läppchen (Fig. 1). Feine Schnitte der gekochten und mit Essigsäure befeuchteten Substanz lassen bei 80facher Vergrösserung die Vertheilung des Pigments weiter verfolgen (Fig. 2). Man sieht die Farbstoffe vorzugsweise in der Nähe der Centralvenen der Läppchen angehäuft, gegen die Peripherie zu wird die Färbung allmälig heller; im Parenchym zerstreut liegen dunkelbraune Körnchen, welche bei stärkerer Vergrösserung als vorzugsweise stark mit Farbstoff imprägnirte Leberzellen sich ausweisen. Neben den stark erweiterten und mit dicken Wandungen versehenen Gallenwegen liegen an vielen Stellen, so bei *b* der Fig. 2, braune runde oder längliche Figuren, welche ich für Durchschnitte der feinsten, mit stagnirender Galle gefüllten Ausführungsgänge halte. Die Leberzellen sind überall unversehrt. Ein Theil von ihnen ist blass und weicht in keiner Weise von der Norm ab, der grössere Theil ist mit Galle imprägnirt. Gewöhnlich liegen gelbe oder braune Körnchen einzeln oder in dichten Gruppen innerhalb der Zellenhöhle; ein Kern ist nur in wenigen sichtbar. Viele Zellen enthalten umfangsreichere Deposita von kugeliger, eckiger oder stengelartiger Form, gelb, braun oder grün gefärbt. In einzelnen Zellen ist der Farbstoff gleichmässig vertheilt. Der Kern erscheint, wo er sichtbar ist, bald blass, bald grünlich oder gelblich tingirt (vergl. hierzu die Fig. 3, Tafel I.).

Die ausserhalb der Zellen vorkommenden Gallenausscheidungen sind von mannigfacher Form und Farbe; die meisten sind von stengelartiger Form, gerade oder gebogen, zum Theil auch verästelt, hie und da knotig anschwellend: ihre Farbe ist gelb, braun, ockerartig oder grün. Man würde geneigt sein, sie für Abdrücke der feinsten Gallenwege zu nehmen, wenn nicht das Vorkommen ähnlicher Bildungen innerhalb der Zellen dagegen spräche. Neben diesen langgestreckten Formen beobachtet man rundliche, kolbenförmige, eckige etc. Die Consistenz dieser Ausscheidungen ist ziemlich ansehnlich; durch Druck mit dem Deckgläschen lassen sie sich spalten und in Trümmer zerdrücken (vergl. hierzu die Fig. 4, Taf. I, wo eine Anzahl solcher Bildungen zusammengestellt ist).

Die Substanz der Leber wurde jedoch erst, nachdem sie zwei Tage in der warmen Temperatur des Augustmonats gelegen hatte, chemisch auf Leucin untersucht: dasselbe wurde in mässiger Menge gefunden.

Die Milz war etwas grösser, von braunrother Farbe und fester Consistenz. Die Schleimhaut des Gastrointestinaltractus trägt eine mässig dicke Schicht grauen Schleims; die Schleimhaut selbst ist grossentheils blass und blutarm, nur stellenweise grob vascularisirt. Im Duodeno liess sich nichts Abnormes nachweisen.

Die Nieren waren von gewöhnlicher Grösse, ihre Oberfläche glatt, das Parenchym schmutzig grüngelb gefärbt. Die Epithelien der Harncanälchen hatten streckenweise die fettige Metamorphose erlitten, meistens waren sie, und namentlich ihre Kerne, mit braunem, grünem oder rothem Pigment durchsetzt. Nur an wenigen Stellen sah man schollenartige Farbstoffausscheidungen in grösserem Maassstabe; nirgend in dem Grade, wie bei dem Fall Nr. 6. Es scheint, als ob der Gebrauch des an Alkali reichen Carlsbader Wasser diese Deposita beseitigt oder wenigstens ihre Bildung gestört hätte.

Die bronzeartig gefärbte Haut wurde einer genaueren Untersuchung unterworfen. Das Pigment lag grösstentheils in der untersten Zellschicht des Rete Malpighi; diese war braungelb gefärbt und enthielt dunkele körnige Deposita. Die höheren Zellschichten waren nur blassgelb tingirt (Fig. 5).

Die Schweissdrüsen der Achselhöhle zeigten sich ebenfalls stark pigmentirt; sie enthielten eine grosse Anzahl brauner Molekeln und Körnchen von der Grösse der Zellenkerne. Die Cysten des Fettzellgewebes hatten eine citronengelbe Farbe (Fig. 6).

Thorax und Schädelhöhle durften nicht geöffnet werden.

Die Therapie des Stauungsicterus ist stets zunächst gegen die Ursache der Gallenstase gerichtet, sofern einige Aussicht auf Beseitigung derselben vorhanden ist. Die Catarrhe der Gallenwege und des Duodenums, die Gallensteine und andere mechanische Hindernisse sind in der später bei den betreffenden Affectionen zu erörternden Weise zu behandeln. Wo die Ursache nicht gehoben werden kann, lasse man sich bei hochgradiger Gelbsucht durch die oben ausgesprochenen allgemeinen Grundsätze leiten. Sehr oft ist bei unheilbaren organischen Veränderungen des Leberparenchyms, wie bei der Cirrhose, dem Lebercarcinom etc. der Icterus mässigen Grades ein untergeordnetes Symptom, welches kein besonderes therapeutisches Verfahren erheischt.

II. Gelbsucht ohne nachweissliche mechanische Beeinträchtigung der Gallenausscheidung.

Die Pathogenese der hierher gehörigen Formen der Gelbsucht ist weniger klar, als die der bisher berührten. Wir kennen als Causalmomente derselben nur zwei Umstände: die anomale Diffusion der Galle in Folge veränderter Blutzufuhr und den mangelhaften Umsatz, beschränkten Verbrauch der Galle im Blute. Beide können während des Lebens bestehen, ohne in der Leiche sichere Spuren ihres Daseins zurückzulassen. Schon aus diesem Grunde wird die Beurtheilung und Deutung der einzelnen hierher gehörigen Formen schwieriger und unsicherer, statt, wie bei der ersten Gruppe, auf fester anatomischer Grundlage zu bauen, sind wir auf Analogieen angewiesen, deren Geltung sich nur im Allgemeinen darthun, keineswegs aber immer im Detail begründen lässt.

Von den Veränderungen der Leber, welche in Folge der Gallenstauung bei der ersten Gruppe je nach dem Sitz und der Beschaffenheit des Hindernisses in mehr oder minder ausgeprägtem Maasse uns entgegentritt, findet sich hier keine Spur. Die Gallenwege sind leer oder halb gefüllt; die Zellen frei von Farbstoff oder nicht reicher daran, als im Normalzustande, das Parenchym der Drüse bald blutarm, bleich und mürbe, bald von normalem Blutgehalt oder hyperämisch, in dem Darm lassen sich gallige Beimengungen erkennen.

Wir rechnen zu dieser Classe von Gelbsucht

1) den Icterus nach Gemüthsbewegungen.

Von jeher haben die Aerzte die Ansicht festgehalten, dass durch Störungen der Nerventhätigkeit Gelbsucht veranlasst werden könne; man leitete dieselbe von einem Krampf ab, welcher in den Gallenwegen oder in der Muskulatur des Duodenums auftrete und eine Stauung des Secrets veranlasse. Es sind bereits oben die Bedenken angedeutet, welche einer solchen Erklärung der Gallenstase entgegenstehen, ganz abgesehen davon, dass der Icterus nach Affecten viel rascher zur Ausbildung komme, als es bei vollkommener Verschliessung des D. choledochus jemals der Fall sei. Seit Cl. Bernard den Beweis führte, dass durch Verletzung des vierten Hirnventrikels ein Uebergang des in der Leber gebildeten Zuckers in den Harn veranlasst werden könne, hat die Ansicht, nach welcher Störung der Innervation unter Umständen Gelbsucht bedinge, nichts Auffallendes, wenn auch die Schwierigkeit, diese Erscheinung zu deuten, dadurch nicht gehoben wurde. So weit sich bis jetzt das Feld übersehen lässt, können Alterationen der Nerventhätigkeit auf zwiefachem Wege zur Anhäufung von Galle im Blute beitragen:

a. durch Störungen des Stromlaufs in der Leber in Folge des Einflusses, welchen die Nerven auf den Durchmesser der Pfortaderäste äussern;

b. durch Störungen der Herz- und Athmungsbewegungen, sowie der Nierensecretion.

Das erste Moment würde vermehrte Bildung und Aufnahme, das zweite, auf dessen Bestehen die den Ausbruch des Icterus begleitenden Zufälle hinzuweisen scheinen, verminderten Umsatz der Galle und beschränkte Ausscheidung nach sich ziehen. Welcher von diesen Einflüssen vorzugsweise wirksam wird, lässt sich gegenwärtig ebensowenig hier, wie beim Diabetes entscheiden.

Nach heftigen Erschütterungen des Gemüths durch Zorn, Aerger, Schrecken etc. stellt sich plötzlich Druck im Epigastrio, beschwertes Athmen, Gefühl der Suffocation, zuweilen auch Erbrechen ein; die Haut wird bleich und färbt sich bald darauf icterisch, während noch ein farbloser Urin in reichlicher Menge entleert wird [1]). Die Gelbsucht entwickelt sich hier in wenigen Stunden, zuweilen, wie zuverlässige Beobachter berichten, in noch kürzerer Frist. Villermé erzählt im Dict. des scienc. médic. Art. Ict. p. 420 einen Fall, wo von zwei jungen Leuten, welche in Streit geriethen und den Degen zogen, der Eine plötzlich gelb wurde, so dass der Andere, erschrocken über diese Veränderung der Farbe, die Waffe sinken liess. An derselben Stelle wird von einem Abbé berichtet, welcher plötzlich gelb wurde, als ein toller Hund auf ihn losstürzte. Wenn man auch Angaben dieser Art in Zweifel zu ziehen geneigt sein mag, so bleiben doch zahlreiche Erfahrungen übrig, welche den Beweis liefern, dass der Icterus unter solchen Verhältnissen in viel kürzerer Zeit sich ausbildet, als es nach Unterbindung des D. choledochus zu geschehen pflegt. Mittheilungen dieser Art werden bei der Aufnahme der Anamnese vielfach von Kranken gemacht, deren Glaubwürdigkeit nicht wohl bezweifelt werden kann [2]).

---

[1]) Diese beschränkte Farbstoffausscheidung von Seiten der Nieren bleibt nicht ohne Einfluss auf die rasche Zunahme der icterischen Hautfarbe.

[2]) Man muss bei der Beurtheilung solcher Angaben sehr vorsichtig sein. Es giebt Gegenden, wo in dem Volksglauben die Abhängigkeit des Icterus von Gemüthsbewegungen so fest steht, dass diese Ursache fast jedes Mal beschuldigt wird.

Gewöhnlich geht diese Form von Gelbsucht bald und ohne weitere Folgen vorüber. Hiervon giebt es jedoch Ausnahmen; es kommen Fälle vor, wo die Krankheit einen bösartigen Verlauf nimmt, wo unter schweren Nervenzufällen, Delirien, Convulsionen etc. nach wenigen Tagen der Tod erfolgte. Morgagni hat im 37. Briefe Beobachtungen dieser Art mitgetheilt; auch Villermé erwähnt einer solchen (vergl. acute Atrophie der Leber).

An den Icterus durch Gemüthsaffecte reihen sich die spärlichen Erfahrungen, welche wir

2) über Gelbsucht nach Einwirkung von Aether und Chloroform

besitzen. Dieselben sind insofern von Interesse, als man unter denselben Umständen den Uebergang von Zucker in den Harn beobachtet hat.

3) Gelbsucht nach Schlangenbiss.

Dass nach dem Biss giftiger Schlangen Gelbsucht hohen Grades entstehen könne, war schon den Alten bekannt. Galen (De locis affectis, Lib. V, Cap. 8) beschreibt die Krankheit eines Sclaven, welcher, von einer Viper verletzt, stark icterisch wurde. Mead (Tentamen de vipera p. 36) erzählt ähnliche Fälle und hebt besonders die Schnelligkeit hervor, mit welcher die gelbe Farbe sich ausbildet: „intra non integram horam fit flavus, quasi ejus qui ictero laborat.“ Die Färbung erreicht unter diesen Umständen oft eine bedeutende Intensität. Galen und Lanzoni (Tractat. de venen. Cap. V.) berichten von einer grünen Tingirung, und Portal (a. a. O. S. 140) erzählt die Geschichte eines ihm bekannten Apothekers, welcher nach einem Vipernbiss eine gelbe und später grünliche Farbe der Haut bekam. Aehnliche Wirkungen, wie nach der Verwundung durch Vipern, beobachtete man nach dem Bisse von Klapperschlangen (Moseley), von Scorpionen, so wie nach dem wuthkranker Thiere (Bartholinus).

Die älteren Aerzte erklären die Entstehung dieser Form von Gelbsucht aus einem Spasmus der Gallenwege oder wie Fontana (Abhandlung über das Viperngift. Berlin 1787. S. 417), aus einer wegen putrider Zersetzung eintretenden Verflüssigung der Galle.

Es fehlt an genauer detaillirten Beobachtungen, welche eine Lösung dieser Frage ermöglichen könnten; dass keine Gallenstauung hier bestehe, dafür zeugt die gallige Beschaffenheit der durch Erbrechen und Stuhl erfolgenden Ausleerungen. Ob aber krankhafte Umsetzungen im Blute oder, ähnlich wie beim Icterus nach Gemüthsaffecten, eine auf die Blutbewegung und Respiration einwirkende Innervationsstörung die Ursache der Gallenanhäufung im Blute sei, lassen wir dahin gestellt. Bemerkenswerth sind in dieser Beziehung die Erfahrungen, welche Cl. Bernard über die Wirkung von Curare mittheilte; die Anwendung dieses Giftes hatte Hyperämie der Leber und den Uebergang von Zucker in den Harn zur Folge.

4) Gelbsucht bei pyämischer Infection des Blutes.

Maréchal[1]) machte zuerst darauf aufmerksam, dass bei Individuen, in deren Eingeweiden man Eiter finde, fast constant die Haut und die Conjunctiva, sowie die verschiedenen Gewebe, eine mehr oder minder ausgesprochene gelbe Farbe zeigen. Zuweilen sei damit eine anatomische Veränderung der Leber verbunden, häufiger fehle dieselbe, auch wenn die Farbe sehr deutlich hervortrete; aus diesem Grunde müsse man die Färbung dem in den Geweben vertheilten Eiter zuschreiben. Die gelbe Farbe wurde später als ein der Pyämie, zwar nicht constant, jedoch häufig zukommendes Symptom erkannt und bald auf ein Zerfallen des Blutroths zu gelbem Pigment, bald dagegen als icterisch auf Anhäufung von Gal-

[1]) Recherch. sur certaines altérations, qui se developpent au sein des principaux viscères à la suite des blessures ou des opérations. Thèse de Paris 1828.

lenfarbstoff im Blute zurückgeführt. Bérard[1]) meinte, dieselbe könne nicht von der Galle herrühren, weil das Auge und der Harn nicht tingirt seien, ein Ausspruch, welcher, so irrthümlich er auch ist, später vielfach wiederholt wurde. Es unterliegt keinem Zweifel, dass die gelbe Farbe von Gallenbraun herrührt und in jeder Beziehung mit der icterischen übereinstimmt; das Verhalten des Blutes, der Transsudate und des Harns giebt hierfür sichere Belege. Der Urin reagirt in der Regel deutlich auf Gallenpigment, ebenso das Blutserum und die Flüssigkeit der serösen Höhlen; überdies konnten wir aus dem Blute denselben krystallinischen Farbstoff herstellen, wie aus dem von Gelbsüchtigen mit verschlossenen Gallenwegen.

Ueber die Entstehung dieses Icterus giebt das anatomische Verhalten der Leber keine Auskunft; die Gallenwege sind offen und pflegen nur wenig dünnes Secret zu enthalten; das Organ selbst ist meistens blutarm und welk, in seinem Parenchym finden sich Producte, welche auf Störungen der Secretion und der Stoffmetamorphose hinweisen. Allem Anscheine nach beruht hier die Gelbsucht auf dem wegen anomaler Umsetzungsprocesse im Blute beschränkten Verbrauch der Galle.

Ich theile hier zwei Fälle des pyämischen Icterus mit, von welchen der erste einfacher Natur, der zweite dagegen in mehrfacher Beziehung von Interesse ist.

[1]) Dictionn. de Méd. T. XXVI, p. 491.

Nro. 9.

Quetschung der Beckenknochen, Schüttelfrost, Somnulenz, Icterus, Albuminurie, Tod. Phlebitis der Beckenvenen, metastatische Heerde in den Lungen, blutarme mürbe Leber.

Gottfried Wiesner, 28 Jahre alt, erlitt am 29. Juni 1854 eine Quetschung der Beckenknochen durch einen herabfallenden Balken. Es stellte sich Urinverhaltung ein, welche das Anlegen eines Catheters nöthig machte; oberhalb des linken Schambeins bildete sich ein flaches Blutextravasat; das Gehvermögen wurde beeinträchtigt, eine Beweglichkeit der Beckenknochen war indess nicht zu constatiren.

Alle diese Beschwerden verloren sich, der Kranke wollte die Anstalt verlassen, als am 8. Juli, 10 Tage nach der Verletzung, ein heftiger Schüttelfrost sich einstellte, dem Hitze und etwas Schweiss folgten; derselbe wiederholte sich nicht; Patient wurde jedoch schwer besinnlich, hustete, bekam dünne Stühle und fieberte heftig.

Am 11. wurde er auf die medicinische Klinik verlegt. 120 Pulse, 32 Respirationen mit Betheiligung der Mm. scaleni; Sprache lallend, Haut heiss und trocken; Druck auf der verletzten Stelle schmerzlos, keine Crepitation; Stühle blass und dünn; Urin eiweishaltig. In den Lungen liess sich weit verbreitetes Pfeifen, hinten Rasseln, jedoch nirgend Dämpfung nachweisen. Ord. Dec. rad. Seneg.

Am 13. 40 keuchende Respirationen, 120 Pulse, reine Herztöne, profuser Schweiss, die Conjunctiva, sowie die Mundwinkel, nehmen eine gelbe Farbe an, welche rasch an Intensität zunimmt. Milz vergrössert; dünne unwillkürliche Stühle. Harn reich an Gallenpigment.

Am 14. steigt der Icterus, der Puls wird unregelmässig; Sopor, die unteren Extremitäten schwellen ödematös.

Tod 1 Uhr Nachts.

Obduction.

In der Schädelhöhle nichts Abnormes. Die Schleimhaut der Luftwege lebhaft injicirt, auf der Oberfläche beider Lungen zahlreiche collabirte Stellen, unter der Pleura Ecchymosen. Das Parenchym ödematös und blutreich; am unteren Rande links findet sich ein dunkelrother wallnussgrosser Heerd mit gelb zerfallendem Centrum; ein ähnlicher Heerd in der rechten Spitze; der untere Lappen dieser Seite enthält zahlreiche, mit gelben Centris versehene Heerde von Kirschengrösse. Verfolgt man die Zweige der Pulmonalarterie, so sieht man in der nächsten Nähe der Heerde krümliche, mit weissen Punkten besetzte Gerinnsel, die innere Haut des Gefässes ist glatt und gelb durchscheinend von Eiter in der Zellscheide.

Herz, Magen und Darmcanal normal, Milz gross und weich.

Leber gross, mürbe, blutarm und schlaff, die Zellen reich an feinkörnigem Inhalt, zum Theil auch an Fetttropfen.

Die Galle in der Blase spärlich, blass und dünnflüssig.

Die Nieren blutarm und weich; Harnblasenschleimhaut mit Ecchymosen bedeckt. Am Blasenhalse ist das Bindegewebe mit Blutextravasaten und gelatinösen Ausschwitzungen infiltrirt; auf der Schnittfläche sicht man hier zahlreiche, mit Eiter gefüllte Venen, deren Wandungen verdickt sind, die Vv. hypogastrica und iliaca sin. enthalten krümliche Gerinnsel.

Der horizontale Schambeinast ist zertrümmert, die losen Knochenstücke liegen in einer jauchigen Flüssigkeit; der absteigende Ast des Schambeins ist beiderseits gebrochen.

Das Leberparenchym enthielt eine ansehnliche Menge Leucin; im Blute des rechten Ventrikels fand sich 1,17 Procent cholesterinreichen Fettes; ausserdem wurde aus demselben ziemlich viel in drusiggruppirten Stengeln sich ausscheidendes Gallenpigment (Taf. VII, Fig. 7) gewonnen.

Der Harn hatte 10,12 specif. Gew., reagirte deutlich auf Gallenbraun und enthielt kleine Mengen von Leucin.

Nro. 10.

Acuter Gelenkrheumatismus, Endocarditis, wiederholte Schüttelfröste, schmerzhafter Milztumor, Icterus, Albuminurie und Hämaturie, Petechien, Convulsionen, Coma, Tod. Frische Auflagerungen auf der Bicuspidalklappe, Milzinfarcten, schlaffe anämische Leber, Ecchymosen auf der Schleimhaut des Darms, der Luftwege etc.

Rosine Peter, Dienstmädchen, 24 Jahre alt, bereits früher im Hospital an Insufficienz der Bicuspidalklappen behandelt, wurde am 13. November 1856 mit den Erscheinungen eines fieberhaften Gelenkrheumatismus aufgenommen. Die Krankheit bestand schon seit 14 Tagen; Knie- und Ellenbogengelenk der linken Seite sind geschwollen und schmerzhaft, 108 Pulse, lautes systolisches Geräusch, unter der Brustwarze am stärksten vernehmbar; Harn trübe, mit harnsauren Salzen überladen, frei von Eiweiss; profuse Schweisse. Ord. Colchic. mit Natr. phosphor.

Gegen den 20. verliert sich die Gelenkaffection und mit ihr das Fieber.

Am 22. früh um 4 und Abends um 6 Uhr starker Schüttelfrost, welcher eine Stunde dauert, mit grosser Pulsfrequenz und nachfolgender Hitze nebst Schweiss; die Gelenke bleiben frei, kein localer Schmerz; am 30. früh neuer Schüttelfrost, die Milz vergrössert sich und wird schmerzhaft; am 2. December Abends 6 Uhr und am 3. Morgens 5 Uhr neuer Frost; die Milz überragt den Rand der Rippen, keine Localaffection, das Herzgeräusch stärker, als bisher zu vernehmen. Chinin mehre Tage gebraucht ohne Wirkung.

Am 7. grosse Beklemmung und Angst, Milz- und Lebergegend sehr empfindlich.

Am 8., 10., 11., 12., 13., 14. und 16. starke Schüttelfröste, später keine eigentlichen Fröste mehr, aber sehr wechselnde Pulsfrequenz, zwischen 100 und 140 Schlägen schwankend; starke Temperaturerhöhung, grünliches Erbrechen, lebhafte Schmerzen in der Milz; die Arterien der Extremitäten frei, Gelenke normal.

Am 20. December wird leichter Icterus bemerkt, im Harn Gallenpigment. Ord. Acid. phosphor.

Die Gelbsucht nimmt zu, Stühle von brauner Farbe; das Volum der Leber normal. Am 25. Frost, 136 Pulse, grosse Unruhe, Störungen des Bewusstseins, Abends zwei Anfälle von Convulsionen.

Am 26. heftige convulsivische Zuckungen des ganzen Körpers, Bewusstlosigkeit, 140 Pulse, im Gesicht und auf der Brust linsengrosse Petechien, Harn blutig und trübe; Abends der Tod.

Obduction.

Die Leiche intensiv icterisch gefärbt und mit zahlreichen Petechien bedeckt; auf der Oberfläche des grossen und kleinen Gehirns liegen ausgedehnte Blutextravasate von 2 bis 3‴ Dicke, welche sich tief in die Sulci hinaberstrecken; die Hirnsubstanz blutarm und von normaler Consistenz.

Die Schleimhaut der Luftwege ecchymosirt, beide Lungen mit gelbem Serum infiltrirt, jedoch ohne Infarcten. Unter dem Epicardio zahlreiche Ecchymosen, die Musculatur des Herzens sehr blass und mürbe; die Bicuspidalklappe ist mit braunrothen, trockenen, stellenweise 5‴ dicken, brüchigen Gerinnseln bedeckt, ihr Saum verkürzt und verdickt, die Sehnenfäden sind zu weissen knorpelartigen Bündeln verwachsen. Die bröckliche Auflagerung des vorderen Zipfels erstreckte sich, wie ein Durchschnitt zeigte, in der Mitte ohne deutlich nachweissbare Grenze in das Gewebe der Klappe hinein, die Zwischensubstanz derselben war aufgelockert, theils durchscheinend und gefässreich, theils grau getrübt und mit gelblichen Heerden durchsetzt.

Die Milz bedeutend vergrössert, die Kapsel stellenweise mit frischem Exsudat bedeckt, das Parenchym blutreich und von zahlreichen Infarcten verschiedenen Alters durchsetzt; die jüngeren sind von braunrother, die älteren von graugelber Farbe und in der Mitte erweicht; der grösste hat einen Durchmesser von 2½ Zoll. In einer zu der erkrankten Stelle führenden Milzarterie findet sich ein den Auflagerungen der Mitralklappe gleichender kleiner Pfropf.

Die Leber erscheint gross, blass und schlaff; ihre Farbe ist hell graugelb, ohne Läppchenzeichnung, die Zellen sind wohl erhalten, mit granulirter Masse und zum Theil auch mit Fetttröpfchen gefüllt. Die Pfortader enthält flüssiges Blut, in welchem schon mit blossem Auge kleine Gerinnsel von schwarzbrauner und röthlich gelber Farbe erkannt werden; der veränderte Farbstoff derselben beweist, dass sie älteren Datums sind; ähnliche

Schollen kommen im Milzparenchym und im Blute der Milzvene vor. Die Gallenblase enthält ziemlich viel dunkele zähe Galle; die Gallenwege sind frei.

Die Magenschleimhaut ist mit zahlreichen linsengrossen Ecchymosen bedeckt; unter der Schleimhaut des Darms bis zum Colon hinab liegt eine Menge 1 bis 2''' dicker Blutextravasate bis zu dem Umfange eines Zweithalerstücks, der spärliche Darminhalt ist braunroth gefärbt.

Mesenterialdrüsen normal; die Nieren mit Ecchymosen bedeckt, ihr Parenchym schlaff, der Cortex graugelb infiltrirt. Die Blase enthält blutigen Harn.

Für die Infection der Blutmasse, welche wir hier nach den Erscheinungen und dem Verlauf der Krankheit, sowie nach dem anatomischen Befunde anzunehmen genöthigt sind, liess sich ausser den Veränderungen an der Mitralklappe und in der Milz kein Ausgangspunkt finden. Eiterungs- und Verjauchungsheerde, mit zerfallenden Thromben gefüllte Venen wurden vergebens gesucht. Dass die Heerde in der Milz von Embolie der Arterie durch Partikeln, welche von der Auflagerung der Herzklappen fortgeschwemmt wurden, abhingen, unterliegt keinem Zweifel; fraglich ist dagegen, ob die Infection des Blutes aus derselben Quelle stammt. Virchow (Gesammelte Abhandl. S. 700) glaubt, dass man das Auftreten von Erscheinungen, welche den pyämischen wenigstens sehr nahe stehen, bei usurirenden und ulcerirenden Formen der Endocarditis nicht ganz abweisen könne, und theilt S. 711 einen Fall mit, für welchen er diese Deutung als möglich zulässt; allein an stringenten Beobachtungen, welche eine solche Annahme sicher stellen könnten, fehlte es. Auch der vorliegende Fall ist dazu nicht geeignet, weil die Annahme, dass von den Milzheerden aus die Infection erfolgt, ebensoviel, vielleicht noch mehr für sich hat. Die entfärbten Gerinnsel in der Pfortader und Milzvene beweisen, dass von der Milz aus pathologische Producte ins Blut übergingen; ob dieselben nur aus dem zersetzten Blutroth bestanden, oder ob gleichzeitig chemisch inficirende Stoffe übertraten, ist freilich nicht zu entscheiden. Ueberdies bestand, wie der Krankheitsverlauf ergiebt, die Embolie der Milzarterie eine Zeitlang ohne Symptome, welche die Blutinfection ankündigen. Die Kranke zeigte anfangs an den frostfreien Tagen keine Beschwerden ausser den am achten Tage nach dem ersten Frost auftretenden Schmerzen in der vergrösserten Milz; erst 14 Tage nach demselben Frost begann der Symptomencomplex, welcher die Infection des Blutes zu begleiten pflegt.

Die Veränderungen am Herzen, von welchen der ungünstige Verlauf des Processes seinen Ausgang nahm, sind theils älteren, theils neueren Datums. In der bereits erkrankten insufficienten Mitralklappe entwickelte sich als Begleiterin des acuten Gelenkrheumatismus eine frische Endocarditis, welche Auflagerungen und weiterhin die durch Embolie vermittelte Milzaffection herbeiführte.

5) Gelbsucht bei Typhus.

Sie ist hier im Allgemeinen eine viel seltenere Erscheinung, als bei der Pyämie; beim Ileotyphus beobachtet man sie nur ausnahmsweise, häufiger beim Petechialtyphus, von welchem einzelne Epidemieen durch die Frequenz des Icterus sich auszeichnen. Die Genese desselben ist hier noch keineswegs mit der nöthigen Sorgfalt verfolgt worden. In manchen Fällen, namentlich beim Ileotyphus, scheint er catarrhalischer Art zu sein; gewöhnlich lässt sich indess ein Hinderniss der Gallenexcretion nicht nachweisen, gegen dessen Bestehen während des Lebens auch die Färbung der Fäcalstoffe spricht. Man findet die Leber ohne tiefer eingreifende Texturveränderungen, meistens blass, schlaff und welk, die Zellen mit feinkörnigem Inhalt gefüllt; im Blute des Pfortaderstammes sowie in den Capillaren desselben bemerkte ich wiederholt gelb- oder braunrothe Pigmentschollen, welche aus der intumescirten Milz herzurühren schienen, ähnlich wie bei der Pyämie (Beob. Nr. 10). In einem Falle wurden in der Leber runde Erweichungsheerde gefunden, ob durch Embolie bedingt oder nicht, liess sich mit Sicherheit nicht entscheiden. Ich glaube, dass der Icterus, welcher schwere Formen des Petechialtyphus begleitet, in ähnlicher Weise gedeutet werden muss, wie der pyämische.

Die folgenden Beobachtungen können das Gesagte weiter erläutern.

Nro. 11.

Exanthematischer Typhus, Icterus, Albuminurie, Darmblutung, Ecchymosen der Haut Parotisinfiltrat, Tod am zwölften Tage.
Kleine Milz, Anämie der Leber, normale Leberzellen, freie Gallenwege, Darm und Mesenterialdrüsen unverändert.

J. Fr. Pechhold, 55 Jahre alt, wurde aus dem Arbeitshause am 31. December 1855 ins Hospital gebracht; zu einer Zeit, wo innerhalb dreier Tage 31 Typhuskranke aus jener Anstalt aufgenommen werden mussten. Der Kranke trug alle Erscheinungen des einfachen Typhus an sich; weit verbreitetes Exanthem, Delirien, Puls 120, Respiration 29, Stuhl seit drei Tagen angehalten; Urin trübe, frei von Eiweiss und Gallenpigment. Ordin. Chlor. Ol. Ricin.

Am 2. Januar 1856 wurde eine gelbe Färbung der Conjunctiva und der Haut des Gesichts bemerkt, welche sehr rasch zunahm, Urin dunkelbraun, reich an Albumen und Gallenfarbstoff; blutiger Stuhl, Puls 98; Milz nicht vergrössert, Leberdämpfung in der Mammarlinie 5½ Centim.; bedeutende Tympanie; grosse Unruhe, lebhafte Delirien. Ord. Acid. mur.

Am 3. Januar ausgebreitete Ecchymosen der Haut, das Exanthem verblasst, zwei dünne blutige Stühle, Puls 76; ruhiges apathisches Verhalten, Zittern der Extremitäten, Haut trocken und dunkelgelb; der Eiweissgehalt des Harns hat sich vermindert.

Am 4. Puls 68, ein dünner grünlicher Stuhl, gegen Abend wiederum ein blutiger, Urin blässer, frei von Eiweiss, Icterus sehr intensiv, klares Bewusstsein. Ord. Acid. mur. wird fortgesetzt.

Am 5. eine starke blutige Ausleerung, welche grosse Erschöpfung nach sich zog, Puls 96, klein und weich. Leberdämpfung in der Mammarlinie 3, in der Axillarlinie 6 Centim., grosse Apathie und Unbesinnlichkeit.

Am 6. Puls 88, die Ecchymosen haben an Ausbreitung zugenommen, blutige Stühle, Harn blass, frei von Albumen, Somnolenz.

Am 7. entwickelte sich an der linken Parotis eine pralle, schmerzhafte Geschwulst von sehr bedeutendem Umfange, die untere Hälfte derselben, welche sich weich anfühlte, entleert, mit der Nadel punktirt, ein blutiges Serum. Puls 96; Haut welk und kühl; Urin schwarzbraun, sehr pigmenthaltig; von Eiweiss frei, viel Harnstoff, Spuren von Leucin. Leichter Husten mit blutigen Sputis, kein Infiltrat der Lunge nachweislich, Somnolenz unverändert, Pupille normal. Ord. Acid. benzoic. mit Camphor.

Am 8. Puls 108, sehr klein, Erscheinungen des Lungenödems, Unvermögen zu expectoriren, Zittern der Extremitäten. Der Tod erfolgte am 10. Morgens nach langer Agonie.

Obduction.

Hirn und Hirnhäute normal. Die Schleimhaut der Luftwege mit gelbem schaumigem Serum bedeckt, die Lungen hinten hypostatisch und ödematös.

Das Herz enthält fest geronnenes Blut in mässiger Menge, Klappenapparat und Muskulatur normal.

Milz klein, $2\frac{1}{2}$" breit und 4" lang, blutarm; Leber reichlich gross, 1,45 Kg. schwer, blass und blutarm, von mässig fester Consistenz, die Schnittfläche muskatnussartig gezeichnet, die Gallenblase enthält eine kleine Menge dünner blasser Galle; die Gänge frei. Die Zellen der Leber unversehrt, reich an körnigem Inhalt, einzelne fettig infiltrirt. Das Pfortaderblut sowie einzelne Capillaren der Leber enthalten braunrothe, zum Theil auch schwarze Pigmentschollen. Zucker ist im Parenchym nicht vorhanden, Leucin in grosser Menge, Tyrosin fehlt.

Die Magenschleimhaut livid geröthet, die des Darms blass, ohne Infiltrat oder Ulceration der Drüsen; Fäcalstoffe im Coecum grün von Farbe; Mesenterialdrüsen nicht vergrössert; im Rectum einige linsengrosse hämorrhagische Erosionen.

Nieren blutreich, icterisch gefärbt; Drüsenepithel zum Theil fettig degenerirt, zum Theil mit feinkörniger, in Essigsäure verblassender Materie überfüllt.

Nro. 12.

Petechialtyphus, Icterus, Albuminurie, Suppression des Harns, Pneumonia dextra, Dysenteria, Tod am siebenten Tage.
Aeltere Speckmilz, Leberanämie, Infiltrat der rechten Lunge, Dysenterie, frisches Niereninfiltrat.

C. Winzig, Tagelöhner, 37 Jahre alt, wurde am 1. Juli 1856 mit den Erscheinungen des exanthematischen Typhus aufgenommen; der Kranke war mit einer weit verbreiteten Roseolaeruption bedeckt, hie und da Petechien, bedeutender Milztumor, 110 Pulse.

Am 3. bemerkte man leicht icterisches Colorit der Haut und Eiweissgehalt des Harns.

Am 4. wurde Patient auf die Klinik gelegt. Grosse Muskelschwäche, zahlreiche Petechien auf der gesättigt gelb gefärbten Haut; blutige, übelriechende, unwillkürliche Stühle; sehr spärliche Harnsecretion, in 36 Stunden können nur zwei Unzen mit dem Catheter gesammelt werden, die stets vorliegende Flasche bleibt leer; Puls 80, klein und weich, Respiration 10, Extremitäten kühl. Ord. Acid. mur. mit Spir. nitr. aeth.

Am 5. entsteht im hinteren unteren Thoraxraume rechter Seite eine Dämpfung, schwach bronchiales Athmen; Lebervolum normal, Milz gross;

Somnolenz. Puls 90. Respiration 16. Collapsus, kühle Extremitäten. Ord. Moschus 3 gr. stündlich.

Am 6. früh der Tod.

Obduction 12 Uhr.

Hirnsubstanz etwas blutreicher, Consistenz normal.

Luftwege blass, der untere Lappen der rechten Lunge frisch infiltrirt und mit blutigen Infarcten durchsetzt.

Das Herz enthält fest geronnenes Blut, Muskulatur und Klappen normal.

Oesophagus blass, die Magenschleimhaut zeigt blutige Suffusionen ohne Substanzverlust; die Schleimhaut des Jejunum und Ileum blass, im Coecum und Colon mässig geröthet und mit consistenten braunen Fäcalstoffen bedeckt; im absteigenden Colon beginnen dysenterische Auflagerungen mässigen Grades ohne Ulcerationen und steigen bis ins Rectum hinab.

Milz gross und fest, speckig infiltrirt.

Leber von normalem Umfange, blassbraun gefärbt, hie und da weissgelbe anämische Inseln zeigend; Consistenz ziemlich fest. Gallenwege frei, die Blase mit dunkelem Secret halb gefüllt. Die Zellen der Leber enthalten Pigmentmoleküle und vereinzelte Fetttröpfchen. Speckstoffe, wie in der Milz, sind nirgend nachweisslich. Die chemische Untersuchung des Organs ergab einen ungewöhnlich grossen Zuckergehalt, daneben viel Leucin, Tyrosin und Hypoxanthin. In der Milz fehlte bemerkenswerther Weise Leucin beinahe vollständig. In der dicken, Farbstoffkrystalle enthaltenden Galle war dasselbe nachweisslich.

Die Nieren waren stark icterisch gefärbt, mässig blutreich und von schlaffer Consistenz, das Drüsenepithel erschien theils grüngelb, theils dunkelbraun tingirt, einzelne Canälchen enthielten gelbe cylindrische Gerinnsel. Auch in diesem Organ war Leucin und Tyrosin vorhanden.

Der während der letzten Tage gesammelte Harn war pigmentreich, enthielt jedoch nur Spuren von Eiweiss.

Nro. 13.

Abdominaltyphus; während der Reconvalescenz heftiger Schüttelfrost, neuer Milztumor, grosse Empfindlichkeit der Lebergegend, später des ganzen Abdomens, Icterus, Athemnoth, Somnolenz, Tod.

Vernarbende Typhusgeschwüre im Ileum, frisch geschwellte Milz, runde, zollgrosse, braune Erweichungsheerde in der Leber, freie Gallenwege, Peritonitis.

Carl Mauche, Eisenbahnarbeiter, 26 Jahre alt, war seit dem 17. Januar 1854 leidend; schmerzhafte Empfindungen in der rechten unteren Thoraxhälfte, verbunden mit trockenem Husten, Durchfall und grosse Hinfälligkeit hatten ihn genöthigt, im Hospitale Hülfe zu suchen. Bei seiner Aufnahme am 2. Februar war in den Lungen Catarrh der Luftwege nachweisslich, der Puls machte 100 Schläge, die Zunge war feucht und grau belegt, das Sensorium frei, die Milz ergab sich nach allen Richtungen hin vergrössert; sie erstreckte sich von der Höhe der sechsten bis 4 Centim. über den Rand der elften Rippe abwärts. Ord. Inf. r. Ipecacuanhae mit Gi. arab.

Am 3. 96 Pulse, Roseola, sechs dünne gallenarme Stühle, Ileocoecalschmerz, keine Delirien.

Am 6. 120 Pulse, starker Husten mit zähem Auswurf, trockene, heisse Haut, Leib tympanitisch, mehre dünne Stühle. Ord. Chlor.

Am 9. 88 doppelschlägige Pulse, das Exanthem verbreitete sich über den ganzen Körper, der Stuhl seit zwei Tagen angehalten, der Urin lässt reichlich Urate fallen, Sputa cruenta ohne nachweissliches Infiltrat der Lunge; Schwerhörigkeit, Milztumor unverändert.

11/2. 92 Pulse, das Exanthem verblasst, gegen die Stuhlträgheit wird Ol. Ricin. angewandt.

13/2. 84 Pulse, die Schwerhörigkeit verliert sich, die Milz bildet sich zurück, die Haut wird feucht, der Appetit kehrt wieder. Ord. Inf. Cort. Peruv.

15/2. Der Kranke befindet sich in der Reconvalescenz, die hartnäckige Obstipation macht am 18. die Anwendung eines Sennainfusums nöthig, durch welches feste fäculente, später breiige Stühle erzielt werden.

Am 21/2. stellt sich unerwartet ein heftiger, anderthalb Stunde dauernder Schüttelfrost ein, welchem erhöhte Temperatur und Pulsfrequenz folgen, die Zunge wird trocken, Ohrensausen, grosse Hinfälligkeit, profuse grünlich gefärbte Darmausleerungen; das Abdomen wird empfindlich und aufgetrieben. Ord. Ac. muriatic.

23/2. 136 Pulse und 36 Respirationen; gelbe Färbung der Haut und der Conjunctiva; Zunge trocken, Empfindlichkeit des Leibes, dünne grünliche Stühle, welche häufig erfolgen, aber von geringer Quantität sind. Die Milz hat wiederum an Volumen zugenommen, sie ragt 5 Centim. über den Rand der Rippen hervor. Die Lebergegend ist bei der Percussion sehr schmerzhaft, die Dämpfung beträgt in der Mammillarlinie 3". Ord. zwölf Schröpfköpfe in der Lebergegend.

26/2. Die icterische Färbung hat zugenommen; die dünnen grünlichen Stühle bestehen fort, wiederholt werden grünliche Massen ausgebrochen. Der Urin ist spärlich und gallig tingirt. Pulse sehr klein und kaum zählbar. Die Empfindlichkeit der Lebergegend nimmt zu und verbreitet sich über das ganze Abdomen; grosse Athemnoth; die Auscultation ergiebt weit verbreitete Rhonchi, jedoch keine consonirenden Erscheinungen; Somnolenz. Ord. Acid. benzoic. mit Camphor. Warme Cataplasmen über den Unterleib.

27/2. Der Tod erfolgt unter den Zufällen des Lungenödems.

Obduction.

Die Hirnhäute und die Hirnsubstanz mässig blutreich, die letztere von normaler Consistenz. Die Luftwege zeigen oben eine blasse, unten in den Bronchien eine geröthete und aufgelockerte Schleimhaut; das Lungenparenchym ist ödematös, stellenweise collabirt, jedoch frei von festen Infiltraten. Das Herz bot nichts Abnormes. Die Magenschleimhaut blass, hie und da sieht man vereinzelte Ecchymosen. Die seröse Haut des Darmcanals ist mit frischem, zum Theil eitrig zerfallendem Exsudate bedeckt; einzelne Darmporthieen sind unter sich und mit dem Omentum verklebt. Auf der Schleimhaut des Ileums finden sich in geringer Anzahl bereits vollständig gereinigte und in der Vernarbung begriffene typhöse Geschwüre; nirgend lassen sich Spuren frischer Infiltrate auffinden, welche auf einen recidiven Typhus hingewiesen hätten. Die Mesenterialdrüsen sind mässig geschwellt. Nieren schlaff und blutreich.

Die Milz ist bedeutend vergrössert und prall gespannt, das Parenchym breiig weich und blutreich, am oberen Rande ein wallnussgrosser braunrother Infarct.

Die Leber ist ungewöhnlich schlaff, ihre Oberfläche glatt, die Ränder scharf, ihre Schnittfläche erscheint rothbraun gefärbt; einzelne Stellen sind dunkeler als ihre Umgebung und von weicherer, nahezu breiiger Consistenz. Diese Heerde sind von rundlicher Form, messen 1 bis 1½" im Durchmesser und grenzen sich von dem umliegenden festeren Parenchym ziemlich scharf ab. Die Gallenwege sind offen, die Blase enthält eine kleine Quantität blasser dünner Galle.

Die genauere Untersuchung des Leberparenchyms ergab an den festeren Stellen überall normal geformte körnige Zellen. Die erweichten Heerde enthielten solche nur sparsam; hier gewahrte man hauptsächlich feinkörnige Masse und die Detritus zerstörter Zellen, freie Kerne, Fetttröpfchen etc. Die Leber machte beim Liegen an der Luft massenhafte Ausscheidungen von Leucin und Tyrosin.

Leider wurde in diesem Falle die Untersuchung des Pfortaderblutes und der zu den Erweichungsheerden führenden Aeste dieses Gefässes versäumt; es lässt sich daher nicht entscheiden, ob hier wesentliche Anomalieen vorlagen oder nicht.

Es ist bemerkenswerth, dass bei den eben berührten Infectionskrankheiten, wenn sie mit Icterus sich verbinden, eine Reihe schwerer Symptome, wie Blutungen der Gastrointestinalschleimhaut etc., Albuminurie, Hämaturie, Suppression des Harns etc., in ähnlicher Weise sich einstellen wie beim gelben Fieber, und den schweren intermittirenden, remittirenden und recurrirenden Fieberformen, welche vorzugsweise in den Tropen heimisch sind; ein Verhalten, was verwandtschaftliche Beziehungen dieser Processe anzudeuten scheint. Anatomisch lassen sich unter solchen Umständen bei den in unserem Klima gewöhnlicheren Formen gleichzeitig mit der Intumescenz der Milz und der Lymphdrüsen acute Schwellungen der Leber und Nieren [1]) nachweisen; in beiden Organen füllen sich die Drüsenepithelien mit körniger Masse, später auch mit fettigen Ablagerungen, ihre Secretion beschränkt sich, wird zuweilen suspendirt, während bestimmte Zersetzungsproducte in ihrem Parenchym sich anhäufen.

Die Leber ist auf diese Weise bei Infectionskrankheiten des Blutes mehr oder minder lebhaft betheiligt. Beim Typhus vermindert sich frühzeitig die secernirende Thätigkeit, die Ausleerungen werden blass, bei der Obduction findet man in der Gallenblase eine graue oder grünlichgelbe Flüssigkeit, welche regelmässig Leucin enthält [2]). Aehnlich gestalten sich die Verhältnisse bei der sogen. Pyämie und verwandten Zuständen. Neben der Gallenbereitung wird die Zuckerbildung beschränkt und gewöhnlich bald vollkommen aufgehoben [3]), gleichzeitig treten in dem Drüsensafte Stoffe auf, welche un-

[1]) Von diesen drei Organen scheint die Milz am constantesten und stärksten betheiligt, sodann die Leber und endlich die Nieren. Ob dies lediglich von der Intensität der Infection oder von qualitativen Unterschieden derselben abhängt, bleibt dahingestellt. Beim gelben Fieber ist die Nierenaffection ausgeprägter und constanter als die der Milz.

[2]) Es giebt Fälle, wo eine vollständige Suspension der Absonderung eintritt und mit ihr die Folgen der Acholie. Vergl. Beob. Nr. 18.

[3]) Sie ist keineswegs immer suspendirt; beim Typhus enthielt die Leber in einem Drittheil der Fälle noch Zucker, meistens in geringer, zuweilen auch in grösserer Menge.

ter normalen Verhältnissen sowie neben anderen Krankheiten entweder fehlen oder weit sparsamer vorhanden sind. Man findet Leucin, gewöhnlich auch Tyrosin in reichlicher Menge, daneben einen dem Xanthin und Hypoxanthin in seinem Verhalten ähnlichen Körper, ferner eine eigenthümliche in gelben Kugeln anschiessende Substanz und endlich hie und da, nach Scherer, Cystin. Der Drüsensaft wird häufig neutral und ammoniakhaltig. Wir haben in dieser Hinsicht die Leber bei einer grossen Zahl von Krankheiten untersucht, wobei sich als allgemeines Ergebniss herausstellte, dass bei Typhus, pyämischer oder septischer Infection, den exanthematischen Processen, den bösartigen Intermittenten etc. die eben angegebenen Stoffe in ungewöhnlicher Menge vorkommen, während sie bei Pneumonie, Tuberkulose, organischen Herzfehlern, Dysenterie, Diabetes etc. entweder fehlen oder spärlich sich nachweisen lassen. Es ist bei dem gegenwärtigen Stande unserer Einsicht in die Vorgänge des Stoffwandels unmöglich, die Bedeutung dieser Verhältnisse nach allen Richtungen hin zu übersehen, um so mehr, als gleichzeitig auch in anderen Organen, wie in der Milz, den Lymphdrüsen und den Nieren ähnliche Producte entstehen. Von Wichtigkeit ist jedenfalls der auf diesem Wege gelieferte Nachweis localer Störungen des Stoffumsatzes, welche bei Infection des Blutes in der Leber und in anderen Gebilden auftreten. Es unterliegt keinem Zweifel, dass dieselben auf die Blutmischung zurückwirken; das Vorkommen von Leucin, baldriansauren Salzen, zuweilen auch von xanthinähnlichen Körpern im Harn beweist, dass sie nicht local beschränkt bleiben, sondern ihre Producte ins Blut und in die Excrete überführen. Die pathologische Bedeutung dieser Vorgänge wird sich indess erst dann mit einiger Sicherheit beurtheilen lassen, wenn die erst neuerdings verfolgte verschiedenartige Betheiligung des Parenchyms der einzelnen Organe und Gewebe an dem allgemeinen Stoffumsatz ihrer Art und ihrem Umfange nach im gesunden wie im kranken Zustande sich vollständig übersehen lässt.

Wir haben in der zuletzt beschriebenen Gruppe von Icterusformen die Gelbsucht als die Folge von Störungen in der Diffusion oder in dem Verbrauche der Galle kennen gelernt, welche theils vom Nervensystem aus durch dessen Einfluss auf Respiration, Blutbewegung und Secretion, theils aber und hauptsächlich vom Blute aus durch Anomalieen des Umsatzes eingeleitet werden. Von diesem Gesichtspunkte ist ihre Bedeutung aufzufassen als Symptom, welches auf jene Abnormitäten hinweist und nur in diesen therapeutisch berücksichtigt werden darf.

Die Behandlung hat die Störungen der Innervation, sowie die Anomalieen der Stoffmetamorphose etc. zu bekämpfen, von welchen die Gelbsucht abhängt. Wo die Einwirkung eine vorübergehende ist, wie bei Gemüthsaffecten, bedarf es selten einer eingreifenden Medication; die leichteren antispasmodischen Excitantien, nebst ruhigem Verhalten, einem warmen Bade etc. sind ausreichend; bei drohenden Zufällen eignen sich Aether, Castoreum, Moschus etc., eventuell die bei der acuten Leberatrophie anzugebenden Maassregeln. Bei Schlangenbiss, pyämischer Infection, Typhus und verwandten Processen ist das Grundleiden zu behandeln; die Gelbsucht als solche erheischt hier keine besonderen Hülfsmittel.

Die biliösen Fieber und die epidemischen Formen der Gelbsucht.

Es ist hier nicht der Ort, die vielgestaltigen Fieberformen ausführlich zu beschreiben, welche mit biliösen Zufällen sich verbinden, die Aufgabe, welche uns hier vorliegt, kann nur darin bestehen, die Genese des unter solchen Umständen sich entwickelnden Icterus sowie den Einfluss der galligen Beimengungen des Blutes auf den Verlauf und die Erscheinungen jener Processe zu verfolgen; überhaupt, so weit zuverlässige Materialien dazu vorhanden sind, die Rolle zu erläutern, welche die Leber und ihr Secret bei diesen Vorgängen übernimmt.

In der älteren Pathologie bildeten die biliösen Fieber, unter welchem Namen man sehr verschiedenartige Processe [1]) zusammenhäufte, welche mit Aufregung des Gefässsystems, gelber Farbe der Haut und Conjunctiva, bitterem Geschmack, galligen Ausleerungen nach unten oder oben verbunden waren, ein umfangreiches Gebiet. Die climatischen und tellurischen Verhältnisse des Landes, in welchem die Wiege unserer Wissenschaft stand, sowie desjenigen, in welchem dieselbe sich weiter entwickelte, boten reichen Stoff zu Beobachtungen dieser Art. Sie wurden von den Alten rein humoralpathologisch auf Fehler in der Quantität und Qualität der Galle, in welcher man den Schlüssel für die verschiedenartigsten Zufälle gefunden zu haben glaubte, zurückgeführt. Mit dem Ende des 17. Jahrhunderts erhoben sich gegen diese wie gegen andere Galenische Theorieen Zweifel, und Sydenham war der Erste, welcher nach Beobachtung der Epidemie von 1669 und 1670 die Ansicht auszusprechen wagte, dass die galligen Ausscheidungen oft ein nebensächliches Symptom darstellten, welches zu sehr verschiedenartigen Krankheiten sich hinzugesellen könne. Dieser Anfang, den Umfang der biliösen Fieber zu beschränken, blieb ohne grosse Folgen, weil die gallichte Constitution des 18. Jahrhunderts nicht bloss die Masse der Aerzte, sondern auch Männer wie Huxham u. A. in die alte Bahn zurücklenkte. Erst durch Selle und Stoll wurde nachhaltiger auf den Antheil hingewiesen, welchen Magen- und Darmschleimhaut an der Entstehung dieser Fieber haben; indess die Willkür, mit welcher der Letztere die verschiedenartigen Zufälle, die neben biliösen Fiebern vorkommen, durch Metastasen

[1]) On peut citer comme un rare modèle de confusion et de savante obscurité la doctrine des fièvres dites bilieuses. Pinel (Nosograph. philos. T. I, p. 41).

gallichter Stoffe erklärte[1]), war wenig geeignet, den weiteren Fortschritt zu fördern. Bestimmter als alle Früheren sprach Pinel sich dahin aus, dass der Hauptsitz dieser Krankheiten in den Verdauungsorganen und zwar besonders im Magen und Duodeno zu suchen sei. Broussais ging noch einen Schritt weiter und erklärte diese Fieber, deren Essentialität er in Abrede stellte, für die Folge einer Entzündung der Gastrointestinalschleimhaut mit übermässiger Secretion von Galle. Diese Ansicht fand bald eine weite Verbreitung; in Deutschland war es hauptsächlich der Autorität von P. Frank zuzuschreiben, dass man die biliösen Fieber allgemein als eine Abart des fieberhaften Gastroenterocatarrhs und den Icterus als einen catarrhalischen zu betrachten sich gewöhnte. Dass diese Auffassung einseitig sei, unterliegt keinem Zweifel. Denn wenn auch von einer ontologischen Selbstständigkeit dieser Processe, wie sie noch in neuerer Zeit Littré festzuhalten sich bemühte, keine Rede sein kann, so weist doch die Häufigkeit, in welcher die Gelbsucht hier vorkommt, darauf hin, dass die Betheiligung der Leber für keine zufällige gelten könne, sondern ein engerer Causalnexus bestehe. Welcher Art dieser sei, kann nur eine sorgfältige Analyse der bisherigen Beobachtungen lehren.

Die Beschreibungen, welche von den Alten uns überliefert wurden, sind für diesen Zweck unbrauchbar, ebenso wenig genügen die von Tissot[2]), Stoll[3]), Finke[4]) und Pringle hinterlassenen Schilderungen, weil, was bereits Rayer mit Recht hervorhob, von ihnen verschiedenartige Processe zusammengeworfen und die anatomische Grundlage zu wenig berücksichtigt wurden. Die besseren Materialien finden sich in den Berichten über Krankheiten tropischer Klimate von Annesley[5]), Boudin[6]), Haspel[7]) und vor allen von Griesinger[8]), denen sich die Schriften über das gelbe Fieber[9]) und ein Theil der Monographieen über die epidemischen Sumpffieber Hollands im Jahre 1826 anreihen.

[1]) Ad encephalum delata humoris biliformis portio deliria, phrenitides, apoplexias, genus omne convulsionum facit, ad fauces anginam, ad thoracem tussin, pleuritidem etc.

[2]) Tissot, Dissert. de febrib. bilios. anoma. seu histor. epidem. bilios. Lausann. 1758.

[3]) M. Stoll, Aphorism. de cognosc. etc. 1797.

[4]) L. Finke, De morb. bilios. anom.

[5]) Annesley, Researches into cause nature and treatment of the most prevalent diseases of India. Vol. II. p. 419.

[6]) Boudin, Traité des fièvres intermittentes etc. Paris 1842.

[7]) Haspel, Maladies de l'Algérie. Tom. II. p. 151.

[8]) Griesinger, Das biliöse Typhoid, Archiv f. phys. Heilk. Von Vierordt 1853. Heft 1 u. 2. Ferner Handbuch der spec. Path. u. Therapie, redig. v. Virchow. 2. Bd. 2. Abth. Die Infectionskrankh. von demselben.

[9]) La Roche, Yellow fever. Philadelph. 1855.

Die fieberhaften Processe, welche vorzugsweise häufig mit biliösen Zufällen sich verbinden, haben, so verschiedenartig sie auch in vielen Beziehungen sich gestalten, manches Gemeinsame. Sie gehören ohne Ausnahme zu den Infectionskrankheiten, vermittelt durch die Aufnahme von deletären Stoffen, von Miasmen, zum Theil, wie es scheint, auch von Contagien; sie sind vorzugsweise in den Sumpf- und Marschdistricten heisser Klimate heimisch und treten in kälteren Gegenden nur dann epidemisch in grösserem Maassstabe auf, wenn besondere Umstände die Entstehung deletärer Effluvien und ihre Einwirkung auf Menschen zu einer bedeutenden Höhe steigert. Ihren Ausgangspunkt nehmen sie von Veränderungen der Blutmischung, zu welcher sich locale Läsionen, besonders der Milz und Leber, oft auch der Nieren, hinzugesellen. Zu hoher Intensität gediehen, veranlassen die hierher gehörigen Processe einen in vielen Punkten gemeinsamen Symptomencomplex: Icterus, Magen- und Darmblutung, Petechien, schwere Nervenzufälle, Albuminurie, Suppression der Harnabsonderung etc. Meistens zeichnet sich überdies das Fieber durch einen eigenthümlichen Verlauf aus, dasselbe lässt plötzlich nach, entweder ohne wiederzukehren (gelbes Fieber), oder mit neuen Paroxysmen, welche bald einen Typus einhalten (intermittirende und remittirende Formen), bald dagegen nach Art von Recidiven ohne Typus sich erneuern (Relapsing-fever, recurrirende Fieber). Neben diesen gemeinsamen Charakteren bestehen indess wesentliche Differenzen, welche eine strenge Sonderung der Formen nothwendig erscheinen lassen.

Man beobachtet biliöse Zufälle als gewöhnliche Begleiter zunächst:

1) neben intermittirenden und remittirenden Sumpffiebern,

besonders der Tropenländer. Sie kommen hier bald häufiger,

bald seltener vor, ohne dass sich ein bestimmter Grund nachweisen liesse. Boudin sah sie in Algier zeitweise in $^7/_{10}$ der Intermittensfälle. Unter kälteren Himmelsstrichen erreichen sie nur ausnahmsweise in einzelnen Epidemieen eine bedeutende Frequenz, so in der Küstenepidemie, welche im Jahre 1826 an der Nordsee von der Eider bis zur Schelde herrschte, in der von Mende zu Greifswald beschriebenen vom Jahre 1807 etc.

Der Einfluss, welchen das Hinzutreten der biliösen Zufälle auf den Verlauf und die Ausgänge des Fiebers äussert, ist noch nicht genügend durch die Beobachtung festgestellt; im Allgemeinen scheint derselbe nicht wesentlich zu sein, weil die schweren Zufälle, welche hier vorkommen, fast alle auch ohne Icterus auftreten; nur wo die localen Veränderungen der Leber einen hohen Grad erreichen, manifestiren sich die Folgen deutlicher. Ausserdem kann nach den Erfahrungen von Annesley das massenhaft in den Darmcanal übertretende Lebersecret Entzündung der Schleimhaut, Dysenterie etc. veranlassen. Neben leichteren Formen, welche bei zweckmässiger Behandlung rasch vorübergehen, kommen schwere, mit typhoiden Zufällen und örtlichen Localisationen verschiedener Art vor, darunter Formen, bei welchen Petechien entstehen, Blutungen aus Magen und Darmcanal erfolgen, der Urin eiweisshaltig oder blutig, zuweilen auch vollständig in der Absonderung unterdrückt wird. Solche malignen Fälle haben in ihren Erscheinungen grosse Aehnlichkeit mit dem gelben Fieber, unterscheiden sich jedoch wesentlich von diesem durch die anatomische Grundlage und den abweichenden Verlauf des Fiebers. Die leichteren Formen zeigen meistens den einfachen oder doppelten Tertiantypus, selten den der Quotidiana oder Quartana[1]), schwerere, namentlich solche, welche mit örtlichen Störungen verbunden sind, treten meistens als remittirende oder anhaltende Fieber auf.

[1]) Bei Quartantypus sah ich die Gelbsucht intermittiren, sie verblasste während der fieberfreien Zeit, um mit dem Paroxysmus von [illegible]m hervorzutreten.

Der Icterus entsteht nicht immer auf demselben Wege: in manchen Epidemicen leichterer Art ist es der das Fieber begleitende intensive Gastroduodenalcatarrh, welcher durch Erschwerung der Gallenexcretion die Gelbsucht veranlasst; hier sind die Ausleerungen träge und gallenarm; gewöhnlich liegen tiefere Läsionen zu Grunde. Neben der acuten Schwellung und Erweichung der Milz, welche oft mit keilförmigen Infarcten, häufiger noch mit massenhafter Pigmentbildung verbunden ist, findet man die Leber gewöhnlich hyperämisch geschwellt, erweicht, ihre Gefässe oft mit Pigmentschollen gefüllt (vergl. Taf. IX.), hie und da beobachtet man im Parenchym der Drüse Blutextravasate oder Abscesse. In anderen Fällen, besonders in solchen, welche einen protrahirteren Verlauf nehmen und von reichlicher Magen- und Darmblutung begleitet sind, wird die Leber blutarm und icterisch gefunden. Die Gallenwege pflegen frei, die Blase gefüllt, die Darmcontenta mit Galle überladen zu sein. Auf den Verlauf dieser Formen äussert das Chinin, in geeigneter Weise angewandt, einen günstigen Einfluss.

Verwandt in Bezug auf die anatomische Grundlage und die Wirksamkeit des Chinins, wenn auch in anderer Beziehung dem Typhus näher stehend, ist

2) das recurrirende Fieber,
relapsing-fever, fièvre à rechûtes,

welches durch die Häufigkeit des begleitenden Icterus sich vorzugsweise auszeichnet. Man hat erst in neuerer Zeit diese regelmässig in getrennten Anfällen nach Art von Recidiven auftretende Form genauer vom Typhus und den Intermittenten unterschieden, obgleich Beobachtungen älteren Datums vielfach vorliegen [1]. Veranlassung dazu gaben die grossen Epi-

[1] Vergl. Hildebrand über den ansteckenden Typhus. Wien 1815. Larrey, Mémoires de chirurg. milit., Paris 1812.

demieen, welche seit 1843 in Schottland und Irland, sowie in London herrschten [1]). Biliöse Beschwerden, wie Gelbsucht, gallichte Ausleerungen nach oben und unten etc., stellen sich während des ersten oder zweiten Paroxysmus ein; ihre Frequenz ist sehr verschieden; in einzelnen Epidemieen Schottlands waren sie fast constant, weshalb man die Krankheit mild yellow fever nannte, in anderen, wie in London, sah Jenner sie bei ein Viertel der Fälle, hie und da auch seltener. Unter den im Allgemeinen wenig auffallenden anatomischen Läsionen pflegt Milzanschwellung, welche nicht selten einen sehr hohen Grad erreicht und mit Infarctenbildung sich verbindet, die hervorstechendste zu sein. Die Leber wurde bald hyperämisch geschwellt, bald dagegen schlaff, blass und gelb gefunden; dabei waren die Gallengänge wegsam, die Blase meistens mit dunkelem Secret gefüllt. Aehnlich wie bei der ersten Gruppe kommen auch hier neben Icterus unter Umständen Hämorrhagieen aus Magen, Darm und anderen Organen vor, sowie Störungen der Nierenthätigkeit, Lumbarschmerz, Dysurie, Harnretention etc., zu welchen sich Somnulenz und Coma hinzugesellen. Die Ursache der beeinträchtigten Harnabsonderung ist noch nicht mit genügender Schärfe verfolgt; Cormack und andere schottische Aerzte haben in Fällen, wo dem Tode Coma und Convulsionen vorausgingen, Harnstoff im Serum der Hirnhöhlen und im Blute nachgewiesen, was auf tiefere Läsionen der Nieren schliessen lässt, als dem anatomischen Befunde derselben, soweit darüber die Berichte Auskunft geben, entsprechen würde. In weit ausgebildeterem Maassstabe finden wir diese Harnretention und ihre Folgen im gelben Fieber wieder.

An die Febris recurrens reiht sich vermöge des durch zwei oder mehre Anfälle ausgezeichneten Verlaufes, sowie in Bezug auf die anatomische Grundlage das von Griesinger

---

[1]) Cormack. Nat. history, pathology etc. of the epidemic fever. Edinb. 1843. Dublin. Journ. 1849. Lange, Beobachtungen am Krankenbette, Königsberg 1850.

in Aegypten beobachtete und von ihm zuerst genauer beschriebene biliöse Typhoid, welches, wie die Erfahrung von Lange in Königsberg lehrt, auch in unserem Klima epidemisch auftreten kann. Auch hier bilden Läsionen der Milz und der Leber den wichtigsten Theil des Befundes: die Milz vergrössert sich in wenigen Tagen auf das Fünf- bis Sechsfache des normalen Umfanges, ihr Gewebe wird mit grossen Infarcten durchsetzt, die Malpighischen Bläschen füllen sich nicht selten mit fibrinösem, allmälig eiterig zerfallendem Exsudat. Die Leber wird anfangs turgescent und blutreich, später blutarm, collabirt und icterisch gefunden; die Gallenwege sind frei und meistens mit Secret überfüllt. In ähnlicher Weise wie die Leber werden die Nieren frühzeitig vergrössert, ihr Drüsenepithel füllt sich wie das der Leber mit Fetttröpfchen. Nebenher entwickeln sich zuweilen Infiltrationen der Mesenterialdrüsen, Verschwärungen des Kehlkopfes, wie sie beim Typhus vorkommen, ausserdem Exsudativprocesse in verschiedenen Organen, pyämische Heerde etc. Gelbsucht und gallige Ausleerungen nach unten und oben sind gewöhnliche, jedoch nicht constante Begleiter dieser Fieberform, blutiges Erbrechen kommt selten vor, der Harn enthält hie und da Eiweiss oder Blut. Grosse Gaben von Chinin äussern nach Griesinger's Erfahrungen auf den Verlauf des biliösen Typhoids unverkennbar einen günstigen Einfluss, bei den recurrirenden Fiebern Schottlands scheint dies nicht immer der Fall zu sein.

3) Das gelbe Fieber.

In den Erscheinungen hat das gelbe Fieber mit manchen Fällen des biliösen Typhoids eine auffallende Aehnlichkeit. Auch hier hört das Fieber nach zwei bis drei Tagen auf, jedoch meistens, um nicht wiederzukehren. Die den Icterus begleitenden schweren Zufälle, welche bei den bisher berührten. Formen seltener vorkamen, wie die Blutungen aus Magen und Darm, ferner die auf Störungen der Nierenaction hinweisenden Symptome, Lumbarschmerz, Albuminurie, Hämaturie, Suppression des Harns sind hier regelmässig vorhanden, tiefe Alterationen der Nerventhätigkeit stellen sich vielfach ein, meistens unter Verhältnissen, welche einen urämischen Ursprung derselben vermuthen lassen. Roche fand im Urin nur Spuren von Harnstoff [1]), im Blute wurden grössere Mengen gefunden. Lallemant [2]) berichtet von dem penetranten urinösen Geruch, welchen der Schweiss und andere Secrete der Gelbfieberkranken verbreiten.

Die anatomischen Läsionen sind von denen der remittirenden und recurrirenden Fieber insoweit wesentlich verschieden, als die Milzanschwellung, welche bei diesen in den Vordergrund tritt, bei dem gelben Fieber zu fehlen pflegt. Die Leber ist anfangs hyperämisch geschwellt, später blutarm, gelb, von normalem Umfange oder etwas kleiner, die Zellen derselben fand man blass, meistens kernlos, arm an granulirtem Inhalt, oft mit Fetttröpfchen gefüllt; die Gallenwege frei, die Blase bald strotzend, bald leer. Die Nieren zeigen meistens die Spuren einer acuten Infiltration.

Es unterliegt keinem Zweifel, dass bei den eben aufgezählten Krankheitsprocessen die biliösen Erscheinungen nicht als zufällige Complicationen anzusehen seien, sondern in engerer Beziehung zu dem Grundleiden stehen. Die Infection des Blutes, welche wir als Ausgangspunkt jener Vorgänge betrachten, manifestirt sich zunächst durch locale Läsionen der Milz und der Leber, oft auch der Nieren, welche ihrerseits wiederum Störungen besonderer Art nach sich ziehen. Möglich ist es, dass jene drei Organe gegenseitig auf einander

---

[1]) Genauere Untersuchungen des Harns beim gelben Fieber würden von grossem Interesse sein, um so mehr, als bei der acuten Atrophie der Leber sehr merkwürdige Veränderungen hier vorkommen, vergl. Acholie.

[2]) Mündliche Mittheilungen.

influiren, dass die Erkrankung des einen die des anderen in ihrem Gefolge hat.

Die Veränderungen, welche in der Leber gefunden werden, geben für die Erklärung der Gelbsucht durch einen Catarrh der Gallenwege keinen Raum; ebensowenig rechtfertigen sie die Annahme einer Suppression der Gallenabsonderung; bei den intermittirenden und remittirenden, sowie den recurrenten Fiebern spricht im Gegentheil die Beschaffenheit des Darminhalts, sowie das Verhalten der Gallenwege für eine Steigerung der Absonderung, für eine wahre Polycholie [1]). Ob dieselbe lediglich als eine Folge der Hyperämie des Organs anzusehen sei, oder ob die massenhafte Bildung von Umsetzungsproducten in der hyperämisch geschwellten Milz dazu beitrage, kann erst dann mit Sicherheit entschieden werden, wenn die Beziehungen der in der Milz entstehenden Stoffe zur Gallenbildung klarer sich übersehen lassen, als es bisher möglich war. Für die Erklärung des Icterus sind unter den vorliegenden Verhältnissen hauptsächlich zwei Momente zu berücksichtigen: zunächst die vermehrte Gallenabsonderung, welche durch Ueberfüllung der für die Fortschaffung nicht genügenden Gallenwege zur Resorption Anlass giebt; sodann dieselben Bedingungen, welche bei Typhus, Pyämie und verwandten Processen die Gelbsucht vermitteln: Infection des Blutes, Beschränkung der Nierensecretion etc.

Die im weiteren Verlauf dieser Krankheiten eintretende Anämie und der Collapsus der Leber, sowie der Nachlass der Absonderung, dürften in der Consumption des Blutes durch den Milztumor, zum Theil auch in der Magen- und Darmblutung eine genügende Erklärung finden. Eine acute Atrophie im engeren Sinne des Worts, für welche Griesinger diesen Zustand zu nehmen geneigt ist, kann ich darin nicht sehen, weil die Leberzellen erhalten bleiben.

---

[1]) Vergl. Annesley a. a. O. Vol. I, p. 297, Vol. II, p. 429; ferner Griesinger a. a. O.

Etwas anders gestaltet sich die Sache beim gelben Fieber: hier pflegt die Veränderung der Milz zu fehlen; sichere Anzeichen einer übermässig gesteigerten Gallenabsonderung sind gewöhnlich nicht vorhanden, wenn auch andererseits die gallige Färbung der Ausleerungen und das Gefülltsein der Blase mit dunkelem Secret die Annahme einer Suppression der Absonderung, welche man hie und da für die Erklärung des Icterus zu Hülfe rief, nicht das Wort redet. Damit würde auch das anatomische Verhalten der Leber nicht übereinstimmen; tiefere Texturveränderungen wurden in derselben bislang vergebens gesucht. Die während der ersten Periode der Krankheit bestehende Hyperämie weicht im weiteren Verlauf dem anämischen Collapsus, welcher mit gallichter Durchtränkung verbunden ist, jedoch keineswegs mit den Charakteren der acuten Atrophie: die Zellen sollen nach Blache wohl erhalten, wenn auch blässer, und zum Theil fetthaltig sein. Für die Genese des Icterus bleibt, so weit die bisherigen Forschungen reichen, ausser der tiefen Alteration der Säftemischung, nur die anomale Blutvertheilung übrig, welche hier durch die wegen profuser Gastrorrhagie sehr schwankenden Druckverhältnisse des Pfortaderblutes vorzugsweise geeignet sind, den galligen Inhalt der Leberzellen in das Gefässsystem überzuführen.

Es bleibt uns noch übrig, die Ursache der Nervenzufälle, der Delirien, Somnulenz und des Comas zu berühren, welche neben den mit Icterus verbundenen Fiebern häufig beobachtet werden [1]). Man hat bei der Deutung derselben von jeher die Aufnahme der Galle ins Blut beschuldigt und noch in neuester Zeit die mit typhoiden Erscheinungen verbundenen Formen der Gelbsucht als Icterus gravis, typhoides zu einer Gruppe vereinigt. Ob mit Recht oder Unrecht, wird die Erörterung dessen, was man cholämische Intoxication genannt hat, lehren.

---

[1]) In Bezug auf die Ursache der Blutungen verweise ich auf das folgende Capitel.

Nach einer von der ältesten Humoralpathologie herstammenden Tradition kann die Galle, wenn sie im Blute sich anhäuft oder bestimmte Veränderungen erleidet, nervöse Störungen verschiedener Art, Cephaläe, Delirien, Convulsionen etc. veranlassen[1]. Diese Ansicht behielt mit wenigen Unterbrechungen auch nach dem Aufhören der Galenischen Autorität allgemeine Geltung. Die Zweifel, welche ihrer Zeit Paracelsus und van Helmont aussprachen, fanden wenig Anklang, schon Sylvius schrieb der Galle wiederum narcotische, comatöse Fieber veranlassende Kräfte zu. Boerhaave und van Swieten[2] beriefen sich in Bezug auf die gefährlichen Wirkungen dieses Secrets auf das Zeugniss der Alten, und Morgagni[3] nennt bei der Beschreibung eines tödtlich abgelaufenen Falles von Icterus die Galle eine „materies acrior cerebrum maxime afficiens". In ähnlicher Weise erklären Stoll und Sarcone das Leberseeret und ihre Derivate für die Ursache von Convulsionen und anderen schweren Zufällen. In neuerer Zeit war man bemüht, die verschiedenen Qualitäten der Galle, an welche Jahrhunderte hindurch die Meister der ärztlichen Kunst geglaubt hatten, durch eigene Anschauung kennen zu lernen, die Ausbeute blieb indess so spärlich, dass von dieser Seite auch für die Zukunft schwerlich wichtige Aufklärungen zu erwarten sein dürften[4].

Die Versuche, durch Injection von Galle ins Blut ihre Wirkung auf die Nerven etc. genauer kennen zu lernen, waren von ungleichem Erfolge, aus ihnen liessen sich sichere Schlüsse

---

[1]) Bilis ut plurimum hominum insaniae causa. Hippocr. edid. Kühn III, 799. Bilis ad caput recurrens delirii causa. Galen. Ed. Kühn XV, 741, 598.

[2]) Van Swieten Comment. T. I, p. 141, T. II, p. 271, T. III, p. 499.

[3]) Morgagni, de sedib. et causs. morb., Epist. 37.

[4]) Ich habe die Galle aus einer grossen Anzahl von Leichen untersucht und zum grösseren Theil durch Herrn Dr. Valentiner untersuchen lassen. Wir fanden in seltenen Fällen Eiweiss, ferner Zucker und bei typhösen Processen Leucin, in der Regel aber, abgesehen von der wechselnden Concentration und den verschiedenen bald krystallinischen, bald amorphen Farbstoffen, nichts Abweichendes.

nicht ziehen. Zwar sah Déidier[1]) Hunde, denen er die Galle von Pestkranken injicirt oder in frische Wunden gebracht hatte, zu Grunde gehen, ebenso starben die Thiere, denen Magendie[2]) Galle einspritzte; allein Goupil machte entgegengesetzte Erfahrungen, und Bouisson[3]) wies nach, dass der Tod nur dann erfolge, wenn die Flüssigkeit nicht vorher von gröberen Formbestandtheilen befreit, die Veranlassung von Verstopfung der Lungencapillaren also nicht vermieden war. In neuester Zeit wurden diese Experimente durch Th. von Dusch[4]) vielfältig wiederholt, die Ergebnisse blieben unbestimmter Art: Kaninchen gingen in der Regel unter tetanischen Krämpfen zu Grunde, während bei Hunden meistens nur vorübergehendes Unwohlsein und Erbrechen sich einstellte. Meine eigenen Erfahrungen, welche auf eine lange Reihe von Injectionsversuchen sich stützen, sprechen für eine vollkommene Unschädlichkeit der Anhäufung von Gallensäuren und deren Derivate im Blute. Wenn mit den nöthigen Cautelen reine, von Schleim und Epithelien befreite Galle oder eine Lösung von gallensaurem Natron oder von deren nächsten Derivaten in die Venen gebracht wurde, so traten niemals auffallende Störungen der Nerventhätigkeit oder irgend welcher Function ein. Bemerkenswerth war nur, dass die Thiere unmittelbar nach der Einspritzung mit der Zunge leckten, ein Zeichen der vom Blute aus erregten bitteren Geschmacksempfindung, und dass sie einen Harn liessen, welcher flockige Ausscheidungen von Gallenpigment fallen liess und aufgelöstes Blutroth nebst Spuren von Leucin enthielt[5]).

---

[1]) De bile peste emortuorum experimenta. Halleri Bibl. anat.

[2]) Préces de physiol. T. II, p. 260.

[3]) De la bile 1843, p. 60.

[4]) Untersuchungen und Experimente als Beitrag zur Pathol. des Icterus etc. Leipzig 1854.

[5]) Im Ganzen wurden zwischen 30 und 40 Injectionsversuche ausgeführt, ein grosser Theil derselben weniger um den Einfluss der Galle auf die Functionen der Nerven etc. zu beobachten, als um die Umwandlung der farblosen Gallensäuren in Gallenpigment weiter zu verfolgen. Es ist selbstverständlich, dass die Lösung unmittelbar vor der Injection filtrirt wurde; überdies darf dieselbe nicht zu con-

Wir dürfen aus diesem Grunde die Anhäufung von Galle im Blute nicht als die Ursache von typhoiden Symptomen betrachten, sondern sehen uns genöthigt, das Vorkommen einer cholämischen Intoxication überhaupt in Frage zu stellen.

Bei den in Rede stehenden Fiebern kann von einer solchen um so weniger die Rede sein, als neben den von biliösen Erscheinungen begleiteten Formen ähnliche mit denselben typhoiden Zufällen vorkommen, bei welchen der Icterus fehlt, die Galle also nicht als Erklärungsgrund gelten kann. Wir sind daher in der Lage, jene dunkelen Alterationen der Blutmischung zu beschuldigen, welche wir den bösartigen Intermittenten, den Typhen etc. zu Grunde legen. Wo wie beim gelben Fieber und hie und da auch bei den anderen Formen anhaltende Suppression des Harns, oder wie beim biliösen Typhoid pyämische Infection vorkommt, ist die Erklärung der Somnulenz und des Coma's nahe gelegt.

Die bisher erörterten Formen gehörten grösseren Theils den heisseren Himmelsstrichen an, in gemässigten Klimaten kommen von ihnen, wenn wir die Epidemieen der Febr. recurrens in Schottland und Irland und des biliösen Typhoids in Königsberg ausnehmen, nur selten Beispiele vor. Die epidemischen Formen der Gelbsucht, welche man in Deutschland und Frankreich beobachtete, unterscheiden sich von ihnen in vielen Stücken.

Zu den bekanntesten derselben gehört:

1) die Epidemie in Essen vom Jahre 1772, welche von Brünning (De Ictero spasmodico epidemico Essendiae) beschrieben wurde. Sie befiel vorzugsweise das zarte Kindesalter und zeichnete sich durch intermittirenden Typus aus; Spasmen verschiedener Art, zuweilen auch Delirien, gesellten sich hinzu. Eine grosse Anzahl von Kindern ging zu Grunde.

2) Die Epidemie in Lüdenscheid, von Kerksig (Hufe-

centrirt sein, weil sie dann eine schleimige Beschaffenheit annimmt und leicht zu Kreislaufsstörungen Anlass giebt. Daraus erklären sich vielleicht die zum Theil abweichenden Ergebnisse, welche von Dusch erzielte.

land's Journ., Bd. VII) beschrieben, verlief sehr milde; unter siebenzig Kranken starb einer. Der Icterus entwickelte sich gewöhnlich ohne Fieber, nachdem acht bis vierzehn Tage, zuweilen auch noch länger, als Vorläufer die Symptome des Gastrocatarrhs bestanden hatten; die Stühle waren blass. Kinder blieben vollständig verschont, von fünf Schwangeren, welche erkrankten, abortirten drei, davon wurden zwei am dritten Tage nach der Entbindung von Fieber befallen, welches, nachdem Delirium und Coma hinzugetreten war, tödtlich endete.

3) In der Epidemie zu Greifswald im Jahre 1807 und 1808, welche Mende (Hufeland's Journ., Bd. XXXI) beobachtete, bestand der vierte Theil aller Kranken aus Icterischen. Die Gelbsucht war theils fieberlos, theils mit Fieber verbunden von bald remittirendem, bald intermittirendem Typus. Im letzteren Falle herrschte der Tertiantypus vor. Während der Intermission trat die icterische Färbung nicht selten zurück, um im Paroxysmus wiederzukehren, in anderen Fällen blieb sie. Ein Kranker starb unter schweren Nervenstörungen.

4) Die Epidemie in Chasselay, welche Chardon beobachtete (Bulletin de l'Acad. de Médic. 1842, T. I, p. 112), war höchst unbedeutend. Der Icterus begann mit Gastricismus und war nicht von Fieber begleitet; die Stühle waren in allen Fällen blass. Ein Todesfall kam nicht vor.

5) Während der Küstenepidemie, welche im Jahre 1826 im nordwestlichen Deutschland und Holland herrschte [1]), kamen biliöse Fieber vielfach neben Wechselfieber und Remittenten vor, sie hatten gewöhnlich den Typus tertianus duplex oder remittens. Aehnliche Formen kommen noch gegenwärtig zeitweise in jenen Marschdistricten vor, wo ich sie wiederholt zu behandeln Gelegenheit hatte.

Die anatomische Grundlage des Icterus in den eben angegebenen Epidemieen ist sehr unvollkommen gekannt, wes-

[1]) Popken, Historia epidem. malignae Jeverae observat. 1826.

halb auch das Urtheil über die Genese desselben in vieler Beziehung unsicher bleiben muss. Bemerkenswerth ist auch hier das Vorherrschen des intermittirenden Fiebertypus und die oft wahrgenommene Zunahme der Gelbsucht während der Paroxysmen. In der Küstenepidemie von 1826 waren die constantesten Läsionen bedeutende Vergrösserung und Erweichung der Milz nebst Hyperämie der Leber; wir finden also in geringerem Maasse dieselben Veränderungen, wie bei den tropischen Formen. Nach der Ueberschwemmung in Schlesien vom Jahre 1854 hatte ich reiche Gelegenheit, Beobachtungen über maligne intermittirende und remittirende Fieber, von welchen auch einzelne mit biliösen Zufällen verbunden waren, zu sammeln. Die Obduction ergab hier neben Milz- und Leberhyperämie massenhafte Anhäufungen von schwarzem Pigment in der Milz und im Blute, sowie in den übrigen Organen, besonders der meistens erweichten Leber, deren Capillaren grösseren Theils damit gefüllt gefunden wurden. Während des Lebens waren Delirien, Convulsionen und Coma vielfach vorhanden, jedoch zeichneten sich die mit biliösen Erscheinungen verbundenen Fälle in dieser Beziehung nicht vor denen aus, welche ohne solche verliefen (vergl. das Weitere Cap. VIII.). Die Epidemieen in Lüdenscheid und Chasselay, welche fieberlos verliefen, mit Gastrointestinalcatarrh begannen und von grauen Ausleerungen begleitet waren, reihen sich allem Anscheine nach dem einfachen catarrhalischen Icterus an und zeichnen sich nur durch ihre grosse Verbreitung aus.

Anhang.

1. Gelbsucht bei Neugeborenen,
Icterus neonatorum.

Bei Neugeborenen beobachtet man eine gelbe Färbung der Haut, der Conjunctiva und des Harns durch Gallenbraun, wodurch sich hier wie überall der Icterus charakterisirt und von anderen gelben Pigmentirungen unterscheidet, verhältnissmässig häufig. Dieselbe steht in der Regel mit Veränderungen, welche die Function der Leber sowie die Circulation bei der Geburt erleidet, in causalem Zusammenhange. Wenn wir von den selteneren Veranlassungen absehen, welche in dieser, wie in jeder anderen Lebensperiode Gelbsucht herbeiführen können, als da sind: Catarrh der Gallenwege, Verschliessung derselben durch eingedickte Galle oder durch Concremente, von denen Lieutaud, Portal, Cruveilhier und Bouisson[1]) Beobachtungen mittheilen; ferner angeborene Obliteration der Gallenwege[2]), Verdickung der Glisson'schen Capsel und Cirrhosis hepatis congenita[3]); so finden wir den Icterus neonatorum bald als Folge von Phlebitis umbilicalis, bald dagegen als eine Nebenwirkung der bei der Geburt im kindlichen Organismus erfolgenden Umwälzungen, eine zwiefache Genese, welche schon die älteren Autoren durch die Unter-

[1]) De la bile p. 187.

[2]) Donop, De Ictero speciatim neonatorum Diss. Berol. 1828. Campbell, Northern Journ. of Med. 1844, Aug. Es ist bemerkenswerth, dass Kinder bei Abschluss der Galle vom Darm viel früher, und zwar meistens unter Blutungen aus den Nabelgefässen, zu Grunde gehen, als Erwachsene.

[3]) F. Weber, Beiträge zur path. Anat. der Neugeborenen, III. Lief. S. 47.

scheidung schwerer und leichter Formen dieser Affection andenteten. Die von der Umbilicalphlebitis abhängige Gelbsucht wird vermittelt durch pyämische Infection, welche zu diesem Process hinzutreten kann, sie hat die Eigenthümlichkeiten des pyämischen Icterus an sich und endet wie dieser fast ohne Ausnahme mit dem Tode. Die gelbe Färbung ist hier eine untergeordnete Erscheinung im Syptomencomplex der Phlebitis.

Die gewöhnliche Form des Icterus der Neugeborenen gestaltet sich ganz anders, sie stellt eine unbedeutende, meist ohne Kunsthülfe günstig vorübergehende Affection dar, welche nur in Bezug auf ihr Zustandekommen ein Gegenstand der Controverse blieb. Man beschuldigt Anhäufung von Meconium (P. Frank), Catarrh des Duodenums und der Gallenwege, Spasmus der letzteren, Polycholie etc.; allein für die Mehrzahl der Fälle lässt sich die Annahme dieser Causalmomente durch die Symptome so wenig, wie durch den Obductionsbefund rechtfertigen.

Die gewöhnliche Veranlassung des Icterus neonatorum dürfte in der verminderten Spannung der Capillaren des Leberparenchyms zu suchen sein, welche beim Aufhören des Zuflusses von Seiten der Umbilicalvene sich einstellt und vermehrten Uebertritt von Galle ins Blut veranlasst. Bei ausgetragenen lebenskräftigen Kindern gleicht sich diese Störung bald wieder aus, bei Frühgeburten, deren Respiration langsam sich entwickelt, bei welchen die Foetalwege längere Zeit offen bleiben, entwickelt sich ein mehr oder minder starker Grad von Gelbsucht. Diese letzteren sind daher dem Icterus ausgesetzt, was auch Bednar [1]) und West [2]) mit Recht hervorheben.

Der Icterus neonatorum stellt sich gewöhnlich bald, zuweilen schon einige Stunden nach der Geburt ein, oder die

[1]) Krankh. der Neugeborenen, IV, S. 194.
[2]) Pathologie der Kinderkrankh., Deutsch von Wegner, S. 396. West legt auf die gestörte Respiration und Hautthätigkeit ein grosses Gewicht.

Farbe tritt gegen den dritten Tag deutlicher hervor und dauert dann in der Regel eine bis zwei Wochen. Die Haut und das Auge färben sich mehr oder minder stark icterisch, ebenso wird der Harn tiefer gelb, ohne jedoch, was aus der grossen Verdünnung erklärlich ist, das dunkele Braun anderer Formen der Gelbsucht zu zeigen, oft auch ohne deutliche Reaction auf Gallenpigment. Die Stuhlausleerungen pflegen anfangs angehalten und blässer zu sein, später erscheinen sie von normaler Färbung; hie und da auch intensiver tingirt als gewöhnlich. Das Allgemeinbefinden bleibt dabei ungetrübt; Veränderungen in der Pulsfrequenz werden meistens nicht bemerkt. Bestimmte äussere Veranlassungen sind gewöhnlich nicht nachzuweisen; indess ist mangelhafte Pflege, die Einwirkung kalter oder verdorbener Luft, wie die Statistik der Findelhäuser lehrt, von wesentlichem Einfluss.

Bei dieser einfachen Form des Icterus der Neugeborenen bedarf es kaum einer Therapie. Leicht eröffnende Medicamente, wie Syr. rhei, nöthigenfalls eine kleine Gabe Calomel mit Magnesia, später ein Paar warme Bäder nebst einfachen Diaphoreticis, umfassen Alles, was unter solchen Umständen nöthig zu sein pflegt.

2. Gelbsucht bei Schwangeren,
Icterus gravidarum.

Während der Schwangerschaft und abhängig von ihr kommen zwei Formen von Gelbsucht vor, welche in ihren Erscheinungen und Ausgängen sehr different sich gestalten, eine einfache leichte und eine mit tiefer Läsion des Leberparenchyms verbundene, fast ohne Ausnahme mit dem Tode endende Form.

Die erstere entsteht am häufigsten in den späteren Monaten der Gravidität und wird dadurch veranlasst, dass der ausgedehnte Uterus oder angesammelte Fäcalstoffe im Colon eine Compression der Gallenwege herbeiführen, welche die freie Entleerung des Lebersecrets beschränkt [1]).

Zuweilen entsteht die Affection in früheren Perioden der Schwangerschaft, und als Ursache lässt sich ein Catarrh der Gallenwege oder eine Gemüthsbewegung nachweisen. Diese einfache Form des Icterus verläuft ohne Folgen, mit der Entbindung verliert sie sich, wenn sie nicht früher den eröffnenden Mitteln von selbst wich [2]). Die zweite Form macht ihren Verlauf unter schweren nervösen Störungen, und beruht, so weit die Fälle bis jetzt untersucht sind, auf acuter Atrophie der Leber in Folge von parenchymatoser Entzündung des Organs, bei ihr sind gleichzeitig in der Regel die Nieren erkrankt (vergl. Acholie).

[1]) Diese Ansicht wurde schon von van Swieten (Comment. ad Boerh. aphor., Tom. III, p. 95) ausgesprochen. Virchow (Gesammelte Abhandl. S. 757) beobachtete Gelbsucht an einer Schwangeren, bei welcher ein Schnürlappen der Leber nebst der Blase in der Weise nach oben umgeklappt war, dass in Folge der Spannung der Gänge Gallenstase entstehen musste.

[2]) P. Frank sah jedoch tödtliche Ruptur der Gallenblase während der Entbindung eintreten.

V.

Die Unterdrückung der Leberfunction, die Acholie und ihre Folgen.

Wir haben in dem letzten Abschnitte eine Reihe von Krankheitsprocessen kennen gelernt, in welchen der Icterus zum Theil von schweren Störungen der Nerventhätigkeit begleitet wird. Die Gelbsucht gesellt sich hier zu bestimmten Fieberformen, welche, auf einer Infection der Blutmasse beruhend, epidemisch, selten sporadisch auftreten; tiefere Texturerkrankungen der Leber kommen bei ihnen, ausser den Anomalieen der Blutvertheilung, gewöhnlich nicht vor, die Zellen der Drüse bleiben erhalten, ihre Absonderungsthätigkeit dauert fort, häufig ist sie sogar gesteigert; die typhoiden Zufälle sind unabhängig von der Leber und von ihrem Secret.

Von ihr zu unterscheiden ist eine zweite Form von Gelbsucht, welche stets sporadisch auftritt und in Zusammenhang steht mit Suspension der Gallenabsonderung, in der Regel veranlasst durch acute Atrophie der Leber, zuweilen auch durch andere Texturkrankheiten, durch Cirrhose, fettige Degeneration etc. Sie ist viel gefährlicher, als jene und endet fast ohne Ausnahme lethal. Beide haben in der Symptomatologie viel Gemeinsames, und wie different auch die Endglieder beider in Bezug auf den Verlauf und den anatomischen Befund sich gestalten, so giebt es doch andererseits Fälle, wo die Entscheidung nicht bloss während des Lebens, sondern auch am Leichentische schwer fallen kann. Der Grund hiervon liegt hauptsächlich darin, dass bei der ersten Form nach der Schwellung und Uebersecretion der Leber ein entgegengesetzter Zustand des Collapsus und der Paralyse folgt, welcher in vieler Beziehung der Atrophie gleicht; sodann, weil die anatomische Diagnose des einfachen Typhus mit Icterus oft schwierig ist, also nervöse Störungen auf die Gelbsucht bezogen werden können, welche dem Typhus angehören, und endlich weil wir die Ursachen der Suspension der Leberthätigkeit noch bei weitem nicht genügend kennen, sie vorläufig nur aus den materiellen Läsionen der Leber erschliessen. Ausserdem bestehen unzweifelhaft Uebergangsformen. Wir haben bereits oben gesehen, dass bei den Infectionskrankheiten nicht selten Schwellung und albuminöse Infiltration der Leber und der Nieren vorkommt; dieselbe stellt den Anfang, das Vorstadium der diffusen Entzündung dar, von welcher die Zertrümmerung der Leberzellen und die Atrophie der Drüse ausgeht. Typhen und verwandte Processe können auf diesem Wege die entferntere Ursache der Acholie werden, wenn letztere auch gewöhnlich anderen Ursprungs ist.

Um ein klares Bild der Acholie zu entwerfen, sind wir daher genöthigt, von den Beobachtungen auszugehen, in welchen die vollständige Sistirung der Leberfunction sich als die Folge einer nicht zu verkennenden allgemeinen Texturveränderung dieses Organs darstellt. Die Resultate, welche sich hierbei ergeben, können uns dann bei den weniger klaren Formen als Leitfaden dienen [1]). Ich wählte aus diesem Grunde die acute Leberatrophie als Ausgangspunkt und verwandte zur Analyse der Thatsachen nur diejenigen Beobachtungen, welche unzweifelhaft hierher zu rechnen sind.

---

[1]) Man hat bei der Bearbeitung dieses schwierigen Gegenstandes meines Erachtens zweierlei Arten von Missgriffen sich zu Schulden kommen lassen: einmal, indem man alle Fälle von schwerem Icterus auf acute Leberatrophie zurückführte (die Wiener Schule, besonders Horaczek); sodann aber indem man bei der Auswahl der Fälle von typhoidem Icterus nicht streng genug zu Werke ging und die beiden von uns angedeuteten Gruppen confundirte, jedenfalls zweifelhafte Formen mit zur Analyse verwandte (Ozanam und Lebert).

Die acute oder gelbe Leberatrophie.
Atrophia hepatis flava sive acuta.
Hepatitis diffusa.

Historisches und Literatur.

Die ersten zuverlässigen Mittheilungen über acute Leberatrophie findet man bei Morgagni[1]); in der früheren Literatur kommen allerdings Krankheitsberichte vor, welche den Symptomen nach hierher gehören, aber der anatomische Nachweis fehlt oder ist ungenügend. So beschrieb Jac. Vercelloni[2]) die Krankheitsgeschichte seines Bruders, welcher, des Nachts von Gläubigern hart bedrängt, in Folge des Schreckens gelbsüchtig wurde, bald darauf in unruhige Delirien mit auffallend ungleichem Pulse und keuchender Respiration verfiel und am dritten Tage starb. Franc. Rubeus[3]) erzählt einen analogen Fall von Icterus, wo der Tod unter heftigen Cerebralerscheinungen am fünften Tage eintrat. Aehnlich ist die Beobachtung von Baillou[4]) über die Gelbsucht eines 14jährigen Knaben, welcher am fünfzehnten Tage eines anscheinend leichten Icterus mit weissen Ausleerungen plötzlich in Delirien und Convulsionen verfiel, laute unarticulirte Töne ausstiess und starb. Bei der Obduction fand man das Hirn gesund, pulmo vitium insigne contraxerat, vitiosius hepar et velut ὑπερχλωρ.

Bonet[5]) beschreibt nach Guarinonius die Krankheitsgeschichte des Cardinals Sforza, welcher am sechszehnten Tage des Icterus starb, nachdem er während der letzten drei Tage an Delirien und convulsivischen Zufällen gelitten hatte. Die Leber war gelb, das Blut dunkel und dünnflüssig. Im Morgagni finden wir einen Theil dieser Fälle wiederholt und überdies noch zwei Erfahrungen aus der Praxis Valsalva's, in beiden war der Icterus die Folge einer heftigen Gemüthsbewegung, beide Kranke, junge

---

[1]) De sedib. et causs. morb. Epist. X. 7. et XXXVII. 2. 4.
[2]) Jac. Vercelloni de bile aucta et imminuta epist. ad Bianchi p. 194.
[3]) Fr. Rubeus, de ictero leth. noct. exercit. 1660 p. 195. nach Ozanam.
[4]) Ballonii Ephemerid. lib. II. p. 188. Baillou citirt einen ähnlichen Fall nach Galen, welcher den Tod erklärt habe: Non vi phrenitidis, sed ob dominatum humorum virulentorum, qui sua malignitate virus adaequant.
[5]) Boneti Sepulchret. p. 1007.

Individuen, starben, der eine 2 Tage, der andere 24 Stunden nach Beginn der Hirnzufälle. Jecur inventum est flaccidum et ad subpallidum vergens.

Alle diese Erfahrungen blieben lange Zeit vereinzelt und wenig beachtet, zu einer geordneten Verarbeitung wurden sie nicht benutzt. Erst in neuerer Zeit sammelte sich das Material in grösserem Massstabe, besonders nachdem Rokitansky die acute gelbe Leberatrophie genauer anatomisch beschrieben und Horaczek, sowie in England Budd, eine allgemeine Schilderung des bösartigen Icterus entworfen hatten. Die Masse der Beobachtungen, welche im Laufe der Zeit sich anhäufte, enthält indess immer noch viel Ungleichartiges, nur in der äusseren Erscheinung Aehnliches, so dass für die Benutzung eine sorgfältige Sichtung, bei welcher der anatomische Befund allein uns leiten kann, unerlässlich erscheint.

Die wichtigsten neueren Quellen sind folgende:

Alison, Edinb. med. and surg. Journ. 1835.
B. Bright, Guy's hospit. rep. Vol. I.
Martinet, Biblioth. medic. Vol. LXVI.
Aldis, London medic. Gaz. XIII.
Rokitansky, Pathol. Anatomie Bd. III.
Budd, Diseases of the liver. 207.
Horaczek, Die gallige Dyscrasie etc. Wien 1843.
Wissbaupt, Prager Vierteljahrsschr. 19. 38.
Ozanam, De la forme grave de l'ictère essentiel. Paris 1849.
Kiwisch, Geburtskunde II. S. 51.
Rühle, Günsburg's Zeitschr. IV. 1. Hft.
Frey, Archiv f. phys. Heilk. IV. S. 74.
Gluge, Atlas der pathol. Anat.
Späth, Wiener med. Wochenschr. 1854.
Pleischl, ebendaselbst. 1855. Nr. 1.
Klinik der Geburtshülfe von Chiari, Braun u. Späth. 245 ff.
Buhl, Zeitschr. f. ration. Med. 1854.
Lebert, Ueber Icterus typhoides. Virchow's Archiv. 1854.
Spengler, ebendas. 1855.
Wertheimber, Fragmente zur Lehre vom Icterus.
von Dusch, Unters. u. Experimente zur Pathogenese des Icterus 1854.
Aerztlicher Bericht d. k. k. allgem. Krankenhauses in Wien v. J. 1855. S. 53.
Guckelberger, Wurtemb. Correspondenzblatt 20. 1856.

Krankheitsbild der acuten Leberatrophie.

Die Symptome, welche den acut verlaufenden Schwund der Leber begleiten, werden bald von einem Vorläuferstadio angekündigt, bald dagegen treten sie ohne ein solches direct hervor. Die Vorläufer bieten nichts Charakteristisches, sie gleichen gewöhnlich den Erscheinungen eines acuten Gastroenterocatarrhs: die Kranken werden verstimmt, klagen über Mattigkeit und Cephaläe, ihre Zunge belegt sich, der Stuhl wird unregelmässig, bald reichlich, bald retardirt, der Leib empfindlich; der Puls nimmt an Frequenz zu etc. Zu diesen Störungen gesellt sich früher oder später, mitunter erst nach mehren Wochen, eine leichte icterische Färbung der Haut hinzu. Die Gelbsucht kann acht bis vierzehn Tage und noch länger als einfacher Icterus bestehen, ehe die localen Veränderungen der Leber und Milz, die Blutungen und die schweren Störungen der Nerventhätigkeit bemerkt werden, welche den Process charakterisiren. Ebenso häufig jedoch folgen dieselben dem Sichtbarwerden der gelben Farbe auf dem Fusse nach, treten fast gleichzeitig mit dieser zu Tage.

Der Vorgang selbst verläuft mehr oder minder stürmisch: in heftigen Fällen ist die Scene nach zwölf bis vierundzwanzig Stunden beendet, in anderen nach zwei bis fünf Tagen, kaum jemals überdauert er eine Woche.

Gewöhnlich beginnt die Symptomenreihe mit Erbrechen, durch welches anfangs Magencontenta, später grauer Schleim und endlich Blut in Form von schmutzig braunen, zuletzt von schwarzen kaffeesatzähnlichen Massen entleert wird. Gleichzeitig stellen sich lebhafte Kopfschmerzen ein, welche in der Regel frühzeitig zu Delirien überführen. Meistens sind dieselben laut, die Kranken schreien, schlagen um sich, wollen das Bett verlassen, sind schwer zu bändigen. In anderen Fällen sind sie ruhiger und können, wie die Typhösen, durch lautes Anrufen für eine kurze Frist geweckt werden. Zu den Delirien treten gewöhnlich Convulsionen, welche über den grösseren Theil der willkürlichen Muskeln sich verbreiten oder örtlich beschränkt bleiben, wie auf der Muskulatur des Gesichts und des Halses, hie und da auch in Form von Trismus sich kundgeben, in einzelnen Fällen die eine Körperhälfte mehr, als die andere treffen. Neben diesen Spasmen, welche auch fehlen können, beobachtet man regelmässig ein Zittern der Muskeln an den Extremitäten wie am Rumpfe. Nach und nach tritt grössere Ruhe ein, die Aufregung geht in Betäubung und schliesslich in tiefes Coma über, die Pupillen werden weit, reagiren träge auf Licht, die Respiration wird seufzend, aussetzend, stertorös.

Der Puls, welcher anfangs, so lange der Icterus einfach bestand, selten war, nimmt beim Beginn der nervösen Zufälle an Frequenz zu, steigt allmälig auf 110 bis 120 und darüber; dabei zeigt derselbe auffallende Schwankungen in Bezug auf Frequenz und Grösse: von 70 bis 80 Schlägen erhebt er sich zeitweise, wenn die Kranken aufgeregt werden, auf 120 bis 130, um bald darauf wieder auf die normale Frequenz oder unter dieselbe herabzusinken. Diese Oscillationen, welche auch in Bezug auf die Grösse und Härte bemerklich werden, hören erst gegen das Ende des Processes auf, wo der Puls immer häufiger und kleiner wird, bis er nicht mehr gefühlt werden kann.

Die Zunge und Zähne bedecken sich frühzeitig mit einem russähnlichen Anfluge; der Leib wird meistens, jedoch keineswegs immer, auf Druck empfindlich, besonders in den Hypochondrien und namentlich in dem rechten; selbst während des Coma's veranlasst die hier aufgelegte Hand Verzerrungen des Gesichts und laute Klagen. Die Ausdehnung der Leberdämpfung verkleinert sich im Verlaufe der Krankheit mehr und mehr und verschwindet nicht selten vollständig, ohne dass eine tympanitische Auftreibung der Gedärme dafür eine Erklärung gebe; zu gleicher Zeit vergrössert sich das Volumen der Milz. Die Stuhlausleerungen sind fast immer angehalten, die Fäcalstoffe fest, trocken, lehmartig, arm an Galle, in der späteren Zeit nicht selten durch Blut dunkel gefärbt und theerartig.

Die Haut nimmt während dieser Vorgänge an Intensität der Färbung zu, in ihrem Gewebe entstehen vielfach Blutextravasate in Form von Petechien und ausgedehnteren Ecchymosen, zu welchen Blutungen aus der Nase, der Scheide, dem Magen und Darm, den Luftwegen etc. sich hinzugesellen.

Der Harn ist mehr oder minder gesättigt braun gefärbt, reagirt auf Gallenpigment und lässt einen lockeren Bodensatz fallen, in welchem das Mikroskop neben amorphem Schleim gelb gefärbte Epithelien der Harnwege, zuweilen auch der Nieren, ferner einzelne oder zu Drusen verbundene, mit Farbstoff bedeckte Nadeln erkennen lässt. Zeitweise ist der Harn eiweisshaltig.

Die eben geschilderten Störungen führen gewöhnlich nach wenigen Tagen zum Tode, welcher unter zunehmendem Coma und den anderweitigen Zufällen der Hirnparalyse zu erfolgen pflegt. Sehr selten geschieht es, und die Beobachtungen, welche hierfür geltend gemacht werden können, sind noch zweifelhafter Natur, dass nach reichlichen Darmausleerungen das Bewusstsein wiederkehrt, der Icterus abnimmt und Genesung sich anbahnt.

Nr. 14.

Wiederholte Anfälle von Lumbago im siebenten Monate der Schwangerschaft, Gastrocatarrh, Icterus, Delirien, Convulsionen, Coma, Tod unter Erscheinungen der Blutintoxication. — Acute Atrophie der Leber, vollständig zerfallene Zellen, krystallinische Ausscheidungen in dem Parenchym und im Blute der Lebervenen, Milztumor, Abortus.

Die Frau des Oberarztes Dr. Sch. in Kiel, 38 Jahre alt, klein, zart und sensibel, hatte während dreier Kriegsjahre viele Gemüthsbewegungen erlitten; sass oft tagelang in Thränen; lebte übrigens in sorgenfreien Verhältnissen und war Mutter dreier Kinder. Seit dem letzten Wochenbett trug sie eine Verhärtung in der linken Brustdrüse, welche unter entzündlichen Erscheinungen sich gebildet hatte, später aber eine scirrhose Beschaffenheit annahm. Die Obduction wiess in der Folge die carcinomatöse Natur der Verhärtung nach. Im December 1850 war Frau Sch. im fünften Monat schwanger und hatte, abgesehen von den gewöhnlichen Schwangerschaftsbeschwerden, keine Klage geführt. In Folge einer unvorsichtigen Bewegung beim Erheben vom Stuhl wurde die Kranke von heftigen Schmerzen in der Muskulatur der Lumbargegend der Wirbelsäule befallen und genöthigt, das Bett zu hüten. Wie unbedeutend dieses örtliche Leiden auch war, so wurde dasselbe doch der Ausgangspunkt einer Reihe von Beschwerden, welche die zarte Frau allmälig erschöpften und schliesslich zu einem Krankheitsprocess mit lethalem Ausgange überführten. Es verliefen 14 Tage, ehe bei örtlicher Blutentziehung, ruhiger Lage im Bette etc. die Schmerzen, welche anfangs von lebhaftem Fieber begleitet waren, sich verloren. Die Kranke war einige Tage wohl, als beim Aufstehen vom Stuhl plötzlich der Schmerz an derselben Stelle und mit derselben Heftigkeit wiederkehrte. Das Fieber war dieses Mal lebhafter, die Haut sehr thätig; die Zunge eine Zeitlang dick belegt, dabei Uebelkeit, vollständige Anorexie. Es verflossen 14 Tage, ehe die Kranke von ihren Beschwerden befreit war. Ein zweiter Rückfall, welcher auf dieselbe Weise wie der erste zu Stande kam, machte die Kranke zum dritten Male bettlägerig. Mittlerweile war sie abgemagert, ihre Stimmung muthlos und verdriesslich geworden; am Kreuzbeine hatte sich ein Decubitus gebildet, welcher beim Eintreten abermaliger Besserung nur sehr allmälig zur Vernarbung sich anschickte. Die Kranke fing an sich zu erholen, als plötzlich eine wesentliche Veränderung der Sachlage hervortrat.

Es stellten sich zunächst Schmerzen in der Regio epigastrica und den beiden Hypochondrien ein, welche bei Berührung sich steigerten; namentlich wurde die Lebergegend empfindlich. Die Percussion ergab eine bedeutende Verkleinerung der Leberdämpfung, welche um so auffallender war, als keine Gasanhäufung im Darmcanal dieselbe erklärte. Nach und nach verlor sich die Dämpfung des Tons in dem rechten Hypochondrio vollständig, während die Untersuchung der Milz eine rasche Volumszunahme ergab. Die Zunge belegte sich von neuem, der Appetit schwand, wiederholt stellte sich Erbrechen von schmutzig grauer schleimiger Flüssigkeit ein. Der Stuhl wurde träger und musste durch Senna erzwungen werden. Die Ausleerungen waren anfangs dunkel gefärbt, später nahmen sie eine graue lehmartige Beschaffenheit an. Der Puls, welcher kurz vorher 80 bis 90 Schläge gemacht hatte, sank auf 64, erhob sich sodann wiederum auf 75 bis 80, und stieg gegen das Ende der Krankheit auf 110 und 130. Fast gleichzeitig mit der Schmerzhaftigkeit der Lebergegend wurde an der Conjunctiva eine gelbliche Färbung sichtbar, die bald deutlicher hervortrat und über die Haut sich verbreitete, ohne jedoch einen hohen Grad von Intensität zu erreichen. Die Hirnthätigkeit, welche bisher, abgesehen von einer trüben muthlosen Stimmung, normal geblieben war, wurde 12 Stunden nach dem Eintritt des Icterus plötzlich verändert, die Kranke klagte über heftige Kopfschmerzen, wurde unruhig, wollte das Bett verlassen, redete irre. Diese Aufregung ging bald vorüber, um einer rasch zunehmenden Somnulenz Platz zu machen. Die Kranke lag betäubt da mit erweiterter Pupille, von Zeit zu Zeit stellten sich convulsivische Bewegungen in den Muskeln des Gesichts, des Halses und der Arme ein, sie machte kurze seufzende Inspirationen, worauf rasche Exspiration und sodann jedes Mal eine Pause eintrat. Der Puls 130; Harn and Stuhl wurden unbewusst entleert. Die Haut mit klebrigem Schweiss bedeckt. Der Tod erfolgte vier Tage nach dem Eintritt der Gelbsucht. Die Behandlung bestand in dem Gebrauch von Acid. mur., anfangs rein, später mit Aether versetzt, zuletzt von Moschus; nebenher wurden wegen der hartnäckigen Obstruction Purgantien, Senna, weiterhin Coloquinthen angewandt.

Obduction 30 Stunden nach dem Tode.

Die Leiche mager, mässig stark icterisch gefärbt. Aus den Genitalorganen ragt der noch von den Eihäuten umschlossene Foetus hervor. Luftwege und Lungen sind blutarm, übrigens von normaler Beschaffenheit. Das Herz schlaff und welk, der rechte Ventrikel enthält braunrothe lockere Gerinnsel, der linke wenig dünnflüssiges Blut. Die Milz bedeutend vergrössert, ihr Parenchym braunroth und von normaler Consistenz. Der Magen von blasser Schleimhaut, welche im Blindsack und an der hinteren Wand erweicht ist. Die Auskleidung des Dünn- und Dickdarms blutarm, ohne stärkere Entwickelung der drüsigen Organe; nur hie und da sieht man scharf begrenzte braunrothe hypostatische Schleimhautparthieen; im Coecum und Colon graue Fäcalstoffe.

Im Peritonealsack findet sich ein Pfund braunrother Flüssigkeit, welche auf Gallenpigment reagirt. Das Peritoneum selbst ist ohne Injection. Die Nieren schlaff und gelb tingirt, ihre Zellen zum Theil fettig degenerirt; der in der Blase enthaltene Urin ist reich an Gallenfarbstoff, enthält jedoch keine Spur von Gallensäuren [1]). Uterus, Eihäute, Placenta und Foetus

[1]) Auf seinen Gehalt an Harnstoff und die anderen später von uns gefundenen Substanzen wurde der Harn leider nicht geprüft.

zeigen nichts Ungewöhnliches. Der letztere, welcher frei von icterischer Färbung erscheint, ist in der Steisslage durchgetreten. Nach der Extraction folgt aus dem Uterus gegen 1½ Pfund dunkelen, vollständig geronnenen Blutes.

Die Leber sehr beträchtlich verkleinert, schlaff und welk; vorzugsweise verkleinert ist der Dickendurchmesser, welcher neben dem Lig. suspens. ½", an der dicksten Stelle des rechten Lappens kaum 1" beträgt. Der seröse Ueberzug gerunzelt, die Schnittfläche glatt, glänzend und von ockergelber Farbe; acinöse Abtheilungen sind nicht sichtbar. Die Gallenblase enthält eine geringe Quantität grumöser, mit kleinen schwarzen Concrementen vermengter Galle, welche neutral ist und die gewöhnliche Reaction auf Gallenpigment und Gallensäure zeigt. Die Arteria hepatica erscheint in ihrem Lumen von gewöhnlicher Weite, ihre Wandungen sind jedoch normal; die Pfortader und Vv. hepaticae zeigen die entsprechende Weite, die Gallenwege sind leer und von blasser Auskleidung. Bei der mikroskopischen Untersuchung liess das Leberparenchym keine Spur von Leberzellen erkennen. Dasselbe bestand aus feinen, theils gelben, theils blassen Molekülen; hie und da sah man grössere, dunkel braun gefärbte, unregelmässig contourirte Conglomerate. Einzelne Fetttröpfchen und rundliche scharf contourirte Gebilde, welche den Kernen der Leberzellen glichen, wurden wahrgenommen. Unter diesen Detritus des secernirenden Apparates der Leber sah man zahlreiche nadelförmige, zu garben- oder zu strahlenartigen Drusen vereinigte Krystalle (Tyrosin). (Taf. II. Fig. 1a.)

Dieselben Krystalle wurden in viel grösserer Menge in dem Blute der Lebervenen gefunden. Letztere enthielten eine dünne, röthliche Flüssigkeit, in welcher neben wohl erhaltenen Blutkörperchen zahllose Krystallgarben und Drusen schwammen (Taf. II. Fig. a.). In der Pfortader und Leberarterie fehlten sie gänzlich. Die Leber wurde mit kaltem Wasser von anhängendem Blut gereinigt, sodann zerschnitten, zerrieben und ausgekocht. Das Filtrat schied beim Stehen zahlreiche nadelförmige, zum Theil in Garben und in Drusen vereinigte Krystalle ab (Tyrosin). Weiter eingeengt, bildeten sich am Rande und auf der Oberfläche der Flüssigkeit graugelbe Häute, ausserdem schieden sich concentrisch geschichtete, braune Kugeln in grosser Menge aus (Leucin). Die Quantität der gewonnenen Krystalle war bei der geringen Menge der in Arbeit genommenen Lebersubstanz leider zu klein, um schon damals mit voller Sicherheit die Natur derselben festzustellen.

Nr. 15.

Erscheinungen des Gastrocatarrhs und Icterus im siebenten Monat der Schwangerschaft, Delirien, Convulsionen und Coma, Abortus, Tod am siebenten Tage der Krankheit. Acute Leberatrophie, Blutung im Darmcanal, auf der Schleimhaut der Luftwege etc., eigenthümliche Zusammensetzung des Harns.

P. Nitschke, 24 Jahre alt, Frau eines Zimmermanns, wurde am 21. Jan. d. J. in halb bewusstlosem Zustande auf die klinische Abtheilung des Hospitals Allerheiligen gebracht. Die Patientin, eine robuste, wohlgenährte blühende Frau, welche nach den Mittheilungen der Angehörigen stets eine ungetrübte Gesundheit genossen hatte, war im siebenten Monat der Schwangerschaft. Sie erkrankte am 17., wie uns berichtet wurde, unter Erscheinungen, welche denen eines acuten Magencatarrhs glichen. Appetitlosigkeit, verbunden mit Obstipation, Cephaläe, Verstimmung, grosser Abgeschlagenheit u. s. w., Störungen, welche jedoch nicht dringend genug erschienen, um ärztliche Hülfe zu suchen. Am 20. bemerkte Herr Dr. Hasse, welcher den Krankheitsfall von Seiten der Polyklinik aufnahm und, die Wichtigkeit desselben sofort übersehend, auf die stationäre Abtheilung dirigirte, eine leichte icterische Färbung des Gesichts. In der folgenden Nacht fing die Kranke, nachdem sie zu wiederholten Malen ein schmutzig graues Fluidum ausgebrochen hatte, plötzlich an zu deliriren, sprach mit lauter Stimme zusammenhangslose Worte und konnte nur mit Mühe im Bette gehalten werden. Bei der Aufnahme dauerte dieser Zustand der Aufregung noch fort; dabei 80 kleine Pulse und 20 Respirationen, die Temperatur der Haut nicht erhöht, die Pupillen von normaler Weite, etwas träge reagirend. Die Conjunctiva schwach gelb tingirt, ebenso die Haut im Gesicht und am Halse, während der Bauch und die unteren Extremitäten keinen icterischen Anflug erkennen liessen. Das Abdomen war weich, ohne beträchtliche Gasanhäufung, die beiden Hypochondrien und das Epigastrium auf Druck empfindlich.

Die Percussion der Lebergegend liess nur in der Axillarlinie eine 3 Centim. breite Dämpfung erkennen, an den übrigen Stellen ging der Darmton direct in den der Lunge über. Eine Milzdämpfung konnte nicht aufgefunden werden. Die Organe der Brusthöhle waren intact. Verord. Acid muriat. In der Nacht vom 21. auf den 22. nahm die Unruhe der Kranken noch zu, unter sinnlosem lautem Geschrei warf sie sich beständig umher, die Augen weit geöffnet mit normaler Pupille. Der Puls stieg ohne Erhöhung der Temperatur auf 112, die Respiration, welche stertorös wurde, auf 26. Am 22. erfolgte gegen 11 Uhr die Entbindung von einer abgestorbenen siebenmonatlichen Frucht, welche keine Spuren des Icterus an sich trug. Eine profuse Uterinblutung blieb zurück. Nach dem Abortus verminderte sich die Aufregung, die Kranke lag wenigstens zeitweise ruhig im bewusstlosen Zustande,

Puls und Respiration blieben ohne Veränderung, die Pupille reagirte noch immer, zwar langsam, aber deutlich auf Licht. Der Icterus hat seit gestern ein wenig zugenommen, eine Leberdämpfung ist überall nicht mehr nachweislich, ebensowenig konnte die Milz durch die Percussion aufgefunden werden [1]). Der Stuhl seit drei Tagen angehalten; der Harn, welcher mit dem Catheter gesammelt wurde, war sauer, rothgelb gefärbt, klar, frei von Eiweiss, sein specif. Gewicht betrug 1018,5. Auf Zusatz von Salpetersäure wurde die Färbung dunkler, zeigte jedoch nicht den für Gallenpigment charakteristischen Farbenwechsel. Beim Stehen liess der Harn ein geringes Sediment fallen, in welchem zahlreiche Nadeln theils einzeln (*a*), theils in Gruppen vereinigt (*a'*) neben gelb tingirten Epithelien der Blase und der

Fig. 32.

Harncanälchen lagen. Zur Beseitigung der Obstipation wurde neben der Salzsäure Tinct. Colocynth., später Rad. Jalap. angewandt.

Die Nacht vom 22. auf den 23. war mässig ruhig, die Kranke lag in tiefem Coma, am Halse und an den oberen Extremitäten waren zitternde Contractionen der Muskeln sichtbar. Die Blutung aus der Scheide dauerte fort.

Am 23. Morgens erschien der Icterus vermehrt, 108 Pulse, 24. Respirationen mit stertorösem Geräusch, Temperatur nicht erhöht, die Haut trocken.

Von Zeit zu Zeit stellt sich Erbrechen ein, durch welches grauer mit schwarzbraunen Flocken vermengter Schleim ausgeleert wird. Der Stuhl bleibt der Coloquinthen ungeachtet angehalten. Der Urin ist dunkler gefärbt, sauer, reagirt deutlich auf Gallenpigment, nicht auf Gallensäuren, sein specif. Gewicht ist auf 1024 gestiegen. Beim Stehen in kalter Luft fällt ein grüngelbes lockeres Sediment nieder, welches lediglich aus kugeligen Drusen von Tyrosinnadeln besteht. Ein auf dem Objectglase verdunstender Tropfen

---

[1]) Ich machte in der Klinik darauf aufmerksam, dass dieses Fehlen der Milzdämpfung die Diagnose auf acute Leberatrophie nicht schwankend machen könnte, obgleich eine Volumszunahme dieses Organs ein steter Begleiter jener Leberaffection sei, weil die Milz nicht selten in der Excavation des Diaphragma in der Art angewachsen liege, dass sie, wenn auch vergrössert, der Percussion sich entziehen müsse, ausserdem weil ältere Verdickungen der Capsel die Schwellung verhindern könne.

des Harns hinterliess einen Rückstand, welcher nach der mikroskopischen Untersuchung fast ausschliesslich aus theilweise mit Farbstoff durchsetzten, so charakteristisch wie möglich ausgebildeten Leucin- und Tyrosinkrystallen zusammengesetzt war[1]). Ein Theil des Urins wurde sofort nach seiner Gewinnung mittelst des Catheters durch Ausfüllen mit basisch-essigsaurem Bleioxyd von Farb- und Extractivstoff befreit, des Bleiüberschusses entledigt, eingeengt und hingestellt. Schon nach 24 Stunden hatte sich eine für mehrere Elementaranalysen ausreichende Quantität Tyrosin ausgeschieden in Form von braun- und grüngelben kugeligen Drusen (Taf. III. Fig. 3), deren Identität vorläufig durch die Krystallform beim Umkrystallisiren (Taf. III. Fig. 5) und durch die bekannte Piria'sche Probe, später von Städeler durch die Elementaranalyse sicher gestellt wurde. Der comatose Zustand der Kranken blieb unverändert, eine Erweiterung der Pupillen trat nicht ein.

Am Nachmittage stieg die Pulsfrequenz rasch auf 134, die Haut bedeckte sich mit klebrigem Schweisse, bis gegen 7 Uhr der Tod erfolgte.

Während der letzten beiden Tage ausser der Mineralsäure Aether, später Tinct. Mosch. c. Ambr. angewandt.

Obduction 18 Stunden nach dem Tode.

Die fettreiche Leiche zeigt nirgend Spuren beginnender Fäulniss. Die Haut am Kopfe, Halse und der Brust ist mässig stark icterisch gefärbt, ebenso die Sclerotica, an den unteren Extremitäten ist die Färbung schwächer.

Das Schädeldach normal, die Dura mater gelb, die inneren Hirnhäute blutarm, ebenso die Hirnsubstanz, welche von normaler Consistenz ist, an der Basis cranii nur eine kleine Quantität klaren Serums.

Die Schleimhaut des Kehlkopfes, der Trachea und der Bronchien ist durch dicht gedrängte blutige Suffusionen dunkel geröthet; die Lungen normal, mässig blutreich, hinten und unten wenig hypostatisch. Das Herz von normalem Umfange, unter dem Epicardio zahlreiche Ecchymosen; die Ventrikel enthalten kleine Mengen theerartigen Blutes mit spärlichen, nicht entfärbten Gerinnseln. Zunge, Pharynx und Oesophagus sind mit schmutzig graubrauner Masse bedeckt; der Magen zeigt eine blasse Schleimhaut ohne sichtbare Substanzverluste; er enthält eine schwarzbraune kaffeesatzähnliche Masse, welche durch den ganzen Dünndarm bis zur Ileocoecalklappe hinab gefunden wird. Der Dickdarm enthält geballte gallenarme Fäcalstoffe. Die Schleimhaut des Darms ist überall blass und anämisch. Im Mesenterio finden sich zahlreiche Ecchymosen, die Venen sind nicht erweitert oder überfüllt, die Mesenterialdrüsen ohne Intumescenz. Die Milz liegt in der

---

[1]) Taf. III. Fig. 4. stellt einen Tropfen so verdunsteten Harns dar. Das Leucin hat sich theils in Kugeln mit concentrisch verdickten Rändern und geblätterter Oberfläche, theils in Lamellen mit feinstrahliger Oberfläche angesetzt; daneben gewahrt man grünlich gelbe Tyrosindrusen.

Excavation des Diaphragma, durch alte Adhäsionen fixirt, ist um ein Drittheil vergrössert, weich und blassroth gefärbt.

Die Leber liegt zusammengesunken an der hinteren Wand der Bauchhöhle, nach vorn vollständig überdeckt durch hinaufgeschobene Dünn- und Dickdarmschlingen; sie ist welk und schlaff, ihre Capsel gerunzelt und trübe, die Ränder scharf. Die Dimensionen des Organs sind nach allen Richtungen hin, besonders aber im Dickendurchmesser verkleinert. Die Gallenblase enthält eine kleine Menge grauen Schleims. Das Parenchym der Leber

Fig. 33.

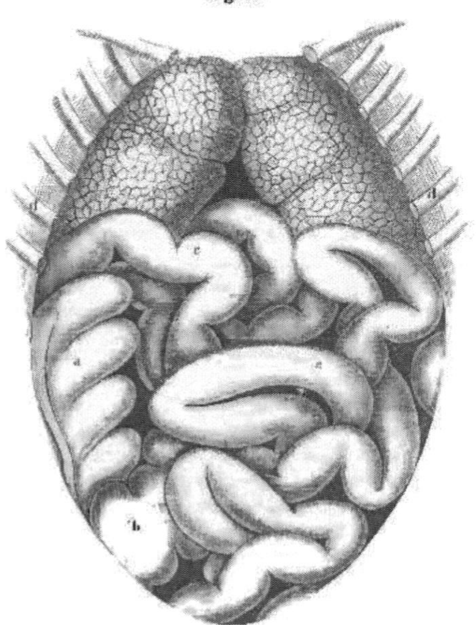

fühlt sich schlaff und welk an; im rechten Lappen ist dasselbe stellenweise blutreich; die Pfortaderäste an der Peripherie der Läppchen sind überfüllt, während in der Mitte die Lobuli eine citrongelbe Farbe zeigen; hie und da sieht man kleine Ecchymosen. Zwischen den hier noch leicht kenntlichen mit injicirtem Gefässsaume umgebenen Läppchen bemerkt man eine schmutzig graugelbe Substanz, durch welche dieselben von einander geschieden werden (Taf. III. Fig. 1). Gegen den scharfen Rand der Leber zu verliert sich die Injection der Capillaren, die rundlichen gelben Inseln erscheinen kleiner, die umgebende graue Masse dagegen breiter. In dem linken Lappen, wo der Process am weitesten gedieh, ist von der letzteren wenig mehr sichtbar, die Schnittfläche zeigt hier eine ockergelbe Farbe, in welcher hellere verästelte Figuren sichtbar sind; von Gefässinjection ist hier keine Spur mehr vorhanden (Taf. III. Fig. 2). Die Zellen des Leberparenchyms sind vollständig zerfallen, statt ihrer findet man zahlreiche Fetttröpfchen und braungelbe Molekeln, nur am stumpfen Rande des rechten Lappens sind noch vereinzelte fettreiche Zellen nachweislich. Beim Stehen bedeckt sich die Schnittfläche des Organs bald mit einem grauen Anfluge, welcher aus Leucinkugeln, hie und da vermengt mit Tyrosindrusen, besteht. Im Blute der Pfortader sowie auch der Lebervenen liessen sich neben den wohlerhaltenen Blutkörperchen keine krystallinischen Ausscheidungen erkennen.

Die Leber wurde von der V. hepat. aus mit gelber Leimmasse injicirt; die Masse drang bis zum Centrum der Läppchen vor, ging hier in die Capillaren nur auf kurze Strecken über und extravasirte dann, ohne die peripherischen Gefässe der Lobuli zu erreichen. An feinen Schnitten der so injicirten Substanz erkannte man rings um die erweiterten Vv. centrales lobulorum einen gelben theilweise injicirten Rand, in dem die erwähnten krystallinischen Ausscheidungen sichtbar waren, während rings um diese Parthie ein blasser, blaugrauer Saum von dicht gedrängten Fetttropfen lief (Taf. III. Fig. 6). Das Gewicht der Leber betrug = 0,82 Kgr., das Körpergewicht = 56,2 Kgr. das Verhältniss war also = 1 : 68,5. Bei gesunden weiblichen Individuen desselben Alters und Gewichts ist das Lebergewicht nahezu = 2,0 Kgr. = 1 : 28; das Organ hatte also innerhalb 6 Tage 1,18 Kgr. an Gewicht verloren. Auch der Umfang hatte sich ansehnlich verkleinert, der linke Lappen mass querüber 3", von hinten nach vorn 5¼", der rechte 5¼ und 5½", die Dicke war = 1⅓".

Der während des Lebens gelassene Harn wurde einer genaueren Untersuchung unterworfen. Er hinterliess 4,9 Proc. festen Rückstandes und 0,14 Proc. Asche. Der Rückstand war von stark saurer Reaction und bestand der Hauptsache nach aus Leucin, Tyrosin und einer klebrigen extractartigen Materie, nebst Spuren von Harnsäure; Harnstoff wurde darin vergebens gesucht; Ammoniak war in so geringer Menge vorhanden, dass an ein Verschwinden des Harnstoffs durch Zersetzung nicht gedacht werden konnte. Dagegen sprach überdies die saure Reaction des sofort nach der Entleerung in Arbeit genommenen Urins. Ausserdem fehlte auffallender Weise in der Asche Phosphorsäure und Kalkerde gänzlich.

Beim Verdunsten liess der Harn ein ansehnliches grüngelbes Sediment fallen, welches gesammelt und mit verdünntem Ammoniak ausgezogen wurde. Es schieden sich aus der Lösung lange zarte Krystallnadeln aus, welche alle Eigenschaften des Tyrosins besassen; die Analyse derselben ergab einen

Stickstoffgehalt von 8,03 Proc., was mit der Formel des Tyrosins übereinstimmt. Beim Verdunsten des Ammoniaks blieb ein dem Tyrosin ähnlicher, in gleicher Form krystallisirender Körper zurück, welcher durch leichtere Löslichkeit und grösseren Stickstoffgehalt, 8,83 Proc. sich von diesem unterschied.

Der Rückstand des Harns wurde zu wiederholten Malen mit absolutem Alkohol ausgezogen, um den Harnstoff zu gewinnen. Die Lösung liess auf Zusatz eines halben Volums Aether eine amorphe Materie fallen, aus welcher Leucin sich allmälig krystallinisch abschied. Aus dem Filtrat wurde der Aether verdampft und hierauf eine weingeistige Lösung von Oxalsäure zugesetzt. Es entstand ein krystallinischer Niederschlag, welcher in Wasser gelöst und mit Kreide zersetzt wurde. Die filtrirte Flüssigkeit hinterliess verdunstet einen sehr geringen Rückstand, in welchem durch Prüfung mit Salpetersäure keine Spur von Harnstoff entdeckt werden konnte. Das durch Oxalsäure gefällte Salz bestand aus oxalsaurem Ammoniak. Der nach der Extraction mit absolutem Alkohol übrig bleibende Rest löste sich grossentheils in siedendem Weingeist, wobei eine zähe braune Substanz übrig blieb, in Ansehen und Geruch vollkommen ähnlich der Masse, welche man bei der Darstellung von Leucin und Tyrosin aus Proteinstoffen durch Zersetzung mit Säuren erhält. Die weingeistige Lösung liess verdunstet einen Syrup zurück, welcher von sich ausscheidendem Leucin krystallinisch erstarrte.

Der Harn enthielt also dieselben (in Betreff der amorphen Materie vielleicht nur ähnliche) Körper, wie sie bei der künstlichen Zersetzung der Proteinstoffe entstehen, während der Harnstoff, welcher unter normalen Verhältnissen das Hauptproduct des Stoffwandels darstellt, gänzlich fehlte.

Das Blut im Herzen und in den Hohlvenen enthielt kleine Mengen Leucins, ebenso die Hirnsubstanz, Leber und Milz ergaben grössere Quantitäten, sie enthielten weit mehr als dem Blutgehalt dieser Organe entsprechen konnte; in der Muskelsubstanz der Glutäen liess sich keine Spur nachweisen, die Untersuchung des Pancreas verunglückte. Leber und Milz waren also die Organe, in welchen allein namhafte Anhäufungen jener Substanzen vorkamen; sie stellen nebst den Lymphdrüsen und dem Pancreas die hauptsächlichsten Bildungsheerde derselben dar. Dass ein grosser Theil von ihnen dem Zerfallen des Leberparenchyms seinen Ursprung verdankte, dafür sprach das massenhafte Auftreten von Tyrosin in diesem Organe, während in der Milz dasselbe nicht mit Sicherheit aufzufinden war.

Nro. 16.

Icterus im sechsten Monate der Schwangerschaft, heftige Kopfschmerzen, grosse Unruhe. Abortus, Erbrechen von schwarzer Flüssigkeit, hartnäckige Obstipation, Coma, Petechien; Tod acht Tage nach Beginn der Gelbsucht.
Acute Atrophie der Leber, kleine Milz, fettig degenerirte Nieren, Harn reich an Leucin und Tyrosin, Harnstoff und Leucin im Blute.

Rosalie Kienert, 35 Jahre alt, wurde am 24. September 1857 in das Hospital „Allerheiligen" aufgenommen und starb daselbst am 28. dess. Monats. Die Kranke, eine Dienstmagd von robuster Constitution, welche bisher stets gesund gewesen und vor fünf Jahren glücklich entbunden war, befand sich im siebenten Monate ihrer zweiten Schwangerschaft. Bis zum 20. September hatte sie ihren Dienst als Kinderfrau besorgt und erst in der letzten Woche über Abspannung und Druck in der Herzgrube geklagt. Am 20. Morgens früh wurde sie, im Begriff an die Arbeit zu gehen, von einem heftigen Schüttelfrost befallen, gleichzeitig stellten sich lebhafte Kopfschmerzen, Appetitlosigkeit und icterische Färbung des Gesichts ein, Beschwerden, gegen welche erst am 24. ärztliche Hülfe gesucht wurde. Die Kranke kam an diesem Tage zu Fuss in die Anstalt, heftig fiebernd und kaum im Stande sich fortzuschleppen; als Ursache ihres Leidens beschuldigt sie Aergerniss, welches ihr von Seiten der Dienstherrschaft bereitet sei.

Sie ist bei klarem Bewusstsein, jedoch in hohem Grade unruhig und wälzt sich beständig im Bette hin und her; lebhafte Schmerzen in der Stirn und im Hinterhaupte; blasses, mässig gelb tingirtes Gesicht, normale Pupillen; 120 weiche Pulse. Von Zeit zu Zeit stellte sich Erbrechen ein, durch welches unverdaute Ingesta, wie rohe Pflaumen etc., ausgeworfen wurden; Stuhl angehalten, der Unterleib stark tympanitisch aufgetrieben, keine Leberdämpfung; der Harn braun, gallenfarbstoffhaltig. Ord. Acid. mur.

Die Nacht verlief ohne Schlaf unter lautem Stöhnen.

Am 25. früh stellen sich Wehen ein, gegen 1 Uhr erfolgt die Geburt eines sechsmonatlichen Foetus, welcher keine Spuren von Gelbsucht zeigt; während der Entbindung heftiger Schüttelfrost, Blutung unbedeutend, wiederholtes Erbrechen von schwärzlich grauer grumöser Flüssigkeit; die Kranke klagt über ein beständiges Frösteln, stöhnt viel und schreiet von Zeit zu Zeit laut auf.

Am 26. während der Nacht kein Schlaf, klares Bewusstsein; häufiges Erbrechen von schwarzer Flüssigkeit, Stuhlausleerung erfolgte der Anwendung des Inf. Senn. comp. ungeachtet nicht. Lebergegend empfindlich bei festem Druck, eine Dämpfung ist hier ebensowenig als in der Milzregion nachzuweisen. Pulse weich und klein, 104 bis 108, Respiration 24, grosse Apathie.

Gegen Abend steigerte sich die letztere bis zum Coma, aus welchem die Kranke nicht erweckt werden kann. Das Erbrechen schwarzer Flüssigkeit dauert fort; kein Stuhl, Lochien spärlich. Auf der Haut der unteren Extremitäten bilden sich Petechien; 104 kleine Pulse. Der Urin, welcher mit dem Catheter gesammelt wurde, frei von Eiweiss, reich an Gallenpigment, beim Stehen setzt sich ein starkes rothbraunes Sediment ab. Eine Leberdämpfung wird, obgleich der Leib schlaff, collabirt und schmerzlos ist, vergebens gesucht; das Erbrechen schwarzer Massen dauert im bewusstlosen Zustande fort; die Haut welk und kühl. Gegen Abend wird die Respiration stertorös; um 4 Uhr Morgens am 28. erfolgte der Tod unter den Symptomen des acuten Lungenödems. Während der letzten zwei Tage konnten, weil alle Ingesta sofort wieder ausgebrochen wurden, innerliche Medicamente nicht angewandt werden.

Obduction 12 h. p. m.

Die innere Fläche des Schädeldaches ist mit Osteophyten bedeckt und an vielen Stellen fest mit der gelb gefärbten harten Hirnhaut verwachsen; Pia mater und Hirnsubstanz mässig blutreich und von normaler Beschaffenheit. Die Schleimhaut der Luftwege blass und mit schaumiger Flüssigkeit bedeckt, beide Lungen stark ödematös, sonst normal. Der Herzbeutel enthält gegen eine Unze gelben Serums, unter dem Epicardio bemerkt man zahlreiche Ecchymosen, Muskulatur und Klappenapparat des Herzens sind normal, die Herzhöhle, deren Auskleidung icterisch ist, enthält eine mässige Menge locker geronnenen, braunroth gefärbten Blutes. Die Schleimhaut der Speiseröhre, deren Epithelialdecke sich leicht ablöst, ist mit schwarzer breiiger Materie bedeckt; letztere findet sich im Magen in grosser Menge angehäuft und verbreitet sich von hier aus über den ganzen Dünndarm bis zur Ileocoecalklappe. Man erkennt in ihr unter dem Mikroskop zahlreiche wohl erhaltene Blutkörperchen. Die Schleimhaut des Magens ist stark aufgelockert und stellenweise mit punktförmigen Ecchymosen übersäet, die des Dünndarms blass und blutarm; im Coecum und Colon finden sich feste graue Fäcalstoffe. Mesenterialdrüsen nicht verändert. Nieren reichlich gross und schlaff, die Cortikalsubstanz graugelb gefärbt, ihr Drüsenepithel in hohem Grade fettig degenerirt. Die Harnblase enthält eine reichliche Quantität schmutzig gelben, sauer reagirenden eiweissfreien Urins. An den Genitalorganen findet sich, abgesehen von den Spuren des Abortus, nichts Abnormes.

Die **Milz** klein, 4" lang, 2½" breit und ¾" Zoll dick, blutarm und von normaler Consistenz; ihr Gewicht beträgt 0,11 Kg.

Die **Leber** ist ansehnlich verkleinert und zwar hauptsächlich in ihrem Dickendurchmesser; ihr rechter Lappen ist 6" lang und ebenso breit, der linke 5½" lang und 3¼" breit, die Dicke beträgt rechts 1⅙", links ½"; das Gesammtgewicht mit der Gallenblase und den unterbundenen Gefässstämmen ist = 0,82 Kg., bei einem Körpergewicht von 44,5 Kg. ergiebt sich also ein relatives Gewicht = 1 : 54,2, was auf eine Abnahme von nahezu der Hälfte des Gewichts hinweist. Die Consistenz der abgeplatteten Drüse ist weich, stellenweise fast breiartig; die Färbung bräunlich gelb, im rechten Lappen stagnirt das Blut in den Gebieten der Vv. hepaticae und scheint stellenweise extravasirt zu sein. Die Oberfläche, besonders am linken Lappen, zeigt eine runzliche fein granulirte Beschaffenheit, dadurch bewirkt, dass die Leberzellen stellenweise geschwunden und das Parenchym eingesunken ist; die eingesunkenen Parthieen entsprechen genau dem Umkreise der Läppchen. Der Peritonealüberzug ist an solchen Stellen trübe und verdickt. Von den Gefässstämmen scheint die Art. hepatica gross und weit, an dem Pfortaderstamme ist nichts Abnormes zu bemerken. Die Injection der V. portae gelang nur unvollkommen, die der Art. hepat. noch weniger; in die V. hepat. und ihre Verästelungen drang die Masse leichter ein, jedoch trat sie fast überall in das Parenchym der Centraltheile der Läppchen über und erreichte nirgend die Capillaren der Pfortader. An feinen Schnitten getrockneter Präparate liessen sich die Verhältnisse genauer übersehen und weiter verfolgen. Bis zur Peripherie der Läppchen waren die Pfortaderäste stark angefüllt, hier begränzte sich die Injectionsmasse, deren ferneres Vordringen in das Capillarnetz der Läppchen ein Hinderniss gefunden hatte; nur an sehr wenigen Stellen war das letztere theilweise gefüllt. Die in die Lebervenen injicirte Masse war bis zu den ungewöhnlich weit erscheinenden Vv. centralibus lobulorum vorgedrungen, hatte aber nur einen kleinen Theil der Capillaren in den Centralparthieen der Läppchen gefüllt und bald diffuse Extravasate gebildet, wie sie Taf. III., Fig. 6 gezeichnet sind. In der Umgebung der Pfortaderäste sah man einen breiten Saum von Fetttröpfchen, in der der Vv. centrales lobulorum Anhäufungen von theils körnigem, theils diffusem Gallenpigment. Die Leberzellen waren an einzelnen Stellen noch erhalten und umschlossen Fetttröpfchen oder Farbstoff; an anderen dagegen zeigten sie sich in feinkörnige Detritus zerfallen (Taf. II., Fig. 1). Der Process war also nicht so vollständig abgelaufen wie im vorstehenden Falle. Gallenwege frei und arm an Secret.

Der Harn sowie das Blut aus dem rechten Herzen und den Hohlvenen wurden einer genaueren chemischen Untersuchung unterworfen.

Der Harn, welcher vierundzwanzig Stunden vor dem Tode entleert war, reagirte stark sauer und liess ein dickes gelbrothes Sediment fallen, welches grösstentheils aus harnsauren Salzen bestand, überdies aber zahlreiche grosse gelb gefärbte Tyrosindrusen enthielt.

Der Urin selbst wurde nach der oben angegebenen Methode weiter untersucht. Er enthielt eine mässige Menge Harnstoff und viel Leucin und Tyrosin nebst zäher extractiver Materie. Abweichend hiervon verhielt sich der Harn, welcher kurz vor dem Tode und bei der Obduction aus der Blase gesammelt wurde. In ihm liess sich nur eine äusserst geringe Spur von Harnstoff nachweisen, nur mit dem Mikroskop konnten einzelne Krystalle von salpetersaurem Harnstoff gefunden werden. Der Rückstand des eingedampften Harns erstarrte von Leucinkugeln, untermengt mit Tyrosindrusen. Beide Stoffe wurden isolirt und rein dargestellt [1]), so dass an ihrer Identität nicht gezweifelt werden kann.

Das Blut enthielt ebenfalls viel Leucin und, was wichtig erscheint, eine sehr ansehnliche Menge von Harnstoff. Der letztere wurde nicht bloss an den Krystallformen der salpetersauren und oxalsauren Verbindung erkannt, sondern auch im reinen Zustande dargestellt.

Im vorliegenden Falle erfolgte der Tod vor dem Ablauf des örtlichen Processes in der Leber, früher, als das Zerfallen der Drüsenzellen beendet war, in Folge der ununterbrochen anhaltenden profusen Magenblutung. Der Harn, welcher vierundzwanzig Stunden vor dem Tode entleert wurde, enthielt aus diesem Grunde noch ziemlich viel Harnstoff, während er bei dem weiter vorgeschrittenen Processe der Beob. Nro. 15 vollständig sich verloren hatte. Im Uebrigen stimmen die Ergebnisse beider Beobachtungen überein. Der Harnstoff, welcher aus dem Urin verschwindet, häuft sich im Blute an; die Bildung desselben wird also nicht aufgehoben, sondern nur die Ausscheidung. Wir machen hier die Erfahrung, dass auch ohne Albuminurie und ohne auffallende Beschränkung der Harnmenge die Excretion des Harnstoffes vollständig sistirt werden kann. Von Seiten der Nieren finden wir als Ursache dieser Störung nur die fettige Entartung des Drüsenepithels, dessen Werth für die Nierenfunction sich hierdurch kund giebt; ob noch andere Ursachen mitwirken, ist gegenwärtig nicht zu entscheiden. Auffallend erscheint die Menge der harnsauren Salze bei dem Fehlen des Harnstoffes. Sollten für die Secretion derselben andere Bedingungen gelten, als für die des Harnstoffes? Dass die Retention der Harnbestandtheile im Blute für das Zustandekommen der typhoiden Zufälle wichtig sein kann, liegt auf der Hand.

Nr. 17.

Vierzehn Tage die Erscheinungen eines leichten catarrhalischen Icterus, am funfzehnten plötzlich Delirien mit maniatischen Zufällen, Magen- und Darmblutung, Tod. Atrophie der Leber mit theils zerfallenen, theils fettig infiltrirten Zellen.

Anna Paul, 20 Jahre alt, Dienstmädchen, von robuster Constitution, wurde am 17. Oct. 1853 aufgenommen. Früher stets gesund, nur zeitweise

[1]) Der Nachweis des Leucins im Harn wird hier nicht selten dadurch erschwert, dass die Extractivstoffe die Krystallbildung gänzlich verhindern und die eingeengten Extracte tagelang syrupartig bleiben. Gewöhnlich gelingt es, dies Hinderniss zu beseitigen durch längeres Digeriren der Masse mit kaltem absoluten Alkohol, welcher den Extractivstoff allmälig auflöst; durch siedenden Weingeist lässt sich nachher das Leucin in krystallisirter Form gewinnen und reinigen. Den grössten Theil der Extractivstoffe entfernt man vorher zweckmässiger Weise durch Bleiessig.

an cardialgischen Beschwerden leidend, klagte sie seit 14 Tagen über Mattigkeit, Appetitlosigkeit und Neigung zur Obstipation, wozu sich leicht icterische Färbung der Haut gesellt hatte.

Bei der Aufnahme fand man das Epigastrium aufgetrieben und schmerzhaft, Milz nicht vergrössert, die Leberdämpfung in der Mammarlinie 5 Centimeter, die Zunge trocken, Stuhl seit zwei Tagen zurückgehalten. Puls 104, klein und weich, der reichlich gelassene Urin von gelber Farbe und ohne Reaction auf Gallenpigment. Die Kranke war unbesinnlich, jedoch frei von Delirium.

Ord. Inf. Senn. comp., Klysma, Acid. mur. dil.

Abends 7 Uhr stellten sich plötzlich laute Delirien ein, der Puls klein, 140, Extremitäten kühl. Gegen 9 Uhr Erbrechen schwarzer theerartiger Massen, um 12 Uhr heftige maniatische Zufälle, vollständige Pulslosigkeit, um 5 Uhr früh der Tod.

Obduction.

Hirn und Lungen normal; auf dem Epicardio zahlreiche Ecchymosen. Das Herz enthält dunkles dünnflüssiges Blut mit gelatinösen Faserstoffflocken.

Die Schleimhaut des Magens und Dünndarms mit schwarzem Blut bedeckt, die Schleimhaut selbst intact, im Rectum harte graue Fäcalstoffe.

Die Milz wenig vergrössert, weich und blutreich.

Die Leber klein, abgeplattet und welk, die Schnittfläche von gleichmässig ockergelber Farbe, die Consistenz stellenweise vermindert, stellenweise normal. Die Leberzellen theils mit Fett, theils mit Pigment überladen, an den weicheren Parthieen fehlten sie vollständig, hier waren nur Fetttröpfchen und braune Körnchen sichtbar.

Nr. 18.

Abdominaltyphus, profuse Epistaxis, heftige Delirien, Icterus am fünften Tage, Verschwinden der Leberdämpfung, allgemeines Muskelzittern, Coma, Tod am achten Tage. Kleine welke Leber mit theilweise zerfallenen Zellen und leeren Gallenwegen, Milztumor, Infiltration der Peyer'schen und solitären Drüsen des Ileums.

Gottlieb Heumann, Schreiber, 18 Jahre alt, kam 1851 am 18. November ins Hospital und starb am 26.

Der junge Mann erkrankte, nachdem er sich einige Tage unwohl gefühlt hatte, am 16. Nov. mit einem heftigen Frost, dem Hitze, Kopfschmerz, allgemeine Abgeschlagenheit und Nasenbluten folgten. Ord. Chlor. Am 18. wiederholte sich das Nasenbluten so stark, dass die Tamponade nöthig wurde. Ord. Creosot. Schon am 19. heftige Delirien, grosse Unruhe; die Stühle dünn und blass. Am 20. fortdauernde Delirien mit Aufregung, die Milz bis zur neunten Rippe und 1 Zoll über den Rand derselben nachweislich; trockene Zunge, profuser Schweiss, 120 Pulse.

Am 21. stellt sich leichte icterische Färbung ein, der Puls sehr weich, 114, Kräfteverfall; in der Mammarlinie wenig, in der Sternallinie keine Dämpfung; Stühle 2- bis 3mal täglich, dünn und hell. Ord. Acid. mur. mit Aeth. in Dec. r. Alth.

Am 23. zweistündiger heftiger Schüttelfrost, grosse Unruhe, Dyspnöe. Am 24. bis 25. wiederholte sich das allgemeine einem Schüttelfrost ähnliche Zittern mehrmals, Respirationen 42, starker Lungencatarrh, weit verbreitete Rhonchi, Puls 120, zitternd, sehr weich. Stühle unwillkürlich. Ord. Acid. benz. mit Camphor.

Am 25. Abends 136 Pulse, 56 Respirationen, triefende Schweisse, völlige Bewusstlosigkeit, fortwährendes Zittern der Extremitäten. Am 26. der Tod.

Section am 27. — nur die Bauchhöhle konnte geöffnet werden.

Leber: der linke Lappen sichtlich verkleinert, mit dünnen, scharfen Rändern, sehr geringem Dickendurchmesser; am rechten Lappen die Ränder ebenfalls sehr zugeschärft, das ganze Organ schlaff und welk. Die Schnittfläche hellbraun, völlig homogen, keine Läppchenzeichnung sichtbar, auf Druck tritt nirgends aus den Gallengängen gefärbte Flüssigkeit, in der Gallenblase befindet sich eine geringe Menge weisslich molkiger Flüssigkeit, auch ihre Schleimhaut ist nicht gelb gefärbt. Die Drüsenzellen sind zum Theil zerfallen, zum Theil sehr blass, einzelne mit Fett gefüllt.

Milz vergrössert, sehr weich, dunkel.

Nieren von normaler Grösse, schlaff und blutarm.

Im Dünndarm je weiter nach der Ileocoecalklappe desto umfänglichere submucöse weisse Infiltrationen der Peyer'schen und solitären Drüsen. Die Schleimhaut selbst noch ohne Verschorfung, Mesenterialdrüsen stark geschwellt, blauroth, zum Theil mit grauem Infiltrate durchsetzt.

Es kann in dem vorliegenden Falle fraglich erscheinen, ob diese Beobachtung, deren genauere Mittheilung ich meinem Freunde Rühle verdanke, als eine acute Leberatrophie oder als ein mit Icterus complicirter schwerer Typhus zu deuten sei. Der beträchtliche Schwund der Drüse, das Zerfallen eines Theils der Leberzellen und das Erlöschen der Gallensecretion bestimmten mich, den Fall an diesen Platz zu setzen. Eine scharfe Grenze lässt sich hier nicht ziehen; die diffuse Infiltration des Leberparenchyms und die verminderte Absonderungsthätigkeit, welche, wie oben bemerkt, bei schweren Typhen nicht selten vorkommen, sind Anomalieen, die von der acuten Atrophie und der vollständigen Aufhebung der Leberfunction mehr dem Grade als dem Wesen nach verschieden sind. In beiden Fällen leitet eine Infiltration die Ernährungs- und Functionsstörung der Drüse ein. Eine weiter vorgeschrittene Atrophie bei Typhus wurde von Buhl a. a. O. beschrieben.

Analyse der Symptome.

Um die Erscheinungen, welche im Gefolge der acuten Leberatrophie vorkommen, genauer festzustellen, schien mir eine detaillirtere Analyse des bisher gesammelten Materials nothwendig. Die Zahl der zuverlässigen Beobachtungen, welche ich ohne Bedenken für diesen Zweck verwenden zu dürfen glaubte, beträgt einunddreissig, ihre Schilderung ist jedoch zum Theil unvollständig und nicht für alle Fragen verwerthbar.

1. Die Vorläufer.

Sie wurden in der Hälfte der Fälle beschrieben und bestanden gewöhnlich aus Störungen, wie sie beim acuten Gastroenterocatarrh vorkommen, selten aus rheumatischen Beschwerden; sodann entwickelte sich Icterus, welcher dem Anscheine nach von der einfachen Gelbsucht in keiner Weise sich unterschied, bis plötzlich die Gefahr drohenden Symptome hervortraten. Meistens betrug die Dauer dieser Vorläufer drei bis fünf Tage, in manchen Fällen aber auch zwei bis drei Wochen und darüber.

2. Die Haut.

Sie war constant icterisch gefärbt; einen hohen Grad erreichte jedoch die gelbe Färbung selten; so weit meine eigenen Beobachtungen reichen, erschien dieselbe wenig hervorstechend; sie begann regelmässig an der oberen Körperhälfte, im Gesichte und am Halse, auf die unteren Extremitäten verbreitete sie sich seltener und war hier kaum bemerkbar. Dabei war die Haut gewöhnlich kühl, welk und unthätig, eine Temperaturerhöhung war in meinen Beobachtungen nicht nachweislich; Alison und Bright heben dies ebenfalls hervor. Nur zu Anfange während des fieberhaften Vorläuferstadiums und später vorübergehend in den Perioden grosser Aufregung des Nervensystems, während der unruhigen Delirien und Convulsionen wurde erhöhte Temperatur wahrgenommen [1]).

Im weiteren Verlauf der Krankheit betheiligt sich das Hautorgan nicht selten an den Blutungen, welche an verschiedenen Stellen des Körpers, besonders auf Schleimhäuten hervortreten; es bilden sich Petechien und grössere Ecchymosen von braunrother oder schwarzer Farbe. Diese kommen jedoch nicht constant vor, sondern fehlten bei zwei Drittheilen der Fälle.

3. Die Circulationsorgane.

Die Herzaction zeigt bei der acuten Leberatrophie einen mehrfachen Wechsel. Gingen mit Fieber verbundene Vorläufer voraus, so wird bei dem Eintritt der gelben Farbe der häufige Puls zunächst seltener und bleibt in diesem Zustande, so lange der Icterus den Charakter der einfachen Gelbsucht an sich behält. Erst wenn die Anomalieen der Nerventhätigkeit deutlicher hervortreten, beginnt die Frequenz zu wachsen und steigt von 50 bis 60 auf 90 bis 100 und darüber. Gleichzeitig machen sich auffallende Schwankungen der Frequenz bemerklich; die Zahl erhebt sich vorübergehend auf 110 bis 120 und 130, um bald nachher wieder auf 80 bis 90 herabzusinken. Dieser Wechsel, welcher auch in der Grösse und Härte des Pulses sich ausspricht, kann in wenigen Stunden sich mehrfach wiederholen; erst mit dem Eintritt der beginnenden Hirnparalyse steigt die Frequenz gleichmässig und erreicht zuweilen eine Höhe von 140 bis 150 Schlägen,

[1]) Wunderlich (Handb. der Pathol. und Therapie. 2te Aufl. Bd. IV, S. 655) bemerkt, dass er in mehreren Fällen von bösartigem Icterus eine plötzliche Steigerung der Temperatur von der Norm bis zu 34° beobachtet habe; es findet sich jedoch keine Angabe, welche Form von bösartigem Icterus vorlag.

während die Beschaffenheit klein, fadenförmig und aussetzend wird [1]).

Zu diesen Alterationen der Herz- und Gefässthätigkeit gesellen sich nicht selten Blutungen, welche gewöhnlich gleichzeitig an verschiedenen Stellen des Körpers auftreten; sie wurden in der Hälfte der Fälle beobachtet. Am häufigsten betrafen sie die Gastrointestinalschleimhaut in Form von Blutbrechen und blutigen Stühlen (zehn Mal), ebenso häufig waren Uterinblutungen, welche vorzugsweise bei Schwangeren vorkamen und meistens Abortus einleiteten; seltener waren Petechien und grössere Ecchymosen der Haut sowie Epistaxis; ausnahmsweise kam Nierenblutung vor (Buhl). Fast immer wurden in der Leiche noch anderweitige Hämorrhagieen constatirt, welche während des Lebens nicht erkannt werden konnten; so namentlich im Gebiete der Pfortader Extravasate zwischen den Platten des Mesenteriums, im Omentum, auf der Serosa des Darms, hämorrhagische Infarcten der Milz, ferner, jedoch seltener, Blutergüsse unter der Pleura, dem Pericardio, auf der Schleimhaut des Pharynx, der Bronchien, hämoptoische Infarcte der Lungen etc.

4. Die Respiration

bleibt in der ersten Periode der Krankheit unbetheiligt, der Mechanismus der Athembewegungen ist unverändert, ihre Frequenz steht in normalem Verhältniss zu der des Pulses oder weicht nur wenig davon ab. Erst in der späteren Zeit, wo die eben angedeuteten Oscillationen der Herzthätigkeit beginnen, pflegen auch, wenigstens in vielen Fällen, die respiratorischen Bewegungen abnorm zu werden, der Athem wird seufzend oder stertorös; auf eine kurze, meistens mit ächzendem Tone verbundene Inspiration folgt eine rasche Exspiration und sodann eine längere Pause in ähnlicher Weise, wie

---

[1]) Schon den älteren Beobachtern fiel dieser Zustand des Pulses auf; Vercelloni (Bianchi l. c. II, 794) spricht von einem „pulsus inaequalis tum quoad robur, tum quoad numerum vibrationum".

bei Thieren, denen beide Vagi durchschnitten wurden. Materielle Veränderungen der Luftwege, welche die Function dieser Theile beschränken könnten, waren gewöhnlich nicht vorhanden, nur ausnahmsweise fand man neben anderen Blutungen hämoptoische Infarcte und subpleurale Extravasate.

5. Die Digestionsorgane.

Sie erleiden constant wesentliche Veränderungen ihrer functionellen Thätigkeit. Gewöhnlich beginnt schon das Vorläuferstadium mit gastrischen Beschwerden, Appetitlosigkeit, Druck im Präcordio, Uebelkeit, belegter Zunge, retardirtem Stuhl etc., wo dies nicht der Fall ist, folgen dieselben dem Eintritt des Icterus auf dem Fusse nach. Zu den wichtigeren Symptomen dieser Gruppe gehört zunächst die Schmerzhaftigkeit des Unterleibes, welche bei drei Viertheilen der Fälle beobachtet wurde. Sie hat bald ihren Sitz im Epigastrio, bald und zwar meistens in den Hypochondrien, besonders in dem rechten, soweit die Leber sich erstreckt. Druck veranlasst hier lebhafte Schmerzensäusserung, welche selbst noch während des Comas durch Verzerrung des Gesichts sich bemerklich macht. Auch spontan treten die Schmerzen hervor, namentlich klagen die Kranken in der ersten Periode über eine beängstigende Empfindung in der Herzgrube. Ungeachtet der Empfindlichkeit ist eine starke Spannung der Bauchdecken, Völle der Hypochondrien gewöhnlich nicht vorhanden.

Von grösserer diagnostischer Bedeutung, als der Schmerz, welcher in manchen Fällen vollständig vermisst wurde, sind die Resultate der Percussion. Sie ergiebt eine rasch wachsende Volumsminderung der Leber, welche am linken Lappen beginnend sich nach rechts verbreitet. Gewöhnlich verliert sich die Leberdämpfung bald vollständig, weil das in Folge der Texturerkrankung immer schlaffer werdende Organ zusammensinkt und von gashaltigen Darmschlingen gegen die Wirbelsäule gedrängt wird. In dem Maasse, wie die Leber sich verkleinert, vergrössert sich die Milz und veranlasst schmerzhaften Druck im linken Hypochondrium. Nur selten kommt es vor, dass die Umfangszunahme der Milz nicht zu constatiren ist, weil sie, in der Excavation des Diaphragmas durch ältere Verwachsungen fixirt, dem percutirenden Finger unzugängig ist, oder weil eine Intumescenz nicht besteht. Das Letztere kann der Fall sein, wenn Verdickung der Milzcapsel die Schwellung nicht gestattet, oder weil eine profuse Magen- und Darmblutung das Pfortadersystem entleerte.

Neben diesen bei einiger Sorgfalt leicht zu verfolgenden Volumsveränderungen von Leber und Milz beobachtet man gewöhnlich schon frühzeitig ein sich oft wiederholendes Erbrechen. Die ausgeworfene Masse bestand anfangs meistens aus grauem Schleim, selten aus biliösen Stoffen, später dagegen aus graubrauner oder schwarzer grumöser Flüssigkeit, deren Färbung je nach der Intensität der Magenblutung mehr oder minder dunkel ist. Bei geringer Blutung beobachtete ich in dem schleimigen Fluido zahlreiche braune aus zersetztem Blut bestehende Flocken, welche bereits Morgagni wahrnahm und als materies subobscuras bezeichnete.

Der Stuhl war fast constant angehalten, die Obstipation zeigte sich hartnäckig und konnte nur durch stärkere Abführmittel überwunden werden; die Ausleerungen waren trocken und lehmartig, später nahmen sie in vielen Fällen in Folge der Darmblutung eine dunkele theerartige Beschaffenheit an.

6. Die Harnwerkzeuge.

Der Urin wurde nach meinen Erfahrungen in normaler Menge abgesondert, musste jedoch in den späteren Perioden behufs der Untersuchung mit dem Catheter gesammelt werden, weil er unwillkürlich abging. Er war stets von saurer Reaction, sein specif. Gewicht schwankte von 1012 bis 1024; in der ersten Zeit reagirte er nur undeutlich auf Gallenpigment, erst später liess sich dasselbe mit Sicherheit nachweisen. Die merkwürdigen Veränderungen in der Zusammensetzung des Harns, das massenhafte Auftreten von Leucin und Tyrosin nebst Extractivstoffen besonderer Art bei allmäligem Verschwinden des Harnstoffes und der phosphorsauren Kalkerde, wie dies in Beob. 15 und 16 nachgewiesen wurde, kamen bisher bei keiner anderen Krankheit zur Wahrnehmung. Sie weisen auf tief eingreifende, bislang unerkannte Anomalieen des Stoffwandels hin und gewähren, sofern sie, woran ich nicht zweifele, bei fernerer Beobachtung als constant sich ergeben sollten, wichtige Aufschlüsse über die Umsetzung der Albuminate bei aufgehobener Leberthätigkeit etc. Die für klinische Beobachtung bemerkenswertheste Eigenthümlichkeit des Harns war ein in der Kälte sich absetzender grüngelber Niederschlag, welcher schon mit blossem Auge, noch mehr bei mikroskopischer Untersuchung, als abweichend von allen anderen Niederschlägen erkannt werden konnte; ferner das Taf. III, Fig. 4 gezeichnete Verhalten des eingetrockneten Harns. Die weiteren Nachweise kann nur eine sorgfältige chemische Analyse liefern.

Bemerkenswerth ist noch, dass hie und da vorübergehend kleine Mengen von Albumen im Urin gefunden wurden.

7. Das Nervensystem.

Anomalieen der Nerventhätigkeit wurden als charakteristische Symptome in keinem Falle vermisst; sie zeigten im Wesentlichen fast überall dasselbe Gepräge, wenn auch im Einzelnen mancherlei Abweichungen nicht zu verkennen sind. Man kann in den meisten Fällen zwei Perioden unterscheiden; die der Excitation und der Depression, von welchen die erstere durch Delirien, oft auch durch Convulsionen, die zweite durch ein progressiv zunehmendes und allmälig zur Hirnparalyse führendes Coma sich auszeichnet. Selten nur, in einem Sechstheil der Fälle, fehlte das Stadium der Aufregung, die Kranken verfielen von vorn herein in typhoide Prostration, welche zur Unbesinnlichkeit, Somnulenz und so zum Coma überführte.

Die nervösen Störungen werden eingeleitet durch heftige Cephaläe, verbunden mit trüber, ärgerlicher Stimmung und Unruhe. Bald darauf beginnen Delirien, welche gewöhnlich laut und tobend sind, selten durch stilles, harmloses Irrereden sich kundgeben. Die Kranken werfen sich unruhig umher, klagen laut und stossen von Zeit zu Zeit einen unarticulirten Schrei aus; nicht selten verfallen sie in maniatische Paroxysmen[1]).

Zu den Delirien gesellten sich in zehn Fällen, also bei einem Drittheil der Beobachtungen, Convulsionen hinzu; bald als allgemeine über das ganze Muskelsystem verbreitete, den epileptischen ähnliche Krämpfe, nicht selten wie diese mit schrillem Aufschrei beginnend, bald als ein weit verbreitetes dem Schüttelfrost ähnliches Muskelzittern, bald endlich als partielle Zuckungen der Muskeln des Gesichts, des Halses oder der Extremitäten als Singultus, Zähneknirschen etc. In einzelnen Fällen sah man Trismus und zeitweise auftretende tetanische Krämpfe.

Delirien und Convulsionen machen gegen das Ende der Krankheit regelmässig einer Betäubung Platz, welche in kurzer Frist zum tiefstem Coma, aus welchem kein Anrufen und Rütteln mehr erweckt, gesteigert zu werden pflegt. Das Verhalten der Pupillen ist hierbei kein constantes, in vielen Fällen bleiben sie von normaler Weite und reagiren auf Licht (so in meinen eigenen Beobachtungen, ferner in denen von Frey etc.), in anderen sind sie dilatirt und unbeweglich, sehr selten enge. Gelbsehen kam nur ausnahmsweise vor.

Die nervösen Störungen entwickeln sich meistens gleichzeitig mit der icterischen Hautfärbung, sie ziehen gewöhnlich eher die Aufmerksamkeit des Beobachters auf sich als der schwache icterische Anflug, welcher die Conjunctiva und die Umgebung der Nasenflügel färbt. Zuweilen stellt sich das Verhältniss anders, der Icterus besteht 2, 5, 8, 14, 17, ja 21 Tage lang ohne jede Beeinträchtigung der Nervencentra,

---

[1]) Dieser Charakter der Delirien bei Gelbsucht scheint schon den Alten bekannt gewesen zu sein. Hippocrates, ad Democritum philos. epist.: „Qui ex pituita insaniunt quieti sunt, qui vero ex bile hi verberant, malefici sunt, neque quiescunt.“ Ferner Hipp., de morbo sacro: „Qui ex bile insaniunt clamosi, maligni et minime quieti sunt, semper aliquid intempestivum faciunt.“ Auch Ballonius, Epidem. ephemer. lib. II, Cp. 188 erwähnt: „vox inarticulata, ejulatus magnus.“

bis plötzlich die Scene sich umgestaltet und der drohende Symptomencomplex hervortritt.

Dauer und Ausgänge.

Die eben geschilderten Symptome durchlaufen ihre Entwickelungsstadien gewöhnlich in wenigen Tagen, meistens ist der Process in der ersten Woche abgelaufen, selten zieht sich das Leiden zwei bis drei, ja vier Wochen in die Länge. In solchen Fällen ist es der scheinbar einfache Icterus des Vorläuferstadiums, welcher die längere Dauer bedingt. Nach dem Beginn der charakteristischen Zufälle ist die Krankheit fast immer in fünf Tagen beendet, zuweilen bereits nach 12 bis 36 Stunden. Unter 28 Fällen, in dreien war der Anfang unbekannt, endete der Process lethal

während	der	1sten	Woche	13	Mal
„	„	2ten	„	6	„
„	„	3ten	„	5	„
„	„	4ten	„	4	„

Fast immer war das Ende ein lethales; dieser Ausgang zeigte sich so constant, dass die wenigen Beobachtungen, welche von eingetretener Heilung berichtet werden, in einem sehr zweifelhaften Lichte erscheinen müssen, um so mehr, als sie meistentheils aus einer Zeit datiren, wo erst wenige Erfahrungen gesammelt waren und ein scharf gezeichnetes Krankheitsbild, welches die Diagnose hätte sichern können, nirgend zu finden war. Griffin [1]) berichtet von zwei, Hanlon [2]) von einem Falle, welche einen günstigen Ausgang nahmen; auch Budd berichtet von einer Heilung, welche erfolgte, obgleich bereits blutige Stühle, Schmerzen in den Hypochondrien, Schluchsen und Coma sich eingestellt hatten. Im Jahre 1854 behandelte ich eine 40 Jahre alte Dame an Gelbsucht unter Zufällen, welche für beginnende Leberatrophie sprachen, mit günstigem Erfolge: allein mit Bestimmtheit wage ich nicht

---

[1]) Dublin. med. Journ. 1834. IV, 12.

[2]) Graves Clinic. med.

zu behaupten, dass dieser Process wirklich vorlag. Es stellten sich hier gleichzeitig mit einem leichten Icterus Delirien und typhöse Somnolenz ein, das rechte Hypochondrium wurde schmerzhaft, die Leberdämpfung verkleinerte sich und verschwand im Epigastrio vollständig, die Milz wurde grösser. Dabei schwankte der Puls zwischen 88 und 104, Stühle träge und blass, wiederholtes Nasenbluten etc. Nach acht Tagen verloren sich die Zufälle und die Kranke erholte sich langsam wieder. Therapeutisch wurden Drastica und Mineralsäuren angewandt.

Wenn die anatomischen Läsionen, welche wir als die Grundlage dieser Krankheit ansehen, bereits weitere Fortschritte machten, der grössere Theil der Leberzellen zerstört wurde, so ist begreiflicher Weise an eine Heilung nicht mehr zu denken.

Die Prognose ist also unter allen Umständen eine höchst ungünstige.

Anatomische Grundlage.

Die materiellen Veränderungen, welche wir als das Substrat der eben beschriebenen Störungen bei Obductionen vorfinden, sind mannigfacher Art; constant sind indess neben dem Icterus nur die Läsionen der Leber, an welche sich zunächst die der Milz anreihen. Alle anderen Anomalieen sind nicht beständig, sie können fehlen, ohne dass die Symptome während des Lebens sich wesentlich anders gestalteten. Wir halten daher die Leber für den eigentlichen Krankheitsheerd, von welchem die anderweitigen Störungen ihren Ausgang nehmen. Die Leber war in allen Fällen beträchtlich verkleinert; man schätzte die Volumsabnahme auf ein Drittheil, die Hälfte, ja auf zwei Drittheile der normalen Grösse. Genaue Messungen und Wägungen wurden indess nur selten unternommen; Bright sah das Gewicht auf 2 Pfund 23 Unzen, einmal auf 19 Unzen reducirt; ich fand 0,82 Kg. in zwei Fällen und ein relatives Gewicht 1:68,5 sowie = 1:54,2, was eine Abnahme von mehr als die Hälfte anzeigt.

Der Umfang des Organs wird nach allen Richtungen hin verkleinert, besonders aber in der Dicke, die Drüse plattet sich ab. Die Hülle bekommt ein trübes runzeliges Ansehen, das Parenchym wird schlaff und welk, so dass es unvermögend ist, das eigene Gewicht zu tragen, und gefaltet vor der Wirbelsäule zusammensinkt.

Die Schnittfläche des Organs zeigt an den Stellen, wo der Process am weitesten gediehen ist, und dies pflegt der linke Lappen zu sein, eine ockergelbe oder rhabarberähnliche Farbe; die Blutgefässe sind hier leer, von einer Läppchenzeichnung ist meistens nichts mehr sichtbar (Taf. III, Fig. 2). An anderen Stellen, an welchen der Vorgang auf einem früheren Stadio sich befindet, ist ein Theil der Capillaren mit Blut überfüllt, hie und da erkennt man auch Extravasate oder Ueberreste derselben in Form von Hämatoidinkrystallen etc. Zwischen den mit hyperämischen Gefässen umgebenen Läppchen (Taf. III, Fig. 1) liegt eine schmutzig graugelbe Masse eingetragen, durch welche dieselben von einander geschieden werden. Weiterhin tritt die Hyperämie der Capillaren zurück, der Umfang der Läppchen wird kleiner, ihre Farbe gelber, während die zwischen liegende graue Substanz die Oberhand gewinnt (Taf. III, Fig. 1 am Rande). Die letztere verliert sich an den Stellen, wo der Schwund der Drüse deutlicher sichtbar wird, mehr und mehr, das Organ nimmt einen gleichmässigeren gelben Farbenton an, aus welchem die Andeutungen von Läppchen nach und nach vollständig verschwinden. Im Gefässapparat der Leber, am Stamme und den Aesten der Pfortader, der Leberarterie und Lebervenen zeigen sich keine wesentlichen Anomalieen, sie enthalten kleine Mengen dünnen Blutes, in den Lebervenen fand ich neben den wohl erhaltenen Blutkörperchen Büschel und Drusen von Tyrosinkrystallen (Taf. II, Fig. 2). Injectionsversuche gelangen nicht, die in die Venen und in die Pfort-

oder injicirte Leimmasse extravasirte, ohne zu den Capillaren vorzudringen, dem Anscheine nach, weil die zarten Gefässe wegen Schwund der Drüsenzellen ihre Stütze verloren hatten. An feinen Schnitten der Drüse sah man deutlich, wie die Injectionsmasse nur die der V. centralis zunächst liegenden Capillaren füllte und dann in das Parenchym übertrat (Taf. III, Fig. 6). Die Mitte der Läppchen erschien von schmutzig gelber Farbe und zeigte hie und da bräunliche Leucindrusen, an der Peripherie waren nur blaugraue feine Fetttröpfchen sichtbar. Die Leberzellen sind, wo die Krankheit vollständig ablief, nicht mehr nachzuweisen; an ihrer Stelle findet man braune Körnchen und grössere Farbstoffpartikeln, Fetttropfen und vereinzelte, den Zellenkernen ähnliche Gebilde, oft vermengt mit Nadeln von Tyrosin und Leucinkugeln. Nur wo der Process auf einem früheren Stadio stehen blieb, erkennt man vereinzelte fett- oder pigmentreiche Zellen, so namentlich am stumpfen Rande des rechten Lappens. In den siebzehn der neueren Zeit angehörigen Beobachtungen über acute Leberatrophie wurde dies Zerfallen der Leberzellen regelmässig constatirt; bei den älteren Erfahrungen wurde das Organ in dieser Beziehung nicht untersucht.

Die Gallenblase wurde meistens leer gefunden, sie enthielt nur eine geringe Menge grauen Schleims oder einer trüben blassgelben, selten einer braunen oder grünlichen Flüssigkeit. Auch die Ausführungsgänge, welche nirgend ein Excretionshinderniss zeigten, enthielten kein galliges Secret, ihre Schleimhaut war meistens von grauer Farbe, ihre Lichtung erschien verengt.

Neben dem Schwunde der Leber fand man in der grossen Mehrzahl der Fälle die Milz ansehnlich vergrössert und blutreich; unter 23 Fällen, wo dieses Organ genauer berücksichtigt wurde, war dasselbe neunzehn Mal vergrössert, drei Mal normal und ein Mal klein. Für das Ausbleiben der Intumescenz liessen sich bestimmte Veranlassungen, wie Verdickung der Capsel oder profuse Blutung aus den Wurzeln der Pfortader nachweisen. In einzelnen Fällen fand man auch die Mesenterialdrüsen geschwollen (Buhl, und Beob. Nr. 18).

Magen und Darmcanal zeigten keine wesentliche Texturveränderung; die Schleimhaut war hie und da ecchymosirt, tiefere Substanzverluste oder Schwellung der solitären und Peyer'schen Drüsen kamen nicht vor. Die Darmcontenta bestanden entweder aus trockenen blassen Fäcalstoffen oder aus schwarzen theerartigen Massen, in welchen das Mikroskop keine unversehrten Blutkörperchen mehr nachweisen konnte.

Das Gefässsystem zeigte in seinem Centralorgan und in den grösseren Stämmen, abgesehen von der icterischen Färbung der inneren Auskleidung und der schlaffen welken Beschaffenheit des Herzmuskels nichts Abnormes. Das Blut verhielt sich verschieden; bald war es dunkel violett und unvollkommen geronnen, bald dagegen hatte es derbe feste Fibringerinnsel ausgeschieden; im rechten Ventrikel fand man die Zahl der farblosen Körperchen vermehrt. Viel bedeutungsvoller ist das Auftreten grosser Mengen von Leucin und Harnstoff, wie es Beob. 16 nachgewiesen wurde [1]). Bemerkenswerth sind ausserdem die Blutextravasate in verschiedenen Organen und Geweben. Man sah sie in der grösseren Hälfte der Fälle; am häufigsten im Gebiete der Pfortader auf der Oberfläche der Schleimhaut des Magens und Darms, seltener in dem Gewebe derselben, unter der Serosa des Darms zwischen den Platten des Mesenteriums und Omentums; ausserdem im retroperitonealen Zellgewebe, unter der Pleura und dem Epicardio; die Ergüsse in den serösen Höhlen fand man oft blutig tingirt. Seltener kamen Blutergüsse im Parenchym der Organe, wie in den Lungen, den Nieren etc. vor.

Den Nieren schenkte man nicht die Beachtung, welche sie verdienen. Ich fand, ausser der vom Icterus herrührenden Pigmentablagerung, die Drüsenepithelien körnig infiltrirt und meistens fettig zerfallen, das Gewebe selbst schlaff und welk.

---

[1]) Ob noch andere abnorme Producte, wie Ammoniaksalze etc., vorkamen, wurde leider nicht beachtet.

Die Fälle betrafen grösstentheils Schwangere, wo Spaeth dieselbe Beobachtung machte. Ob diese Störung allgemein vorkomme, bleibt dahin gestellt; die eigenthümliche Veränderung des Urins, das Verschwinden des Harnstoffs aus demselben und seine Anhäufung im Blute, ferner die vorübergehend bemerkte Albuminurie etc., weisen jedenfalls auf eine wesentliche Mitleidenschaft der Nieren hin.

Die Centralorgane des Nervensystems zeigten meistens keine Läsionen wesentlicher Art. In einigen Fällen erschien die Hirnsubstanz weicher, besonders an den mittleren Parthieen bemerkte man eine hydrocephalische Malacie (Horaczek, Pleischl); es bleibt indess zweifelhaft, ob dieser Zustand, wie Lebert meint, als das Resultat der beginnenden Fäulniss anzusehen sei oder als ein Krankheitsproduct; jedenfalls kann diese Veränderung keinen Aufschluss über die Genese der nervösen Zufälle geben, weil sie gewöhnlich vermisst wurde. Die Obductionen, welche ich selbst ausführte, boten in Bezug auf die Consistenz und den Blutgehalt des Hirns nichts Abnormes, obgleich dem Tode schwere Störungen der Nerventhätigkeit vorausgegangen waren.

Wesen der Krankheit.

Es liegt uns noch die Aufgabe vor, die beobachteten Thatsachen theoretisch zu ordnen; wir müssen es versuchen, den in der Leber ablaufenden Krankheitsprocess zu erklären und den Zusammenhang nachzuweisen, in welchem die begleitenden Erscheinungen mit demselben stehen.

Die acute Leberatrophie gehört zu den dunkelen Vorgängen, über deren Wesen verschiedenartige Ansichten laut werden konnten, ohne dass eine derselben sich die allgemeine Anerkennung zu erringen vermogt hätte. Der in wenigen Tagen ohne Veränderung der zuführenden Blutgefässe zu Stande kommende Schwund einer grossen blutreichen Drüse auf die Hälfte, ja auf ein Drittheil des ursprünglichen Volumens findet in keiner anderen Krankheit ein gültiges Analogon.

Rokitansky, welcher die erste genaue anatomische Beschreibung dieser Leberaffection gab, bezeichnet den Process als Gallencolliquation. In dem Pfortaderblute soll sich ein Ueberfluss von galligen Elementen bilden, welche sich abscheidend und den ganzen Gefässapparat der Leber ausfüllend den Untergang der Drüsensubstanz durch Colliquation herbeiführen. Eine solche Entstehung von Galle in der Pfortader steht mit unseren bisherigen Erfahrungen über die Bildung dieses Secrets in Widerspruch, und überdies würde die vermehrte Secretion die Zerstörung des Organs nicht erklären.

Henoch und von Dusch leiten ebenfalls das Zerfallen der Leberzellen von der Einwirkung der Galle her. Der Erstere nimmt eine Polycholie an, in deren Folge alle Canälchen bis in ihre Capillarität hinein mit Secret überfüllt und die Blutgefässe comprimirt würden; dadurch entstehe eine erhebliche Störung der Ernährung der Leberzellen, welche schliesslich zur Reduction derselben durch Fettmetamorphose führe. Von Dusch ist der Ansicht, dass die Krankheit auf Lähmung der Gallenwege und Lymphgefässe beruhe, welche eine Durchtränkung des Organs mit Galle und eine Auflösung der Zellen mittelst der letzteren veranlasse.

Wir können weder die eine noch die andere Ansicht theilen, einmal weil eine der Atrophie vorausgehende Anhäufung von Galle nicht nachzuweisen ist, und sodann, weil eine solche den Schwund des Organs nicht erklären kann. Die Annahme Henoch's, dass eine Polycholie den Process einleite, steht mit den Symptomen des Vorläuferstadii oder, wo dieses fehlt, der beginnenden Krankheit nicht in Einklang, indem die Ausleerungen von vorn herein gallenarm zu sein pflegen; überdies ist nicht wohl einzusehen, wie bei ungehinderten Abfluss das reichlich gelieferte Secret die Gänge bis zu den Capillaren ausdehnen sollte. Die durch von Dusch angenommene Paralyse der Gallenwege und Lymphgefässe ist rein hypothetisch und dürfte auch die Stauung der Galle nicht genügend erklären, weil die Anfänge der Gänge keine

Muskelfasern besitzen und die Resorption vorzugsweise von den Blutgefässen vermittelt wird. Indess auch angenommen, dass eine Gallenstase der Atrophie vorausginge, so würde dieselbe über den raschen Schwund des Leberparenchyms uns keine Aufklärung geben, weil bei Verschliessung des D. choledochus nicht selten die Lebergänge viele Monate hindurch ausgedehnt und mit Galle überfüllt, die Zellen mit Secret durchtränkt sind, ohne dass dadurch ein der acuten Atrophie ähnlicher Zustand herbeigeführt würde (vergl. Beob. V, VI, VII etc.). Die Experimente, durch welche von Dusch den Beweis zu liefern suchte, dass Galle die Leberzellen auflöse, erscheinen demnach für die Theorie unserer Krankheit von zweifelhaftem Werthe; überdies beobachtete ich bei Wiederholung derselben, dass die Zellen tagelang in Galle liegen können, ohne aufgelöst zu werden.

Buhl findet das Wesen der Krankheit in einem dem Typhus analogen Leiden; das Zerfallen der Leberzellen leitet er aus derselben Quelle wie die begleitenden Hämorrhagieen her, nämlich aus beträchtlicher Abschwächung der Herzkraft und rascher Verminderung des peripherischen Stoffwechsels; die Veränderung der Leber bei Typhus, Pyämie etc. betrachtet er als Anfänge der acuten Atrophie.

Den eben angedeuteten Theorieen gegenüber steht eine andere, welche den Grund des acuten Leberschwundes in einer diffusen Entzündung dieser Drüse sucht. Sie wurde zuerst von Bright ausgesprochen, welcher Fälle dieser Krankheit unter dem Namen Hepatitis beschrieb, in neuester Zeit schlossen Engel, Wedl und Bamberger sich ihr an und erklärten die Zerstörung der Zellen als Fettmetamorphose in Folge eines rapid verlaufenden Exsudativprocesses.

Wenn ich auch Bedenken trage, das Zerfallen der Leberzellen mit Fettmetamorphose zu identificiren, weil in anderen Drüsen wie in den Nieren bei fettiger Degeneration des Epithels eine Zerstörung der Zellen so rasch und allgemein nicht erfolgt und besonders, weil bei der acuten Leberatrophie die

Fettablagerung nur im Umkreise der Läppchen sichtbar ist (Taf. III, Fig. 6), während die Zerstörung der Zellen bis zu der Centralvene nachgewiesen werden kann, so muss ich doch dieser Ansicht in so weit beitreten, als auch nach meinen Erfahrungen ein Exsudativprocess den Ausgangspunkt der Krankheit darstellt. Untersucht man eine Leber, welche dem acuten Schwunde verfiel, genauer, so findet man meistens im rechten Lappen Stellen, an welchen der Process noch nicht vollständig abgelaufen ist. Hier sind Veränderungen sichtbar, welche den Beweis zu liefern scheinen, dass der Zerstörung der Drüsenelemente und dem Collapsus des Parenchyms Hyperämie und Exsudation vorausgeht. Man bemerkt an solchen Stellen nicht bloss eine bedeutende Hyperämie der Capillaren, sondern im Umkreise der Läppchen breite graue Säume, bestehend aus feinkörniger Materie mit vereinzelten im Zerfallen begriffenen Zellen, während letztere in der Nähe der Centralvene noch intact, nur mit Galle getränkt sind. Später verliert sich die Hyperämie, die graue Exsudatmasse verschwindet mehr und mehr, und die gelben Ueberreste der secernirenden Substanz treten näher zusammen, so dass mit der vorschreitenden Verkleinerung des Organs auch die Läppchenzeichnung schliesslich gänzlich verloren geht. Die Zerstörung der Zellen in Folge der Ausschwitzung ist zum Theil abhängig von der Lagerung derselben in engen Gefässmaschen, wo der Erguss frühzeitig die Bedingungen der Ernährung aufhebt, zum Theil auch von den zarten Wandungen und dem zur Zersetzung geneigten Inhalt der Zellen.

Durch die Exsudation in der Peripherie der Läppchen werden die Anfänge der Gallenwege frühzeitig comprimirt; das in den centralen Theilen der Läppchen sich bildende Secret stagnirt aus diesem Grunde und geht in die Centralvenen und somit in die allgemeine Blutmasse über. Auf diese Weise erklärt sich der Icterus, die ockergelbe Farbe der Leber und die blasse Schleimhautauskleidung der leeren Gallenwege. Gegen die Annahme eines Exsudativprocesses als

Grundlage der acuten Leberatrophie hat man geltend gemacht, dass eine hyperämische Schwellung während des Verlaufes der Krankheit nicht nachgewiesen sei. Dieser Einwurf ist von geringem Gewicht, weil in dieser Periode vor Beginn des Icterus die Leber selten genauer untersucht wird, und weil eine auffallende Vergrösserung des Organs nicht nothwendig mit der diffusen Exsudation verbunden ist, um so weniger, als dieselbe nicht die ganze Drüse auf einmal zu befallen pflegt.

Eine weitere Frage, deren Beantwortung hier versucht werden muss, ist die: in welchem Zusammenhange stehen mit jenen Veränderungen der Leber die Symptome, welche den Process begleiten?

Wie der Icterus entstehe, ist bereits angedeutet; schwieriger dürfte zu erklären sein, woher die Nervenzufälle, die Blutungen, die Milzanschwellung ihren Ursprung nehmen.

Die Anomalieen der Nerventhätigkeit, über welche das Verhalten des Hirns und seiner Hüllen keine Auskunft giebt [1]), glaube ich auf Veränderungen der Blutmischung zurückführen zu müssen. Ich beschuldige hier nicht die Gallenbestandtheile, von deren Unschädlichkeit eine lange Reihe von Injectionsversuchen mich überzeugt hat, sondern suche die Ursache der Blutintoxication in der durch das Zerfallen der Drüsenzellen gesetzten vollständigen Aufhebung der Leberthätigkeit und in der alienirten Nierensecretion. Die erstere betrifft nicht bloss die Gallenabsonderung, es bleiben nicht bloss die für die Bildung dieses Secrets bestimmten Stoffe im Blute zurück, sondern jede Einwirkung, welche das mächtige Organ auf die Vorgänge der Stoffmetamorphose äussert, wird aufgehoben, während gleichzeitig die Producte der zerfallenen Drüsensubstanz ins Blut übergehen. Wir kennen den Einfluss der Leber auf den Stoffumsatz noch nicht in seiner ganzen Ausdehnung; bis jetzt wissen wir nur, dass die hier erfolgende Bildung von Zucker aus

[1]) Buhl meint, eine acute Hirnatrophie hier wie auch beim Typhus constant nachweisen zu können.

Albuminaten ein nothwendiges Glied der functionellen Vorgänge in dieser Drüse sei und schliessen aus dem unter theils normalen, theils pathologischen Verhältnissen beobachteten Auftreten zahlreicher anderer Substanzen, wie Xanthin, Harnsäure, Inosit, Leucin, Tyrosin, Cystin etc., auf vielfache Beziehungen zur Stoffmetamorphose. Dass dieselben gewichtiger Art sind, beweisen die merkwürdigen Veränderungen, welche der Harn, der Sammelplatz der hauptsächlichsten Endproducte dieses Umsatzes, bei der acuten Atrophie der Leber erleidet. Es verschwand aus diesem, wie wir sahen, der Harnstoff, das normale Endziel der zerfallenen Albuminate, nach und nach vollständig; dafür traten massenhafte Producte auf, welche dem gesunden Harn fremd sind. Die festen Bestandtheile desselben bestanden fast ausschliesslich aus Leucin und Tyrosin, nebst einer eigenthümlichen extractartigen Materie; Harnsäure war in mässiger Menge vorhanden. Es bleibt fraglich, weshalb der Harnstoff fehlte; wurde derselbe zwar gebildet, aber nicht von den Nieren ausgeschieden, oder war der Stoffwandel so weit alterirt, dass zuletzt kein Harnstoff als Endproduct mehr entstand? Die ansehnliche Menge Harnstoff, welche im Blute gefunden wurde, beweist, dass jedenfalls die Ausscheidung gehemmt war, wir dürfen indess daraus nicht schliessen, dass die Bildung dieses Products wie in der Norm erfolgte, weil wir über die Menge desselben, so weit sie im Blute sich anhäufte, kein auch nur annäherndes Urtheil haben [1]).

[1]) Es ist bemerkenswerth, dass auch beim gelben Fieber ansehnliche Mengen Harnstoff im Blute nachgewiesen wurden. — Nehmen wir an, dass die Bildung des Harnstoffs darniederlag, so wären statt desselben Producte entstanden, ähnlich denen, in welche die Albuminate bei der Fäulniss und Zersetzung durch Säuren zerfallen. Der Harnstoff kann hierbei durch Leucin und Tyrosin nicht ersetzt werden, weil beide ärmer an N sind als Eiweiss; es ist also klar, dass neben jenen Stoffen noch andere entstehen müssen, welche durch grossen Reichthum an N sich auszeichnen. Ob die amorphe Materie, welche der Harn in grosser Menge enthielt, diesen entspreche, ist nicht mit Sicherheit zu entscheiden; eben so wenig lässt sich die Ursache angeben, welche die weitere Umwandlung dieser Materie zu Harnstoff etc. verhindern konnte. Es liegt nahe, der Vermuthung Raum zu geben, dass der Fermentstoff, welchen die Leber erfahrungsgemäss enthält, für diese weitere Metamorphose unerlässlich sei; allein darüber können nur neue Erfahrungen und directe Versuche Aufschluss geben.

So viel darf im Allgemeinen als feststehend angesehen werden, dass die acute Leberatrophie tief eingreifende Anomalieen des Stoffwechsels mit sich bringt, und dass während ihres Verlaufes im Blute Substanzen circuliren, welche dem normalen Blute fremd sind. Welche von diesen die Intoxicationserscheinungen bedinge, ist ungewiss; dass Leucin und Tyrosin es nicht seien, beweisen Injectionen dieser Stoffe in die Gefässe von Thieren, welche keine Störungen der Nerventhätigkeit mit sich brachten. Näher liegt es, die zurückgehaltenen Harnbestandtheile zu beschuldigen; hierüber kann indess erst die weitere Untersuchung entscheiden.

Was die Veranlassung der Milzanschwellung und der Blutungen anbelangt, so glaube ich, die ersteren theils aus der veränderten Blutmischung, theils aus der Kreislaufsstörung in den Capillaren der Leber, welche in Folge des Schwundes der Zellen ihre normale Stütze verlieren, erklären zu dürfen; einer mechanischen Auffassung reden die vorzugsweise im Gebiete der Pfortader, auf der Schleimhaut des Magens und Darms, zwischen den Platten des Omentums und der Mesenterien etc. vorkommenden Hämorrhagieen das Wort. Für letztere, welche auch in anderen Theilen, wie in der Haut etc., auftreten, muss indess noch ein weiterer Grund vorliegen. Man hat als solchen bald die geschwächte Herzaction und die Atonie, sowie die Missernährung der Gefässe (Buhl), bald die mangelhafte Bildung von Fibrin (Monneret), bald eine Ueberfüllung der Gefässe in Folge des Ausfalls der Gallensecretion beschuldigt. Mir scheint eine andere Erklärung näher zu liegen, nämlich eine veränderte Adhäsion zwischen Gefässwand und dem in seiner Mischung alterirten Blute, welche Stauung und Rhexis der Capillaren nach sich zieht. Schon Bernard [1]) suchte nachzuweisen, dass der von der Leber ins Blut übertretende Zucker die Infiltration der Gewebe verhindere und die Circulation fördere. Im vorliegenden Falle

---

[1]) A. a. O. S. 401.

hört nicht bloss die Zuckerbildung auf, sondern es gehen überdies eine Reihe von Stoffen ins Blut über, welche in dieser Beziehung nicht ohne Einfluss bleiben dürften. Es liegt indess auf der Hand, dass ein stringenter Beweis ebensowenig für diese wie für die anderen Annahmen geführt werden kann.

Aetiologie.

Ueber die Entstehungsweise der acuten Leberatrophie fehlt uns eine klare Einsicht; wir können vorläufig nur die Umstände angeben, unter welchen diese Affection zur Ausbildung kam, ohne dass wir den Beitrag, welchen dieselben im Einzelnen für die Genese liefern, abzuwägen und ihre Wirkungsweise genauer zu verfolgen vermögten. Es gilt indess leider dasselbe für die Aetiologie der meisten Krankheiten.

Man beobachtet das Leiden vorzugsweise beim weiblichen Geschlechte; unter einunddreissig Fällen betrafen neun Männer und zweiundzwanzig Frauen, so dass also die letzteren mehr als das doppelte Contingent stellten. Von den zweiundzwanzig Frauen war die Hälfte bei der Erkrankung im Zustande der Gravidität, mithin traf über ein Drittheil aller Erkrankung mit der Schwangerschaft zusammen, ein Umstand, welcher auf einen Causalnexus beider Zustände hinweist. Dennoch ist im Ganzen genommen die acute Leberatrophie auch bei Gravidis ein seltenes Leiden; unter 33,000 Gebärenden fand Spaeth nur zwei Mal acute Leberatrophie. Sehr häufig entstehen während der Gravidität Infiltrationen der Nieren und der Leber mit körnigen Albuminaten, welche veränderte Secretion und fettige Entartung des Drüsenepithels nach sich ziehen. Unter Umständen steigert sich dieser Process zu einer diffusen Nephritis und Hepatitis; wie oft dies in den Nieren geschieht und unter welchen Erscheinungen, ist allgemein bekannt, seltener erreicht der Vorgang in der Leber diesen Höhepunkt, und hier ist ein Zerfallen der Drüse die Folge. Es erklärt sich auf diese Weise, weshalb bei Schwangeren neben

16*

dem acuten Schwunde der Leber fast immer fettige Entartung der Nieren gefunden wird [1]). Dass nicht eine mechanische Compression, wie Scanzoni meint, als Ursache der Leberatrophie bei Gravidis beschuldigt werden dürfe, ergiebt schon die Periode, in welcher der Process zur Ausbildung kommt, meistens ist es der dritte bis sechste Monat, zuweilen auch der siebente, selten die Zeit, wo der Uterus mechanisch auf die Leber einwirken kann.

Unter den Altersperioden scheinen vorzugsweise die zwanziger Jahre exponirt zu sein. Von einunddreissig Fällen kamen

auf das Alter von	10	bis	20	Jahren	6
„ „ „ „	20	„	30	„	20
„ „ „ „	30	„	40	„	3
„ „ „ „	40	„	60	„	2.

Es werden auch Fälle von acuter Leberatrophie aus dem Kindesalter berichtet, jedoch kenne ich keine Beobachtung, welche genügend detaillirt wäre, um hier Platz zu finden.

Von besonderen Schädlichkeiten, welche dem Ausbruch der Krankheit vorausgingen und dem Anscheine nach zur Entstehung derselben mitwirkten, sind hervorzuheben

1) Gemüthsbewegungen. In mehren Fällen entwickelte sich die Krankheit bei vorher gesunden Individuen so unmittelbar nach einem heftigen Schrecken oder einem Ausbruch von Zorn, dass der Einfluss der Gemüthserschütterung kaum zweifelhaft bleiben kann. Die Kranken wurden sofort gelbsüchtig, fingen an zu deliriren und starben nach wenigen Tagen. So berichten Vercelloni, Morgagni, Ballonius u. A.

2) Excesse in Venere, Syphilis, Mercurialmissbrauch, Trunksucht und andere Einflüsse dissoluter Lebensweise waren hie und da der Krankheit vorausgegangen; es ist jedoch nicht zu entscheiden, ob ein Causalnexus obwaltete oder nicht, noch viel weniger ist es möglich, den Einfluss der einen oder der anderen Noxe genauer zu belegen.

---

[1]) Vergl. Virchow, gesammelte Abhandlungen S. 778, ferner den Abschnitt „Fettleber" in dieser Schrift.

3) Unter Umständen schienen Einflüsse, welche ähnlich den Miasmen an bestimmte Localitäten gebunden sind, zur Entstehung beizutragen; jedenfalls spricht dafür das Vorkommen von bösartigen Formen des Icterus bei Mitgliedern derselben Familie oder anderen durch die Wohnung vereinigten Individuen, wovon Budd, Griffin und Hanlon Beispiele mittheilten. Es bleibt jedoch noch fraglich, ob jene Fälle der acuten Leberatrophie angereiht werden dürfen oder nicht; genügende anatomische Beweise sind nicht vorhanden. Ein miasmatischer Ursprung der Krankheit, wie er unter Umständen nahe gelegt ist, dürfte eher auf die eine oder die andere Form von biliösen Fiebern hinweisen, wofür auch die Häufigkeit des günstigen Ausganges zu sprechen scheint.

4) Typhus und verwandte Veränderungen der Blutmischung. Ich sah einen Fall von Leberatrophie aus Typhus hervorgehen, und Buhl beobachtete Anschwellungen der Mesenterialdrüsen, wie sie bei dieser Krankheit vorkommen. Der Process stellt hier eine höhere Entwickelung der Infiltration des Leberparenchyms dar, welche wir bereits beim Icterus Typhöser kennen lernten. Gewöhnlich ist keine äussere Schädlichkeit, welche über die Genese des Leberleidens Auskunft gäbe, nachweisslich, und weitere Aufklärungen über die Aetiologie dieses Processes müssen von der ferneren Zukunft erwartet werden.

Diagnostik.

Die acute Leberatrophie ist weniger leicht zu erkennen, als es den Anschein hat; Verwechselungen mit anderen Affectionen, namentlich mit Typhen, welche von Icterus begleitet sind, mit biliösen Fiebern verschiedener Art, Pyämie etc. kommen vielfach vor und lassen sich nur durch umsichtige Abwägung der Symptome vermeiden. Während der Vorläufer ist eine Diagnose in der Regel noch nicht möglich; gesellen sich zur Gelbsucht Blutungen, heftige Cephaläe, Delirien etc., so fragt es sich zunächst, ob, abgesehen von der Leber, locale oder allgemeine Störungen vorhanden sind, welche diese Zufälle erklären können oder nicht. Die typhöse Grundlage verräth sich durch den Entwickelungsgang der Krankheit, das Roseolaexanthem, den Bronchocatarrh, den Durchfall und den abweichenden Charakter der Delirien; biliöse Fieber zeichnen sich aus in der Regel durch mehr oder minder deutlich remittirenden Typus und wiederholte Frostanfälle, die Pyämie durch letztere, sowie durch das Vorhandensein eines Infectionsheerdes. Oertliche Processe, wie Meningitis, Pneumonie, Peritonitis, welche, verbunden mit Gelbsucht und Delirien, Symptomencomplexe ähnlich denen der acuten Leberatrophie nach meinen Erfahrungen zeigen können, lassen sich bei sorgfältiger Localuntersuchung gewöhnlich leicht als solche erkennen. Von grösster Wichtigkeit für die Diagnostik ist das Verhalten der Leber, weniger die Schmerzhaftigkeit, welche hie und da fehlt, als die Volumsabnahme, welche rasch vorschreitet, bis schliesslich die Dämpfung vollständig verschwindet. Die Cautelen, welche bei der Feststellung dieses Symptoms zu beachten sind, habe ich Cap. III. angedeutet. Von gleichem diagnostischen Werthe ist das Verhalten des Harns, die Ausscheidung von Tyrosinsedimenten, die beim Verdunsten anschiessenden Krystallformen etc. Die Bedeutung der übrigen Symptome ergiebt sich aus der Häufigkeit ihres Vorkommens, welche oben erörtert ist: Petechien, Nasenbluten, welche bei jedem Typhus vorkommen können, erscheinen von geringerem Gewicht als Blutbrechen etc.

Therapie.

Die bisher erzielten therapeutischen Erfolge sind, wie bereits angedeutet wurde, trostloser Art; eine empirisch bewährte Behandlungsweise ist also nicht vorhanden. Englische Aerzte rühmen Emetica und Purgantia, zwei Methoden, denen jedenfalls eine energische Einwirkung auf die Leber nicht abgesprochen werden kann. Nach Corrigan sollen Brechmittel, nach Griffin und Hanlon Drastica in einigen Fällen dem Weiterschreiten des Krankheitsprocesses Einhalt gethan haben; in dem Falle, welchen ich selbst günstig verlaufen sah, wurden Purgantien und Mineralsäuren angewandt. Diese Erfahrungen, so beschränkt sie auch sind, würden von grossem Werthe sein, wenn sich sicher nachweisen liesse, dass die Beobachtungen Fälle von acuter Leberatrophie betrafen, was bei der ungewissen Diagnose der Anfangsstadien der Krankheit leider unmöglich ist: allgemeine Principien und die Analogie verwandter Zustände müssen daher vorläufig den Mangel directer Erfahrung ergänzen.

Für die Behandlung der Vorläufer gelten dieselben Grundsätze wie für den einfachen catarrhalischen Icterus; erst wenn die Symptome, welche eine tiefere Erkrankung des Leberparenchyms anzeigen, hervortreten, wird eine eingreifendere Therapie gerechtfertigt. Die Aufgabe derselben würde beim Beginn des Processes Beseitigung der Hyperämie und diffusen Exsudation sein, später, wenn der Schwund sich über den grössten Theil der Drüse verbreitet hat, ist von keinem Verfahren ein wesentlicher Erfolg zu erwarten. Es empfehlen sich für diesen Zweck vorzugsweise die stärkeren Abführmittel, durch welche die Blutfülle der Leber am sichersten abgeleitet wird, die Senna, Aloe, Coloquinthen etc. in Gaben, welche profuse Darmentleerungen herbeiführen. Bei lebhaften Schmerzen in der Leber ist die Anwendung von Blutigeln, Schröpfköpfen, kalten Umschlägen rathsam, bei vollsaftigen Individuen eine V. S. Treten die Erscheinungen der Intoxication deutlicher hervor, beginnen die Blutungen etc., so ist der Gebrauch der Mineralsäuren gerechtfertigt, neben welchen man zur Förderung der Stuhlausleerungen die Purgantien fortsetzen kann. Gegen das Erbrechen kann man Eispillen, Magist. Bism., kleine Gaben des Extr. nuc. vom. aq. versuchen. Magen- und Darmblutung erheischen Eis innerlich und äusserlich, Alaun, Gerbsäure und ähnliche Adstringentien. Treten die Symptome der Depression der Nerventhätigkeit ein, so können Excitantien wie Aether, Campher, Moschus versucht werden, jedoch ist hier kaum noch ein Erfolg zu erwarten.

Bei zweifelhafter Diagnose, besonders da, wo die Unterscheidung der Atrophie von biliösem Fieber ungewiss bleibt, würde ich grössere Gaben von Chinin in Säuren gelöst anwenden.

Ausser der acuten Atrophie können Krankheitsprocesse anderer Art, wenn sie eine vollständige Desorganisation und somit eine Sistirung der Thätigkeit der Leber nach sich ziehen, Erscheinungen der Intoxication veranlassen. Es treten unter solchen Umständen Symptome auf, welche in vieler Hinsicht den eben geschilderten sich anreihen, jedoch in manchen Punkten davon abweichen. Hier wie dort werden schwere Nervenzufälle, typhöse Somnulenz, Delirien, Coma, Convulsionen, verbunden mit Petechien und Ecchymosen der Haut, sowie mit Blutungen aus der Magen-Darmschleimhaut etc., beobachtet, meistens besteht auch gleichzeitig Icterus höheren oder geringeren Grades: allein die Gelbsucht kann hier vollständig fehlen, die anomalen Hirnfunctionen entwickeln sich meistens weniger stürmisch, und überdies gestalten sich die Vorläufer ganz anders, indem lange Zeit die Symptome der Verschliessung der Gallenwege, der Cirrhose oder der fettigen Degeneration unseres Organs vorausgehen.

Zu den Leberaffectionen, welche ein Zerfallen der Drüsenzellen vermitteln können, gehört zunächst

1) die Gallenstase in Folge von Unwegsamkeit des D. choledochus und hepaticus.

Sie giebt in einzelnen Fällen, nachdem sie Monate lang bestand, zu einem Schwunde der Drüse Veranlassung, welcher in vielen Stücken der acuten Atrophie ähnlich ist. Das Organ verkleinert sich, wird schlaff und welk, die Zellen des mit Galle durchtränkten Parenchyms zerfallen zu feinkörnigen

Detritus, vermengt mit Fetttröpfchen und Pigmentpartikeln, gleichzeitig wird eine grosse Menge Leucin und Tyrosin bemerklich.

Nr. 19.

Carcinom am Duodeno, Verschliessung des Ductus choledochus. Icterus hohen Grades, Convulsionen, Coma, Tod.

Frau Friedr. Bloch, 58 Jahre alt, wurde, nachdem sie längere Zeit im Fränkel'schen Alterversorgungshause an Beschwerden verschiedener Art gelitten haben sollte, am 29. Juli 1853 in das hiesige jüdische Hospital gebracht. Die Kranke war von etwas beschränkten Geisteskräften und mürrischer Laune, so dass eine genauere Anamnese in Bezug auf die Entwickelung ihres Leidens nicht erzielt werden konnte. Bei der Aufnahme zeigte sie den Symptomencomplex eines intensiven auf Verstopfung des D. choledochus beruhenden Icterus.

Die runzliche welke Haut der abgemagerten Frau ist braungelb, stellenweise olivengrün gefärbt; ihre Temperatur niedrig. Die Zunge ist ohne Beleg, der Appetit ungestört. Die Ausleerungen erfolgen träge, sind trocken, geballt und von thonartiger Beschaffenheit. Der Urin ist schwarzbraun und lässt bald ziegelrothe, bald gelbe harnsaure Sedimente fallen. Der Puls ist weich, schlägt 50 Mal in der Minute. Die Leber überragt den Rand der falschen Rippen in der Gegend des linken Lappens um 5 Centimeter, nach oben erstreckt sich dieselbe bis zum Niveau des unteren Randes der sechsten Rippe; der rechte Lappen, welcher durch eine Schnürfurche verlängert und abwärts gedrängt ist, reicht 8 Centimeter über den Rippenrand hinaus. Die Dämpfung beträgt neben dem Brustbein 9, in der Mammillarlinie 16, in der Axillarlinie 14 Centimeter. Die Oberfläche des Organs fühlt sich glatt an, die Ränder sind links scharf, rechts etwas abgerundet, 10 Centimeter rechts vom Nabel und etwas tiefer liegt eine birnenförmige, weichere, enteneigrosse Geschwulst, welche für die ausgedehnte Gallenblase genommen werden musste. Ein Tumor, welcher den D. choledochus comprimiren konnte, wurde vergebens durch die Palpation[1]) gesucht. In der Gegend des Pylorus und des Pancreaskopfes liess sich keine Verhärtung constatiren. Gallensteincoliken waren niemals vorhanden gewesen.

Die Kranke gebrauchte längere Zeit Tinct. Colocynth., Aloes u. dergl. neben warmen Bädern und leicht verdaulicher Kost, ohne wesentliche Veränderung ihres Zustandes. Von Zeit zu Zeit treten heftige cardialgische Schmerzen ein, welche der Anwendung des Mag. Bismuthi und der Bellad. weichen.

---

[1]) Ein tieferes Eindringen in die Bauchdecken war bei der störrischen, die Muskeln in steter Contraction erhaltenden Frau nur sehr schwierig zu erzielen.

Nach und nach nahm die Abmagerung zu, an den Füssen bildeten sich Oedeme, die Quantität des schwarzbraunen Harns wurde kleiner, derselbe blieb jedoch frei von Eiweiss; gleichzeitig sank die Energie des psychischen Lebens tiefer und tiefer hinab. Die Kranke verharrte in finsterem Schweigen, beantwortete Fragen gar nicht oder unvollständig, sie forderte nichts, klagte über nichts, ass die dargereichte Nahrung mit geringem Appetit. Meistens schlief sie; durch lautes Anrufen geweckt, schlug sie die matten, glanzlosen Augen auf, sagte, sie sei wohl und schlief sofort wieder ein.

Gegen Ende des Octobers stellte sich wiederholt Nasenbluten ein, welches mit Mühe gestillt wurde.

Ende November wurde sie plötzlich von Convulsionen befallen; die Anfälle dauerten eine viertel bis halbe Stunde und kehrten von Zeit zu Zeit wieder, die Somnolenz verwandelte sich nun in tiefes Coma, aus welchem die Kranke nicht mehr geweckt werden konnte.

Sie collabirte nun rasch, die Temperatur der mumienartig ausgetrockneten Haut sank mehr und mehr, der Puls wurde kleiner, zuletzt unfühlbar, bis am 23. December der Tod erfolgte.

Die Obduction konnte leider nur unvollständig gemacht werden; nur die Leber mit dem Magen, Duodenum und Pancreas wurde uns zu einer genaueren Untersuchung überlassen.

Die Leber war etwas vergrössert, der rechte Lappen durch eine Schnürfurche abgetheilt. Die Oberfläche glatt, die Ränder scharf, nur im rechten eingeschnürten Lappen kugelig abgerundet. Die Gallenblase prominirte $2^1/_4$ Zoll, sie enthielt gegen 9 Unzen trüber dunkelbrauner Galle. Die Gallenwege vom D. choledochus und hepaticus an bis zu den feinsten Endverästelungen strotzten von einem trüben braunen dünnflüssigen Fluidum,

Fig. 34.

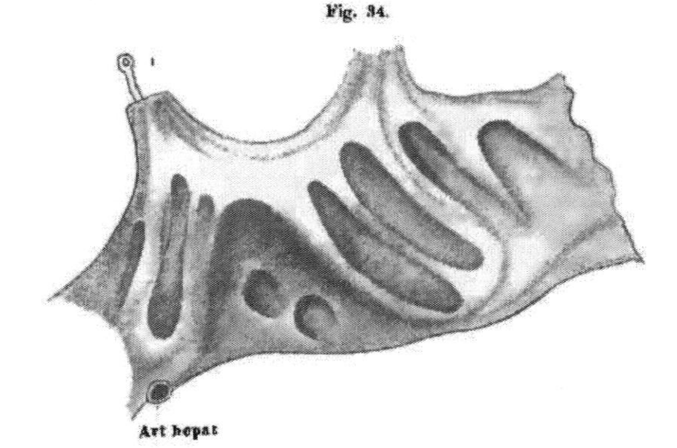

von welchem beim Zerschneiden des Organs 18 bis 20 Unzen gesammelt werden konnten. Die Ausführungsgänge waren sämmtlich ansehnlich erweitert. Der D. hepaticus maass 1" und 4'", seine Wandungen waren glatt, zahlreiche tiefe sinuose Ausbuchtungen führten in die benachbarten Gänge. (Fig. 34.) Das Leberparenchym war dunkelbraun gefärbt mit undeutlicher Läppchenzeichnung, dabei weich, leicht zerdrückbar. Auf der Schnittfläche sah man kleine, grauweisse, theils runde, theils baumartig verästelte, harte Ablagerungen, welche dem Verlaufe der feineren Zweige der Lebervene folgten und diese zum Theil vollständig ausfüllten (Taf. II. Fig. VI. aa). In den grösseren Aesten der Vv. hepaticae lagen drusige Ausscheidungen derselben Substanzen fest in der Gefässwand eingebettet, so dass sie beim Ueberstreichen mit dem Messer nur schwierig losgetrennt werden konnten. Diese Drusen waren aus feinen Nadeln zusammengesetzt (Taf. II. Fig. V.). Die Verzweigungen der Pfortader und Leberarterie liessen keine fremdartigen Einlagerungen erkennen. Die Zellen der Lebersubstanz waren grösstentheils zerfallen, nur wenige wohl erhaltene Formen konnten mittelst des Mikroskops aufgefunden werden; statt ihrer sah man feine braune Moleküle und Fetttröpfchen, ausserdem aber zahlreiche nadelförmige Krystallbüschel (Tyrosin) und concentrisch geschichtete Kugeln (Leucin) (Taf. II. Fig. IV.). Diese Ausscheidungen lagen stellenweise dicht gedrängt, in anderen Parthieen erschienen sie spärlicher oder fehlten ganz.

In der trüben Galle waren neben Cholesterintafeln dieselben krystallinischen und concrementähnlichen Ausscheidungen vorhanden, wie in der Leber. Aus der Substanz der letzteren wurde eine grosse Menge Leucin und Tyrosin gewonnen, deren Identität Herr Professor Städeler durch die Elementaranalyse nachwiess[1]). Ausserdem wurde in der Mutterlauge, aus welcher jene Stoffe sich ausgeschieden hatten, eine Substanz beobachtet, welche an der Luft sich intensiv blau färbte, ähnlich dem Chromogen, welches wir später bei der Umwandlung der Gallensäure in Pigment kennen lernten. Zucker war in der Leber nicht enthalten.

An der Eintrittsstelle des D. choledochus ins Duodenum lag eine wallnussgrosse Geschwulst mit allen Eigenschaften des Zottenkrebses. Durch diese war der Gallengang obliterirt. Das Pancreas war schlaff und welk; die Magenschleimhaut stellenweise hämorrhagisch suffundirt, jedoch ohne Substanzverlust. Die Milz etwas vergrössert, blutarm.

Von dem schwarzbraunen Harn der Kranken wurden grosse Mengen auf das Vorkommen von Gallensäuren untersucht, aber stets vergeblich; auf Leucin und Tyrosin wurde damals noch nicht geachtet.

---

[1]) Vergl. Müller's Archiv f. Anat. etc. 1854.

Der eben beschriebene Vorgang ist im Allgemeinen ein seltener; in den meisten Fällen, wo der Tod in Folge von Verschliessung der Gallenwege eintritt, findet man bei der Obduction die Leberzellen zwar mit Farbstoff getränkt, sonst aber unversehrt. Die Veranlassung, welche ein Zerfallen derselben herbeiführt, ist noch unklar; mit Sicherheit kann weder die auflösende Wirkung der Galle, noch die Verödung der Pfortaderäste durch die ectasirten Gänge beschuldigt werden, weil wir sehr oft dieselbe Durchtränkung des Parenchyms und enorme Erweiterung des Ductus ohne diese Folgen beobachten.

Ob die Störungen der Nerventhätigkeit stets in ähnlicher Weise wie in dem mitgetheilten Krankheitsfall sich gestalten, muss die weitere Erfahrung lehren; es dürfte dies von dem mehr oder minder vollständigen und dem bald rascher, bald langsamer erfolgenden Zerfallen der Leberzellen abhängig sein. Budd beschrieb einen Fall, wo Schmerzhaftigkeit der Leber, Blutbrechen, heftige Cephaläe etc. sich einstellten, allein Delirien waren nur zur Nachtzeit während der letzten Woche des Lebens vorhanden [1]).

2) Die Cirrhose.

Es sind mir wiederholt Fälle vorgekommen, wo Individuen, welche längere Zeit an cirrhotischer Degeneration der Leber litten, plötzlich eine Reihe von Störungen zeigten, welche sonst dieser Krankheit fremd sind. Sie wurden unbesinnlich, verfielen in laute Delirien, sodann in Coma und gingen so zu Grunde, in einem Falle waren spastische Contractionen der Muskeln der linken Gesichtshälfte zugegen. Meistens trat gleichzeitig ein leichter Icterus ein, in einem Falle bildeten sich Petechien; der Puls nahm an Frequenz zu. Bei der Obduc-

[1]) Budd macht aus dieser Beobachtung den Schluss, dass die Absonderungsthätigkeit der Leber für das Bestehen des Lebens nicht unerlässlich sei, und dass letzteres nach Zerstörung der Drüsenzellen noch lange Zeit fortbestehen könne. Zu einer solchen Annahme fehlt jede Berechtigung.

tion war im Hirn nicht die geringste Läsion nachweisslich, ebenso fehlten Anzeichen acuter Processe, welche über die Störung der Hirnfunction hätten Aufklärung geben können. Die Leber zeigte sich in allen Fällen stark cirrhotisch entartet, die Drüsenzellen grösstentheils mit Fett überladen; reichliche Mengen von Leucin schieden sich aus; die Gallenwege enthielten nur kleine Quantitäten blasser Galle.

Nr. 20.

Ascites, Anasarca, Diarrhoe, Delirien, Coma. Cirrhose der Leber, Leucinausscheidungen in den Vv. hepaticis, normale Nervencentra.

E. Radesoy, Buchbinder, 59 Jahre alt, kam am 4. Decbr. 1854 ins Hospital mit starkem Oedem der Füsse und Ascites. Herz und Lungen normal, Leberdämpfung nicht nachzuweisen, die Grösse der Milz kann wegen abnormer Lagerung des Organs nicht bestimmt werden; die Venen der rechten Bauchseite stark erweitert. Appetit ungestört, Stühle dünn und blass, Urin spärlich, roth, ohne Eiweiss. Der Kranke gesteht ein, früher viel Branntwein getrunken zu haben, weitere Veranlassungen seiner Krankheit kennt er nicht. Ord. Decoct. Colocynth. (e ℈j) ℥vj. Reichliche dünne Stühle vermindern den Umfang des Leibes, der Kranke fühlt sich leichter. Am 17. stellte sich plötzlich Unbesinnlichkeit ein, aus welcher Patient nicht erweckt werden kann, Gesicht blass und verfallen, Pupillen von normaler Weite und beweglich, der Puls macht 70 grosse Schläge, unwillkürliche Stühle, kein Erbrechen. Ord. Inf. fl. Arnic. mit Sp. nitr. aeth.

Am 18. grosse Unruhe, unartikulirtes Aufschreien, vollständige Bewusstlosigkeit, Puls 90, Respiration 22. Gegen Mittag bemerkt man, dass der Mund nach rechts verzogen wird wie bei Paralyse des Facialis.

Am 19. Puls 120; tiefes Coma, stertoröse Respiration.

Am 20. Trachealrasseln, Tod gegen Mittag.

Obduction.

Hirnhäute und Hirnsubstanz vollkommen normal, die Lunge mässig ödematös. Starker Ascites; Milz wenig vergrössert; Leber klein, auf der Oberfläche wie auf dem Durchschnitt mit gelben cirrhotischen Höckerchen, welche durch graue Bindegewebszüge geschieden sind, bedeckt, die Leberzellen fettreich, theils mit Pigment überladen. Auf der inneren Fläche der Lebervenen zeigen sich schwefelgelbe Körnchen bis zu $^1/_4$''' Grösse, welche dicht gedrängt in Form eines reifartigen Anfluges der Gefässwand fest anhaften. Sie bestehen aus Conglomeraten von Leucinkugeln, neben ihnen sieht man hellere Körnchen und Nadeln, welche nicht in Alkohol, leicht dagegen in Ammoniak löslich sind. Die Gallenblase enthält geringe Reste einer orangegelben Flüssigkeit.

Peritoneum und Darmserosa hie und da mit schwarzen Flecken bedeckt, Magen- und Darmschleimhaut blass und ödematös, Mesenterialdrüsen klein, Nieren und Harnwege normal.

Nr. 21.

Ascites, Diarrhoe, Unbesinnlichkeit, Coma, Cirrhose der Leber, Leucin im Blut und Harn, normales Gehirn.

Dav. Kliesch, Nachtwächter, 53 Jahre alt, will stets ein nüchternes Leben geführt haben und bis zum Herbst 1855 stets gesund gewesen sein. Im November stellte sich Durchfall ein, welcher anhaltend wurde und mit Ascites ohne Fussödem sich verband; dabei blieb der Appetit ungestört, aber die Kräfte nahmen mehr und mehr ab. Herz normal, 90 Pulse, leichter Catarrh der Luftwege. Leberdämpfung verkleinert, Milz ansehnlich vergrössert. Täglich erfolgen 4 bis 6 dünne, gallenarme Stühle, Harn blass, ohne Eiweiss; Hautfarbe bleich, Bauchvenen nicht ausgedehnt. Ord. Dec. r. Columb. mit Tinct. nuc. vom. Bei mässigem Appetit bleibt der Zustand unverändert, nur der Ascites nimmt zu.

Am 4. Februar wird Patient unbesinnlich, die Gesichtszüge verfallen, Pupillen unverändert. Puls 86.

Am 5. vollständiges Coma, schwache icterische Färbung der Haut, einzelne Petechien. Puls 120.

Am 6. unwillkürliche Ausleerungen, Puls 130, Trachealrasseln, Tod am 8. Febr. Morgens.

Obduction.

Hirnhäute mässig blutreich, Hirnsubstanz nicht verändert, Gefässe zum Theil atheromatös. Lungen blutreich und ödematös. Im Herzen wenig locker geronnenes Blut, in welchem 1,10 Proc. cholesterinhaltiges Fett und viel Leucin nachgewiesen wurde. Die Magenauskleidung gewulstet und livid gefärbt, die Darmschleimhaut oben frisch injicirt, unten von schiefergrauer Farbe, in der Flexura iliaca einige linsengrosse flache Geschwüre; Faeces dünn und blass.

Die Milz um die Hälfte grösser, mit dicken Schwarten bedeckt, Parenchym gleichmässig dunkelbraun. Leber klein, Capsel trübe und verdickt, Oberfläche und Durchschnitt mit Höckerchen bedeckt; das Organ ist zähe, aber schlaff und welk. Die Blase enthält eine kleine Menge dünner heller Galle. Die Leberzellen sehr fettreich. Das Systema uropoeticum normal.

Der aus der Leiche entnommene Urin hat ein specif. Gewicht von 1011, reagirt sauer und schwach auf Gallenpigment; enthält Spuren von Eiweiss und neben Harnstoff eine mässige Menge Leucin. Das Letztere wurde im Leberparenchym in grosser Quantität gefunden.

3) Fettige Degeneration.

Nur in einem Falle dieser Entartung wurden Hirnzufälle bemerkt; derselbe betraf eine Frau, bei welcher die Anhäufung von Fett in der Leber eine enorme Höhe erreicht hatte, so dass die Secretion der Drüse auf ein Minimum herabgesetzt war.

Nr. 22.

Icterus von 14tägiger Dauer, Somnulenz, Erbrechen, plötzlich auftretendes heftiges Delirium, Coma, Tod. Fettleber höchsten Grades, Milztumor.

Louise Fischer, eine 44jährige Waschfrau, wurde am 20. Mai 1856 in gelbsüchtigem Zustande aufgenommen. Der Icterus hatte vor 14 Tagen begonnen und seit 8 Tagen war die Kranke genöthigt, das Bett zu hüten; sie war seit dieser Zeit fieberhaft und litt an profusen schleimigen Diarrhöeen; die Urinsecretion spärlich. Bei der Untersuchung fanden wir die Temperatur erhöht, 128 kleine Pulse, die Herztöne rein, Respirationsorgane normal; das Abdomen tympanitisch aufgetrieben; die Leber reichte bis zum unteren Rande der fünften Rippe und erstreckte sich von hier in der Mammarlinie 17 Centimeter abwärts, ebenso war die Milz ansehnlich vergrössert. Die häufig erfolgenden Stühle waren dünn und von graugelber Farbe, drei Mal im Verlauf des Tages erfolgte schleimiges Erbrechen. Der Harn, welcher mit dem Catheter entleert werden musste, war schwach sauer und färbte sich auf Zusatz von Salpetersäure grünlich, Eiweiss und Gallensäuren liessen sich nicht nachweisen; dagegen wurden später bei weiterer Untersuchung dem Hypoxanthin ähnliche Kugeln und Spuren von Leucin gefunden. Ord. Acid. muriat. in Dec. r. Alth.

Gegen Abend wurde die Kranke, welche schon bei der Aufnahme etwas unbesinnlich war, plötzlich von heftigen Delirien befallen, sie tobte und lärmte während der ganzen Nacht, gegen Morgen stellte sich Collapsus ein, der Puls wurde fadenförmig, die Extremitäten kühl. Tod am 21. früh 10 Uhr.

Obduction 7 h. p. m.

Die Hirnhäute von gelber Farbe, in den Sinus fest geronnenes Blut; die Hirnsubstanz mässig blutreich und von normaler Consistenz. Beide Lungen ohne Adhäsionen, blutreich, hinten und unten leicht ödematös.

Im Herzen wenig theils locker, theils fest geronnenes Blut.

Magen- und Darmschleimhaut blass, die Drüsen nicht vergrössert, im Ileum und Colon graue dünne Fäcalstoffe, in der Flexura iliaca frische Injection und Schwellung der Schleimhaut.

Die Milz gross, 0,372 Kg. schwer, weich, von braunrother Farbe.

Die Leber ansehnlich vergrössert, wiegt 3,23 Kg., ist scharfrandig und von wachsgelber Farbe. Die Schnittfläche erscheint auffallend anämisch, die Peripherie der Läppchen blassgelb, das Centrum derselben grünlich gelb, die Zellen sind hier mit Gallenpigment überladen, während sie dort von Fett strotzen. Die Pfortader frei, ihre Injection sowie die der Lebervenen gelang vollkommen. Die Gallenblase enthält eine kleine Menge blasser klarer schleimiger Flüssigkeit. Die Gallengänge normal, Veranlassungen von Stauung sind weder in ihnen noch in der Glisson'schen Capsel oder im Duodeno vorhanden. Das Lebergewebe bestand dem grösseren Theile nach aus Fett, dasselbe enthielt 78,07 Proc. Fett und 21,93 Proc. Gewebe; neben dem Fett wurden grosse Mengen von Leucin nachgewiesen. Im festen Rückstande des Blutes im rechten Herzen wurden 1,91 Proc. Fett und amorpher gelbgrüner Farbstoff nebst Spuren von Leucin gefunden.

Den eben beschriebenen Formen dürften sich noch andere anreihen lassen, welche wegen Suspension der Leberthätigkeit in gleicher Weise endeten. So behandelte ich eine 53jährige Dame an einem, wie die Palpation erwies, sehr weit verbreiteten Carcinom der Leber, welche plötzlich von Delirien, Convulsionen und Coma befallen wurde, während gleichzeitig die Haut sich leicht icterisch färbte und mit Petechien bedeckte. Die Stühle, welche bis dahin blass und gallenarm gewesen waren, nahmen in Folge von Darmblutung eine schwarzbraune Farbe an; unter profuser Epistaxis erfolgte der Tod. Leider konnte in diesem Falle die Obduction nicht gemacht werden.

Dieselbe Wirkung lässt sich überall erwarten, wo die Textur der Leber durch acute oder chronische Processe in der Weise verändert wird, dass die Function des Organs vollständig erlöschen muss.

VI.

Chronische Atrophie der Leber.

Der Umfang der Leber erleidet unter normalen Verhältnissen ansehnliche Schwankungen, deren Grenzen wir im zweiten Abschnitt festzustellen versuchten; von ihnen unabhängig bestehen zahlreiche Ernährungsstörungen pathologischer Art, welche eine Umfangsabnahme und mit ihr eine entsprechende Verminderung des functionellen Werthes der Drüse nach sich ziehen. Veranlassung dazu kann Alles geben, was die Blutbewegung in dem Capillargefässsysteme des Organs dauernd beeinträchtigt oder aufhebt [1]). Man beobachtet aus diesem Grunde allge-

[1]) Die Leber besitzt wie die Lunge einen doppelten Gefässapparat, einen nutritiven und functionellen; dem ersteren Zwecke dient die Art. hepatica, dem zweiten die V. portae. Störungen der Ernährung der Drüse, so weit dieselben von der Blutzufuhr abhängen, sollten demnach von der Art. hepatica ausgehen. Hiermit steht die Erfahrung nicht im Einklange. Eine strenge Scheidung beider Aufgaben findet nicht Statt, allem Anscheine nach deshalb nicht, weil die Capillaren beider Gefässapparate zusammentreffen; Obliteration der Art. hepat. hat keine Aufhebung der Nutrition (Ledieu, Journ. de Bord, Mars 1856, Gintrac, l'oblitération de la veine-porte, Bord. 1856, p. 51), Verschluss der Pfortader keine Sistirung der Secretion in ihrem Gefolge (Gintrac; ferner meine Beob. Nro. 29 und 30). Für die Erhaltung des normalen Lebervolumens ist, so weit unsere bisherigen Erfahrungen reichen, die Pfortader wichtiger als die Leberarterie, welche hauptsächlich nur die Wandungen der Gallenwege und der Gefässe versorgt, in die Läppchen nur auf kurze Strecken eindringt. Krankheiten der Arterie und ihrer Verästelungen, welche Störungen der Blutzufuhr veranlassen, sind wenig gekannt, freilich auch wenig untersucht, nur eine Veränderung habe ich häufig beobachtet, nämlich Anhäufung von schwarzem Pigment (siehe Taf. XI. und die späteren). Ueber den Einfluss von Innervationsstörungen seitens des Plexus hepaticus auf die Ernährung des Leberparenchyms fehlen uns alle Erfahrungen.

meinen oder partiellen Schwund der Leber im Gefolge verschiedenartiger Texturerkrankungen des Organs als eine Theilerscheinung und zugleich als das nothwendige Ergebniss dieser, nicht selten aber auch selbstständig. Wir übergehen hier vorläufig die Formen der Atrophie, welche durch die Entwickelung von Neubildungen in der Leber, von Echinococcen oder Carcinomen bedingt werden, oder welche von Ectasieen der Gallenwege abhängig sind, ferner den cirrhotischen Schwund und die Induration, ausserdem die partielle Atrophie, veranlasst durch die Vernarbung von Abscessen, durch Obliteration grösserer Pfortaderäste, endlich die Atrophie der Leber durch Erweiterung der Anfänge der Vv. hepaticae in Folge von Stauungshyperämie der Leber; alle diese Formen können erst später bei den entsprechenden Krankheiten, in deren Gefolge sie vorkommen, ausführlicher erörtert werden. Wir beschäftigen uns hier mit derjenigen Form von Atrophie, welche für sich bestehend und von keiner anderen wesentlichen Texturveränderung begleitet auf eine gewisse Selbstständigkeit Anspruch machen kann. Sie entwickelt sich unter sehr verschiedenartigen Verhältnissen.

Wir kennen als Ursache zunächst die Compression des Organs von aussen her, welche, auf grössere oder kleinere Strecken der Drüse ihren Einfluss äussernd, einen der Ausdehnung und Stärke des Druckes entsprechenden Schwund herbeiführt. Bekannt ist in dieser Beziehung die bereits bei der Diagnostik angedeutete Wirkung der Schnürbrust; sie veranlasst ausser der Lagenveränderung der Leber mehr oder minder tiefe Furchen, in welchen das Parenchym bis auf eine von erweiterten Gefässen und Gallengängen durchzogene Brücke schwindet; gleichzeitig wird das Organ in vielen Fällen faltenartig zusammengeschoben. Der Substanzverlust, welchen die Drüse hierbei erleidet, ist in der Regel geringfügiger Art; es kommt weniger eine Atrophie, als eine Verdrängung des Parenchyms zu Stande. Mehr leidet unter Umständen die Ernährung der Leber bei Compression ihrer convexen

Fläche durch grosse pleuritische oder pericardiale Exsudate, besonders wenn die Drüse mittelst kurzer Bänder am Diaphragma befestigt ist. Hier entstehen nicht selten umfangsreiche Gruben; die Drüsensubstanz solcher Stellen nimmt eine dunkelbraune Farbe an; die Zellen verkleinern sich, verlieren ihren granulirten Inhalt, während einzelne braune Körnchen sichtbar werden [1]).

Fig. 35.

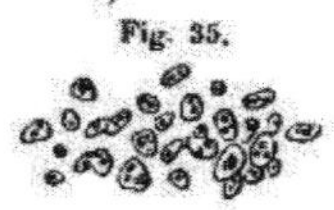

Eine ähnliche Wirkung äussern abgesackte Peritonealexsudate, welche hie und da tiefe Depressionen in der convexen Fläche der Leber zurücklassen.

Fig. 36.

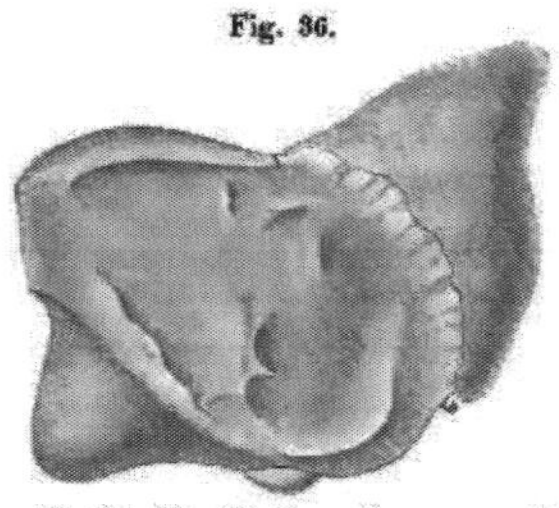

Cruveilhier [2]) beobachtete eine ansehnliche Grube in der mit dem Diaphragma fest verwachsenen Drüse, welche durch den Druck eines hypertrophischen Herzens gebildet war.

Aehnliche Folgen können Erweiterungen der die Leber begrenzenden Darmtheile nach sich ziehen, wenn sie, mit Gas oder Fäcalstoffen überfüllt, einen anhaltenden Druck auf das Organ äussern. Ich sah auf solchem Wege einen ausgedehnten Schwund zu Stande kommen durch eine enorme, Monate lang bestehende Erweiterung der Flexura coli. Der Fall be-

---

[1]) Die Zellen, welche Fig. 35 wiedergegeben sind, massen $^1/_{230}$ bis $^1/_{120}$'''.

[2]) Anat. pathol. génér. Tom III, p. 208.

traf einen 36jährigen Mann, bei welchem sich in Folge eines Ulc. chron. perforans des Magens im linken Hypochondrio ein abgesacktes Peritonealexsudat gebildet hatte; die Flex. coli sinistra war durch letzteres verengt und im C. transversum und ascendens stagnirten Gase und feste Contenta. Die Leber wurde durch diese Darmectasie tief in die rechte Excavation des Zwerchfells gegen die Rippen gedrängt; der dem Druck zunächst ausgesetzte linke Lappen, sowie ein Theil des rechten waren atrophirt. Budd[1]) beschreibt partiellen Schwund der Drüse nach einem im Museum des Kings College aufbewahrten Präparat von einem Paraplegischen, dessen Dickdarm anhaltend ausgedehnt gewesen war.

Cruveilhier ist der Ansicht, dass durch den Druck ascitischer Flüssigkeit ein Schwund des Leberparenchyms veranlasst werde, ebenso durch Adhäsionen des Organs mit benachbarten Theilen. Ich habe mich davon nicht überzeugen können; bei Ascites höchsten Grades und bei vielfältigen Adhäsionen der Leber fand ich das Organ nicht selten klein, oft aber auch von normalem Umfange oder vergrössert. Nur bei chronischer Peritonitis, wenn die Leber längere Zeit mit reichlichem eitrigen Exsudat überdeckt war oder die Entzündung sich auf die Fossa hepatis und die Glisson'sche Kapsel verbreitet hatte, war constant eine Volumsabnahme des Organs bemerklich.

Die auf dem eben berührten Wege entstehende Atrophie bleibt in der Regel partiell; ihre klinische Bedeutung ist im Allgemeinen gering, dieselbe hängt von der mehr oder minder grossen Ausdehnung des Schwundes sowie davon ab, ob die grösseren Gallenwege und Blutgefässe dem Drucke ausgesetzt sind oder nicht.

Viel wichtiger, als diese Compressionsatrophie, ist in seinen Folgen für den Gesammtorganismus und für die localen Vorgänge im Gebiete der Pfortader der allgemeine über das ganze Organ verbreitete Schwund der Leber. Dieselbe ver-

---

[1]) A. a. O. S. 29.

kleinert sich hier nach allen Richtungen hin, ihr Gewicht sinkt auf die Hälfte des normalen und darunter [1]). Die Oberfläche der Drüse ist dabei glatt oder leicht granulirt oder streifig gerunzelt (Fig. 37), zeigt zuweilen auch vereinzelte narbige Einziehun-

Fig. 37.

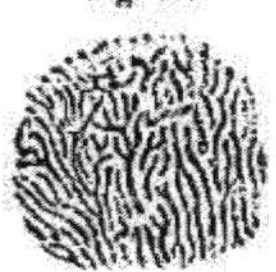

gen; das Parenchym ist von dunkel rothbrauner Farbe, zuweilen auch bei gleichzeitiger Fettablagerung graubraun oder gelb gefleckt. In den meisten Fällen ist von einer Läppchenzeichnung auf der gleichmässig braunen Fläche keine Spur sichtbar (Taf. IV, Fig. 1), wenn es der Fall ist, so erscheinen die Lobuli kleiner, als in der normalen Drüse [2]).

In den Gefässen der Leber lassen sich wesentliche Anomalieen nachweisen: die Pfortader ist in der Regel ansehnlich erweitert bis zu ihrer Auflösung in Capillaren an der Peripherie der Läppchen, wo die Ectasie kolbig endet (Taf. IX, Fig. 5). Die Wandungen der erweiterten Venen bleiben bald von normaler Beschaffenheit, bald dagegen zeigen sie auffallende Verdickung ihrer Hülle, der Glisson'schen Kapsel [3]). Diese letztere verliert sich plötzlich, wo die capillaren Endverästelungen beginnen. Die Capillaren selbst sind zum grossen Theil verödet, mit braunen Molekeln gefüllt, oder sie enthalten unter Umständen Schollen oder Körner von schwarzem Pigment (Taf. IV, Fig. 3; Taf. IX, Fig. 4 und 5). Injectionen von der Pfortader gelingen daher sehr unvollkommen,

[1]) Bei einer Frau von 26 Jahren betrug das Gewicht 0,7 Kg., bei einem Manne von 58 Jahren 0,85 Kg.; bei einer Frau von 50 Jahren 0,86 Kg., bei einem Manne von 59 Jahren 0,62 Kg.

[2]) Die Breite des Parenchyms zwischen einer V. centralis und V. interlobularis mass ½ bis ¾ Mm., während dieser Raum in anderen Fällen 1 bis 1½ bis 2 Mm. breit war.

[3]) Unter 18 Fällen 6 Mal.

nur hie und da füllen sich vereinzelte Haargefässe bis zu ihrem Uebergange in die Wurzeln der Lebervenen; die letzteren sind in der Regel für die Injection leichter zugängig, füllen sich auf weitere Strecken (Taf. IV, Fig. 4). Die von den Capillaren und dem Bindegewebsgerüst, welches ihre Träger darstellt, gebildeten Maschen sind verengt und stellenweise vollkommen verschwunden, so dass die Wandungen der obsoleten Gefässe sich unmittelbar berühren; in den engen Maschen sieht man hie und da kleine atrophische Zellen (Taf. IV, Fig. 3).

Die Vv. hepaticae nehmen in manchen Fällen an der Erweiterung der V. portae Theil, jedoch stets in geringerem Grade, auch bleibt ihre Wand meistens dünn und sticht aus diesem Grunde durch ihre bläuliche Farbe schroff gegen die gelbrothe der Pfortader ab (Taf. IV, Fig. 1). Die Art. hepatica erschien in zwei Fällen etwas enger; die Glisson'sche Kapsel wurde häufig verdickt gefunden. Die Zellen der Leber, welche an einzelnen Stellen des Organs vollkommen geschwunden sind, zeigen sich an anderen deutlicher, jedoch stets blass, ohne körnigen Inhalt, mit gefalteten Wandungen und eckigen Contouren, ihr Umfang meistens sehr verkleinert; oft enthalten sie braune Pigmentkörnchen, welche hie und da die Zellenhöhle vollständig ausfüllen, oder Stengelchen von Gallenbraun (Taf. IV, Fig. 2 *a*, *b*, *c*). In manchen Fällen [1]) findet man mit Fett gefüllte Zellen bald über das ganze Organ verbreitet, bald nur in einzelnen Heerden (Taf. IV, Fig. 5 und 6). Die Gallenwege enthalten nur eine geringe Menge eines blassen, häufig eiweisshaltigen Secrets.

Neben diesen Veränderungen der Leber beobachtete ich mehrfach Ectasieen der Venen am Magen und Dickdarm, subseröse Ecchymosen sowie Stauungshyperämieen der Milz. Die letzteren kamen unter 18 Fällen 7 Mal vor. Im Magen und Darm bestanden 8 Mal Ulcerativprocesse, darunter 3 Mal chronische

[1]) Unter 15 Fällen 5 Mal.

Dysenterie, 2 Mal Ulcus chronicum simplex des Magens, 3 Mal carcinomatose Ulceration; in einem Falle waren strangförmige Verdickungen im Mesenterio mit Abschnürung einzelner Venenäste nachweislich. Als consecutive Veränderungen kamen ferner 12 Mal Ascites und Anasarca, 2 Mal acute Peritonitis vor.

Nr. 23.

Chronische Atrophie der Leber mit beträchtlicher Erweiterung der Pfortaderäste, kleines Geschwür am Pylorus ohne Stenose desselben, deutlich sichtbare peristaltische Bewegungen des Magens. Tod durch Erschöpfung.

Adam Blaschefsky, ein Tagelöhner, 53 Jahre alt, wurde am 21. November 1854 aufgenommen.

Der Kranke, welcher abgemagert, jedoch frei von Oedem und von anomaler Hautfärbung war, klagte seit längerer Zeit über Schmerzen im Epigastrio und brach oft die genossenen Speisen ohne fremdartige Beimengungen wieder aus. Sein Appetit wurde dabei wenig gestört, der Stuhl erfolgt regelmässig, ist von normaler Consistenz, jedoch von blasser Farbe. Die Organe der Brusthöhle zeigen sich unverletzt, Respiration frei, Herztöne rein, 62 Pulse. Der Leib ist eingefallen, die Bauchdecken erscheinen, wenn man sie faltet, ungewöhnlich dünn. Bei aufmerksamer Besichtigung sieht man die Contouren des von Gas ausgedehnten Magens deutlich hervortreten; durch die Percussion lassen sich dieselben vermöge des vollen tympanitischen Tons im Vergleich zu dem kürzeren des benachbarten Dünndarms als solche constatiren. Einen halben Zoll rechts und oberhalb des Nabels sieht man eine etwas stärker prominirende Geschwulst, welche sich uneben und hart anfühlt, beim Druck empfindlich ist und sich verschieben lässt. Sie musste für ein Carcinom des Pylorus genommen werden. Die Leberdämpfung ist verkleinert, sie beträgt in der Medianlinie 2, in der Mammillarlinie 3, in der Axillarlinie 5 Centimeter.

Auf den Gebrauch der Tinct. Rhei aq. mit Extr. Bellad. lässt das Erbrechen nach; allein die Abmagerung nimmt der ausreichenden Nahrung und der gebesserten Digestion ungeachtet ziemlich rasch zu. Die Geschwulst am Pylorus ändert wiederholt ihre Lage, sie befindet sich bald rechts, bald links vom Nabel, bald unter demselben gerade vor der Wirbelsäule. Während des Verdauungsgeschäftes kann man auf das deutlichste die peristaltische Bewegung des Magens beobachten. Es bildete sich am linken Rippenbogen, also vom Blindsack her, zunächst eine Auftreibung, welche sich langsam gegen den Pylorus bewegte und von hieraus wieder nach links zurückkehrte. Hinter der Auftreibung sah man eine ringförmige Einschnürung, durch welche die erstere fortgeschoben wurde. Nicht selten folgte auf die erste Auftreibung eine zweite, welche durch eine Einschnürung von dieser getrennt war; der Magen erschien dann in zwei Hälften getheilt. Solche Magenbewegungen dauerten jedes Mal eine halbe bis ganze Minute, sie erfolgten in Pausen, welche meistens 4, zuweilen auch 6 Minuten währten. Während der Pause war keine Bewegung sichtbar. Von Zeit zu Zeit schritt die Auftreibung über den Pylorus hinweg, dieser erhob sich dann mehr, es schienen Magencontenta in das Duodenum überzugehen. Bei leerem Magen liess sich überall keine Bewegung wahrnehmen. So lange noch Chymus vorhanden war, konnte man durch Darreichung von Ungarwein, durch Percussion und durch wiederholtes Betasten des Magens die Contractionen hervorrufen, sie erfolgten immer nach demselben Typus, nur die Pause zwischen zwei Bewegungen wurde durch jene Reizmittel ein wenig abgekürzt.

Der Kranke, welcher sich relativ wohl fühlte, verlangte am 22. December seine Entlassung. Schon am 27. kam er sehr erschöpft wieder zurück. Diätexcesse während der Feiertage hatten einen intensiven Magencatarrh hervorgerufen, die Zunge war dick belegt, das Epigastrium sehr empfindlich, der Appetit verschwunden. Erbrechen von schleimigen Stoffen ohne blutige Beimengung trat plötzlich ein, der Stuhl war retardirt. Es gelang nicht mehr, durch leichte Mittelsalze und bittere schwach adstringirende Mittel, verbunden mit passender Diät, den Catarrh zu beseitigen, der Kranke collabirte rasch und ging am 14. Jan. an Erschöpfung zu Grunde.

Obduction am 15. Jan. 1855.

Die Leiche ist sehr abgemagert, wiegt 45 Kilogr.

Das Hirn und seine Häute sind blutarm, im Uebrigen normal. Die Luftwege von blasser Schleimhaut, die Lungen collabirt und anämisch; nur in den hinteren Parthieen ein schwaches hypostatisches Oedem. Das Herz klein, mit Sehnenflecken bedeckt, der Klappenapparat normal. Pharynx und Oesophagus zeigen eine blasse Schleimhaut; die Bauchdecken sind ungewöhnlich dünn. Der Magen liegt in Folge der Todtenstarre eng zusammengezogen dicht unter der Leber, reicht weniger tief herab als während des Lebens. Unmittelbar unter ihm liegt das eng zusammengezogene Quercolon, der Dünndarm ist vollständig in die Beckenhöhle hinabgesunken, so dass die Bauchdecken die Wirbelsäule berühren, nur durch das dünne Omentum und Mesenterium von dieser geschieden sind. Durch diese Lagenveränderung des Dünndarms und durch die ungewöhnliche Schlaffheit der Bauchmuskulatur war die genaue Beobachtung der Magenbewegungen während des Lebens möglich geworden.

Die Milz ist fest mit der Excavation des Zwerchfells verwachsen; ihre Kapsel mit umfangreichen, gegen $1\frac{1}{2}'''$ dicken weissen Schwarten bedeckt; das Parenchym blutarm.

Der Magen zeigte eine aufgewulstete, dunkellivide, mit dicker Schleimschicht bedeckte Auskleidung. Die venösen Gefässe, besonders die an der kleinen Curvatur, sind stark erweitert und strotzen von dunkelem Blute.

Unmittelbar vor dem Pylorus liegt ein $\frac{1}{2}''$ langes, gegen $3'''$ tiefes und ebenso breites Geschwür, dessen Ränder, welche noch mit gefalteter Schleimhaut bedeckt sind, einen durch carcinomatose Infiltration des submucosen Bindegewebes gebildeten nur wenig prominirenden Wall darstellen. Die Muskulatur ist am ganzen Magen, besonders aber am Pförtner hypertrophisch.

Die Schleimhaut des Dünn- und Dickdarmes ist etwas dunkeler gefärbt, die venösen Gefässe desselben sind erweitert; die Fäcalstoffe fest und von gelber Farbe.

Das uropoëtische System ist von normaler Beschaffenheit.

Die Leber trägt alle Charaktere der chronischen Atrophie in ausgeprägter Weise an sich. Sie ist klein [1]), schlaff und zähe, ihre Oberfläche gerunzelt, mit flachen, etwa $^1/_4$''' breiten Erhebungen bedeckt, die Kapsel stellenweise getrübt. Die Schnittfläche ergiesst eine enorme Menge dünnflüssigen Blutes aus den zahlreichen, weit klaffenden Gefässmündungen, welche überall sichtbar werden. Die Lichtung dieser Gefässe ist ansehnlich erweitert. Der linke Ast der Pfortader misst nahezu $1^1/_2$'', ein Zweig desselben 8'''. Diese Erweiterung erstreckt sich über das ganze Gebiet der Pfortader bis zu deren Capillarverästelungen und ist auch, jedoch in geringerem Grade, auch an den Vv. hepaticis sichtbar. Die Tunica adventitia der V. portarum ist sehr beträchtlich verdickt, die Verzweigungen derselben in der Leber sind von röthlichgelber Farbe und unterscheiden sich dadurch auffallend von den bläulichweissen dünneren Aesten der Lebervenen (Taf. IV, Fig. 1.). Im Zuge der Pfortaderverzweigungen findet man vielfach mehrere Aeste derselben (dem Anscheine nach gleichzeitig auch Aeste der Art. hepat. und des Duct. hepat.) jeden einzelnen mit einer besonderen T. adventitia versehen, von einer dicken gemeinschaftlichen Bindegewebsscheide, welche auch elastische Fasernetze enthält, umschlossen. In einer solchen Scheide erkennt man hie und da Parthieen einer Substanz eingestreut, welche vollständig übereinstimmen mit derjenigen, welche als Leberparenchym zwischen den Verzweigungen der Pfortader sichtbar ist. Es scheint also, als ob das Zusammentreten mehrerer Aeste der V. portarum damit in Zusammenhang stehe, dass zwischenliegende Theile des Leberparenchyms geschwunden sind. Die Verdickung der Gefässscheide erstreckt sich bis zu den feineren Verzweigungen, um sich erst zu verlieren, wenn diese in Capillargefässe sich auflöst. An dünnen Schnitten der getrockneten Lebersubstanz (Fig. 38 der folg. S.) sieht man überall die dicken, theils ein rundes, theils ein langgestrecktes Gefässlumen umgebenden Scheiden *aaa*, welche hie und da noch Aeste der Art. hepat. etc. umschliessen, und gegen die dünnwandigen Zweige der V. hepat. *b* auffallend abstechen.

Das Leberparenchym ist von dunkel rothbrauner Farbe und zeigt nir-

---

[1]) Das Gewicht der Leber beträgt 0,85 Kilogr. bei einem Körpergewicht von 43 Kg., das Verhältniss beider ist also = 1 : 50,3, das Gewicht der Milz ist = 0,18 Kg., dasselbe verhält sich zum Lebergewicht = 1 : 4,7. Der linke Leberlappen misst querüber $3^1/_4$'', von hinten nach vorn $3^1/_4$'', der rechte querüber $5^1/_2$'', von hinten nach vorn 6'', die Dicke beträgt im Max. 2''.

gend ein deutlich lobuläres Verhalten (Taf. IV, Fig. 1.). Unter dem Mikroskop erkennt man an feinen Schnitten eine ziemlich regelmässige Netz-

Fig. 38.

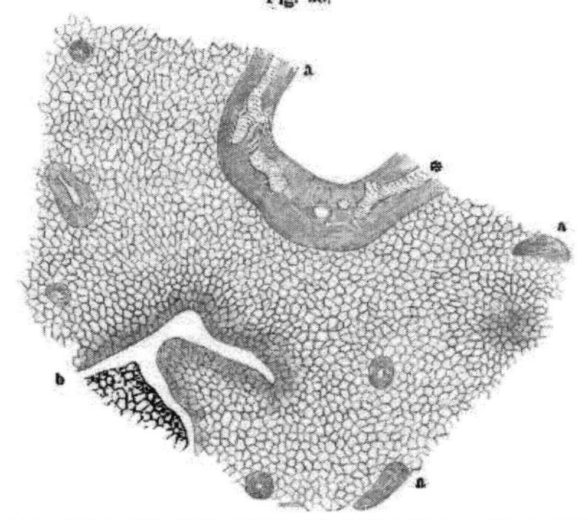

zeichnung, stellenweise auch reiserartige Verzweigung, wo über ziemlich weite Strecken die Zweige parallel neben einander hergehen (Taf. IV, Fig. 3). Dieses Netzwerk wird gebildet durch ein zusammenhängendes System von Röhrchen, welche kleine gelbe oder gelbbraune, hie und da auch röthlichbraune Körnchen enthalten. In den theils länglichen und ovalen, theils rundlichen Maschenräumen, welche da übrig bleiben, wo die Canälchen nicht dicht gedrängt an einander liegen, bemerkt man kleine blasse, zum Theil kernhaltige Zellen (Taf. IV, Fig. 3 unten und rechts), welche durch wiederholtes Auswaschen der feinen Schnitte sich entfernen lassen. Es erschien anfangs fraglich, wofür jenes Netzwerk zu halten sei, ob für Gefässverzweigungen oder für zusammenhängende Leberzellen. Die weitere Untersuchung ergab mit Bestimmtheit, dass die erstere Annahme, nach welcher das Reticulum aus zum Theil verödeten und wegen Schwundes der Leberzellen dicht zusammengedrängten Capillaren bestehe, die richtige sei. Dafür sprachen zunächst die in den Maschen liegenden Zellen, sodann die Injectionsversuche, bei welchen es wenigstens stellenweise gelang, sowohl von der V. portarum als auch von den Vv. hepaticis aus die Injectionsmasse in die gekörnten Röhrenzüge hineinzutreiben. (Taf. IV, Fig. 4. Die gelbe Masse aus der Pfortader ist nur auf kurze Strecken, die rothe aus der V. hepat. auf längere in das Reticulum eingedrungen.) In vielen Theilen der Leber drang die Injectionsmasse gar nicht bis in das Bereich der Capillaren vor, auch liess sich injicirtes Wasser nicht durchtreiben. Ausserdem sah man in dem Lumen grösserer Gefässe die Innenfläche stellenweise ebenso braunkörnig gefärbt, wie das Netzwerk.

Die eben beschriebene Verödung der Lebercapillaren mit Schrumpfung oder vollständigem Schwunde der Drüsenzellen war nicht gleichmässig über das ganze Organ verbreitet, sondern hier mehr dort minder entwickelt, was man schon an der verschiedenartigen Vertheilung der Injectionsmasse, noch genauer bei der Untersuchung feiner Schnitte erkannte. An einzelnen Stellen gelang es kaum, aus der frischen Substanz einzelne verkümmerte Zellen zu isoliren, an anderen waren sie häufiger, jedoch grösstentheils wesentlich verändert. Die meisten waren klein, blass, ohne granulirten Inhalt, ein Kern war nur in wenigen sichtbar; die Wandung erschien gerunzelt und stellenweise gefaltet, wodurch die Contouren ein gezacktes, eckiges Aussehen erhielten (Taf. IV, Fig. 2a und 2c). In einigen Zellen lagen braun gefärbte Molekeln in grosser Anzahl angehäuft, andere sind vollständig mit schwarzbraunem Inhalt gefüllt (Taf. IV, Fig. 2a und 2c), hie und da nahm man im Parenchym der Leber grössere Körnchen und Stengelchen von Gallenpigment wahr (Fig. 2b), Veränderungen, welche den Beweis lieferten, dass der Uebertritt der Galle in die Ausführungsgänge erschwert war.

Die Gallenblase enthielt ein kleines Quantum dünner trüber blassgelber Galle, welche in der Siedhitze Eiweisscoagula fallen liess. Das Albumin transsudirte wegen des vermehrten Seitendruckes des Blutes in den von der Obsolescenz verschont gebliebenen Capillaren der Pfortader.

Der Ausgangspunkt der Atrophie, die Ursache der Obsolescenz der Capillaren und des Schwundes der Drüsenzellen liegt hier allem Anscheine nach in der Erkrankung der Glisson'schen Kapsel, welche, von der ulcerirten Stelle des Pylorus ausgehend, über die Fossa hepatis und nach dem Laufe der Pfortader bis zu deren Endverästelungen sich verbreitete. Dieselbe griff, wie die in der Gefässwandung sichtbaren Texturveränderungen, die bräunlichen Flecken auf der Innenfläche derselben etc. darthun, auf die Pfortader selbst über und veranlasste in dem Stamme und den grösseren Zweigen Verdickung, Paralyse der Muskulatur nebst Erweiterung, in den kleineren dagegen und in den Capillaren die oben beschriebenen Anomalieen, Obsolescenz etc.

Aehnliche Veränderungen beobachtete ich wiederholt bei Magencarcinomen, zu welchen sich Peritonitis carcinomatosa hinzugesellte: hier war die Glisson'sche Kapsel bis tief in die Leber hinein mit krebsigen Infiltraten durchsetzt; das Organ selbst in hohem Grade geschwunden.

Nicht immer entsteht indess die Erweiterung der Pfortader bei der chronischen Leberatrophie auf diesem Wege; ich fand sie auch in Fällen, wo der Schwund der Leber eine andere, die Capillaren direct betreffende Veranlassung hatte und die Glisson'sche Kapsel von normaler Dicke war.

Nr. 24.

Intermittens tertiana und quotidiana von etwa 8monatlicher Dauer, Anasarca, Ascites, Diarrhoe, Tod durch Erschöpfung. Atrophische Pigmentleber und Pigmentmilz.

Ein 10jähriger verwahrloster Knabe, welcher 8 Monate lang fast ununterbrochen an Wechselfieber, anfangs mit Tertian-, später mit Quotidiantypus gelitten hatte, kam mit bleichem anämischen Aussehen und an profusen wässerigen Durchfällen leidend Anfang Mai 1855 ins Hospital. Die Milz mässig vergrössert, eine Leberdämpfung ist vorn nicht aufzufinden, in der Axillarlinie beträgt sie 2 Centim., die Unterleibshöhle enthält eine ansehnliche Menge Flüssigkeit, Oedem der Füsse kaum nachweislich. Die Stuhlausleerungen, welche 6 bis 8 Mal täglich erfolgen, dünn, blassgraugelb, ohne Spuren von Blut oder dysenterischen Exsudaten. Puls 90, klein, Temperatur nicht erhöht, Appetit gering. Der Harn wird in der Siedhitze und durch Salpetersäure kaum merklich getrübt.

Die Versuche, durch Eisenchlorid, Nux vom. u. s. w. den erschöpfenden Ausleerungen Einhalt zu thun und durch angemessene Diät der Anämie entgegen zu wirken, blieben erfolglos. Der Knabe starb nach dreitägigem Aufenthalt im Hospital.

Obduction.

Bedeutender Ascites, leichtes Anasarca, die Organe der Schädel- und Brusthöhle nicht wesentlich verändert. Die Schleimhaut des Magens und Darmcanals von blasser Farbe, stellenweise ödematös infiltrirt, die Serosa des Dünn- und Dickdarmes trägt hie und da livide Flecken, Ueberreste von Ecchymosen.

Die Nieren von normaler Beschaffenheit, nur sehr vereinzelte Pigmentkörnchen in den Glomerulis.

Die Milz gross, fest und blutreich, mit schwarzem Pigment dicht durchsetzt.

Die Leber sehr klein, atrophisch, an ihrer Oberfläche sieht man zahlreiche tief eingesunkene Stellen. Das Parenchym blutreich, schwärzlichbraun gefärbt, von zäher Beschaffenheit. Die Injection der Pfortader mit gelber Leimmasse gelang sehr unvollkommen; an dünnen Schnitten der injicirten Substanz (Taf. IX. Fig. 5) erkennt man die Verzweigungen der V. portarum bis zu ihrem Eintritt in die Läppchen ansehnlich und stellenweise etwas ungleichmässig erweitert, von den Capillaren, in welchen man schwarzes Pigment wahrnehmen kann, sind nur wenige injicirt, ein grosser Theil derselben scheint die Durchgängigkeit verloren zu haben. Die roth gefärbten Wurzeln der Vv. hepaticae haben sich besser erhalten.

Nr. 25.

Anhaltende oft recidivirende Intermittens quotidiana, Hydrämie, Anasarca, Ascites, profuse Durchfälle, Tod durch Erschöpfung.
Atrophie der Leber, Verstopfung der Capillaren mit Pigment.

Frau M., 26 Jahre alt, hatte, ehe sie ins Hospital kam (am 27. April 1855), während des Winters mehrere Monate hindurch an Intermittens gelitten. Auch nach der Aufnahme der Kranken hielt das Wechselfieber noch längere Zeit an und verlor sich erst dauernd nach wiederholter Anwendung grosser Gaben Chinins. Die Kranke wurde auf diese Weise nach und nach höchst anämisch, allgemeines Anasarca und Ascites stellten sich ein und wuchsen unter der Mitwirkung anhaltender profuser Durchfälle, gegen welche vergebens vegetabilische und metallische Adstringentien, namentlich das Ferr. muriat. verordnet wurden, schnell zu einer bedenklichen Höhe. Der Tod erfolgte 6 Wochen nach der Aufnahme. Albuminurie oder sensorielle Störungen, welche zu jener Zeit vielfach neben Intermittens vorkamen, waren hier zu keiner Zeit vorhanden.

Obduction.

Im Hirn nichts Abnormes, die Lungen blutarm, collabirt, in den Pleurasäcken ein mässiger Erguss; das Herz normal. Die Unterleibshöhle enthielt mehrere Pfunde klarer seröser Flüssigkeit.

Die Leber ist klein[1]), sie wiegt 0,7 Kg., also weniger als die Hälfte des normalen Gewichts, dabei erscheint sie welk und zähe, ihr Parenchym blutreich und dunkel gefärbt. Mikroskopisch erkennt man zahlreiche Pigmentschollen von theilweise sehr bedeutendem Umfange in ihren Capillargefässen. Die Injection der Pfortader, deren Aeste bis zur Peripherie der Läppchen hin stark erweitert sind, gelang nur sehr unvollständig; ein grosser Theil der Capillaren enthält Pigment und ist für Injectionsmasse unzugängig (Taf. X, Fig. 6). Die Leberzellen in ihrer Umgebung sind entweder atrophirt oder mit Fett gefüllt; stellenweise lassen sich im Parenchym Speckstoffe nachweisen. Zucker war in dieser Leber nicht nachweisslich.

[1]) Der rechte Lappen ist 5½" lang und 4" breit, der linke 4" und 3¼", die Dicke beträgt 2".

Die Milz ist klein[1]), fest und durch dicht gedrängte Anhäufungen von Pigment schwärzlich braun gefärbt, ihre Kapsel verdickt.

Die Nieren normal, nur hie und da sieht man in den Glomerulis vereinzelte Pigmentkörnchen. Der Darm von blasser ödematöser Schleimhaut, in der Flexura iliaca ein Paar flache catarrhalische Ulcerationen.

Die Entstehung der Atrophie liess sich hier mit Sicherheit verfolgen. Die Pigmentschollen und Pigmentkörner, welche während des Bestehens von schweren Intermittenten nicht selten in der Milz sich bilden und von hieraus in die Pfortader gelangen, gehen zum Theil durch die Capillarnetze dieser Vene hindurch, zum Theil bleiben sie ihres Umfanges wegen in denselben stecken und veranlassen eine allmälig zur Obsolescenz führende Verschliessung. Die aufgehobene Blutzufuhr zieht Sistirung der Absonderung, Schwund der Drüsenzellen etc. nach sich. Selten kommt es vor, dass grössere Gerinnsel fortgeschwemmt und in die Lebergefässe geführt werden. Es entstehen dann narbige Einziehungen auf der Oberfläche des Organs an den Stellen, wohin die so verschlossenen Gefässe führen. Vergl. Krankh. der Pfortader.

Nr. 26.

Leberatrophie mit fettiger Infiltration, dysenterische Narben, allgemeine Hydropsie.

Gottlieb Günther, 34 Jahre alt, kam am 20. October 1854 eines fieberhaften Gastrointestinalcatarrhs wegen ins Hospital, wo er als Reconvalescent von einem leichten Anfall der Dysenterie, welche damals in den Krankensälen herrschte, befallen wurde. Obgleich die Ausleerungen bald aufhörten, so erholte sich der Kranke doch sehr langsam, er blieb anämisch und bekam Ascites, zu welchem Anasarca und Hydrothorax sich hinzugesellten. Dabei war der Urin frei von Eiweiss, das Herz normal, in den Respirationsorganen nichts Krankhaftes; bei ziemlich gutem Appetit erfolgten die Stuhlausleerungen regelmässig, consistent, nur in Bezug auf die Farbe ungewöhnlich blass.

Die Versuche, durch China, Eisen, Wein und leicht verdauliche Fleischdiät der Hydrämie entgegen zu treten, blieben erfolglos, der Hydrops stieg

[1]) Sie misst 3" in der Länge, 2½" in der Breite und 1½" in der Dicke. Ihr Gewicht beträgt 0,14 Kg.

allmälig bis zu dem Grade, dass die Respiration in bedenklicher Weise beschränkt wurde. Die Anwendung der Coloquinthen führte zwar zur Verminderung des Anasarcas, allein die Erschöpfung des Kranken nöthigte uns, von dem Gebrauch derselben abzustehen; Diuretica blieben wirkungslos; die Nieren sonderten nur geringe Mengen eines dunkeleu eiweissfreien Harns ab. Intercurrente Anfälle von Lungenödem, welche mit Erstickung zu enden drohten, wurden durch Acid. benzoic. mit Camphorr. beseitigt. Mitte December entstand Decubitus, die Erschöpfung nahm nun rasch zu bis am 19. nach langer Agonie der Tod erfolgte.

Obduction.

In der Schädelhöhle nichts Abnormes, beide Lungen ödematös, in den Pleurasäcken gegen 4 Pfund klarer Flüssigkeit, das Herz normal. Die Bauchhöhle enthielt gegen 10 Pfund Serum. Der Magen eng zusammengezogen, seine Schleimhaut blass, nur am Pylorus dunkeler, der Dünndarm zeigt eine blasse stellenweise ödomatöse Auskleidung, ebenso das Coecum und das aufsteigende Colon; im Quercolon sind zahlreiche schwarze Flecken und seichte völlig verheilte Substanzverluste, welche sich bis in das Rectum hinab erstrecken, sichtbar. An der Flexura iliaca bemerkt man im Mesocolon dicke weisse strahlige Narbenstränge, welche einen Theil der durchtretenden Venen beengten und das Darmstück vor der Wirbelsäule fixirten. Die Mesenterialdrüsen und das Pancreas sowie die Nieren normal.

Die Milz etwas vergrössert, blutarm, gleichmässig braun gefärbt und fest.

Die Leber zeigt auf ihrer Oberfläche einzelne narbige Einziehungen, die Ränder scharf und mit breitem weissen Saum. Der Umfang des Organs ist sehr bedeutend verkleinert, das Parenchym schmutzig braungelb und mürbe. Die Gallenblase enthält eine blassgelbe trübe Flüssigkeit.

Nr. 27.

Chronische Dysenterie, Dislocation des Darmcanals, Leberatrophie, Tod durch Erschöpfung.

Gottfr. Dräsner, 53 Jahre alt, ein dem Alter entsprechend kräftiger Mann, welcher bei wechselnder Witterung im Freien zu arbeiten genöthigt war, leidet seit vier Wochen an einem Durchfall mit reichlichen dünnen Ausleerungen von hellgraugelber Farbe und Leibschmerzen nach dem Laufe des Colon descendens, wo das Abdomen auch auf Druck empfindlich ist. Zunge wenig belegt, Appetit vermindert; die Respirationsorgane normal, Herztöne rein. Die Grösse der Leber lässt sich nicht bestimmen, eine Dämpfung ist überall nicht aufzufinden.

Nach der Anwendung eines Vomitivs und eines Decocts der Columbo mit Tinct. nuc. vom. verlor sich der Durchfall nach wenigen Tagen, der Appetit kehrte wieder und der Kranke wurde am 14. geheilt entlassen.

Am 12. Nov. stellte sich Dräsner von Neuem vor. Die Diarrhoe war nach der Entlassung bald wiedergekehrt und hatte seit drei Wochen ununterbrochen mit grosser Heftigkeit angehalten. Der Kranke erschien bleich und verfallen, die Haut trocken, Temperatur erhöht, 105 kleine Pulse; die Schmerzen und die Empfindlichkeit in der Gegend des Colons waren lebhafter als früher, die Stühle von derselben dünnen graugelben Beschaffenheit. Eine Leberdämpfung war auch jetzt nicht aufzufinden, obgleich der Leib flach war und keine stärkere Gasanhäufung im Darm vorlag.

Der Kranke nahm Columb. mit Opium; allein schon am 15. Abends trat Collapsus ein mit Unbesinnlichkeit und am 16. früh der Tod.

Obduction.

Die Leiche abgemagert, jedoch frei von Oedem. Die Organe der Schädel- und Brusthöhle ohne wesentliche Anomalie. In der Unterleibs-

Fig. 89.

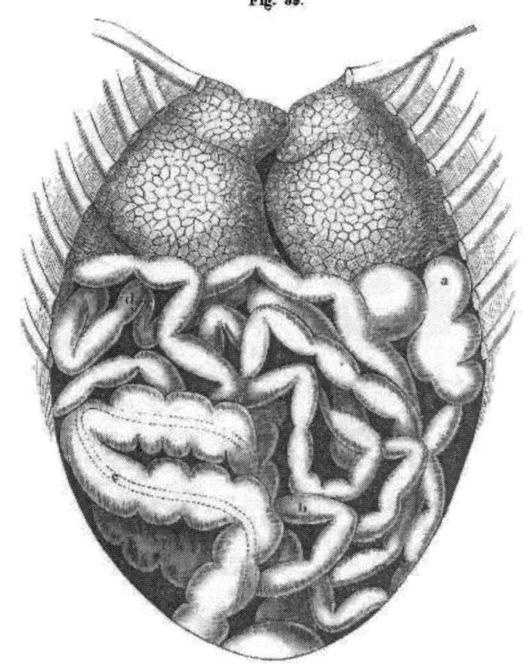

höhle macht sich zunächst eine auffallende Lagenveränderung des Darmcanals bemerklich. Ein Theil des Dünndarms *d*, das Ileum, liegt da, wo die hier gar nicht sichtbare Leber liegen sollte, und grenzt neben der fünften Rippe direct an die Lungen. Im linken Hypochondrio liegt die erste Flexur des Colons *a*; über dem Colon descendens hat sich, dasselbe comprimirend, der andere Theil des stark injicirten Dünndarms *b*, das Jejunum, gelagert. Die Flexura iliaca *c* liegt rechts und überdeckt hier mit einer langen Schleife das Coecum. Der Magen zeigt nur am Pylorus eine Auflockerung und livide Farbe der Schleimhaut. Die Auskleidung des Ileums ist blass, im Jejunum, dessen Serosa lebhaft injicirt ist, zeigt die Schleimhaut ein kleines in der Vernarbung begriffenes pigmentirtes Geschwür. Das Coecum enthält helle thonartige Fäces, die Schleimhaut ist hier livide, weiter hinab im Colon anfangs stellenweise, später gleichmässig mit lockeren grauen Exsudaten bedeckt, in der Flexura iliaca hat die Auskleidung eine braunrothe Farbe und ist stellenweise stark infiltrirt, das Rectum von normaler Beschaffenheit.

Die Milz vergrössert, gleichmässig braunroth gefärbt und von fester Consistenz, sie wiegt 0,33 Kg.

Die Leber sehr klein, von 1,13 Kg. Gewicht, ihre Oberfläche glatt, an den zugeschärften Rändern sieht man leere Säume. Das blutreiche Parenchym ist gleichmässig braunroth gefärbt, ohne Läppchenzeichnung, die Aeste, wie der Stamm der Pfortader zeigen sich erweitert, jedoch ohne Verdickung ihrer Hülle. Die Leberzellen klein, scharf und eckig contourirt, blass, ohne molekulären Inhalt; ein Theil derselben enthält dunkelbraune Körnchen, welche die Zellenhöhle nicht selten vollständig ausfüllen (Taf. IV. Fig. 6). Die Injection gelingt höchst unvollkommen.

Nr. 28.

Schwartige Verdickung des Mesenteriums nebst fester Verwachsung des Dünndarms und des Omentums mit der Bauchwand, blauschwarze Pigmentirung und vernarbende Ulceration einer 3 Fuss langen Dünndarmschlinge, chronische Leberatrophie, Ascites und allgemeine Hydropsie.

Wilhelm Leidling, Bäcker, 36 Jahre alt, litt seit Jahren an einer Hernia inguinalis dextra, welche am 15. März sich einklemmte. Behufs der Reposition wurde der Kranke in das Klosterhospital der barmherzigen Brüder nach Breslau gefahren, wo er, nachdem der Bruch unterwegs spontan zurückgetreten war, sechs Wochen lang wegen Durchfall, verbunden mit grosser Schwäche und Leibschmerzen behandelt wurde. Die Diarrhöe, welche niemals, so viel aus dem Bericht zu entnehmen war, blutige Ausleerungen zur Folge hatte, blieb ungeheilt, sie erschöpfte den Kranken mehr und mehr und führte zum Hydrops, so dass nach weiteren sechs Wochen, am 1. Juli 1856, die Aufnahme in die klinische Abtheilung nöthig wurde.

Die Wassersucht ist allgemein geworden, neben einem starken Ascites besteht beiderseits Hydrothorax und weit verbreitetes Anasarca. Herz und Lungen normal, der Appetit wenig vermindert, 1 bis 2 Mal täglich blassgelbe dünne Stühle; rechts vom Nabel empfindet der Kranke auf Druck, wie auch spontan dumpfe Schmerzen. Die Leberdämpfung beträgt in der Mammarlinie 3 Centim., die Milz kann wegen des Anasarcas nicht gemessen werden. Der Harn sparsam, rothgelb, ohne Eiweiss. Die Zahl der weissen Blutkörperchen wird in einer, mit dem Schröpfkopf entnommenen Blutprobe nicht vermehrt gefunden, Leukämie besteht also nicht.

An diesem Zustande wurde durch die Anwendung von Eisenpräparaten, von China und anderen Tonicis neben einer angemessenen, leicht verdaulichen Diät, Rothwein etc. nichts verändert. Obgleich der Appetit sich erhält, die Stühle nicht vermehrt werden, auch Complicationen nicht hinzutreten, so steigt doch der Hydrops allmälig bis zu einer enormen Höhe; zuletzt röthet sich die gespannte Haut und geht in Verschwärung über; der Tod erfolgte nach langer Agonie am 27. Juli.

Obduction.

Die Organe der Schädel- und Brusthöhle zeigen, abgesehen von der Anämie und dem reichlichen Serumerguss, in den Pleurasäcken nichts Abnormes. Im Cavo abdominis viele Pfunde klarer Flüssigkeit; die Magenschleimhaut blass; rechts vom Nabel ist eine Dünndarmschlinge nebst dem Netz durch feste Adhäsionen älteren Datums an dem Bauchfell befestigt. Die Serosa derselben ist dunkel blaugrau gefärbt; 2 Zoll oberhalb der Anheftung beginnt die dunkele Pigmentirung mit scharfem Rande und erstreckt sich 3 Fuss abwärts, wo sie ebenso scharf abgrenzt. Die Häute der dunkelen Darmparthieen sind eng zusammen gezogen und verdickt, ebenso ist das dazu gehörige Mesenterium sehnenartig indurirt. Die Schleimhaut zeigt zahlreiche, unregelmässig gestaltete Substanzverluste, umgeben von dunkeler verdickter Schleimhaut, ähnlich den Veränderungen, welche nach der Heilung einer intensiven Dysenterie zurückbleiben. Alle übrigen Theile des Darmcanals sind vollkommen normal. Der Bruchsack ist leer.

Die Milz von gewöhnlicher Grösse und Consistenz; ihre Farbe braunroth.

Die Leber beträchtlich verkleinert, der Ueberzug grau und runzelig, das Organ im Ganzen schlaff und biegsam, die Schnittfläche homogen, von brauner Farbe, ohne Läppchenzeichnung, die Consistenz zähe, die Zellen eingeschrumpft, klein, mit braunen Körnchen gefüllt, die Galle spärlich, blassgelb, dünn und eiweisshaltig.

Im uropoëtischen Systeme nichts Abnormes.

In den drei letzten Fällen, denen ich noch andere derselben Art anreihen könnte, entwickelte sich die Atrophie der Leber neben chronisch verlaufenden Exsudativprocessen und Ulcerationen des Dünn- und Dickdarms. Zwischen beiden besteht allem Anscheine nach ein Causalnexus; welcher Art dieser sei, ist nicht ganz klar. Chronische Peritonitis mit Betheiligung der Glisson'schen Kapsel fehlte vollständig. Mir scheint, dass hier ein ähnlicher Zusammenhang obwaltet, wie bei einem Theil der Leberabscesse, welche im Gefolge von Dysenterieen der Tropenländer beobachtet werden. Das vermittelnde Glied ist die Pfortader, die je nach der Art und Weise, wie ihre Wurzeln an Exsudativprocessen im Gewebe der Darmschleimhaut sich betheiligen, in dem einen Falle sogen. metastatische Abscesse, in dem anderen capillare Verschliessungen mit nachfolgender Atrophie veranlasst.

Aehnliche Folgen wie der Untergang von Lebercapillaren kann die Obliteration des Pfortaderstammes nach sich ziehen. Sie führt, sofern die Verschliessung des Gefässrohres nicht das Resultat einer acuten Pylephlebitis ist, welche mit Schwellung, Abscessbildung etc. verbunden zu sein pflegt, zu einem gleichmässig über das ganze Organ verbreiteten Schwunde. Gintrac (Observations et rech. sur l'oblitération de la veine-porte, Bordeaux 1856, p. 39.) hat eine Reihe von Beobachtungen zusammengestellt, in welchen theils einfache, theils cirrhotische Atrophie der Leber neben Pfortaderobturation vorkam. Derselbe geht indess zu weit, wenn er überall den Verschluss der Vene als das Primäre und Ursächliche betrachtet und davon auch die Cirrhose ableitet. Bei letzterer und aller Wahrscheinlichkeit nach auch bei manchen Fällen von chronischer Atrophie ist die Gerinnung des Blutes in der Pfortader offenbar ein Folgeleiden, abhängig von der Undurchgängigkeit eines grossen Theils der Lebercapillaren.

Ich theile hier zwei Fälle von Obliteration der Pfortader mit, welche, auch abgesehen von dem Verhalten des Leberparenchyms, durch die Art ihrer Entstehung, die begleitenden Zufälle etc. unser Interesse in Anspruch nehmen.

Nr. 29.

Heftige Dyspnöe, blutige Sputa, systolisches Geräusch in der Pulmonalarterie, Ascites, Blutungen aus Magen und Darm. Tod durch Asphyxie. Verschliessung der Pulmonalarterie durch Thrombose in Folge von Entzündung des Gefässes, Gerinnung des Bluts in der Pfortader, Ecchymosen des Peritoneums, sowie der Magen- und Darmschleimhaut; atrophische Leber.

Gottfried Schmidt, Tischler, 44 Jahre alt, wurde am 20. April 1855 aufgenommen.

Der Mann ist von athletischem Körperbau, nur wenig abgemagert, aber von wachsartig blasser Hautfarbe; die Füsse sind leicht ödematös geschwollen; er klagt hauptsächlich über Schwäche und kurzen Athem. Die Untersuchung ergiebt einen stark gewölbten Thorax, in den Lungen lässt sich, abgesehen von Rasselgeräuschen in dem unteren Lappen der rechten Seite, nichts Abnormes constatiren. Das Herz ist breiter, die Auscultation weist ein weit verbreitetes systolisches Geräusch nach, welches am stärksten links neben dem Knorpel der fünften Rippe gehört wird; dabei keine Verstärkung des zweiten Tones der Pulmonalarterie, keine Hypertrophie des linken Ventrikels. Der Puls klein, 70 Schläge. Die Functionen der Digestionsorgane sind wenig beeinträchtigt; die Zunge rein, Appetit mässig; Ausleerungen von normaler Beschaffenheit. Leberdämpfung kleiner, in der Sternallinie kaum 2 Centim. betragend, Milz etwas grösser; im Cavo abdom. eine mässige Quantität Flüssigkeit. Der Urin spärlich, dunkel, frei von Eiweiss.

Das Leiden soll seit einem Jahre sich allmälig entwickelt haben. Vor etwa zehn Monaten trat Kurzathmigkeit und Herzklopfen ein, verbunden mit Hämoptoe und grosser Schwäche, ohne dass der damalige Arzt im Stande gewesen wäre, sichere Zeichen für die vermuthete Lungentuberculose aufzufinden. Die Beschwerden verloren sich, nur die Respiration blieb erschwert, die Kräfte kehrten nicht vollständig zurück. Der Kranke arbeitete wiederum eine Zeit lang angestrengt, bis die zunehmende Schwäche, die steigende Athemnoth und die Geschwulst der Füsse ihn nöthigte, im Hospital Hülfe zu suchen.

Ord. Ferr. lactic., Fleischdiät.

Vom 1. Mai ab stieg die Athemnoth zusehends; der Kranke klagte über grosse Beängstigung und das Gefühl drohender Erstickung, dabei tiefe unbehinderte Athemzüge und überall in den Lungen deutlich wahrnehmbares vesiculäres Respirationsgeräusch; häufiges Erbrechen grünlichgelber bitterer Flüssigkeit, 110 sehr kleine Pulse, kühle Extremitäten, blasses Gesicht mit angstvollen Zügen.

Am 3. Mai steigende Athemnoth und Beängstigung, wiederholtes Erbrechen grünlicher mit schwarzen Flocken vermischter Flüssigkeit, grosse

Empfindlichkeit des Unterleibes; braunrother, bluthaltiger, dünner Stuhl; 10 Uhr früh plötzlicher Tod.

Obduction am 1. Mai. 24 Stunden p. mort.

Schädeldach blutreich, Sinus mit flüssigem Blut gefüllt, $^1/_2$ Unze Serum an der Basis, Hirnhäute mässig blutreich, Hirnsubstanz anämisch, von normaler Consistenz.

Schilddrüse ziemlich gross, blutreich, Bronchialdrüsen klein und melanotisch. Die Schleimhaut der Trachea und besonders der Bronchien dunkel livid geröthet mit kleinen weisslich geschwellten Drüschen bedeckt.

Beide Lungen mässig ligamentös angewachsen, unten durch gelblichen serösen Erguss in den Pleurahöhlen comprimirt, ziemlich blutreich, vorn oben trocken, hinten unten ödematös, reichlich pigmentirt, ohne Infiltrate. Das Herz breit, unter dem Epicardio zahlreiche Ecchymosen; der rechte Ventrikel hypertrophisch und dilatirt, die Klappen leicht getrübt, im Vorhof lockere Gerinnsel; der linke Ventrikel mit etwas verdünnter Wandung, Klappen normal, Aorta von gewöhnlicher Weite und gesunden Häuten.

In der erweiterten Pulmonalarterie, deren gemeinschaftlicher Stamm völlig glatte Wandungen und normale Klappen hat, lagert bei der Theilung in die beiden Hauptäste ein dicker, grauröthlicher sehr fester Pfropf, der nur an den beiden Vorderflächen der Hauptäste adhärirt, nach hinten jedoch die Gefässwand nicht berührt. Die Adhäsion nach vorn ist so fest, dass

Fig. 40.

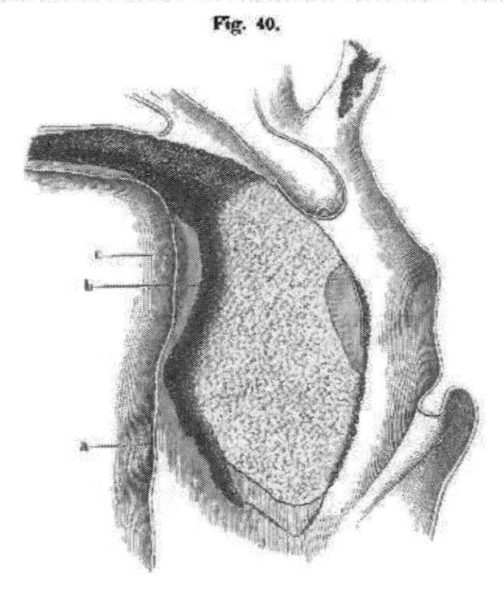

bei noch so vorsichtigem Versuch, den Pfropf zu trennen, die innere Haut mit abreisst. Der Pfropf trägt alle Charaktere eines alten, allmälig gebildeten Gerinnsels. Die Arterienwandungen an dieser Stelle sind auffallend erkrankt. Es weichen sichtlich die Arterienhäute auseinander, und zwischen der inneren und mittleren Haut ist ein durchscheinend gelblich graues, sehr festes Exsudat gelagert, welches an einigen Stellen über 1''' Dicke beträgt; da wo die Adhäsion des Gerinnsels aufhört, gehen auch die von einander getrennten Arterienhäute wieder zusammen [1]). In den Verzweigungen der Lungenarterie trifft man weitere Pfröpfe; die einen, obwohl sichtlich von älterem Datum, liegen locker an den Wandungen und lassen sich leicht heraus heben; die Wand ist hier glatt, die Arterie von gewöhnlicher Dicke und zeigt nichts Krankhaftes, während an anderen Stellen die Gerinnungen festhaften, nicht zu trennen sind und hier die Arterienwandungen dieselben Veränderungen in kleinerem Maassstabe zeigen, wie sie an den Hauptästen beschrieben wurden. An einem der Zweige ist eine Obliteration bemerklich, die Lichtung des Gefässes ist mit der Sonde nicht mehr zu finden, der Gefässast in einen soliden Cylinder umgewandelt.

Das Endocardium ist überall glatt; die grossen Körpervenen, mit flüssigem Blut mässig gefüllt, zeigen nirgends Gerinnung oder Gefässerkrankung, ebenso sind die Arterien überall gesund. Die Gerinnsel in der Art. pulmon. können also nur an Ort und Stelle entstanden sein.

Oesophagus blass. Im Magen grünliche, mit schwarzen Flocken gemischte Flüssigkeit, die Schleimhaut zeigt eine mässige Anzahl frischer hämorrhagischer Erosionen, deren Grund mit Blut bedeckt, deren Ränder noch blutig infiltrirt sind.

Die gesammte Serosa des Dünndarmes und des Mesenterii erscheint dicht besäet mit kleinen rothen Ecchymosen; das in der Bauchhöhle reichlich angesammelte Serum ist braunroth, blutig; die Schleimhaut des Dünndarms erscheint vom Duodenum bis zur Ileocoecalklappe schmutzigroth gefärbt und gewulstet, die Solitärdrüsen prominiren stark, der Inhalt besteht aus blutigem Schleim. Im Dickdarm nur mässige Färbung und Wulstung der Schleimhaut.

Als Grund dieser Veränderungen findet sich eine vollständige Gerinnung des gesammten Blutes im Stamme der Pfortader und deren Verzweigungen, sowohl nach dem Darm, der Milz, dem Magen als gegen die Leber hin. Diese Gerinnung ist überall von gleicher Beschaffenheit: dunkel schwarzroth, die Gefässlumina vollständig ausfüllend, haftet nur locker an der Innenhaut, und diese selbst ist überall intact. Sie verzweigt sich mit

---

[1]) Fig. 40. *a* die äussere Haut des Stammes der Art. pulmon. *b* die aufgelagerte, fest anhaftende Exsudatschicht. *c* die durch das Exsudat aus einander gedrängten Arterienhäute.

den Aesten der Pfortader tief in die Leber hinein, wo sie lockerer wird und die Gefässlichtung nicht mehr vollständig ausfüllt.

Die Leber ist klein, geschrumpft, collabirt, von schlaffer Consistenz und muskatnussartigem Parenchym; die Zellen stark pigmentirt; die Galle ziemlich reichlich und von braungelber Farbe. Zucker fehlt.

Die Milz ist gross, ihre Vene vollständig verstopft, das Parenchym dunkel, blutreich, Ablagerungen von schwarzem Pigment sind vielfach sichtbar. Röthlichgelbes, braunes und schwarzes Pigment in zahlreichen Uebergangsformen wird bei genauerer Untersuchung nachgewiesen.

Die Nieren blutarm, von normaler Grösse und Textur; Blase und Prostata gesund.

Die Beobachtung betrifft den seltenen Fall einer Entzündung der Pulmonalarterie, welche nach und nach durch Auflagerung fester Gerinnsel das Gefässrohr verengte und zuletzt eine fast vollständige Verschliessung beider Aeste herbeiführte. Die Affection der Arterie begann, wenn man nach den Symptomen schliessen darf, bereits vor zehn Monaten, wo die ersten Zeichen eines gestörten Lungenkreislaufs auftraten. Von dieser Zeit her datiren wahrscheinlich die festen ligamentosen Obliterationen einzelner Aeste der Pulmonalarterie. Mit dem Engerwerden der Gefässlichtung wurde der venose Blutlauf mehr und mehr beeinträchtigt, bis einige Tage vor dem Tode spontane Gerinnung des Blutes in der Pfortader und vollständiger Verschluss dieses Gefässes erfolgte. Die plötzlich auftretende Empfindlichkeit des Unterleibes, das Erbrechen schwarzer Flocken und die blutigen Darmausleerungen kündigten während des Lebens diesen Vorgang deutlich an. Die überall gleichmässige Beschaffenheit des Gerinnsels und die normalen Wandungen der Pfortader liefern den Beweis, dass das Zustandekommen des Thrombus nicht von einer Krankheit des Gefässes ausging, sondern eine secundäre Wirkung des Verschlusses der Art. pulmonalis war. Bemerkenswerth ist das Fehlen von Nutritionsstörungen in den Lungen den Folgen gegenüber, welche die Obliteration von Aesten der Pfortader nach sich zieht.

Nr. 30.

Duodenalgeschwür, Obliteration der Pfortader durch Compression, Tod in Folge von Magen- und Darmblutung; Leber und Milz von normalem Umfange.

A. Petzold, 41 Jahre alt, ein Arbeitsmann von robustem Körperbau, war bis vor drei Jahren stets gesund. Zu dieser Zeit litt er dreizehn Wochen lang an Verdauungsbeschwerden, welche mit Schmerzen im Epigastrio und Erbrechen gelber Massen verbunden waren.

Diese Störungen verloren sich grösserentheils wieder, nur eine von Zeit zu Zeit heftiger werdende Empfindlichkeit der Magengrube blieb zurück. Vor etwa acht Wochen stellten sich Kreuzschmerzen und andere Symptome von Hämorrhoidalcongestionen ein. Am 17. Januar erbrach der Kranke, welcher noch am Morgen seine gewöhnliche Kost mit Appetit gegessen hatte, während der Arbeit gegen ein halbes Quart dunkelen Blutes und wurde auf diese Weise genöthigt, seine Zuflucht zum Hospital zu nehmen. Noch an demselben Tage wiederholte sich die Blutung zwei Mal, jedoch in geringerem Maasse. Wir fanden den Kranken blass und anämisch, in ohnmachtähnlicher Erschöpfung; die Extremitäten kühl, der Puls kaum fühlbar. Die Organe der Brusthöhle waren normal. Das mässig aufgetriebene Epigastrium war auf tiefem Druck oberhalb des Nabels empfindlich, Verhärtungen liessen sich jedoch nicht durchfühlen. Leber und Milz erschienen nach den Ergebnissen der Percussion von normalem Umfange.

Ord. Eispillen, kalte Fomente und Alaunsolution.

Am 19. Das Erbrechen, welches am 18. pausirte, ist zwei Mal wiedergekehrt; eine theerartige Stuhlausleerung, die Empfindlichkeit der Magengegend hat zugenommen.

Ord. Plumb. acet. mit Op., Fortsetzung der Eispillen und Umschläge.

Am 20. Zweimaliges Erbrechen von 4 bis 5 Unzen Blut.

Am 21. Die Schmerzen lassen nach, das Erbrechen hört auf, ein blutiger Stuhl. Ohnmachten, leichte Delirien, Verschwinden des Pulses, kalte Extremitäten. Ord. Aether und Wein.

Am 22. Die Hauttemperatur hat sich gehoben, der Puls ist wieder fühlbar; eine unwillkürliche blutige Ausleerung.

Am 24. Delirien, der Kranke will das Bett verlassen, wiederholte blutige Stühle. Der Collapsus nimmt zu, bis am 26. der Tod erfolgt.

Obduction 24 Stunden nach dem Tode.

Hirnhäute und Gehirn mässig blutreich und von normaler Beschaffenheit, ebenso zeigen die Luftwege, Lungen und Kreislaufsorgane, abgesehen von auffallender Anämie, nichts Krankhaftes. Der Magen enthält gegen zwei Pfund fest geronnenen Blutes, seine Schleimhaut ist mit einer dicken

Schicht röthlichgelben zähen Schleimes bedeckt, $1^1/_2$" von der Cardia sieht man stark varicös erweiterte und mit festen Blutpfropfen gefüllte Venen, im Uebrigen ist die Schleimhaut blass, von normaler Dicke und frei von Substanzverlust. Im Duodeno $^1/_4$" hinter dem Pylorus liegt ein flaches Geschwür von dem Umfange eines halben Silbergroschens; in der Mitte desselben ist eine stecknadelkopfgrosse Oeffnung sichtbar, welche in einen gegen $^1/_2$" tief nach der Medianlinie zu eindringenden Gang führt. In der Umgebung dieses Ganges findet sich ein weithin sich erstreckendes Stratum neugebildeten Bindegewebes, durch dessen narbige Contraction der Ductus choledochus verengt, die Vena portarum aber vollständig abgeschnürt ist. Im Inneren der Pfortader liegt ein geschichteter, in der Mitte käseartig zerfallener Thrombus, welcher in dem rechten und linken Aste dieses Gefässes bis tief in die Leber hinein sich erstreckt. Hinter dem Magen liegt eine wallnussgrosse Geschwulst, welche aus einer verfetteten, käseähnlichen, nach aussen von neu gebildetem Bindegewebe begrenzten Exsudatmasse besteht. Die Mesenterialvenen sind nirgend erweitert, auch am Rectum sind keine Hämorrhoidalknoten mehr sichtbar, nur unmittelbar unter dem Zwölffingerdarm sieht man im Mesenterio einen melanotischen mehre Zoll grossen Fleck, den Ueberrest eines älteren Blutextravasats. Die Schleimhaut des Duodenums und Jejunums ist blass, die des Ileums stellenweise gelb tingirt. Im Coecum, Colon und Rectum liegen grosse Quantitäten theerartigen Blutes, zum Theil mit festen braunen Fäcalmassen vermengt. Die Schleimhaut selbst ist überall blass und zeigt nirgends Substanzverluste.

Die Milz ist blutarm und von normalem Umfang, sie misst in der Länge 5", in der Breite $3^1/_2$", in der Dicke $1^1/_6$"; ihr absolutes Gewicht beträgt 0,15 Kgr., das relative 1 : 208.

Die Leber zeigt auf der Oberfläche zahlreiche weisse narbige Einziehungen, ihr Umfang **nicht** verkleinert. Der rechte Lappen misst querüber 6", von hinten nach vorn $7^1/_2$", der linke $3^1/_2$ und $5^3/_4$"; der Dickendurchmesser beträgt $2^1/_2$"; das Gewicht 1,90 Kgr., das relative zum Körpergewicht 1 : 27,3. Das Parenchym ist blutarm, feinkörnig granulirt; die Leberzellen blass und arm an körnigem Inhalt, nur wenige enthalten Fetttröpfchen, andere Farbstoffmoleküle. Die Gallengänge innerhalb der Leber sind theilweise mit brauner Flüssigkeit gefüllt, in der Blase findet sich eine ansehnliche Menge dicker trüber Galle. Zucker wurde in der Leber nicht gefunden. Den Pfortaderästen entlang verlaufen ansehnliche Strata fetthaltigen Bindegewebes.

Der Fall ist in mehrfacher Beziehung von Interesse. Ungeachtet einer vollständigen Verschliessung der Pfortader, welche, wie die Beschaffenheit des Thrombus lehrte, bereits lange Zeit bestand, war weder eine Volumsabnahme der Leber noch eine Sistirung der Secretion eingetreten. In wie weit dieselbe beschränkt war, ist nicht zu entscheiden; andererseits darf indess auch aus dem Gefülltsein der Blase nicht auf Integrität der Secretion geschlossen werden, weil der Blaseninhalt alle Eigenschaften eines bereits lange stagnirenden Secrets: Eindickung, Ausscheidung von Cholesterin und Farbestoffpartikeln an sich trug.

Gintrac[1]) und Oré[2]) ziehen aus ähnlichen Beobachtungen den Schluss, dass die Gallenabsonderung nicht durch die V. portae, sondern durch die Art. hepat. allein vermittelt werde. Eine solche Annahme halte ich nicht für gerechtfertigt, um so weniger als andererseits Beobachtungen vorliegen von Obliteration der Art. hepatica mit Fortdauer der Lebersecretion (Ledieu). Man könnte auf diese Weise den Beweis führen, dass weder die V. portae noch die Art. hepat. an der Secretion und Ernährung der Leber Theil habe. Die Fortdauer beider Vorgänge bei Obliteration des Pfortaderstammes ist meiner Ansicht nach abhängig von der engen Verbindung, in welcher die Capillaren beider Gefässapparate stehen und von der Erweiterung, welche die Verästelungen der Art. hepatica beim Untergang eines Theils des Pfortadersystems erfahren. Man kann sich davon am besten überzeugen durch die Injection der Art. hepat. bei cirrhotischer Leber, in welchen da, wo ein Theil der Pfortadercapillaren einging, die Art. hepat. ein ungewöhnlich reiches und weites Gefässnetz zeigt.

Das Fehlen des Milztumors ungeachtet des Verschlusses der Pfortader findet in den profusen Magenblutungen seine Erklärung.

Der Untergang eines grossen Theils des Leberparenchyms in Folge chronischer Atrophie zieht nothwendiger Weise eine Verminderung des functionellen Werthes der Drüse nach sich, welche nicht ohne Rückwirkung auf den Gesammtorganismus bleibt, um so weniger, als gleichzeitig wegen Stauung des Pfortaderblutes eine Reihe von localen Störungen in den Digestionsorganen zu Stande kommt. Es entstehen auf diese Weise die functionellen Beschwerden, welche die Leberatrophie begleiten und das diesen Zustand bezeichnende Krankheitsbild ausmachen. Die Symptome entwickeln sich langsam und unvermerkt. Störungen der Magen- und Darmverdauung machen den Anfang: Abnahme der Esslust und Auftreibung und Druck im Epigastrio bei bald reiner, bald belegter Zunge; Gasanhäufung im Darmcanal, blass-graugelbe, zuweilen auch mässig braun gefärbte Stühle. Die Ausleerungen erfolgen

---

[1]) A. a. O. S. 51.

[2]) Gaz. des hôpit. 9. Sept. 1856.

unregelmässig, Obstipation und Diarrhoeen wechseln; häufig (9 Mal unter 18 Fällen) besteht anhaltender profuser Durchfall, welcher frühzeitig Erschöpfung herbeiführt; nur ausnahmsweise regelmässige Defäcation. Die Exploration der Lebergegend ergiebt Volumsabnahme der Drüse nach allen Richtungen; zuweilen ist überall keine Dämpfung aufzufinden; für die Betastung ist das Organ meistens nicht zugängig. Die Milz findet man gewöhnlich unverändert, nur in seltenen Fällen (7 Mal unter 18) vergrössert.

Zu den Functionsanomalieen der Digestionsorgane gesellen sich früher oder später die Erscheinungen mangelhafter Blutbereitung und Ernährung; die Kranken bekommen ein blasses cachectisches Aussehen, ohne icterischen Anflug; ihre Muskulatur schwindet; gleichzeitig entstehen in der Regel (14 Mal unter 18) Wasseransammlungen im Peritonealsack, zu welchen sich bald allgemeiner Hydrops hinzugesellt. Der Harn pflegt blass und frei von Gallenpigment zu sein; in einigen Fällen zeigte er eine eigenthümliche hyacinthrothe Farbe; nur einmal wurde er durch Salpetersäure schmutzig grün.

Die chronische Leberatrophie führt, wenn dieselbe einen höheren Grad erreicht hat, regelmässig zum lethalen Ausgange, welcher durch die allmälig vorschreitende Erschöpfung oder allgemeine Hydropsie oder durch nebenher gehende mit der Leberaffection in näherem oder entfernterem Causalnexus stehende Krankheitsprocesse, wie Magenkrebs, chronische Dysenterie etc., vermittelt wird. In zwei Fällen erfolgte der Tod durch Peritonitis, in einem dritten durch Delirium tremens, in einem vierten durch profuse Hämorrhoidalblutung. Gewöhnlich verlaufen viele Monate, ehe das Ende erreicht wird.

Die Diagnostik der chronischen Leberatrophie ist nicht selten mit Schwierigkeiten verbunden, besonders wenn man die Kranken erst dann zu Gesicht bekommt, wenn beträchtlicher Ascites und Oedem der Bauchdecken die Untersuchung der Unterleibsorgane erschwert oder unmöglich macht. Die Verkleinerung der Leber, die hartnäckigen Gastroenterocatarrhe, die Gallenarmuth der Fäcalstoffe, der Ascites, die Cachexie müssen uns hauptsächlich leiten; diese Symptome gewinnen an diagnostischem Werth, wenn andere Veranlassungen des Ascites, der gestörten Digestion etc. ausgeschlossen werden können. Die Unterscheidung der einfachen Atrophie von der cirrhotischen ist nur dann möglich, wenn man bei der Palpation sich von der glatten oder granulirten Oberfläche der Drüse überzeugen kann.

Die Therapie hat stets geringe Aussichten auf Erfolg; sie bleibt, wo der Process weiter gediehen ist, und dies ist fast immer der Fall, wenn die Diagnose klar wird, auf ein rein symptomatisches Verfahren angewiesen. Obenan steht die Sorge für eine leicht verdauliche nahrhafte Diät; sodann Regulirung der Absonderungsthätigkeit von Magen- und Darmschleimhaut durch bittere, aromatische, leicht adstringirende Medicamente: Aufgüsse von Rad. Calami aromat., Rhei, Caryophyllatae, Tinct. Rhei vin., Tinct. Chin. comp., Extr. nuc. vom. aq. etc. Bei profusen Diarrhoeen sind stärkere Adstringentien vegetabilischer Art nothwendig.

Gegen die Anämie kann man leichte Eisenpräparate, wie Ferr. carb., Ferr. lactic. etc., besser noch kleine Gaben von Pyrmonter oder Spaaer Wasser oder verwandten Quellen versuchen.

Auf diese Weise arbeitet man am besten der drohenden Hydropsie entgegen. Stellt sich Ascites und Anasarca ein, so hüte man sich, durch Drastica oder scharfe Diuretica dagegen einzuschreiten; die nachtheiligen Nebenwirkungen derselben übersteigen fast immer den in Bezug auf den Hydrops von ihnen zu erwartenden Nutzen. Man beschränkt sich am besten auf den Gebrauch eines mit bitteren aromatischen Pflanzenstoffen versetzten diuretischen Thees und macht, wenn man durch die Höhe des Ascites dazu genöthigt wird, die Paracenthese.

VII.

Die Fettleber.

Hepar adiposum.

Ablagerungen von Fett im Leberparenchym gehören zu den häufigsten Texturveränderungen, welche in diesem Organ zur Beobachtung kommen. Man pflegt dieselben, wenn sie einen höheren Grad erreichen, als krankhaft zu betrachten und sie mit dem Namen Fettleber, fettig degenerirte Leber zu bezeichnen.

Vergebens war man indess bemüht, nach klinischen Beobachtungen ein klar gezeichnetes Krankheitsbild für diese anatomische Läsion zu entwerfen: so vielfach man derselben bei Leichenöffnungen begegnete, so wenig zuverlässige Anhaltspunkte gewann man für die Diagnose während des Lebens; eine genügende Symptomatologie der Fettleber liess sich nicht construiren. Es gilt in mancher Beziehung noch heute, was Louis vor Jahren in seinen Recherch. sur la phthisie, II. Ed., p. 129 hierüber aussprach: „Nous manquons de signes capables de la faire connaitre à une époque quelquonque de sa durée. En vain j'ai été au-devant des symptômes, qui pourraient lui appartenir, je n'en ai recueilli aucun."

Unter solchen Umständen ist es begreiflich, dass auch über die pathologische Bedeutung der fettigen Infiltration der Leber, sowie über ihre Beziehungen zu anderen Processen, Ansichten sehr verschiedener Art entstehen und sich erhalten konnten. Die Schwierigkeit scheint hier wie in vielen anderen Fällen hauptsächlich in einer unklaren Auffassung der Aufgabe zu liegen. Man hatte sich gewöhnt, die fettreiche Leber als eine erkrankte anzusehen, und es verabsäumt, die Grenzen, innerhalb welcher der Fettgehalt dieses Organs schwanken kann, ohne das Feld der Krankheitslehre zu berühren, mit einiger Genauigkeit festzustellen. Ueberdies hatte man den genetischen Differenzen verschiedener Formen von Fettleber nicht die nöthige Beachtung geschenkt; man hatte die Unterschiede vernachlässigt, welche zwischen einer fettreichen und einer fettig degenerirten Leber bestehen.

Ehe wir an eine Pathologie der Fettleber denken, wird es rathsam sein, den innerhalb der Grenzen der Gesundheit fallenden Schwankungen des Fettgehalts dieses Organs genauer ins Auge zu fassen und die Bedingungen aufzusuchen, von welchen eine Anhäufung dieser Substanz im Leberparenchym abhängig gefunden wird.

Zu bestimmten Zeiten und unter bestimmten Verhältnissen sind die Leberzellen so constant mit Fett gefüllt, dass die Annahme einer nothwendigen Beziehung des Fettes zu der Ausführung der functionellen Thätigkeit des Organs uns dadurch nahe gelegt wird.

Die Leber wirbelloser Thiere enthält, wie bereits Schlemm, Karsten, Meckel, Will, Lereboullet, Leydig u. A. nachwiesen, constant Fett in reichlicher Menge: ein Theil der Zellen ist mit Fetttröpfchen gefüllt, während in einem anderen gelb gefärbte Moleküle von Galle gefunden werden. Meckel[1]) glaubte aus diesem Grunde zwei Arten von Zellen in der Leber unterscheiden zu müssen; eine, die für die Absonderung von Galle, eine andere, die für die Secretion von Fett bestimmt sei. Es lassen sich indess Uebergänge zwischen fett-

---

[1]) Müller's Archiv 1846, S. 08.

und farbstoffhaltigen Zellen nachweisen, welche gegen eine solche Annahme sprechen.

Unter den Wirbelthieren zeichnet sich bekanntlich ein Theil der Fische, wie die Plagiostomen, Chimären etc., durch eine sehr fettreiche Leber aus. Bei Raja clavata, Gadus aeglefinus, ferner bei Psyllium canicula etc. enthalten zur Herbstzeit die Leberzellen eine solche Menge grösserer Fetttropfen, dass das Organ eine grauweisse Farbe darbietet und eher einem Fettreservoir, als einer Galle absondernden Drüse gleicht. Bei Gadus aeglefinus enthielt die getrocknete Leber 92,71 Proc. Fett und nur 7,29 Proc. unlösliche Theile. Während des Foetallebens begegnet man in den Leberzellen gewöhnlich einer grösseren Menge feiner Fetttröpfchen, welche in der Zellenhöhle zerstreut liegen und nicht, wie es in den späteren Perioden des Lebens häufig vorkommt, zu grösseren Tropfen confluiren. Zu bestimmten Zeiten erscheint die Menge des Fettes ansehnlich, während sie zu anderen geringer ist. E. H. Weber [1]) machte die Beobachtung, dass beim Hühnchen vom 16. bis 19. Tage der Bebrütung der Dotter aus dem Dottersack von den Blutgefässen resorbirt und in die Leber übergeführt wird. Das Organ werde dann mit zahllosen Fetttropfen erfüllt und nehme eine gelbe Farbe an. Erst nach dem Auskriechen des Hühnchens verliert sich der Fettreichthum der Leberzellen und tritt allmälig die normale braune Farbe des Organs hervor. Die aufgenommene Dottermasse wird nach der Ansicht von Weber und Kölliker [2]) für die Bildung von Blutkörperchen verwandt. Lereboullet [3]), welcher bei einem Kaninchenfoetus und einer reifen menschlichen Frucht einen grösseren Fettreichthum der Leberzellen beobachtete, hält diesen Zustand für eine der Foetalperiode zukommende Eigenthümlichkeit. Dies ist ein Irrthum. Ich

[1]) Bericht der königl. sächs. Gesellsch. der Wissensch. mathem. physik. Classe, 1850, S. 15.

[2]) Gewebelehre S. 580.

[3]) Mémoire sur la structure intime du foie, Paris 1853, S. 43.

habe, wenn sich die Gelegenheit bot, vielfach die Foetalleber von Menschen und Thieren untersucht, und häufig, jedoch keineswegs immer, zahlreiche feine Fetttröpfchen in den Zellen constatirt. Es scheint demnach, dass der Fettgehalt mit bestimmten Entwickelungsepochen steigt und fällt; möglicher Weise influiren auch hie und da pathologische Verhältnisse.

Nach der Geburt und in den späteren Lebensperioden unterliegt der Fettgehalt der Leber zahlreichen Schwankungen, deren Bedingungen zum Theil wenigstens mit Sicherheit nachgewiesen werden können.

Das erste Moment, welches einen bestimmenden Einfluss äussert, ist die Diät [1]).

Magendie machte bei seinen Versuchen über den Nutritionswerth der einzelnen Nahrungsstoffe bereits die Erfahrung, dass bei ausschliesslicher Fütterung von Hunden mit Butter die Leber sehr fettreich wurde, während gleichzeitig die Haut eine ölige Beschaffenheit annahm und durch die Talgdrüsen flüchtige Fettsäuren zur Ausscheidung kamen. Bidder und Schmidt, sowie in neuester Zeit Laue [2]), publicirten ähnliche Beobachtungen, so dass die Thatsache im Allgemeinen als feststehend angesehen werden konnte.

Um den Vorgang im Einzelnen zu verfolgen und namentlich um die Zeit kennen zu lernen, in welcher die gewöhnliche, nur mit Fett reichlich versetzte Nahrung ihren Einfluss auf die Leber äussert, wurde von mir eine Reihe von Versuchen an Hunden angestellt [3]). Den Thieren wurde zunächst durch eine kleine Bauchwunde ein Stück Leber exstirpirt, um die Zellen zu untersuchen und zu zeichnen [4]);

---

[1]) Man weiss dies im Grunde schon so lange, als man Gänse mästete, um eine fettreiche Leber zu gewinnen, eine Kunst, welche, wie Th. Willis (pharmac. ration. sive de medic. operat. Sect. II, Cap. II, p. 225) berichtet, schon den alten Römern bekannt war. Olim apud Romanos ars fuit, anserem ita pascere ut hepar in immensum accrescens totum praeterea corpus praeponderaret.

[2]) R. Wagner's Physiol. von Funke S. 171.

[3]) Kaninchen und Frösche erwiesen sich für diesen Zweck ungeeignet.

[4]) Dies ist nothwendig, um einen sicheren Ausgangspunkt zu gewinnen, weil man nicht selten bei Thieren von vorn herein die Leber fettreich findet.

sodann erhielten sie neben der bisherigen Fütterung täglich eine halbe bis eine ganze Unze Leberthran, wonach die Veränderungen, welche das Organ erlitt, von Zeit zu Zeit geprüft wurden. Das Ergebniss dieser Versuche lässt sich dahin zusammenfassen, dass bereits nach 24 Stunden die Zellen eine Zunahme des molekularen Gehalts zeigen, nach 3 Tagen zahlreiche Tröpfchen sichtbar werden und nach 8 Tagen die Zellenhöhle fast vollständig mit grösseren und kleineren Fetttropfen ausgefüllt erscheint. Untersucht man die Leber eines so gefütterten Thieres in ganz frischem Zustande, so findet man die Zellen ansehnlich vergrössert und von feinen staubförmigen Molekeln ausgedehnt; erst nach einiger Zeit tritt die fein vertheilte Masse zu Tröpfchen zusammen, worauf der übrige Zelleninhalt klar und durchsichtig wird. In der hier folgenden Zeichnung *A* und *B* sind die Veränderungen dargestellt, welche nach drei- und nach achttägiger Fütterung die Leberzellen wahrnehmen liessen: 1. das Verhalten beim Beginn des Versuchs, 2. die Zellen nach demselben in frischem Zustande, 3. dieselben Zellen nach einiger Zeit.

Fig. 41.

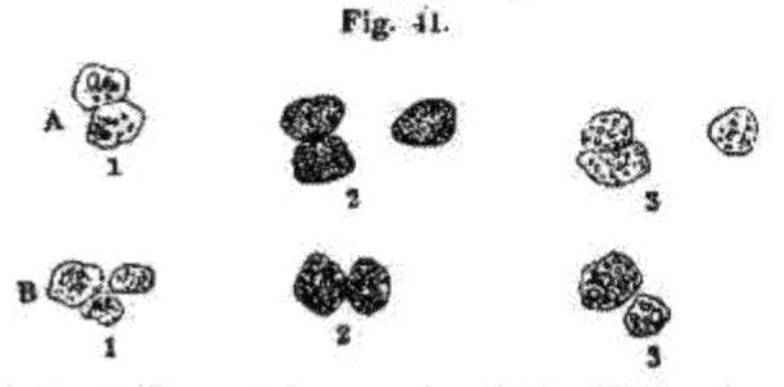

Der Fettgehalt, welcher auf solche Weise in das Leberparenchym übertritt [1]), verschwindet wiederum nach einiger

[1]) Die Lebercapillaren lassen Fett, wenn es nicht sehr fein vertheilt ist, schwer durch. Injicirt man Olivenöl in die Wurzeln der Pfortader, so wird dasselbe in den Lebergefässen zurückgehalten, ohne bis zum rechten Herzen vorzudringen. Man findet unter solchen Umständen in der Leber runde linsengrosse Cysten, welche mit Oel gefüllt sind und meistens in Gruppen von 3 bis 7 vereinigt stehen, einzelne Aeste der Pfortader sind mit reinem Oel gefüllt, andere enthalten gleichzeitig Blut, hie und da auch feste Gerinnsel. Bleiben die Thiere mehre Tage nach der Injection am Leben, so bemerkt man zerstreut in der braunen Lebersubstanz gelbe blutarme Heerde, in welchen die Leberzellen mit grossen und klei-

Zeit, wenn die Nahrung verändert wird. Auf welchem Wege, ist noch unklar. Es ist wahrscheinlich, dass bei massenhafter Anhäufung des Fettes ein Theil als solches ins Blut zurückkehrt, während ein anderer zu den functionellen Zwecken des Organs, zu der Gallenbildung verwendet werden dürfte. Man hat mit vollem Recht wiederholt darauf hingewiesen, dass durch die chemische Beschaffenheit der Gallensäuren das Eintreten von Fettstoffen in die elementare Zusammensetzung derselben nahe gelegt werde. Das histologische Verhalten der Leber unterstützt eine solche Annahme insoweit, als mit dem Auftreten gelber Stoffe in den Leberzellen die Quantität des Fettes abnimmt; beide vereint beobachtet man nur ausnahmsweise [1]). Dass noch eine anderweitige Verwendung stattfindet, dürfte indess kaum zu bezweifeln sein. Die Fettablagerung in der Leber von niederen Thieren, und besonders von Fischen, erreicht eine solche Höhe, dass ein Verbrauch des Stoffes lediglich für die Gallenabsonderung nicht denkbar bleibt. Die Drüse scheint hier als Depot zu dienen für Fett, welches später als solches wieder in den Kreislauf zurückkehrt und verwandt wird. In diesem Sinne ist es bemerkenswerth, dass gerade die Fische, welche sonst fast fettfrei sind, eine Leber besitzen, welche ungewöhnlich reich an

---

nen Fetttropfen gefüllt sind. In einem Falle, wo das Thier erst nach 3 Wochen getödtet wurde, war die Leber über weite Strecken gelb gefärbt und mit einem eleganten dunkelrothen Gefässnetz durchzogen; aus der marmorirten Schnittfläche quoll mit Oel vermengtes Blut hervor; die Leberzellen strotzten hier von Fettkugeln, stellenweise schienen sie zu fettreichen Detritus zerfallen. Neben den gelben prominirenden Parthieen lag braunrothe Lebersubstanz mit fettfreien Zellen. In einem Falle traten nach der Injection die Zeichen eines leichten Icterus ein. Durch Injection der Jugularvenen konnten ähnliche Veränderungen nicht erzielt werden.

Ob bei der Verdauung das Fett direct durch die Pfortader der Leber zugeführt wird, liess sich nicht entscheiden, das Blut der V. portarum erlitt nach der Fütterung mit den Fettstoffen keineswegs Veränderungen, welche uns zu einer Bejahung dieser Frage berechtigen könnten.

[1]) Auch Lereboullet bemerkt a. a. O. S. 86: Les cellules graisseuses ne me paraissent être que transitoires; je crois qu'elles se transforment elles-mêmes en cellules biliaires par dépôt de granules biliaires et par disparition de la graisse, qu'elles renfermaient.

dieser Substanz ist, ferner, dass nach Leydig bei Paludina vivipara die Leber vor dem Beginn des Winterschlafes fettreich wird, eine weisse Farbe annimmt, während sie sonst braun aussieht.

Es ist nicht bloss die ungewöhnlich fettreiche Nahrung, welche Ablagerungen in der Leber veranlasst, unter Umständen kann jede zu reichliche Kost, auch wenn sie fettfrei ist, nur grosse Mengen von Kohlenhydraten enthält, dieselbe Wirkung äussern. Hier scheint jedoch die Ablagerung in der Leber erst dann hervorzutreten, wenn andere Organe, wie das Zellgewebe etc., mit Fett überladen sind und das Blutserum milchicht zu werden anfängt. Lereboullet [1]) beobachtete, dass bei der Mästung der Gänse mit Mais anfangs das Lebergewicht in Verhältniss zum Körpergewicht sinke, indem zunächst das Zellgewebe mit Fett überfüllt werde; erst später wachse die Leber unverhältnissmässig und werde von Fettstoffen infiltrirt, gleichzeitig nehme dann die Gallensecretion ab, werde das Blutserum trübe. Das Fett wird also in diesem Falle nicht direct zugeführt, sondern die Ablagerung beginnt erst, wenn in Folge der unpassenden Diät Blutmischung und Ernährung wesentlich modificirt wurden [2]).

Nach dem eben Erörterten wird es begreiflich, dass man nicht selten bei Individuen, welche in der Blüthe der Gesundheit plötzlich starben, eine fettreiche Leber findet [3]). Dieselbe ist hier eine transitorische Erscheinung, welche als solche nichts Krankhaftes an sich trägt. Bei anhaltender unzweck-

---

[1]) A. a. S. 90.

[2]) Cl. Bernard (Leçons de phys. expérim. 1855, p. 149) meint, dass der Zucker, welcher von den Verdauungsorganen zur Leber gelange, hier in Fett sich umwandele. Diese Ansicht ermangelt jeder festen Begründung. Die matière laiteuse des Leberdecocts, auf deren Erscheinen nach zuckerhaltiger Diät sich Bernard stützte, ist arm an Fett und wird überdies auch bei Thieren gefunden, welche längere Zeit auf Fleischkost beschränkt waren, hie und da auch in der Foetalleber.

[3]) Ich fand die Leber sehr fettreich bei einem Eisenbahnbeamten, welcher während des Dienstes getödtet wurde, ferner bei einem Maurer, welcher durch einen Sturz ums Leben kam, ausserdem mehrfach bei Individuen, welche während des Eruptionsstadiums acuter Exantheme, des Scharlachs und der Blattern nach einer Krankheit von wenigen Tagen zu Grunde gingen.

mässiger Ernährung seigert sich indess die Ablagerung mehr und mehr und überschreitet allmälig die physiologischen Grenzen. Es treten dann gewöhnlich noch andere Einflüsse hinzu, durch welche die Wirkung der Diät gesteigert wird. Dahin gehört zunächst geringe Intensität des Stoffwandels, wie sie bei Individuen, welche körperliche und geistige Anstrengungen scheuen, gefunden wird; sodann mangelhafte Absonderungsthätigkeit der Leber, durch welche eine unvollkommene Verwendung des diesem Organe zugeführten Fettes für die Gallenbereitung etc. gesetzt wird, und endlich constitutionelle Einflüsse unbekannter Art.

Es giebt Individuen, bei welchen der Umsatz langsamer von Statten zu gehen scheint als bei anderen; bei ihnen pflegt die Neigung zu Fettablagerungen in den verschiedenen Organen und Geweben vorzuwalten, während die Gallenabsonderung, soweit sie sich beurtheilen lässt, sparsam ist. Auch bei Thieren tritt dies hervor, und bei den oben erwähnten Fütterungsversuchen machten sich Unterschiede in Bezug auf die rascher oder langsamer erfolgende Fettablagerung in den Leberzellen bemerklich, welche rein individueller Art waren. Allem Anscheine nach beruhen diese Unterschiede auf Ungleichheiten in der Entwickelung und Thätigkeit der einzelnen als Factoren bei der Stoffaufnahme und dem Umsatze betheiligten Organe. Solche constitutionelle Anlagen pflanzen sich durch Vererbung fort, und aus ihnen erklärt es sich zum Theil, weshalb eine Reihe abdomineller Störungen, Hämorrhoiden, starkes Embonpoint etc., in bestimmten Familien erblich sind und die einzelnen Generationen derselben zu Stammgästen in Kissingen, Marienbad und Carlsbad werden. Schon in Bezug auf die Verdauung des Fettes bestehen wesentliche Unterschiede. Es giebt Individuen, welche ohne Störung der Magenthätigkeit nur sehr geringe Mengen Fettes ertragen, während andere ungestört grosse Quantitäten consumiren und dabei mager bleiben, wiederum andere mit entsprechender Umfangszunahme.

Neben der individuellen Anlage influiren allgemeine Einflüsse, deren Wirkungsweise wir nur zum Theil übersehen, so das Lebensalter, das mittlere, das Geschlecht, das weibliche, das Klima, das gemässigte, feuchte, sumpfige; vergl. Prout, On stomach and renal diseases, V. Ed., p. 255.

Die bisher erörterte Entstehung der Fettleber lässt sich der Hauptsache nach auf äussere Einflüsse zurückführen; in anderen Fällen steht dieselbe in Zusammenhang mit inneren pathologischen Vorgängen, welche zum Theil wenigstens die Leber direct gar nicht berühren. Bekannt ist in dieser Beziehung vor allen das häufige Zusammentreffen der Fettleber mit Lungentuberkulose und anderen Consumptionskrankheiten, sowie mit der Säuferdyscrasie. Beide Zustände, so wenig Gemeinsames sie sonst auch haben mögen, kommen darin überein, dass das Blut gewöhnlich durch grossen Fettreichthum sich auszeichnet und ein milchicht getrübtes Serum abscheidet. Dies ist auch die Ursache der Veränderung, welche das Leberparenchym bei ihnen erfährt. Man hat die Genese der Fettleber bei Lungentuberkulose auf verschiedene Weise zu erklären gesucht; die meisten Stimmen neigten sich der Ansicht zu, dass in der Störung der Respiration und in der von dieser abhängigen mangelhaften Oxydation der Kohlenhydrate und der Fette die Veranlassung liege. Ohne den Einfluss der Respiration, wie es vielfach geschehen ist, aus dem Grunde ganz in Abrede zu stellen, weil bei anderen Störungen des Athmungsgeschäftes, bei Emphysem etc. derselbe nicht hervortritt oder weil auch zu anderen tuberkulösen Verschwärungen, wie zur Knochentuberkulose, die Fettleber sich hinzugesellt (Rokitansky), glaube ich die Ursache dieser Form von Fettleber in der Blutveränderung suchen zu müssen, welche während des Abzehrungsprocesses sich heranbildet. Das Blut wird mit dem Fett überladen, welches bei vorschreitender Abmagerung resorbirt wird, um für die Bestreitung der Bedürfnisse des Stoffwandels verwendet zu werden [1]). Die Anhäufung von Fett in der Leber wird bei der Lungentuberkulose gewöhnlich bedeutender als bei Abzehrungskrankheiten mit intacter Respiration, weil die beschränkte Sauerstoffaufnahme eine langsamere Umsetzung mit sich bringt. Bei Frauen, bei welchen das Fettzellgewebe entwickelter als bei Männern zu sein pflegt, ist dieser Vorgang auffallender; Fettleber ist daher bei tuberkulosen Frauen gewöhnlicher und stärker ausgeprägt als bei Männern.

Von Einfluss ist ferner der Zustand der Digestion; je mehr diese darnieder liegt und je tiefer aus diesem Grunde die Secretion der Galle herabsinkt, destoweniger wird von dem abgelagerten Fett für die Gallenbereitung verwandt, desto massenhafter unter gleichen Umständen die Anhäufung.

Bei anderen Comsumptionskrankheiten kommt die Fettleber zwar minder constant als bei der Lungentuberkulose vor, jedoch häufiger, als man gewöhnlich annimmt. Bright berichtet von Fällen, welche neben chronischer Dysenterie und neben Carcinom sich ausbildeten, Budd von anderen bei krebsiger Verschwärung, ich sah die höchsten Grade der Fettleber bei Compression des Rückenmarks, welche Erschöpfung durch brandigen Decubitus nach sich zog. (Siehe weiter unten die Tabelle über das Vorkommen dieser Veränderung.)

Fettreichthum des Blutes, auf andere Weise entstanden, ist die Ursache der Fettleber der Trunkenbolde. In wie weit der Einfluss, welchen der in das Blut übertretende Alkohol direct auf das Leberparenchym ausübt, zur Entwickelung dieser Anomalie beitragen könne, wird bei der Lehre von der Cirrhose zu erörtern sein.

Aus den bisherigen Mittheilungen ergiebt sich zunächst im Allgemeinen, dass überall, wo das Blut, sei es in Folge

---

[1]) Schon vor Jahren sprach Larrey diese Ansicht aus und berief sich dabei auf die damals in Frankreich übliche Methode, bei Gänsen die Bildung einer Fettleber zu veranlassen. Man sperrte die Thiere in enge heisse Käfige ohne Futter irgend welcher Art; dieselben wurden alsdann krank, magerten bedeutend ab, während die Leber gross und fettreich wurde.

unpassender Diät, sei es wegen anomalen Stoffwandels, mit Fett überladen wird, vorübergehend oder dauernd die in Rede stehende Leberinfiltration sich ausbilden könne. Es sind besonders zwei Arten von Drüsen, welche sich bei jener Blutsveränderung betheiligen, die Leber und die Talgdrüsen der Haut; eine fettige oder sammetartige Beschaffenheit der Cutis ist daher oft neben der Fettleber vorhanden und kann unter Umständen für die Diagnostik verwerthet werden.

Ausser jenen allgemeinen Einflüssen, welche durch das Intermedium des Blutes ihre Wirkung äussern, machen sich noch locale, auf die Leber selbst beschränkte Störungen bei der Ausbildung der fettigen Entartung geltend. Dass solche bestehen, erkennt man schon an dem partiellen Auftreten dieser Veränderung in einzelnen durch die Leber zerstreuten Heerden bei verhältnissmässiger Integrität der übrigen Theile. Man findet solche örtlich beschränkte Deposita in atrophischen Lebern, wie Taf. V, Fig. 1, 2, 3 dargestellt sind, ferner bei der Cirrhose, wo nicht selten ein Theil der Läppchen, ja die Hälfte einzelner Läppchen fettig entartet, die andere davon frei bleibt, sodann bei der speckigen Infiltration der Leber, endlich in der Umgebung von Krebsknoten, von Narben, Entzündungsheerden etc. Nicht selten beobachtet man ausserdem auf der Oberfläche der im Uebrigen normalen Drüse blasse unregelmässige Flecken von $\frac{1}{2}$ bis 2 Zoll Umfang; sie dringen mehre Linien tief in das Parenchym ein und verlieren sich hier mit scharfer Grenze. Solche Stellen enthalten zuweilen blasse vollkommen normale Leberzellen, häufig aber auch mit Fett gefüllte. Die Ursachen, welche solche locale Veränderungen bedingen, lassen sich nur zum Theil mit Sicherheit übersehen. In den meisten Fällen liegen Nutritionsstörungen zu Grunde, wie sie im Gefolge von Hyperämieen wegen veränderter Beschaffenheit der die Gewebe durchtränkenden Flüssigkeit, so oft in den Nieren, dem Lungenepithel, den Muskeln etc., wahrgenommen werden. Die fettige Degeneration der Leberzellen in der Nähe von Entzündungsheerden,

Narben und pathologischen Neubildungen, zum Theil auch bei der Cirrhose, ist auf diese Weise zu erklären. Das Gleiche dürfte gelten für die über das ganze Organ verbreitete Fettbildung in den bei der acuten gelben Atrophie zerfallenden Leberzellen (Taf. III, Fig. 6), ferner für die fettige Entartung, welche hie und da in den späteren Stadien der sog. speckigen Infiltration zur Ausbildung kommt.

Die auf solche Weise zu Stande kommende Fettbildung in der Leber ist in ihren Folgen wesentlich verschieden von der zuerst geschilderten Form. Bei dieser wurde das Fett einfach in die Zellen deponirt, ohne deren anderweitigen Eigenschaften zu verändern, hier dagegen verlieren die mit Plasma von abnormer Concentration durchsetzten und in ihrer Ernährung beeinträchtigten Zellen zum Theil ihre functionelle Thätigkeit vollständig. Wir unterscheiden diese Form als fettige Degeneration von der ersten, welche wir als fettige Infiltration bezeichnen können. Für viele Fälle partieller Fettablagerung ist indess die eben angedeutete Entstehungsweise nicht nachweisslich, so für die Deposita, welche man oft in atrophischen Lebern findet, wo ein Theil der Zellen collabirt und eingeschrumpft, während ein anderer mit Fett überfüllt wird (Taf. IV, Fig. 2ᵃ, 2ᶜ, Fig. 5) für die in relativ gesunden Lebern vorkommenden zerstreuten Heerde etc. Hier dürfte bald gestörte Ernährung, bald partiell beschränkte Absonderungsthätigkeit zu beschuldigen sein, vielleicht machen sich hierbei ausserdem noch Einflüsse unbekannter Art geltend.

Texturverhältnisse der Fettleber.

Die Fettablagerung in der Leber ist, so weit meine Erfahrungen reichen, stets auf die Zellen beschränkt; niemals habe ich, auch bei den höchsten Graden dieser Veränderung, Deposita von Fett in den Intercellularräumen des Parenchyms entdecken können [1]). Der Schein spricht nicht selten zu Gunsten einer solchen Lagerung, indem bei der Präparation von Objecten für die mikroskopische Untersuchung eine Anzahl von Zellen zertrümmert wird, deren Fettgehalt sich ergiesst und dann ausserhalb der Zellen zu liegen scheint. Isolirt man indess die Elemente vorsichtig, so findet man überall Zellen, welche das Fett umschliessen; zuweilen sind dieselben in dem Maasse angefüllt, dass die Membran erst nach Entfernung des Fettes durch Zusatz von Terpentinöl sichtbar wird. An feinen Schnitten injicirter und getrockneter Lebersubstanz sieht man überall in den Lücken der Gefässmaschen die fettreichen Zellen, welche man durch Behandlung mit Aether von ihrem Inhalte befreien kann. Kocht man die Schnitte mit Aether, so gelingt es leicht, die Zellen zu entfernen; es bleiben dann die Gefässe mit ihrer Bindegewebshülle allein übrig (vergl. Taf. VII, Fig. 3). Eine interlobuläre Fettleber, welche überdies mit der anatomischen Anordnung der Elemente des Leberparenchyms schwer in Einklang zu bringen sein dürfte, existirt also unserer Ueberzeugung nach nicht.

Das Fett lagert sich anfangs in Form feiner Tröpfchen im Inneren der Zelle, gewöhnlich in der Nähe des Kerns, jedoch auch an anderen Stellen der Zellenhöhle ab. Weiterhin

[1]) J. Vogel (Icon. histol. p. Taf. XIX. und XX.) und in neuester Zeit Wedl (Grundzüge der patholog. Histolog., Wien 1854, S. 192) wollen eine solche Lagerung des Fettes beobachtet haben. Der Letztere unterscheidet zwei Arten, bei der ersteren, welche er die lobuläre Fettleber nennt, sollen die Fettkügelchen allenthalben in der schmutzig gelben Lebersubstanz vertheilt liegen, bei der zweiten, der interlobulären, dagegen in den Interstitien der Läppchen lagern.

nehmen diese Tröpfchen an Zahl und Umfang zu, sie treten näher zusammen, der granulirte Inhalt und die braunen Molekeln vermindern sich, der Kern wird unsichtbar. Nach Entfernung des Fettes durch Terpentinöl wird das letztere meistens wieder kenntlich; erst bei weiter vorgeschrittener Fettanhäufung pflegt es zu verschwinden, jedoch auch hier nicht constant [1]).

Die Fetttröpfchen fliessen später zu einzelnen, zwei, drei bis vier grösseren Tropfen zusammen, und auch diese vereinigen sich im weiteren Verlaufe oftmals zu einem einzigen, welcher den grössten Theil der Zellenhöhle ausfüllt. Man findet dann den körnigen Zelleninhalt mit kleinen Fetttröpfchen zur Seite gedrängt, als Saum den Rand des grossen Fetttropfens umgebend (Taf. V, Fig. 4).

Das Fett selbst erscheint im Allgemeinen dünnflüssig, selten sieht man festere Körnchen oder Drusen von Krystallnadeln des Margarins, wie sie bereits von J. Vogel und Lereboullet abgebildet wurden.

Der Umfang der Zellen wird durch die Fettanhäufung gewöhnlich vergrössert; bei partieller Ablagerung sind aus derselben Leber die Zellen, welche bereits Fett enthielten, im Durchschnitt grösser als die benachbarten, welche davon frei blieben, indess keineswegs immer. Man findet zumal bei der Atrophie der Leber sehr kleine mit Fett gefüllte Zellen (Taf. V, Fig. 4), häufig sucht man auch bei massenhafter Anhäufung des Fettes vergebens nach Volumsveränderungen irgendwelcher Art [2]).

Die Form der Zellen verändert sich bei vorschreitender

Fig. 42.

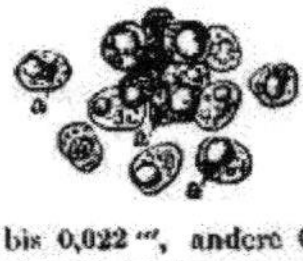

[1]) Lereboullet glaubt gefunden zu haben, dass der Kern bei vorschreitender Fettablagerung untergehe. Meine Erfahrungen stehen damit nicht in Einklang. Viele sehr fettreiche Zellen enthalten einen deutlichen Kern; a, a, a der nebenstehenden Figur.

[2]) Die Zellen einer fettreichen Leber massen 0,086 bis 0,025 bis 0,022 ‴, die einer normalen desselben Alters 0,030 bis 0,022 ‴, andere 0,015 bis 0,017 ‴; Zahlen, welche eine nicht unbeträchtliche Volumszunahme anzeigen.

Ablagerung in den meisten Fällen; die eckigen Contouren verlieren sich, die Gestalt wird mehr rundlich; bei bedeutender Anhäufung erhält die Oberfläche durch prominirende Tröpfchen eine unebene Beschaffenheit. Die Wand der Zelle ist unter solchen Umständen nicht immer zu erkennen, sie wird erst deutlich, wenn man durch Aether oder durch Terpentinöl das Fett entfernt, vorher ist es oft unmöglich, die Zelle mit ihrem Inhalt von aggregirten Tröpfchen zu unterscheiden. Je mehr der fettige Inhalt der Zelle zunimmt, desto mehr treten die übrigen Contenta zurück: der feine granulirte Inhalt vermindert sich, ebenso die eiweissartige Substanz, welche durch Alkohol u. s. w. sich trübt, und vor allen die braunen oder gelben Körnchen und Tröpfchen, welche als Producte der secernirenden Thätigkeit auftreten. Gemeiniglich findet man von ihnen keine Spur in den Zellen, die mit Fett überladen sind, während sie in denjenigen Formen, welche von Fett frei bleiben, massenhaft sich anhäufen. Nur ausnahmsweise findet man Fett und pigmentirte Substanzen vereinigt. Dies ist im grösseren Maassstabe gewöhnlich nur dann der Fall, wenn die Fettablagerung alle Zellen bis zum Centrum der Läppchen in ihr Bereich gezogen hat.

Die eben beschriebene Veränderung der Leberzellen beginnt fast immer an der Peripherie der Läppchen, im Gebiete der Interlobulargefässe, welche die Pfortader liefert [1]), von hier aus schreitet sie Schritt vor Schritt gegen das Centrum der Läppchen, das Gebiet der Lebervenen vor. Man kann in dieser Beziehung drei Stadien der Fettleber unterscheiden. Im ersten Stadio sind die Zellen in der Nähe der Pfortaderverzweigungen fettreich, gegen die Mitte der Läppchen verliert sich diese Anomalie allmälig, die Zellen sind theils von

[1]) Ausnahmen gehören zu den Seltenheiten; nur in wenigen Fällen beobachtete ich mit Sicherheit das umgekehrte Verhalten; die Zellen in der Umgebung der Pfortader fettfrei, die in der Nähe der Lebervenen dagegen infiltrirt. In einem Falle war wegen Bicuspidalinsufficienz anhaltende Stauung des Blutes in den Wurzeln der Vv. hepaticae vorhanden gewesen (Taf. VIII, Fig. 3 und 4), ein anderer betraf eine hypertrophische Fettleber (Taf. VIII, Fig. 1 und 2).

normaler Beschaffenheit, grösstentheils aber stark pigmentirt (Taf. VI, Fig. 1).

Im zweiten Stadio geht die Ablagerung über die Mitte der Läppchen hinaus, nur in der nächsten Umgebung der Centralvenen sind noch pigmentreiche, fettfreie Zellen sichtbar (Taf. VI, Fig. 2 und 3).

Im dritten Stadio reicht die Veränderung bis zur Centralvene[1]). (Taf. VII, Fig. 2 und 3.)

Einige Autoren, wie namentlich **Wedl**, sprechen von einer Erweichung der Talgleber, einem Zustande, bei welchem bloss freies Fett, Molekularmasse und Kerne als Reste der Leberzellen sichtbar bleiben, wo also die Zellen selbst untergehen. Ohne die Möglichkeit einer solchen Zerstörung der Zellen in Abrede stellen zu wollen, muss ich bemerken, dass bei einer einfachen Fettleber mir dieser Befund niemals vorgekommen ist, durch vorsichtige Behandlung der Masse mit Terpentinöl gelang es jederzeit, die intacten Zellwandungen nachzuweisen. Ein solches Zerfallen beobachtete ich nur an Stellen, wo in Folge von Exsudativprocessen das Leberparenchym mit neugebildetem Bindegewebe durchsetzt war. Hier lagen rundliche Gruppen von Fetttröpfchen, hin und wieder auch von braunen Körnchen, als Ueberreste der früheren Zellen zwischen den neu entstandenen Gewebselementen. Der Modus der Fettbildung in den Zellen, sowie auch das weitere Verhalten dieser letzteren, ist indess hier und überall, wo Exsudativprocesse die Ursache der fettigen Degeneration abgaben, ein ganz anderer, als bei der gewöhnlichen Fettleber der Tuberkulosen, Potatoren etc. Während bei dieser das Fett als solches aus dem Blute in die Zellenhöhle

---

[1]) Will man sich von dieser Vertheilung des Fettes eine klare Anschauung verschaffen, so muss man die Pfortader und die Lebervene mit verschieden gefärbten Massen injiciren, die Leber in Stückchen zerschneiden und vorsichtig trocknen; feine mit dem Rasirmesser angefertigte Schnitte kann man direct unter dem Mikroskop untersuchen, oder besser, nachdem man durch Kochen mit Aether das Fett entfernt hat. Im letzteren Falle werden die fettreichen Zellen beseitigt und es bleibt bloss das Reticulum übrig, welches die Gefässe trägt. (Taf. VII, Fig. 3.)

abgelagert wird, findet dort zunächst eine Durchtränkung des Gewebes mit Plasma von abnormer Concentration statt, in Folge welcher das endosmotische Verhalten der Zellen verändert und ihre Nutrition gestört wird. Man sieht unter solchen Verhältnissen die Zellen zunächst mit körnigen Niederschlägen von Albuminaten gefüllt, den Kern verdeckt und nur auf Zusatz von Essigsäure hervortretend; erst weiterhin werden Fetttröpfchen in grösserer Anzahl, jedoch selten von bedeutendem Umfange sichtbar. Diese fettige Degeneration der Leber, welche wir von der fettigen Infiltration scheiden zu müssen glauben, ist gewöhnlich örtlich beschränkt auf die Umgebung von Entzündungsheerden, Neoplasmen, Narben etc., über das ganze Organ verbreitet sieht man sie dem Anscheine nach als Ausgangsstadium der Colloidinfiltration, der sogen. Speckleber. Sie kam uns mehrfach vor bei Individuen mit Speckmilz, zuweilen auch mit Specknieren, wo im Verlauf der Behandlung die anfangs grosse und prall gespannte Leber allmälig kleiner, schlaffer und welker geworden war. Die Leberzellen waren mit Fetttröpfchen und Körnchen gefüllt, enthielten aber keine Substanz, welche mit Jod und Schwefelsäure die bekannte Reaction der Speckstoffe gezeigt hätte, während dieselbe in der Milz und den Nieren nachweisslich war.

Für die functionelle Thätigkeit des Organs ist diese Degeneration viel verderblicher als die Infiltration (vergl. unten Beob. 31).

Die Menge des Fettes, welche bei Fettleber höheren Grades im Drüsenparenchym abgelagert wird, kann sehr beträchtlich sein. Wir fanden in einem Falle 78,07 Proc. Fett in der wasserfreien Lebersubstanz, die Masse des Fettes betrug also nahezu das Vierfache der übrigen Gewebstheile; im frischen Zustande enthielt dieselbe Leber 43,84 Fett, 43,84 Wasser, 12,32 Gewebe, Zellen, Gefässe etc. In einem anderen Falle betrug die Menge des Fettes 76,6 Proc. Der Wassergehalt des Leberparenchyms vermindert sich ansehnlich, er sinkt von 76 Proc. auf 50 bis 43,84.

Neben dem Fett, welches aus Olein und Margarin in wechselnden Mengenverhältnissen mit Spuren von Cholesterin bestand, wurde in den meisten Fällen Zucker gefunden. Wo die Fettablagerung einen hohen Grad erreicht hatte, konnten Leucin und Tyrosin in grosser Menge nachgewiesen werden: in einigen Fällen war auch ein eigenthümlich dottergelber Farbstoff, welcher von Gallenpigment wesentlich in seinem Verhalten abwich. Bemerkenswerth ist noch, dass das Leberdecoct stets ärmer an freier Säure war, als in der Norm. Cystin wurde vergebens gesucht.

Die gröbere Anatomie der Fettleber.

Es ist nicht immer möglich, durch einfache Besichtigung ein zuverlässiges Urtheil über den Fettgehalt der Leber zu gewinnen. Mässige, ja selbst hohe Grade dieser Anomalie alteriren Farbe und Consistenz des Organs nicht immer in der Weise, dass sie mit Sicherheit von anderen Veränderungen dieser Drüse, namentlich von der Anämie, unterschieden werden könnten: es giebt eine blasse und weiche Leber, welche die Eigenschaften der Fettleber bis zu täuschender Aehnlichkeit an sich trägt, ohne Fett zu enthalten.

Volle Gewissheit des Urtheils giebt hier nur das Mikroskop. Das Beschlagen der Messerklinge beim Durchschneiden des Organs, worauf die Anatomen viel Gewicht legen, halte ich nicht für ein zuverlässiges Criterium, weil man diesen Beschlag auch bei weichen fettarmen Lebern sich bilden sieht, wenn nur die Zellen des Organs in ihrem Zusammenhange aufgelockert und reich an körnigem Inhalt sind.

Es kommen allerdings Formen vor, welche bei einiger Uebung sofort als solche erkannt werden können: dahin gehört die grosse, abgeplattete mattgelbe Leber mit stumpfen Rändern und glatter [1]), praller Peritonealhülle, welche sich

[1]) Hie und da erscheint die Oberfläche leicht granulirt, indem die fettreichen

teigicht anfühlt und eine blutarme, dem Herbstlaub an Farbe ähnliche Schnittfläche zeigt (**Rokitansky**). Indess hiervon giebt es so viele Ausnahmen, dass die Regel wenig Werth behält.

Umfang und Gewicht der Fettleber unterliegen grossen Schwankungen, sie können vergrössert, der Norm entsprechend und verkleinert sein. Im Allgemeinen ergiebt sich, wenn man die Resultate zahlreicher Messungen und Wägungen zusammenstellt, eine Zunahme des Gewichts wie des Volums. Als mittleres Ergebniss von 34 Messungen fettreicher Lebern Erwachsener wurde ein absolutes Gewicht von 1,6 bei Männern und 1,5 Kilogr. bei Frauen gefunden [1]).

Das Verhältniss des Lebergewichts zum Körpergewicht stellt sich = 1:28 bei Männern und = 1:25 bei Frauen [2]).

Die mittleren Durchmesser betrugen:

bei Männern = rechts	5,3″	links	3,4″	im Querdm.
	7,7″		5,6″	im Längendm.
		= Dicke	2,1″	
bei Frauen = rechts	5,8″	links	3,3″	im Querdm.
	6,6″		5,6″	im Längendm.
		Dicke	2,3″	

Das Milzgewicht betrug in diesen Fällen bei Männern 0,23,
bei Weibern 0,24,
ihr Verhältniss zum Körpergewicht 1 : 202 und 1 : 156.

Das Verhältniss der Milz zur Leber = 1 : 6,90 bei Männern und 1 : 6,25 bei Frauen.

Parthieen der Läppchen über ihre Umgebung sich erheben; über das Verhältniss dieser Form zur granulirten Leber vergl. Cap. Cirrhose.

[1]) Es kamen indess Fälle vor, wo das Gewicht der Fettleber viel bedeutender war, so wog dieselbe bei einer 40jährigen Frau 3,4 Kilogr., das Verhältniss zum Körpergewicht war = 1:20.

[2]) **Lereboullet** hat die Veränderung, welche bei der Bildung der Fettleber das Verhältniss des Lebergewichts zu dem des Körpers erleidet, an Gänsen festzustellen versucht. Vor Beginn der Maisfütterung war dasselbe 1:26,5; nach 9tägiger Anwendung derselben 1:30, nach 14 Tagen 1:18, nach 28 Tagen 1:12,8. Die Folgen der übermässigen Ernährung äusserten sich also in den ersten 9 Tagen in der Zunahme des Körpergewichts, erst später, nachdem dieser mit Fett überladen war, trat die der Leber unverhältnissmässig hervor.

Neben den voluminöseren Fettlebern kommen atrophische vor, welche an Umfang wie an Gewicht weit unter der Norm stehen, obgleich ihr Fettgehalt ein sehr bedeutender ist. Solche atrophische Formen gehören keineswegs zu den seltenen.

Die Form der Fettleber ist in vielen Fällen insoweit eine eigenthümliche, als das Organ hauptsächlich in die Breite wächst, sich abplattet, abgerundete Ränder bekommt und an Dicke verliert [1]); allein auch hiervon giebt es zahlreiche Ausnahmen, auch bei massenhafter Fettablagerung können die Ränder zugeschärft, die Durchmesser nach allen Richtungen hin normal bleiben.

Die Farbe wird im Allgemeinen blässer, um so mehr, je bedeutender der Fettreichthum steigt, je mehr also der normale Inhalt der Leberzellen und die Injection der Capillaren zurückgedrängt wird. Mässige Grade der Fettablagerung können bestehen, ohne die Farbe wesentlich zu verändern. Meistens bekommt das Leberparenchym ein reticulirtes Aussehen: man findet eine bräunlichrothe und eine blassgelbe Substanz, welche mit einander wechseln; die letztere bildet gewöhnlich Ringe, welche die erstere, rundliche Inselchen darstellend, umgiebt, oder die bräunliche Substanz stellt längliche, zuweilen blattähnliche Figuren dar, welche von einem helleren Saume begrenzt sind [2]). Es hängt dies von der Richtung ab, in welcher die Läppchen durchschnitten werden,

[1]) Die oben angegebenen mittleren Durchmesser stimmen damit überein.

[2]) Die muskatnussähnliche Farbe, welche die Leber auf die Weise erhält, tritt um so markirter hervor, je stärker die Pigmentirung der Zellen im Umkreise der Centralvenen und je grösser der Blutgehalt der centralen Läppchenregion ist.

Dieselbe Farbenveränderung sieht man in Folge von Gallenstauung, bei welcher die Pigmentirung jederzeit zunächst an den Zellen in der Umgebung der Centralvenen der Läppchen sich bemerklich macht.

Man beobachtet dieselbe ferner in etwas anderer Farbennuance bei Ungleichheiten der Blutvertheilung, bei den so häufig vorkommenden Hyperämieen der Lebervenenwurzeln. Für die anatomische Diagnose der Fettleber kann daher die muskatnussähnliche Färbung der Schnittfläche nur mit Vorsicht verwandt werden; es ist eine fettige, pigmentirte und hyperämische Muskatnussleber zu unterscheiden.

wo der Schnitt den Aestchen der Lebervenen parallel fällt, stellt sich das letztere Verhältniss heraus, wo dagegen die Centralvenen quer durchschnitten werden, das erstere (vergl. Taf. VII, Fig. 1). Die hellen Parthieen entsprechen fast immer der Peripherie der Läppchen, dem Gebiete der Pfortader, in welchem gewöhnlich zuerst das Fett sich anhäuft, die dunkelen dem der Lebervenen, in deren Umgebung die Zellen pigmentreich, die Capillaren mit Blut gefüllt zu bleiben pflegen[1]). Der Durchmesser der einzelnen Läppchen ist vergrössert. Bei den höchsten Graden der Fettablagerung wird die Farbe der Leber blassgelb, nur kleine, intensiv gelb tingirte Stippen oder Streifen treten auf dem gleichmässig gefärbten Grunde hervor; es sind die pigmentreichen Zellen in der Nähe der Vv. centrales. Das Blut aus den feineren Gefässen ist hier vollständig zurückgedrängt, an der Oberfläche des Organs, in der serösen Hülle dagegen bemerkt man, wie bei der Cirrhose, erweiterte Ramificationen. Zuweilen sieht man im Parenchym zerstreut grössere gelbe Inseln, Stellen, an welchen die Gallenstauung einen höheren Grad erreichte (Taf. VII, Fig. 1).

Wo die Fettablagerung ungleichmässig erfolgt, kann man in dem Organ blasse Inseln von mehr oder minder grosser Ausdehnung wahrnehmen, zuweilen über zolllange Strecken sich verbreitend, oft auch nur kleine erbsen- bis bohnengrosse Heerde bildend. Man sieht dieselben häufiger auf der Oberfläche, von welcher aus sie nur einige Linien tief in das Parenchym eindringen, als in der Tiefe des Parenchyms. (Taf. V, Fig. 2; Taf. VIII, Fig. 3.)

Die Consistenz der Leber pflegt um so mehr abzunehmen, je weiter die Fettablagerung vorschreitet: das Organ

---

[1]) Die Unterscheidung der centralen und der peripherischen Substanz der Läppchen ist viel schwieriger, als man gewöhnlich glaubt, weil nach der Richtung, in welcher die Schnitte die Gefässverästelung treffen, sehr verschiedene Figuren herauskommen. Entscheidend ist nur die Injection der Gefässe mit verschiedenartig gefärbten Stoffen.

wird schlaff, mürbe, brüchig, behält, wie ödematöse Gebilde, Eindrücke längere Zeit zurück.

Eine Ausnahme scheint hiervon die von Home bereits beschriebene Wachsleber zu machen, welche durch grössere Derbheit und Festigkeit sich auszeichnet. Diese Form gehört gewöhnlich zur sogen. colloiden oder speckigen Degeneration der Drüse, es kommen indess Fälle vor, wo die Ursache dieser Abweichung in einer festeren Beschaffenheit des abgelagerten Fettes gesucht werden muss [1]). Wenn man die Aetherextracte verschiedener Fettlebern mit einander vergleicht, so machen sich in Hinsicht der Consistenz des Fettes nicht unbedeutende Unterschiede bemerklich. Quantitative Bestimmungen des Margaringehalts wurden jedoch bis jetzt nicht ausgeführt.

Wir erwähnen noch schliesslich eine eigenthümliche selten vorkommende Art der Fettablagerung, nämlich diejenige, welche in der Glisson'schen Kapsel ihren Sitz hat und sich mit dieser und den Gefässen bis tief in das Leberparenchym hinein erstreckt. Ich sah diese Anomalie in hohem Grade entwickelt bei einem Individuum, welches an Obliteration der Pfortader zu Grunde ging. Das Gefäss war hier verschlossen in Folge einer Compression des Stammes der Pfortader vor dem Eintritt in die Leber durch Entzündung und Bildung von Eiterheerden in dem umgebenden Zellgewebe. Die Leberzellen waren hier von Fettablagerung verschont geblieben.

Vorkommen der Fettleber.

Die im Vorhergehenden angedeuteten Ursachen von Fettablagerung in der Leber machen es begreiflich, dass höhere oder niedere Grade dieser Veränderung nicht selten gefunden werden. Um über die Häufigkeit des Vorkommens der Fettleber genaue und zuverlässige Anhaltspunkte zu gewinnen, wurde bei den Obductionen im Allerheiligenhospital eine Zeit-

[1]) Laennec, Traité de l'auscultation, Tom. VI, p. 36.

lang diese Drüse stets mikroskopisch auf ihren Fettgehalt geprüft, weil die einfache Besichtigung keine genügende Einsicht gewährt. Die Ergebnisse von 466 Untersuchungen dieser Art sind in der anliegenden Tabelle zusammengestellt.

Dieselben haben, weil die Lebensweise von sehr wesentlichem Einflusse ist, streng genommen nur für Breslau und für die Classe der Bevölkerung Gültigkeit, welche in öffentlichen Hospitälern Zuflucht sucht, wobei bemerkt werden muss, dass Leberaffectionen hier und in den benachbarten slavischen Provinzen im Allgemeinen häufig vorkommen. Wie die Frequenz der Fettleber in anderen Ländern sich gestaltet, darüber kann nur die directe Untersuchung entscheiden. So weit ich meinen Erinnerungen trauen darf, sah ich sie in Göttingen weniger häufig, als in Holstein und Schlesien; ausserdem schien sie im Sommer frequenter zu sein, als im Winter [1]).

---

[1]) Was die in der Tabelle bezeichneten Grade anbelangt, so verstehe ich unter Fettleber höchsten Grades (I.) Formen, bei welchen die Ablagerung sich über alle Leberzellen bis zu den Centren der Läppchen sich erstreckt (Taf. VII); zur Rubrik II. rechne ich diejenigen, deren Zellen wenigstens bis zur Mitte der Läppchen reichlich infiltrirt gefunden werden (Taf. VI, Fig. 2). Es liegt indess auf der Hand, dass scharfe Grenzen sich hier nicht ziehen lassen.

Tabellarische Uebersicht über den durch mikroskopische Untersuchung bestimmten Fettgehalt der Leber.

Bei folgenden Anomalien	I. Fettleber höchster Gr.			II. Fettreiche Zellen			III. Geringer Fettgehalt			IV. Fettfreie Zellen			Summa			Proportion zwischen der Zahl der Fälle I. und II. und der Gesammtsumme		
	Zahl d. Fälle	männlich	weiblich	Zahl d. Fälle	männlich	weiblich	Zahl d. Fälle	männlich	weiblich	Zahl d. Fälle	männlich	weiblich	Zahl d. Fälle	männlich	weiblich	im Ganzen	männlich	weiblich
1. Tuberkulose	17	9	8	62	33	29	34	25	9	4	3	1	117	70	47	1:1,48	1:1,66	1:1,27
2. Lungenemphysem	—	—	—	6	2	4	5	3	2	2	1	1	13	6	7	1:2,16	1:3,00	1:1,75
3. Pneumonie	—	—	—	8	3	5	20	12	8	14	10	4	42	25	17	1:5,25	1:8,33	1:3,40
4. Pleuritis	1	1	—	—	—	—	4	2	2	1	1		6	4	2	1:6,00	1:4,00	—
5. Herzfehler	—	—	—	10	2	8	16	10	6	9	5	4	35	17	18	1:3,50	1:8,50	1:2,25
6. Bright'sche Krankheit	1	1	—	8	6	2	7	5	2	3	3	—	19	15	4	1:2,11	1:2,14	1:2,00
7. Typhus	1	1	—	6	3	3	21	12	9	16	13	3	44	29	15	1:6,28	1:7,25	1:5,00
8. Pyämie	3	2	1	3	2	1	5	5	—	2	—	2	13	9	4	1:2,16	1:2,25	1:2,00
9. Variola	1	—	1	7	4	3	14	10	4	7	5	2	29	19	10	1:3,62	1:4,75	1:2,50
10. Intermittens und Folgezustände	—	—	—	6	4	2	3	3	—	3	—	3	12	7	5	1:2,00	1:1,75	1:2,50
11. Diabetes	—	—	—	—	—	—	1	1		4	3	1	5	4	1	—	—	—
12. Anämie und Inanition durch Blutung, Magengeschwür, Stenose des Oesophagus etc.	—	—	—	5	3	2	3	—	3	2	2	—	10	5	5	1:2,00	1:1,66	1:2,50
13. Seniler Marasmus, Apoplexie	1	1	—	8	1	7	8	3	5	2	1	1	19	6	13	1:2,11	1:3,00	1:1,86
14. Carcinose	—	—	—	2	1	1	11	4	7	8	2	6	21	7	14	1:10,50	1:7,00	1:14,00
15. Delirium tremens	—	—	—	7	5	2	5	4	1	2	2	—	14	11	3	1:2,00	1:2,20	1:1,50
16. Constitutionelle Syphilis	—	—	—	6	3	3	2	2	—	—	—	—	8	5	3	1:1,33	1:1,66	1:1,00
17. Chronische Atrophie der Leber	1	1	—	2	1	1	2	2	—	2	1	1	7	5	2	1:2,33	1:2,50	1:2,00
18. Speckleber im Stad. der colloiden Infiltration	—	—	—	3	2	1	—	—		1	1	—	4	3	1	1:1,33	1:1,33	1:1,00
19. Cirrhose der Leber	2	1	1	7	4	3	4	3	1	—	—	—	13	8	5	1:1,44	1:1,60	1:1,25
20. Gallenstauung	—	—	—	1	—	1	4	2	2	4	3	1	9	5	4	1:9,00	—	1:4,00
21. Lebercarcinom	—	—	—	—	—	—	6	3	3	3	2	1	9	5	4	—	—	—
22. Bei plötzlich ohne Erkrankung gestorbenen Individuen	—	—	—	2	1	1	4	3	1	2	1	1	8	5	3	1:4,00	1:5,00	1:3,00
23. Neugeborene und Kinder der ersten Lebenswochen	—	—	—	5	3	2	3	1	2	1	1	—	9	5	4	1:1,80	1:1,66	1:2,00
Totalsumme	28	17	11	164	83	81	182	115	67	92	60	32	466	275	191	[illegible]	[illegible]	[illegible]

Es ergiebt sich also, dass unter 466 Leichen in 28, also ein Mal auf 16,6, die Fettleber höchsten Grades vorkam, und dass 164 Mal, also nahezu ein Mal auf 3, die Leberzellen fettreich gefunden wurden [1]). Das weibliche Geschlecht ist häufiger mit dieser Veränderung des Leberparenchyms behaftet, als das männliche; während bei letzterem sich das Verhältniss = 1 : 3,5 stellte, war es bei Frauen = 1 : 2,2. Im gesunden Zustande bei plötzlich Verunglückten war dasselbe = 1 : 4, und zwar bei Männern = 1 : 5, bei Frauen = 1 : 3. Unter bestimmten physiologischen Umständen steigt die Frequenz des Fettreichthums der Leber: so bei Neugeborenen und Kindern, während der ersten Lebenswochen, wo das Verhältniss = 1 : 1,8 sich stellte; bei Säuglingen, welche bis zum Tode die Mutterbrust nahmen, sind die Leberzellen gewöhnlich fettreich, ebenso bei saugenden Thieren [2]). Sehr häufig findet man ausserdem Fettablagerungen in der Leber bei Schwangeren und bei Wöchnerinnen.

Unter den pathologischen Zuständen, welche auf die Entstehung von Fettleber influiren, steht obenan die Tuberkulose der Lungen; von 117 Fällen dieser Art zeigten 17 eine Infiltration höchsten Grades und 62 fettreiche Leberzellen. Das Verhältniss war = 1 : 1,48, für Männer = 1 : 1,66, für Frauen 1 : 1,27.

An diese reiht sich zunächst die Säuferdyscrasie. Von 13 Individuen, welche unter den Zufällen des Delirium tremens zu Grunde gingen, zeigten 6 eine sehr fettreiche Leber, bei 3 enthielt das Organ wenig und bei 2 gar kein Fett, 2 endlich litten an Lebercirrhose.

Die constitutionelle Syphilis war in 8 Fällen stets von einer mehr oder minder fettreichen Leber begleitet, 3 Mal

---

[1]) Die Verhältnisse dürften im Allgemeinen etwas zu gross sein, weil unter den 466 Leichen 117 Tuberkulose waren, welche durch die Häufigkeit der Fettleber sich auszeichnen.

[2]) Schon Gluge (Atlas der path. Anat. Lief. 1.) und in neuester Zeit Kölliker (Verhandl. der physik. med. Gesellschaft in Würzburg, Bd. VII, 2. Heft) heben dies hervor.

hatte die Infiltration einen hohen Grad erreicht und 2 Mal liessen sich Speckstoffe nachweisen.

Vergleicht man mit der Tuberkulose andere Lungenkrankheiten, so stellt sich das Verhältniss ganz anders; bei Pneumonie war dasselbe = 1 : 5,2, bei Pleuritis = 1 : 6,0, bei Lungenemphysem = 1 : 2,1. Bei organischen Herzfehlern war die Frequenz unter 35 Beobachtungen = 1 : 3,5. Häufiger trat die Fettleber neben Bright'scher Krankheit auf = 1 : 2,1, und neben Intermittens und deren Folgezuständen = 1 : 2,0. Ebenso oft war sie eine Begleiterin des senilen Marasmus und der Inanition durch Blutung, Krankheiten des Magens etc.

Auffallend gering war die Häufigkeit der Fettleber bei Krebscachexie, 1 : 10,5, in Vergleich zu der bei Tuberkulose, 1 : 1,4.

Bei acuten Krankheiten allgemeinerer Natur, wie bei Typhus, Variola, Pyämie, kamen Fälle von Fettleber höchsten Grades wiederholt vor; in drei Fällen von Erysipelas ambulans war diese Veränderung constant zugegen.

Unter den örtlichen Krankheiten der Leber zeichnen sich die Cirrhose und die Speckleber durch ihren Fettgehalt aus. Die kleinste Menge von Fett findet man in der Leber bei Diabetes mellitus. Bei Stenose der Speiseröhre, welche zu anhaltender Abstinenz führte, fehlte in mehren Fällen jede Spur von Fett; ebenso bei einem Individuum, welches Jahre lang wegen Paraplegie bettlägerig war; ein Beweis, dass körperliche Ruhe allein nicht ausreicht, Fettleber zu veranlassen.

Vergleicht man mit diesen Ergebnissen die Erfahrungen von Louis u. A., so ergeben sich wesentliche Differenzen. Louis (Recherch. sur la phthisie p. 116) fand unter 230 Individuen, die an acuten und chronischen Krankheiten gestorben waren, mit Ausnahme der Lungenphthise, nur 9 Mal Fettleber, und unter diesen 9 waren noch 7 Tuberkulose, während von 120 Phthisikern 40 Fettleber hatten. So waren unter 49 Fällen von Fettleber 47 Tuberkulose. Home in Edinburgh beobachtete unter 65 Phthisikern 15 Mal Fettleber und zwar ausschliesslich bei Frauen. Ich glaube die auffallenden Unterschiede hauptsächlich davon herleiten zu müssen, dass ohne Hülfe des Mikroskops eine sichere Beurtheilung des Fettgehalts der Leber nicht möglich ist; ausserdem dürfte die verschiedene Lebensweise sowie die Art der Behandlung mit oder ohne Leberthran von Einfluss sein.

Pathologische Bedeutung der Fettleber.

Man hat über das Wesen der Fettleber und ihre Bedeutung für den Gesammtorganismus verschiedenartige Ansichten ausgesprochen, je nach der Art und Weise, wie man sich ihre Entstehung dachte. Die meisten Beobachter reihten diese Texturveränderungen den Nutritionsstörungen an, welche man unter dem Namen der Atrophie zusammenzufassen pflegt. Andral[1]), Thomson, Barlow[2]), Cruveilhier[3]), ferner Wedl, Henoch u. A. gingen sämmtlich in ihrer Beurtheilung der Fettleber von diesem Gesichtspunkte aus, wenn sie auch in Betreff der entfernteren Ursachen der Atrophie von einander abweichen. Henoch[4]) deutet die Fettablagerung in den Leberzellen wie die Degeneration der Epithelien und anderen Gewebselemente, welche in Folge von Hyperämie und Exsudation sich einstellt. Lereboullet[5]) beschuldigt eine mangelhafte organische Combustion als Ursache des Nachlasses der Ernährung der Leberzellen.

Es giebt unstreitig Formen, wo die fettige Degeneration als Folge einer Nutritionsstörung der Leberzellen gedeutet werden muss. Dem Auftreten des Fettes geht hier eine

---

[1]) Cliniq. médic. Tom. II, p. 240.

[2]) On fatty degeneration, 1853, p. 9: This organ degenerate from general atrophy.

[3]) Anat. pathol. génér. Tom. III, p. 292. Paris 1856. La métamorphose adipeuse du foie n'est donc autre chose qu'une atrophie adipeuse bien qu'elle s'accompagne constamment d'une augmentation de volume de cet organe.

[4]) Klinik der Unterleibskrankheiten, Bd. I, S. 122.

[5]) A. a. O. p. 112. Le développement de la graisse dans ces cellules parait étroitement lié à un ralentissement dans le travail nutritif et à la combustion organique, qui est la première condition de ce travail.

Durchtränkung der Zellen mit Plasma abnormer Beschaffenheit oder eine andere Störung der Ernährung voraus, welche die Rückbildung und mit ihr die Fettmetamorphose des Zelleninhalts veranlasst. Die Zellen verlieren hier, wenn der Process zu Ende geführt wird, für immer ihren functionellen Werth. Allein für die bei weitem grössere Mehrzahl der Fälle hat diese Art der Auffassung keine Berechtigung. Das Fett wird hier als solches von aussen her in die Zellen aufgenommen; diese Aufnahme ist innig gebunden an die functionelle Thätigkeit dieser Gebilde, sie steigt und fällt, je nach der Art der Ernährung, dem Fettreichthum des Blutes, der mehr oder minder lebhaften Secretion der Drüse etc. Die Leber dient hier als Reservoir des für den Augenblick überschüssig aufgenommenen Fettes; Functionsanomalieen erfolgen erst dann, wenn die Ueberladung der Zellen mit Fett durch Verdrängung des anderweitigen Inhalts derselben, durch Beeinträchtigung der Blutbewegung etc. störend auf die Absonderung der Drüse, auf die Stoffmetamorphose in derselben und auf den Pfortaderkreislauf einzuwirken beginnt. Alle diese Nachtheile verschwinden, sobald der grössere Theil des abgelagerten Fettes wieder aufgenommen wird. Eine scharfe physiologische Grenze dieser Veränderung des Leberparenchyms lässt sich nicht ziehen.

Rückwirkung der Fettablagerung auf die Function der Leber und auf den Gesammtorganismus; die Symptome derselben.

Die Art des Vorkommens sowie die eben angedeuteten Beziehungen des Fettes zu den Functionen der Leber weisen uns von vorn herein darauf hin, dass bei mässigen Anhäufungen dieser Substanz von pathologischen Störungen keine Rede sein kann. Eher dürfte das vollständige Fehlen der Fetttröpfchen in den Leberzellen, wie es namentlich bei Diabetes mellitus vorkommt, als krankhaft anzusehen sein. Die von der Nahrungsaufnahme bedingten Ablagerungen kommen und gehen mit dem Wechsel der Ernährung und des davon abhängigen Fettgehaltes des Blutes. Sie erreichen nur dann einen hohen Grad, wenn unpassende Lebensweise dazu dauernde Veranlassung giebt.

Von anhaltenderem Bestande sind die Formen, welche von Consumptionskrankheiten, Säuferdyscrasie und anderen tiefer begründeten Veränderungen der Blutmischung abhängen, oder welche in örtlichen, die Nutrition der Zellen oder deren Absonderungsthätigkeit beschränkenden Veränderungen des Leberparenchyms begründet sind. Diese Formen erreichen daher auch häufiger den hohen Grad, welcher die functionelle Thätigkeit des Organs in Frage zu stellen geeignet ist.

Ansehnliche Fettanhäufungen in den Leberzellen greifen in mehrfacher Weise störend in die Function dieses Organs ein; allein nur selten suspendiren sie dieselbe oder beeinträchtigen sie so weit, dass dadurch der Gesammtorganismus gefährdet wird.

Mechanisch erschweren sie zunächst die Blutbewegung durch die Pfortader und die Ausscheidung der Galle.

Durch die Ausdehnung der Zellen mit Fett werden die Gefässmaschen, in welchen diese liegen, erweitert, die Lichtung der Capillaren wird dem entsprechend beengt (vergl. Taf. VI und VII) Fettleber höheren Grades findet man daher regelmässig in einem anämischen Zustande [1]). Die Beschränkung des Kreislaufes ist jedoch niemals eine sehr auffallende, weil das weiche flüssige Fett dem Blutdrucke nachzugeben scheint; Injectionen der Gefässe pflegen bei Fettleber sehr gut zu gelingen (Taf. VII). Die Erschwerung der Blutbewegung erreicht sehr selten die Höhe, dass ansehnlichere hydropische Ergüsse zu Stande kommen, sie ist jedoch ausreichend, um chronische Hyperämieen der Gastrointestinal-

[1]) Auch die grösseren Gefässlichtungen der Schnittfläche zeigen, was schon Cruveilhier bemerkte, nicht selten eine eckige statt einer rundlichen Form in Folge ungleichmässiger Compression von Seiten des geschwellten Drüsengewebes.

schleimhaut, welche durch geringfügige Veranlassungen zu Catarrhen, Störungen der Digestion, der Darmausleerungen, Hämorrhoidalcongestionen etc. gesteigert werden, zu vermitteln. Als Beleg für die Intensität, welche die Blutstauung bei Fettlebern höheren Grades erreichen kann, findet man an der Oberfläche des Organs in der serösen Hülle häufig erweiterte Gefässe verlaufen, ähnlich wie bei der Cirrhose. Milzanschwellungen sind jedoch selten; die Milz bleibt hier von mittlerem Umfange und im Durchschnitt kleiner, als bei der Speckleber und Cirrhose (vergl. Tab. S. 28).

Neben der beeinträchtigten Blutbewegung macht sich constant erschwerte Gallenausscheidung bemerklich. Die Leberzellen sind in der Nähe der Centralvenen jederzeit stark pigmentirt, sie enthalten gelbe Körnchen in grosser Anzahl, sind nicht selten gleichmässig mit bräunlicher oder gelblicher Materie durchtränkt. (Taf. VI, Fig. 1, 2, 3; Taf. VII, Fig. 1.) Dieselbe Ursache, welche die Capillaren comprimirt, erschwert auch die Fortleitung der Galle in den Anfängen der Ausführungsgänge im Umkreise der Läppchen [1]. Auch diese Störung überschreitet niemals eine gewisse Grenze, sie erreicht nicht den Grad, dass intensive icterische Färbung der Haut die Folge würde.

Die functionelle Thätigkeit der Leber, so weit sie auf den Stoffwandel influirt und in der Gallenabsonderung, Blutmischung etc. sich kund giebt, erleidet bei einfacher fettiger Infiltration der Drüse nur selten intensivere Störungen, wenn auch Anomalieen nicht zu verkennen sind. Erscheinungen von Anämie oder Hydrämie hohen Grades, wie sie bei der speckigen und cirrhotischen Degeneration der Leber beobachtet werden, kommen hier nur ausnahmsweise vor; jedoch ist

---

[1]) Hie und da scheinen auch grössere Gänge comprimirt zu werden; denn wiederholt sah ich in Fettlebern hohen Grades sackartige Erweiterungen der Gänge, mit eingedickter Galle gefüllt. In einem Falle hatten sich in der zersetzten Galle eines solchen Sackes zahlreiche Hämatoidinkrystalle gebildet (Taf. VII, Fig. 5). Cruveilhier beschreibt ähnliche Ectasieen der Gänge einer Fettleber. Anat. pathol. génér. T. III, p. 280.

es nicht zu übersehen, dass pastose mit Fettleber behaftete Individuen Blutentziehungen und andere schwächende Einflüsse schlecht ertragen.

Im Leberparenchym wurde bei einer grossen Anzahl von Untersuchungen Zucker gewöhnlich gefunden, auch dann, wenn die Fettablagerung eine bedeutende Höhe erreicht hatte: hie und da fehlte derselbe, wie es auch bei normaler Textur der Drüse vorkommt, sobald die dem Tode vorausgehende Krankheit anhaltende Abstinenz mit sich bringt. Die Fettanhäufung in der Leber hebt also diejenigen Vorgänge nicht auf, welche zur Bildung von Zucker Anlass geben. Es unterliegt indess keinem Zweifel, dass die Umsetzungen, welche innerhalb der Leberzellen erfolgen, durch die Gegenwart des den übrigen Zelleninhalt verdrängenden Fettes beschränkt und verändert wird. Dafür spricht die schwach saure Beschaffenheit des Leberdecoctes, das reichliche Auftreten von Leucin etc. Weitere Nachweise über die Modificationen des Stoffwandels in Folge der Fettleber dürfte die fernere Untersuchung versprechen.

Ueber die Intensität der Gallenabsonderung ist es schwer, während des Lebens ein Urtheil zu fällen. Die Quantität dieses Secrets, welche in einer bestimmten Zeitperiode geliefert wird, abzuschätzen, dazu besitzen wir nur in der Färbung der Fäcalstoffe einen unsicheren Behelf. Dieser kann bloss da etwas entscheiden, wo es sich um eine sehr auffallende Abnahme oder vollständige Sistirung der Secretion handelt; für Abweichungen beschränkteren Grades giebt sie keinen Maassstab, um so weniger, als nicht bloss die Menge der Galle, sondern auch die Intensität der Darmaufsaugung, ferner die Dauer des Aufenthalts im Darmcanal etc. auf dieselbe influiren. Berücksichtigen wir die Armuth der Leberzellen an gelben Stoffen, welche um so auffallender wird, je mehr die Fettmenge steigt; berücksichtigen wir ferner die oben angedeutete veränderte chemische Beschaffenheit der Drüse, sowie die Erfahrungen von Bidder und Schmidt, nach welchen bei fettreicher Nahrung und der dadurch veranlassten Infiltration des Leberparenchyms die Gallenabsonderung auf den Stand wie bei hungernden Thieren herabsinkt, so dürfte die Annahme einer Verminderung der Secretion gerechtfertigt sein. Damit übereinstimmend sind auch die Befunde, welche bei excessiven Graden von fettiger Entartung die Obduction bietet. Ich fand in zwei Fällen dieser Art die Gallenwege leer und mit graugelbem Schleim bedeckt, die Fäcalstoffe im Dünn- und Dickdarm waren aschfarbig. Eine vollkommene Sistirung der Secretion gehört jedoch zu den Seltenheiten [1]).

In der Qualität der von der Fettleber abgesonderten Galle habe ich keine wesentlichen Veränderungen bemerken können. Farbe und Consistenz derselben zeigten diejenigen Verschiedenheiten, welche von der grösseren oder geringeren Concentration, von dem kürzeren oder längeren Verweilen in der Blase, von der stärkeren oder schwächeren Absonderung der Schleimhaut der Gallenwege abhängig sind. Sie war blass und dünn, bald dunkel, zäh und dickflüssig. Eiweiss, welches Thénard darin unter 6 Fällen 5 Mal gefunden haben will, kam niemals vor; ebensowenig ein reichlicher Fettgehalt, von welchem Lereboullet berichtet.

Addison [2]) bemerkte, dass sich die Galle durch einen eigenthümlichen Geruch, welcher auf Zusatz von Säuren hervortrete, auszeichne. Dieser Geruch sei der unangenehmste und unerträglichste, welchen irgend ein animalischer Stoff verbreite, er lasse sich mit keinem anderen vergleichen. Wir haben niemals eine Verstärkung des specifischen, an Fäcal-

[1]) Wichtig sind in dieser Beziehung auch die Mittheilungen von Lereboullet (a. a. O. S. 100), welcher bei Gänsen, die zur Gewinnung von Fettlebern mit Mais gefüttert wurden, auf die Gallensecretion Rücksicht nahm. Nach 9tägiger Fütterung war die Gallenblase von grüner Galle, die eine mässige Menge von Oeltröpfchen enthielt, ausgedehnt; nach 28 Tagen dagegen war sie klein und gefaltet, sie umschloss eine sehr geringe Quantität ölartiger Galle, welche Schleimflocken und sehr viele Fetttröpfchen zeigte.

[2]) Guy's hosp. rep. I, p. 478.

stoffe erinnernden Geruchs, welchen eingedickte Blasengalle an sich trägt, wahrnehmen können. Die Ansicht, welche uns nahe zu liegen schien, dass eine stinkende flüchtige Fettsäure in der Galle unter solchen Umständen vorkomme, wurde also nicht bestätigt [1].

Es ist nach dem eben Erörterten begreiflich, dass die Symptome, welche die Fettleber begleiten und für die Diagnostik derselben am Krankenbette die nothwendigen Anhaltspunkte liefern müssen, gewöhnlich sehr unbestimmter Art sind und der Natur der Sache nach auch bleiben müssen. Die mässigen Grade, welche überall kaum als Anomalieen anzusehen sind, veranlassen keine auffallenden Zufälle, bei den höheren Graden sind die Störungen von der Art, dass sie nur unter begünstigenden Umständen eine sichere Benutzung gestatten. Unter den diagnostischen Anhaltspunkten, welche für eine klinische Verwerthung geeignet sind, steht obenan die Veränderung der Grösse und Form, welche die Leber bei beträchtlicher Fettanhäufung zu erleiden pflegt. Der Durchmesser der Drüse von hinten nach vorn nimmt zu, dabei wird dieselbe schlaff und welk, geneigt, sich abwärts zu senken; zwei Umstände, welche gleichmässig dazu beitragen, den Umfang des gedämpften Percussionstons zu vermehren, den vorderen Rand des Organs mehr oder minder tief unter den

---

[1]) Die Quantität des Fettes, welche in dem Secret der stark infiltrirten Drüse enthalten war, wurde von uns wiederholt bestimmt. Das Aetherextract der eingetrockneten Galle überstieg in keinem Falle 0,50 Proc., gewöhnlich betrug es 0,33 bis 0,38 Proc. bei einem festen Rückstande von 13,1 bis 83,0 Proc. der Galle im Ganzen. Dasselbe reagirte sauer und enthielt neben Cholesterin ein ölartiges Fett. In vielen Fällen zeigte der ätherische Auszug eine blass blutrothe Farbe und liess beim Verdunsten einen krystallinischen Farbstoff eigenthümlicher Art zurück. Derselbe bestand aus rothgelben lanzettförmigen Blättchen, welche theils einzeln, theils in baumartigen Gruppen vereinigt lagen (Taf. I, Fig. 7). Neben ihnen kam nur selten noch ein amorphes, an der Luft den Farbenwechsel der Chromogene zeigendes Pigment vor. Es gelang uns bisher nicht, die zu einer Analyse nothwendige Menge von Krystallen zu sammeln. Sie sind übrigens der Galle bei Fettleber keineswegs eigenthümlich, fehlten in dieser nicht selten und kamen auch unter anderen Umständen, so bei der Cholera, vor. Der Farbstoff der Galle von fettreicher Leber zeigt im Uebrigen das gewöhnliche Verhalten; in einem Falle veranlasste Salzsäure denselben Farbenwechsel wie die Salpetersäure.

Saum der falschen Rippen abwärts zu lagern. Eine Fettleber erscheint wegen dieser Senkung des vorderen Randes bei der Untersuchung grösser als sie ist. Sind die Bauchdecken schlaff und nicht zu dick, um eine Palpation mit Erfolg zu gestatten, so kann der abgestumpfte Rand durchgefühlt, auch die schlaffe Consistenz erkannt werden. Der positive Werth dieser Zeichen ist nicht gering, der negative dagegen ohne alle Bedeutung, weil jene Grössen- und Formveränderung nichts weniger als constant ist. Ein zweites für die Erkennung der Fettleber zu benutzendes Moment liegt in den Zufällen, welche von der gestörten Blutbewegung durch die Pfortader abhängig sind. Der von den älteren Autoren als Abdominalplethora vielfach beschriebene Symptomencomplex tritt uns hier wie bei der beginnenden Cirrhose und anderen mechanischen Störungen des Pfortaderblutlaufes mehr oder minder ausgeprägt entgegen: mangelhafte, mit Gasentwickelung verbundene Magen- und Darmverdauung, Auftreibung und Empfindlichkeit der epigastrischen Gegend, unregelmässige, gewöhnlich träge Stuhlausleerung, hypochondrische Stimmung, Hämorrhoidalbeschwerden etc. Die Fäcalstoffe sind bald dunkel, bald blass und lettig; hie und da beobachtet man neben Fettleber eine vorwiegende Neigung zu Diarrhoeen, auf welche schon vor Jahren Schönlein (Vorles. Bd. I.) aufmerksam machte. Ich hatte wiederholt Gelegenheit, pastose Individuen, welche auf geringe Veranlassungen an profusen Durchfällen zu leiden pflegten, nach dem plötzlich durch Apoplexie, einmal auch durch acutes Lungenödem erfolgten Tode zu untersuchen, und fand im Abdomen keine weitere Anomalie als eine Fettleber hohen Grades. Die gleiche Erfahrung wurde bei Obductionen in der Hospitalpraxis vielfach wiederholt. In ähnlicher Weise findet man bei verfütterten Kindern, die unter profusen blassen Darmausleerungen an Erschöpfung zu Grunde gingen, die Fettleber häufig vor [1].

---

[1] Auch Legendre sah Diarrhoeen der Kinder neben Fettleber; Bright brachte Durchfall und Amenorrhoe damit in Zusammenhang.

Die Haut ist von Addison in einer Weise verändert gefunden, welche, wenn sie constant wäre, für die Diagnostik von grossem Werthe sein dürfte. Dieselbe war blass, blutleer, halb durchscheinend, wachsartig, fühlte sich dabei weich und glatt wie Atlas an. Die Blässe war bald rein, bald schmutzig gelblich; sie war am deutlichsten ausgeprägt an der Haut des Gesichts, fehlte jedoch an anderen Stellen nicht. Bei tuberkulösen Frauen sieht man solche Veränderungen der Haut nicht eben selten, ich sah sie, wo allerdings auch, wie gewöhnlich bei Lungenphthise, Fettleber vorhanden war; ob indess die Leber die Ursache dieser Veränderung war, oder die Hektik mit ihren profusen Schweissen, lasse ich dahin gestellt; jedenfalls kommt Fettleber hohen Grades vor, ohne dass die Haut jene Beschaffenheit darböte. Bei Potatoren mit Fettleber fühlt sich die Haut nicht selten schmierig fettig an; die Secrete derselben werden wegen des fettreichen Blutes mit öligen Stoffen überladen, ähnlich wie bei anhaltendem Gebrauche grosser Dosen Leberthran, wo flüchtige Fettsäuren den Geruch des Thrans durch die Haut verbreiten, und wie bei den Hunden, welche Magendie mit Butter fütterte.

Von grosser Wichtigkeit für die Diagnose ist die Berücksichtigung der ätiologischen Momente, welche anerkannter Maassen die Fettleber veranlassen. Wo bei Lungentuberkulose oder bei Potatoren, bei Individuen von träger üppiger Lebensweise etc. eine Vergrösserung der Leber nachweisslich wird, verbunden mit Störungen der Bewegung des Pfortaderblutes und der Consequenzen, welche diese nach sich ziehen, da gewinnen die einzelnen Zeichen ein grösseres Gewicht, als ihnen unter anderen Umständen zukommen würde.

Es kommen Fälle vor, wo die in Folge der Fettleber auftretenden Störungen viel auffallenderer Natur sind, indem die Gallenabsonderung mehr und mehr herabsinkt, Anämie hohen Grades sich einstellt, bis schliesslich unter den Zufällen steigender Erschöpfung oder denen der vollständigen

Acholie der lethale Ausgang erfolgt. Man beobachtet dies sehr selten und nur bei den excessiven Graden der fettigen Infiltration der Leber (vergl. Beob. Nr. 22), häufiger bei der fettigen Entartung dieser Drüse, welche nach Durchtränkung des Parenchyms mit colloiden und anderen Exsudaten bald neben Speckmilz, bald ohne diese sich ausbildet. Das anfangs vergrösserte Organ bildet sich allmälig zurück, wird kleiner, die Oberfläche bleibt glatt oder wird leicht granulirt, die gallige Färbung der Stühle vermindert sich, das Aussehen der Kranken bekommt mehr und mehr das Gepräge tiefer Cachexie. Man findet unter solchen Umständen die Leber von normalem Umfange oder etwas kleiner, ihre Zellen mit Fett und Körnchen von Albuminaten gefüllt, zuweilen auch das Parenchym mit Zügen neugebildeten Bindegewebes durchsetzt, die Gallenwege arm an Secret. Oft, jedoch nicht immer, ist das Milz- oder das Nierenparenchym, zuweilen auch beides mit Speckstoffen infiltrirt, von welchen in der Leber keine Spur gefunden wird.

Es ist, wo neben der Leber noch andere wichtige Organe, wie Milz, Lymphdrüsen und Nieren erkrankt gefunden werden, schwer, den Antheil nachzuweisen, welchen die Leber an der Erzeugung der allgemeinen Störungen, der Cachexie, Hydrämie etc. nahm. Man findet jedoch in manchen Fällen die Nieren und Lymphdrüsen frei, die Milz nur in so geringem Grade verändert, dass das Hauptgewicht auf die fettige Degeneration der Leber fallen muss.

Die Diagnose dieser Zustände während des Lebens ist oft mit grossen Schwierigkeiten verbunden, zumal wenn man nicht Gelegenheit hatte, den ganzen Entwickelungsgang des Processes zu verfolgen. Wichtig sind für diesen Zweck die Abnahme des anfangs vergrösserten Lebervolumens mit zunehmender Cachexie, die glatte Oberfläche der Drüse, der nebenher bestehende chronische Milztumor, die abnehmende Gallensecretion, das Vorhandensein von Causalmomenten, welche die colloide und speckige Infiltration der drüsigen

Organe erfahrungsgemäss veranlassen, wie Intermittens, constitutionelle Syphilis, Knochenkrankheiten etc.

Ich theile hier nur einen Fall dieser Art mit und verweise in Betreff des Weiteren auf das Capitel über Speckleber.

Nr. 31.

Anhaltende Intermittens, Anämie und Hydrämie, colliquative erschöpfende Diarrhöen, Tod unter Hirnerscheinungen. Fettige Degeneration der Leber, kleine Speckmilz, local beschränktes Krebsgeschwür im Coecum.

J. Pallifka, 31 Jahre alt, wurde im Juli und August 1853 auf der Klinik an Anämie erfolglos behandelt. Der grosse breitschulterige Mann war von wachsartig blassem Aussehen und klagte über bedeutende Schwäche, verbunden mit herumziehenden Schmerzen und gestörter Verdauung. Am Ursprung der Aorta hört man systolisches Blasen, welches bis in die Carotiden sich fortpflanzt; Lungen gesund, Milz und Leber von normalem Umfang; die Zunge leicht belegt, Stuhlausleerungen erfolgen 2 bis 3 Mal täglich und sind von blasser Farbe, Harn 1012 specif. Gewicht, frei von Eiweiss. Bei Anwendung von Eisenpräparaten, von Tinct. ferr. mur. aeth., ferr. lact. etc. hob sich der Appetit; allein die Blässe, das Schwächegefühl und die übrigen Symptome der Anämie blieben der vollen Kost ungeachtet ohne Besserung. Der Kranke verliess die Anstalt und kehrte erst am 16. Februar 1854 zurück. Die Anämie hatte sich jetzt zur Hydrämie gesteigert, Ascites und Anasarca waren hinzugetreten; täglich erfolgten sechs bis zehn helle dünne Stühle; in der Coecalgegend konnte eine bei Berührung empfindliche Härte gefühlt, jedoch nicht genau umschrieben werden. Urin 1007, blass, ohne Albumen. Das mit einem Schröpfkopf entzogene Blut zeigte die weissen Blutkörperchen nicht vermehrt. Vergebens wurden Adstringentien vegetabilischer und metallischer Art, Nux. vomic. etc. gegen die Diarrhöe aufgeboten. Am 25. Abends stellte sich plötzlich Verlust des Bewusstseins ein, lallende Sprache, Verzerrung des Gesichts, parallel fixirte Augen mit weiter Pupille, fadenförmiger langsamer Puls, flache, seltene Respiration etc. Am 26. der Tod.

Obduction.

Der Inhalt der Schädelhöhle zeigt nichts Abnormes, Luftwege frei, Lungen stark ödematös; das Herz in der Muskulatur und dem Klappenapparat unverändert. In der Bauchhöhle finden sich gegen 4 Pfunde klaren Serums; der Magen von blasser Schleimhaut, ebenso der Dünndarm bis zur Ileocoecalklappe. Der Blinddarm war in grösserer Ausdehnung mit der Fossa iliaca fest verwachsen und zum Theil in eine Geschwürsfläche von schmutzig grauer zottiger Beschaffenheit verwandelt; die Wände des Coecums zeigten hier ein gegen 5''' dickes markartiges Infiltrat. Die Retroperitonealdrüsen waren frei geblieben, der untere Theil des Darmcanals intact.

Die Milz wenig vergrössert, 5'' lang und 3'' breit, von festerer Consistenz und etwas glänzender Schnittfläche.

Die Leber von normalem Umfange, glatter Oberfläche und scharfen Rändern, ihr Parenchym anämisch und graugelb gefärbt, die Zellen grösseren Theils kernlos und unregelmässig contourirt, mit feinen Körnchen und Tropfen von Fett, einzelne auch mit braunem Pigment überfüllt. Die Gallenblase enthält wenig gelben Schleim, in den Gallengängen der Leber liegen zusammengeballte Haufen von Cylinderepithel von grauer Farbe. Die Leber enthielt keinen Zucker, aber grosse Quantitäten von Leucin und Tyrosin.

Der Kranke beschuldigte als Ursache seines Leidens eine hartnäckige Intermittens, an welcher er $2\frac{1}{4}$ Jahre vor seinem Tode drei Monate lang gelitten hatte. Von dieser Zeit her datiren allem Anscheine nach die Veränderungen der Milz und Leber, in welchen der Ausgangspunkt der Anämie gesucht werden muss. Die kaum vergrösserte Milz war speckig degenerirt, die Leber befand sich in dem Zustande der fettigen Entartung, wie sie als das Endresultat der Infiltration des Parenchyms mit Albuminaten im Gefolge von Sumpfintoxication, constitutioneller Syphilis etc. neben speckiger Degeneration der Milz, der Nieren, der Lymphdrüsen, aber auch ohne diese gefunden wird. Die functionelle Thätigkeit der Leber ging unter diesen Verhältnissen grösstentheils ein und traten die Folgen hervor, welche an diese Suspension für den Gesammtorganismus gebunden sind.

Die local beschränkte Krebsablagerung im Coecum, welche sich einstellte, nachdem die Symptome der Anämie bereits zwei Jahre lang bestanden hatten, konnte zur Beschleunigung des Erschöpfungstodes beitragen, darf aber nicht als Ursprung der Blutarmuth angesehen werden.

Die Diagnostik der fettigen Infiltration, wie die der fettigen Degeneration, bleibt nach dem bisher Mitgetheilten in vielen Fällen eine unsichere. Der Nachtheil, welcher der ärztlichen Praxis daraus erwächst, ist jedoch, soweit es sich um die erstere, die einfache Fettleber handelt, nicht sehr hoch anzuschlagen, weil dieser Zustand bei weitem nicht immer Gegenstand der Therapie wird. Geringere Grade bestehen ohne wesentlichen Nachtheil für den Gesammtorganismus, höhere Grade, welche schädliche Rückwirkungen äussern, sind sehr oft mit anderen schweren Krankheitsprocessen, wie mit Lungentuberkulose etc., verbunden, so dass die Behandlung des Leberleidens in den Hintergrund treten muss. Die

Fälle, in welchen die Leberaffection für sich besteht, sind gewöhnlich das Product unpassender Lebensweise, erblicher Anlage etc.; sie lassen sich aus den ätiologischen Einflüssen in Verbindung mit den beschriebenen diagnostischen Behelfen direct oder auf dem Wege der Exclusion mit einiger Sicherheit erkennen.

Die Therapie der Fettleber hat zur Durchführung ihrer Aufgabe, den Fettgehalt der Leber zu vermindern, mehrfache Angriffspunkte. Obenan steht die Regulirung der Diät, Vermeidung von fett- und amylumreicher Kost, sowie von Spirituosen aller Art, angemessen sind die Obstarten sowie die an Pectin und pflanzensauren Alkalien reichen Gemüsearten, das magere Fleisch junger Thiere etc., daneben active Bewegung in freier Luft, überhaupt eine Lebensweise, welche den Stoffumsatz zu beschleunigen geeignet ist. Zur Verminderung und Beseitigung des im Leberparenchym abgelagerten Fettes dienen am besten diejenigen Heilagentien, von welchen wir, so weit unsere bisherigen Erfahrungen in dieser Beziehung reichen, eine Vermehrung der Gallensecretion erwarten können [1]). Bei der Auswahl derselben ist der Zustand der Digestionsorgane sorgfältig zu berücksichtigen und Alles zu meiden, was bei anhaltendem Gebrauche die Function derselben beeinträchtigen könnte.

Für die leichteren Formen genügen neben angemessener Lebensweise die bitteren an Alkalien reichen Pflanzenstoffe, die sog. Extr. saponac., das Extr. card. ben., Tarax., Chelidon. etc., rein für sich oder in Verbindung mit pflanzensauren oder kohlensauren Alkalien, ferner Rheum und bei grösserer Trägheit der Darmausleerung die Aloe.

Bei weiter vorgeschrittenen Formen ist man gewöhnlich genöthigt, zu dem Carlsbader, Marienbader, Homburger oder

[1]) Die Erfahrungen, welche wir hierüber besitzen, sind zum grösseren Theil unzuverlässiger Natur. Erst in neuerer Zeit haben die Versuche, welche an Thieren mit Gallenfisteln angestellt wurden, einige sichere Anhaltspunkte geliefert. Die Ausbeute ist indess für die Bedürfnisse der Therapie noch bei weitem nicht ausreichend.

Kissinger Wasser seine Zuflucht zu nehmen, unter welchen man je nach dem Allgemeinzustande und der mehr oder minder leicht gestörten Thätigkeit der Magen- und Darmschleimhaut auszuwählen hat. Wo vorwiegende Neigung zu Diarrhöen besteht, vermeidet man sie am besten ganz und bedient sich statt derselben der Quellen von Eger oder Ems. Bei anämischen Individuen sind die leicht verdaulichen Eisenpräparate, wie das Ferr. lactic., carb. etc., besser noch kleine Gaben von Spaaer oder Schwalbacher Wasser nicht selten unentbehrlich. Bei anhaltenden erschöpfenden Durchfällen ist man genöthigt, zu den vegetabilischen und mineralischen Adstringentien seine Zuflucht zu nehmen.

Die Therapie der fettigen Degeneration der Leber ist der Hauptsache nach eine präventive und symptomatische; Aufgabe ist hier, die Zustände möglichst bald zu beseitigen, welche Infiltration des Leberparenchyms mit Albuminaten nach sich ziehen, und die letzteren zu entfernen, ehe die Ernährung der Leberzellen beeinträchtigt wird. Constitutionelle Syphilis, Rhachitis und andere Knochenkrankheiten, Malariacachexie etc. sind in der geeigneten Weise zu bekämpfen, die Infiltration der Leber durch Jodkali, Jodeisen, Alkalien, Carlsbader und verwandte Wasser zu beseitigen. Das letztere gelingt bei weitem nicht immer, ich habe auf Anwendung dieser Mittel das Volumen der Leber kleiner werden sehen, allein gleichzeitig treten oft die Symptome der Degeneration drohender hervor. Ist dies der Fall, so wird die Prognose ungünstig, auflösende Mittel äussern jetzt einen nachtheiligen Einfluss; die Behandlung beschränkt sich jetzt auf den Gebrauch leichter Eisenpräparate, milde nahrhafte Diät und diejenigen Mittel, welche geeignet sind, die Digestion im Magen und Darm zu reguliren, bittere vegetabilische Stoffe etc.

VIII.

Die Pigmentleber. Melanämische Leber. Veränderungen der Leber bei Intermittens.

Historisches.

Es ist eine alte Tradition, dass in der Milz und im Blute der Pfortader schwarze Stoffe entstehen und Krankheiten veranlassen können; die sogen. schwarze Galle bildete ein wesentliches Element der frühesten humoral-pathologischen Theorieen. Galen liess dieselbe als ein Nebenproduct der Gallenbereitung in der Milz sich anhäufen, und von hieraus Verstopfungen der Gefässe, Anschoppungen der Eingeweide und schwere, nervöse Störungen vermitteln. Die Idee behielt mit wenig Unterbrechungen (van Helmont, Sylvius) und mit geringen Modificationen bis gegen das Ende des vorigen Jahrhunderts allgemeine Geltung für die Auffassung von Unterleibs-affectionen, insbesondere von Krankheiten des Pfortadergebiets. Bei Boerhaave[1]) und van Swieten[2]) finden wir die Entstehung und die pathologische Bedeutung der atrabilären Materien ausführlich erörtert. Durch Schädlichkeiten mancherlei Art sollten die flüssigen Bestandtheile des Bluts vermindert, die festen zu einer schwarzen, fettigerdigen Substanz eingedickt werden[3]). In der Pfortader häufe sich diese Substanz vermöge ihrer besonderen Qualität etc. an, stocke hier längere Zeit, nehme scharfe und ätzende Eigenschaften an, störe die Function der Eingeweide des Unterleibes und verwandle sich schliesslich in schwarze Galle[4]). Diese letztere werde durch gewisse Veranlassungen beweglich gemacht (bilis atra turgens), dringe in die Leber, ins Herz, die Lungen, ins Gehirn, überall die schwersten Störungen veranlassend: bald Fieber, wenn die Substanz eine faulige Beschaffenheit angenommen habe, bald dagegen üble Zufälle anderer Art, wie Convulsionen, Lähmungen, Delirien etc., wenn sie die Gefässe des Hirns mechanisch verschliesse[5]).

---

[1]) Aphorismi de cognosc. et curand. morb.
[2]) Comment. ad Boerhaav. aphorism. tom. III. p. 461 seqq.
[3]) § 1082. [4]) § 1098, 1102. [5]) § 1104.

Eine beträchtliche Erweiterung erhielten die in Rede stehenden Theorieen durch Kämpf[1]), welcher zu den atrabilären Materien eine Reihe anderer Stoffe, die aus dem Blutplasma hervorgehen sollten, hinzufügt.

Erst am Ende des vorigen Jahrhunderts hob Reil, welcher hier, wie in so vielen anderen Dingen, seiner Zeit vorauseilte, die Widersprüche hervor, in welchen die Lehre von der schwarzen Galle mit den Erfahrungen der Physiologen stehe[1]), später sah Heusinger[2]) sich veranlasst, dieselbe als abnorme Pigmentbildung aufzufassen und sie mit Puchelt auf erhöhte Venosität zurückzuführen: bei der Masse der Aerzte jedoch blieben die schwarzgalligten Stoffe nach wie vor gefürchtete pathogenetische Potenzen; in den Sumpffiebern der Tropen und in den Krankheiten, welche 1826 in den Küstenstrichen des nordwestlichen Deutschlands und der Niederlande verheerend herrschten, erkannte man atrabiläre Fieber; noch im Jahre 1829 beschrieb Vogel in dem Berliner encyclopädischen Wörterbuch die atra bilis nach dem Muster der Alten.

Die wissenschaftliche Medicin hatte kaum diesen traditionellen Ueberrest hippokratischer Humoralpathologie beseitigt, als die unbefangene Beobachtung durch Thatsachen genöthigt wurde, wiederum in diese Bahn einzulenken. Man lernte Krankheiten kennen, bei welchen in der Milz aus zersetztem Blute schwarze Stoffe sich bilden, die in die Pfortader übergehen, bald die Lebergefässe obstruiren, bald durch sie hindurchtreten und, in den grossen Kreislauf gelangend, die Capillaren des Hirns und anderer Organe anfüllen, Krankheitsprocesse, bei welchen in Folge dieser Vorgänge Zufälle sich entwickeln, wie sie uns von den Alten geschildert wurden.

Die genaueren Beobachtungen dieser Zustände gehören der neuesten Zeit an, obgleich auch bei den älteren Aerzten bereits vereinzelte Mittheilungen sich aufgezeichnet finden. Schon Lancisi[4]) fand die Leber eines an biliösem Fieber gestorbenen Individuums schwärzlich gefärbt, und Stoll[5]) beschreibt eine dunkle Pigmentirung des Gehirns und der Leber einer nach mehreren Fieberanfällen zu Grunde gegangenen Frau. Reichhaltiger sind die Mittheilungen, welche Bailly[6]) in seiner pathologischen Anatomie der intermittirenden Fieber liefert: Le foie tout entier était noirâtre, semblait composé de sang noir etc.; — la couleur du cerveau beaucoup plus foncée. Zu gleicher Zeit beschrieb Billard dieselbe Veränderung des Gehirns von drei unter acut verlaufenden Gehirnstörungen gestorbenen Kranken[7]). Achn-

---

[1]) A. a. O. S. 14.

[1]) Reil, Memorab. clinic. med. pract. fasc. III. 54.

[2]) Untersuchungen über anomale Kohlen- und Pigmentbildung im menschlichen Körper. Eisenach 1823.

[4]) De noxiis paludum effluviis.

[5]) Ratio medendi Tom. I. p. 196.

[6]) Traité anat. patholog. des fièvres intermittentes. Paris 1825, p. 181 etc.

[7]) Archiv. génér. 1825.

liche Erfahrungen finden sich in Montfaucon Hist. médic. des marais 306. 322.

Während der Fieberepidemie, welche 1826 an den Küsten der Nordsee herrschte, wurde schwarze Pigmentirung der Milz, der Leber und des Gehirns mehrfach beobachtet [1]).

Rich. Bright liefert in seinem Reports of medic. Cases, London 1831, pl. XVII. XIX. Cap. CI. die meisterhaft ausgeführte Abbildung eines Gehirns, dessen Cortex von dunkeler, graphitähnlicher Farbe war [2]). Dasselbe rührte von einem Mann her, der nach vorausgegangenem Fieber an Hirnlähmung verschied. Aerzte, welche in heissen Klimaten intermittirende und remittirende Fieber beobachten konnten, beschrieben mehrfach schwärzliche Färbung der Milz und Leber, so namentlich Annesley [3]), Haspel [4]), Stewardson [5]) u. A.

Alle diese Erfahrungen blieben ohne weitere Resultate, weil man die Entstehung und Vertheilung des Pigments nicht genauer verfolgte. Erst im Jahre 1837 erkannte Meckel [6]), dass die dunkele Färbung der Organe von einer Pigmentanhäufung im Blute abhängen, und zwei Jahre später fand Virchow zahlreiche Pigmentzellen im Blute und in der vergrösserten Milz eines nach anhaltendem Wechselfieber hydropisch gewordenen Mannes [7]). Heschl [8]) und Planer [9]) veröffentlichten vielfältige, hierher gehörende Wahrnehmungen.

Bei Individuen, welche in Folge der Einwirkung von Sumpfmiasmen unter den Zufällen schwerer intermittirender, remittirender oder anhaltender Fieber zu Grunde gingen, findet man häufig eigenthümliche Veränderungen der Leber, verbunden mit functionellen Störungen des Organs und der zum Pfortadergebiete gehörenden Theile. Die Leber zeigt eine stahlgraue oder schwärzliche, nicht selten auch chocoladeartige Farbe; auf dunkelem Grunde bemerkt man braune inselartige

---

[1]) Popken Historia epidem. malignae Jeverae observ. Bremae 1827. Fricke Bericht über seine Reise nach Holland im Jahre 1826.

[2]) It was almost of the colour of black-lead.

[3]) c. c. II. 482. liver of very dark colour.

[4]) Maladies de l'Algérie I. 396. II. 318.

[5]) The american Journ. April 1841. 43.

[6]) Zeitschr. für Psychiatrie von Damerow 1847; ferner Deutsche Klinik 1850.

[7]) Dessen Archiv für patholog. Anatomie 1849 u. 53.

[8]) Zeitschrift der Gesellschaft der Aerzte in Wien 1850.

[9]) Ebendaselbst 1854.

Figuren (Taf. IX, Fig. 1; Taf. XI, Fig. 2). Die Farbenveränderung ist veranlasst durch Pigmentstoffe, welche im Gefässapparat der Drüse sich anhäufen. An feinen Schnitten der gehärteten Substanz erkennt man in dem Capillarnetz der Pfortader und der Lebervenen, sowie auch in den grösseren Aestchen derselben Pigmentanhäufungen, welche entweder gleichmässig vertheilt oder aber in einzelnen Regionen vorzugsweise dicht gedrängt liegen. Zuweilen erscheinen die bräunlich gefärbten Läppchen wegen Ueberfüllung der Vv. interlobulares mit gefärbten Partikeln von schwarzen Säumen umgeben (Taf. IX, Fig. 4); häufiger liegen die Pigmentstoffe mehr gleichmässig vertheilt, indem sie von dem Umfange der Läppchen bis zu deren Mitte zu den Anfängen der Lebervenen vordrangen und sich von hieraus weiter in die Hohlvene etc. verbreiteten (Taf. IX, Fig. 4; Taf. XI, Fig. 1, 2, 3).

Neben dem venösen Gefässapparat ist meistens auch der arterielle betheiligt, die Aeste der Art. hepatica enthalten reichliche Mengen schwarzen Farbstoffs [1]) (Taf. XI, Fig. 1). Die Leberzellen bleiben verschont; ich habe in keinem Falle an ihnen eine Pigmentirung beobachten können, wie sie von Virchow beschrieben wird [2]). Sie sind von normaler Beschaffenheit oder mit Gallenbraun gefüllt, oft auch fettig infiltrirt, selten und nur nach längerem Bestande der Krankheit enthalten sie Colloid- oder Speckstoffe. Der Umfang des ganzen Organs erscheint in den rasch verlaufenden Fällen entweder normal oder vergrössert, die Drüse ist hyperämisch geschwellt, hie und da auch mit Blutextravasaten durchsäet und erweicht; in späterer Zeit schwindet das Volumen, und

[1]) Die Leberarterie enthält nicht bloss hier, sondern sehr häufig auch unter anderen Verhältnissen, wie bei der Cirrhose, den Carcinomen, Echinococcen etc. der Leber schwarzes Pigment, allem Anscheine nach veranlasst durch Kreislaufsstörungen in den Capillaren dieses Gefässes.

[2]) Nach Blutergüssen ins Leberparenchym sieht man rothe, braune und schwarze Pigmentirung der Zellen nicht selten; in einem Falle von Cirrhose kam sie mir in ausgedehntem Maasse vor.

es erfolgt häufig eine wahre Atrophie, wenn nicht, was mir nur seltener vorkam, colloide Infiltrationen sich ausbilden.

Neben den Anomalieen der Leber beobachtet man constant solche der Milz. Dieselbe ist ebenfalls dunkelbraun gefärbt, mitunter schwarzblau, bald gleichmässig, bald gefleckt, in ihrem Parenchym lassen sich grosse Quantitäten derselben Pigmentstoffe nachweisen, welche in der Leber vorkommen. Gleichzeitig ändert sich ihre Grösse und Consistenz; bei den rasch verlaufenden Krankheitsfällen ist sie meistens weich, blutreich und beträchtlich vergrössert, bei denjenigen, welche weniger stürmisch sich gestalten, zeigt sie gewöhnlich nur geringe Volumsveränderungen, wenn sie nicht, was seltener geschieht, speckig degenerirt; in diesem Falle vermehrt sich Umfang und Consistenz beträchtlich. Analoge Veränderungen beobachtet man in den Lymphdrüsen.

Leber und Milz sind die Theile, in welchen unter den bezeichneten Verhältnissen das schwarze Pigment am constantesten vorkommt. Sehr häufig sind indess auch andere Organe betheiligt, denen dasselbe, wenn es in grosser Menge in den Kreislauf gelangt, mit dem Blutstrom zugeführt wird.

In den Capillaren der Lunge fand sich gewöhnlich eine reichliche Quantität, bei älteren Individuen war indess wegen anderweitiger Pigmentirung dieses Organs der genauere Nachweiss schwierig.

Viel leichter gelang derselbe am Gehirn, in welchem irgendwie namhafte Ansammlungen durch dunkele Färbung der Corticalsubstanz sich kundgeben. Die letztere wird chocoladefarbig oder graphitähnlich, während die Marksubstanz unverändert bleibt; nur bei intensiver Pigmentirung bemerkt man auch an ihr einen grauen Schein, indem die feinen Gefässe als braune Streifchen sichtbar werden (Taf. X, Fig. 2). Die mikroskopische Untersuchung zeigt unter solchen Umständen die Capillaren gefüllt mit schwarzen Körnchen und Schollen, welche bald gleichmässig vertheilt, bald dagegen gruppenweise zusammengedrängt liegen (Taf. X, Fig. 1). Häufig sieht man neben Pigmentschollen blasse hyaline Gerinnsel, welche, an ihrem starken Lichtbrechungsvermögen kenntlich, die Lichtung einzelner Haargefässe ausfüllen.

Ziemlich oft sind an der Pigmentirung in auffallendem Maasse die Nieren betheiligt. Sie erscheinen dann in der Corticalsubstanz grau punktirt, seltener sieht man in den Pyramiden dunkele, dem Laufe der Gefässe und Harncanäle folgende Linien. Unter dem Mikroskop erkennt man die Pigmentstoffe in den Capillaren der Cortex, und besonders in den Glomerulis (Taf. X, Fig. 5); hin und wieder finden sich vereinzelte Bröckchen in den Harncanälen. Die übrigen Organe und Gewebe, wie die äussere Haut, die Schleimhäute, die Muskulatur etc. bleiben zwar keineswegs frei, was schon bei einfacher Besichtigung der graue Farbenton derselben lehrt; allein die Anhäufung ist selten so beträchtlich, wie in den bezeichneten Organen, auch erscheint sie wegen der geringeren physiologischen Dignität dieser Gebilde von untergeordneter Bedeutung. Man kann im Allgemeinen sagen, dass bei ausgebildeten Formen der Krankheit Pigment überall gefunden wird, wohin Blut gelangt, und, abgesehen von den drüsigen Organen des Unterleibes, um so mehr, je enger die Capillaren der Theile sind, je leichter sich also eine Veranlassung zur Einkeilung der Schollen findet.

Den Organen und Geweben wird das Pigment, welches hier vorkommt, mit dem Blute zugeführt [1]), in dem letzteren, und vor allem in der Pfortader, zeigt es sich stets in reichlicher Menge, hier gelingt es auch am leichtesten, die Eigenschaften desselben, Farbe, chemisches Verhalten etc., kennen zu lernen. Die gewöhnliche Form, in welcher das Pigment auftritt, ist die von kleinen, rundlichen oder eckigen Körnchen, welche bald scharf abgegrenzt, bald von einem bräunlichen oder blassen Saume umgeben sind. Dieselben liegen selten einzeln, meistens sind mehre derselben von einer blassen, in

[1]) In der Leberarterie, hie und da auch in den Capillaren der Pfortader, scheint das Pigment in den Gefässwandungen zu liegen.

Essigsäure und kaustischem Alkali löslichen Substanz zu Gruppen vereinigt (Taf. IX, Fig. 2 *b*, *c*). Diese Conglomerate zeigen eine sehr verschiedenartige Gestalt; man sieht rundliche und daneben lange, wurstförmige sowie unregelmässig verästelte Formen. Eine scharfe, membranartige Grenze ist nicht vorhanden, die hyaline Bindesubstanz, welche die Eigenschaften des Faserstoffes an sich trägt, bildet hier einen schmäleren, dort einen breiteren, ohne scharfe Contour sich verlierenden Saum (Fig. 2, *c*).

Neben den Körnchen und Körnchenconglomeraten beobachtet man jedoch etwas spärlicher wahre Pigmentzellen. Sie gleichen zum Theil an Form und Umfang den farblosen Blutkörperchen, zum Theil bestehen sie aus grösseren, spindelförmigen oder kolbigen Zellen mit rundem Kern und scharf begrenzten Wandungen, ähnlich den Formen, welche man in der Milz neben freien Körnern zu finden pflegt. In dem Inneren dieser Zellen liegen die schwarzen Körner in grösserer oder geringerer Anzahl (Taf. IX, Fig. 2, *a*). Planer konnte sich von dem Vorkommen solcher Pigmentzellen, welche Virchow bereits beschrieben, nicht überzeugen; ich vermisste sie im Blute der Pfortader selten; eine Verwechselung derselben mit den Körnchenconglomeraten, welche durch ein faserstoffartiges Bindemittel zusammengehalten werden, ist in den meisten Fällen leicht zu vermeiden.

Ausser den eben beschriebenen Formen kommen noch grössere Pigmentklümpchen vor, welche meistens eine unregelmässige Gestalt haben und den Eindruck machen, als wenn sie von grösseren Pigmentmassen abgebröckelt wären. Zuweilen erscheinen sie cylindrisch, haben nach zwei Seiten gerade parallele Umgrenzungslinien, während die Enden unregelmässig abgebrochen sind, sie erinnern auf die Weise an das Lumen feiner Gefässe, von welchen sie Abdrücke darzustellen scheinen (Taf. IX, Fig. 2, *c*). Der Umfang dieser Pigmentschollen ist nicht selten bedeutend: ich sah deren, welche $^1/_{100}$''' breit, $^1/_{20}$''' lang waren. Die Peripherie zeigt regelmässig einen schmäleren oder breiteren Saum glasheller Substanz; zuweilen ist derselbe nur an einer Seite sichtbar.

Die Farbe des Pigments ist meistentheils gesättigt schwarz, seltener findet man braunes und ockerfarbiges, am seltensten gelbrothes. Die verschiedenen Stadien der Umwandlung des Blutroths zu melanotischen Stoffen werden auf diese Weise repräsentirt. Die allmälig vorschreitende Metamorphose giebt sich indess nicht bloss in der Farbe, sondern auch im Verhalten gegen Reagentien zu erkennen. Der Widerstand, welchen die schwarzen Stoffe den Säuren und kaustischen Alkalien entgegensetzen, ist sehr ungleich. Die jüngeren Producte werden gebleicht, verlieren mehr oder minder rasch die Farbe, die älteren dagegen widerstehen lange ihrem Einflusse: ich liess kaustisches Natron nicht selten tagelang einwirken, ohne die Farbe zu zerstören.

Neben dem Pigment findet man im Blute noch hyaline Gerinnsel, welche frei von Farbstoff sind. Sie gleichen in ihrer Form den zuletzt beschriebenen Pigmentschollen: ihrer Farblosigkeit wegen kann man sie leicht übersehen. Die Blutkörperchen liessen nichts Ungewöhnliches erkennen: die Zahl der weissen erschien zuweilen vermehrt, was bereits Meckel beobachtete, jedoch keineswegs immer; in der Mehrzahl der Fälle, und namentlich bei den acut verlaufenden, war in dieser Beziehung nichts Abweichendes zu erkennen.

Dies ist der Befund bei melanämischen Individuen. Die Frage, welche sich uns zunächst aufdrängt, ist die: wo entsteht das Pigment, und auf welche Weise? und sodann: welche Folgen hat dasselbe für die functionelle Thätigkeit und die Textur der einzelnen Organe?

Die erste Frage wurde von den meisten Beobachtern dahin beantwortet, dass die Milz den Bildungsheerd der melanotischen Stoffe ausmache. Zahlreiche Gründe lassen sich dafür anführen; allein es giebt keine Beweise, welche der Milz ausschliesslich diese Thätigkeit vindiciren könnten. Die Umwandlung des Blutroths zu schwarzem Pigment kann erfahrungsgemäss überall im Gefässsystem und ausserhalb desselben erfolgen. Wenn auch die Milz durch ihre Textur und die Art der Blutbewegung in derselben vorzugsweise dazu geeignet erscheint, so müssen wir a priori die Möglichkeit derselben Blutmetamorphose an anderen Körperstellen im Auge behalten und sind erst dann in der Lage, ausschliesslich für die Milz uns auszusprechen, wenn die Beobachtung der Betheiligung anderer Gefässgebiete keinen Anhaltspunkt bietet.

Es unterliegt keinem Zweifel, dass der grösste Theil des Pigments in der Milz gebildet wird, von hier aus in die Pfortader gelangt, zum Theil in den Capillaren der Leber stecken bleibt, zum Theil hindurchgeht und in den grossen Kreislauf übergeführt wird.

Für diese Annahme lassen sich zahlreiche Gründe anführen. Schon im Normalzustande kommen in der Milz von Menschen und Thieren, besonders häufig bekanntlich in der Milz der nackten Amphibien zellenartige Gebilde vor, welche Blutkörperchen oder Pigmentmoleküle enthalten. Aehnliche Bildungen finden sich zwar hie und da an anderen Körperstellen, wie in Blutextravasaten des Gehirns etc., jedoch nirgend so regelmässig wie in der Milz. Bei der Melanämie ist die Anhäufung von Pigment in keinem Organe so constant wie in der Milz; sie bildet hier eine fast ausnahmslose Regel; an die Milz reiht sich in Bezug auf die Häufigkeit und Intensität der Pigmentirung zunächst die Leber, weiterhin erst folgen die übrigen Organe, die Lungen, das Hirn, die Nieren etc. Es sind die Fälle nicht selten, wo bloss die Milz pigmentreich ist, ebenso sieht man deren, in welchen nur diese und die Leber eine ansehnliche Menge von dunkelem Farbstoff enthalten, während die anderen Organe die normale Farbe bewahrten: niemals aber beobachtete ich Pigmentanhäufung im Blute des Herzens, in den Capillaren des Gehirns, der Nieren etc., ohne Betheiligung der grossen drüsigen Organe des Unterleibes. Ein weiterer Grund, welcher für den Ursprung des Pigments der Melanämischen in der Milz zu sprechen scheint, liegt in der Form, unter welcher der schwarze Farbstoff im Blute gefunden wird. Dieselben Elemente, welche in der Milzpulpe vorkommen, farblose Blutkörperchen mit einfachem oder getheiltem Kern, spindelförmige und kolbige Epithelien aus dem cavernösen Sinus der Milz sahen wir neben Bruchstücken von Blutgerinnsel als Träger des Pigments. Die Annahme einer Betheiligung anderer Organe bei der Pigmentbildung findet durch die Untersuchung derselben gewöhnlich keine Stütze. Die Epithelien vom Endocardium und der inneren Gefässwand verschiedener Regionen des Körpers zeigten nichts Ungewöhnliches; die Pigmentanhäufung in der Leber, dem Gehirn, den Nieren etc., beschränkte sich immer auf die feinsten Capillaren, bedeutende Heerde, welche zu einer Ueberladung des Blutes mit Farbstoff Veranlassung hätten geben können, fanden sich nirgend. Nur in einem Falle liess sich mit Sicherheit nachweisen, dass die Bildung des schwarzen Pigments nicht ausschliesslich an das Milzparenchym gebunden ist, sondern auch in der Leber vorkommt. Bei einem Individuo, welches nach anhaltender Quartana, verbunden mit Albuminurie, an Erschöpfung zu Grunde ging, war die vergrösserte und speckig infiltrirte Milz vollkommen frei von Pigment, während in der Leber bedeutende Mengen angehäuft waren. Dasselbe erfüllte hier nicht bloss die feineren Capillaren der Pfortader und Lebervenen, sondern erstreckte sich auch auf grössere Aeste der Vv. portarum; diese waren an manchen Stellen mit schwarzen, bröcklichen Gerinnseln vollgepfropft und liessen sich mit Loupe und mit blossem Auge leicht verfolgen. Ausser der Leber enthielt in diesem Falle noch das Nierenparenchym viel Pigment, während das Gehirn frei geblieben war.

Als die gewöhnliche Quelle der Pigmentbildung betrachten wir also die Milz, neben welcher nur ausnahmsweise andere Organe, namentlich die Leber, sich zu betheiligen scheinen.

Schwieriger noch ist die Beantwortung der anderen Frage,

welche den Modus dieses Processes zum Gegenstande hat. Sie wird erst dann eine sichere Erledigung finden, wenn der feinere Bau der Milzpulpe genauer gekannt ist, als es bisher der Fall war. Nehmen wir an, was bei dem gegenwärtigen Stande der Untersuchung die meiste Wahrscheinlichkeit für sich hat, dass die Milzarterie ihr Blut aus den Capillaren in ein System von weiten Cavernen ergiesst, aus welchen es in die ausführenden Venen übergeht, so würde sich für die Genese des Pigments folgender Weg ergeben. Schon im Normalzustande fliesst das aus den engen Haargefässen plötzlich in das umfangsreiche Bett der venösen Cavernen übertretende Blut langsamer, stagnirt nicht selten an einzelnen Stellen, so dass Blutkörperchenconglomerate entstehen, welche sich nach und nach zu Pigment metamorphosiren. Diese Stagnationen erreichen bei den intensiven Hyperämieen, welche erfahrungsgemäss im Gefolge von Intermittens die Milz heimsuchen, einen sehr bedeutenden Grad, und führen dann zu massenhafter Pigmentbildung. Das Pigment würde also nach unserer Ansicht aus dem in den venösen Hohlräumen stagnirenden Blute entstehen; die kolbigen und spindelförmigen pigmentirten Zellen sind mit zersetztem Blutroth getränkte Epithelien von der inneren Wand der Cavernen, die kugeligen farblose Blutkörperchen mit Farbstoffmolekülen, die Schollen losgerissene Stücke jener Gerinnsel. Warum bei vielen anderen Hyperämieen der Milz, bei Typhus, Pyämie, einfacher Intermittens die Pigmentbildung fehlt oder weniger intensiv hervortritt [1]), warum die Metamorphose des Blutfarbstoffes zu melanotischen Materien in der Milz dem Anscheine nach viel rascher von Statten geht, als an anderen Stellen, sind Fragen, welche vorläufig eine genügende Beantwortung noch nicht finden können. Auf die Umwandlung des Blutroths dürfte die saure Beschaffenheit der Milzflüssigkeit von wesentlichem Einfluss sein.

[1]) Vergl. Beobachtung Nro. 13 und 16.

Eine andere für die klinische Deutung der Folgen dieses Processes wichtige Aufgabe dürfte die Verfolgung der chemischen Umsetzungsproducte sein, welche beim Zerfallen der Blutkörperchen, als deren morphologischen Ueberreste wir das Pigment finden, gebildet werden. Es dürfte kaum denkbar sein, dass bei so massenhafter Zersetzung von Blutbestandtheilen nicht auch Umwandlungsproducte sich bilden sollten, über welche das Mikroskop keine Auskunft zu geben vermag. Sie werden mit dem Pigment in den Kreislauf übergehen und bei der Erklärung der nervösen Zufälle, welche wir als Begleiter der bösartigen Wechselfieber kennen, wohl zu berücksichtigen sein [1]).

[1]) Schon Boerhaave und van Swieten (l. c. III, p. 496) nahmen eine Fäulniss der atrabilären Stoffe an, und erklärten die Zufälle, welche durch sie hervorgerufen würden, theils aus der Verunreinigung des Blutes mit den Fäulnissproducten, theils aus der mechanischen Obstruction der Capillaren durch die schwarzen Massen. An eine Nachweisung jener Producte war bei dem damaligen Stande der Chemie begreiflicher Weise nicht zu denken. Auch gegenwärtig wird dieselbe Schwierigkeit sich finden, die Aufgabe, welche ihr hier gestellt werden muss, zu lösen, weil die Zwischenproducte, welche beim Zerfallen von Albuminaten entstehen, wenig Charakteristisches an sich tragen, erst dann nachweislich werden, wenn die Zersetzung bei gewissen Endproducten angelangt ist. Negative Resultate können unter solchen Umständen die Frage nicht sofort endgiltig erledigen.

Wir haben die Milz von Melanämischen wiederholt untersucht; wir fanden die zahlreichen Umsetzungsproducte, welche in diesem Organe entstehen, in reichlicher Menge, jedoch neue, bestimmt charakterisirte Stoffe, welche diesem Organe fremd sind, wurden nicht gefunden.

Folgen der Pigmentbildung für die Textur und functionelle Thätigkeit verschiedener Organe.

Die Wirkung, welche der eben beschriebene, in dem Milzparenchym ablaufende Process auf den Gesammtorganismus äussert, ist complicirter Art und kann nur dann klar aufgefasst werden, wenn wir die einzelnen Factoren desselben genauer verfolgen.

Der Untergang grosser Quantitäten von Blutkörperchen in der Milz trägt zunächst zur Entstehung einer der chlorotischen ähnlichen Blutmischung bei, welche im Verlauf der Intermittenten gewöhnlich rasch sich zu entwickeln pflegt. Diese Rückwirkung auf die Blutmasse wird verstärkt durch die Störungen, welche die für die Blutbildung wichtige Function der Milz gleichzeitig erleidet. Wie viel auf Rechnung der einzelnen dieser beiden Factoren kommt, ist schwer zu bestimmen; der Verlust an Blutkörperchen muss dem Untergange derselben, also der der gebildeten Pigmentmasse proportionirt sein [1]). Eine Vermehrung der farblosen Blutkörperchen als Folge der Milzerkrankung ist nicht constant nachzuweisen; in den meisten Fällen ergab die Untersuchung des Blutes in dieser Beziehung keine auffallenden Abweichungen.

Das in der Milz entstehende Pigment gelangt zunächst mit dem Pfortaderblut in die Leber. Hier treten die ersten functionellen Störungen ein. Ein Theil des Pigments geht durch die Capillaren unbehindert hindurch und gelangt in den grossen Kreislauf; die grösseren Partikeln bleiben in den Capillaren der Pfortader stecken und beeinträchtigen hier die Bewegung des Blutes. Man sieht die Pigmentanhäufung bald vorzugsweise in der Peripherie der Läppchen in den

---

[1]) Der Verlust auf diesem Wege kann sehr beträchtlich werden. In einzelnen Fällen war das durch angehäuftes Blut fast schwarz gefärbte Organ beträchtlich vergrössert und in seiner Consistenz vermindert, stellenweise auch mit Blutextravasaten durchsetzt.

Vv. interlobularibus, bald dagegen über das ganze Capillargefässsystem verbreitet, durch die Läppchen bis zu den Centralvenen vordringend. Je nach der Menge der grossen Pigmentschollen und Zellen fallen die Störungen der Blutbewegung und deren Folgen verschieden aus.

Die letzteren äussern sich zunächst durch anomale Secretion der Leber. In der Galle, welche in reichlicher Menge secernirt zu werden pflegt, fanden wir wiederholt ansehnliche Quantitäten von Eiweiss, Leucin war im Leberparenchym constant nachweislich, der Zuckergehalt desselben jedoch unverändert.

Ausgedehntere Capillarstockung hat Störung der Blutbewegung in den Wurzeln der Pfortader zur Folge, welche je nach ihrer Intensität sich in verschiedenartiger Weise manifestirt. Zuweilen beobachtet man erschöpfende Blutungen von Seiten der Gastrointestinalschleimhaut, welche intermittirend auftreten, häufiger profuse Diarrhoeen, hie und da verbunden mit Erbrechen etc.; ferner acut entstehende seröse Ergüsse im Peritonealsack, neben blutigen Suffusionen der Darmserosa; in späterer Zeit entwickelt sich chronische Atrophie der Leber nebst ihren Folgen.

Das zweite Organ, welches nächst der Leber wesentliche organische und functionelle Störungen erleidet, ist das Gehirn. In den engen Haargefässen desselben, besonders der Corticalsubstanz, häufen sich zahlreiche Pigmentpartikeln an, welche die Gefässe der Leber und Lunge unbehindert durchwanderten. Schon die einfache Besichtigung giebt durch mehr oder minder dunkelen Farbenton annähernd einen Maassstab für die Menge der hier zurückgebliebenen Farbstoffpartikeln und der Ausdehnung der Gefässverstopfung. Vollkommen darf man jedoch darauf nicht bauen; geringere Ansammlungen von Pigment in den Capillaren entgehen leicht, besonders dem ungeübten Auge, sie lassen sich nur durch das Mikroskop nachweisen. Ausserdem bestehen gar nicht selten Verstopfungen der Gefässe, veranlasst durch farblose, dem Faserstoff ähnliche Gerinnsel, welche natürlich auf den Farbenton nicht influiren. Die mechanische Störung des Kreislaufs, welche auf diesem Wege gesetzt wird, giebt nicht selten Veranlassung zur Zerreissung der Gefässchen und zur Bildung zahlreicher capillärer Apoplexieen. Schon Meckel machte Erfahrungen dieser Art; Planer beschrieb acht Fälle, in welchen die graue und weisse Hirnsubstanz mit kleinen Blutergiessungen durchsetzt war. Mir kamen diese Hämorrhagieen in grösserer Anzahl nicht zur Beobachtung, dagegen sah ich in zwei Fällen eine Blutung der Meningen.

Ob durch ausgedehnte Verstopfung der Capillaren des Hirns ausser der Blutung noch weitere organische Läsionen, wie Atrophie in Folge der gestörten Plasmazufuhr, eingeleitet werden, ist durch directe Untersuchungen des Hirns nicht bewiesen.

Ich sah ältere Pigmenthirne, bei welchen ein bemerklicher Schwund der Corticalsubstanz sich nicht entwickelt hatte. Bleibende Functionsstörungen, welche auf materielle Veränderungen des Hirncortex hinwiesen, kamen nur in drei Fällen vor, welche ich jedoch nur vorübergehend auf einer Reise in Polen beobachtete [1]).

---

[1]) Der eine betraf eine Dame in den vierziger Jahren, welche nach einer mit Schlafsucht verbundenen Quotidiana dauernden Verlust des Gedächtnisses erlitten hatte. Die Functionen des vegetativen Lebens waren zur Norm zurückgekehrt. Störungen der Bewegung und Sinneswahrnehmung waren nicht vorhanden. Kopfschmerz und Schwindel hatten sich, nach der Beseitigung der Intermittens durch China, allmälig vermindert, die Schwäche des Gedächtnisses, das Unvermögen, die passenden Worte für Gegenstände und Begriffe zu finden, war zwei Monate nach Ablauf des Wechelfiebers noch in steter Zunahme begriffen.

Der andere Fall betraf ein neunjähriges Mädchen aus derselben Gegend, wo zur selben Zeit, nach dem Zeugniss der Aerzte, lethal endende Intermittens häufig vorgekommen war. Früher von normalen geistigen Fähigkeiten, hatte das Kind mehre mit Hirnreizung verbundene Anfälle von Tertiana überstanden. Körperlich erholte es sich nach lange dauerndem Gebrauch von Chinapräparaten, allein die frühere geistige Regsamkeit ging unter, es entstand vollständige Idiotie, verbunden mit Fressgier etc.

Ob sich in beiden Fällen in Folge von Verstopfung der Capillaren Hirnatrophie entwickelte, oder ob die ausgebreiteten Capillarapoplexieen consecutiv eine Atrophie einleiteten, oder ob andere Veränderungen des Hirns mit der Intermittens zufällig coincidirten, bleibt dahingestellt.

Neben den eben angedeuteten materiellen Veränderungen des Hirns bestehen in der Regel während des Lebens auffallende Anomalieen der functionellen Thätigkeit des Organs.

Die Störungen sind mannigfacher Art; sie treten mitunter intermittirend auf, lassen mit dem Fieberparoxysmus nach, häufiger dagegen erstrecken sie sich auch über die Zeit der Intermission hinaus, sind anhaltend. Eine mehr oder minder deutliche Remission war jedoch auch in dem letzten Falle gewöhnlich nicht zu verkennen.

Die Art der Hirnstörungen äussert sich in sehr wechselnder Weise, in den leichteren Fällen als Kopfschmerz und Schwindel, in schwereren als Delirium, gewöhnlicher aber als Coma, nicht selten sind Störungen der Bewegung, Convulsionen oder Lähmungen vorhanden. Das constanteste Symptom bildeten dumpfe, über den ganzen Schädel verbreitete Kopfschmerzen, welche fast immer mit Schwindelzufällen verbunden waren. Dieselben wurden überall beobachtet, wo nicht die Störung des Bewusstseins jede Mittheilung subjectiver Empfindungen aufgehoben hatte; hie und da waren die Schmerzen so heftig, dass sie die Kranken zu lauten Klagen veranlassten. Häufig verband sich die Cephalaea mit Störungen der Sinnesperceptionen, Ohrensausen, Schwerhörigkeit, Schwarzsehen und umflortem Sehen etc., selten mit Uebelkeit, Brechneigung und Erbrechen.

Weniger häufig war Delirium, bald still, wie es gewöhnlich bei Typhus vorkommt, bald dagegen lebhaft, verbunden mit grosser Aufregung und Unruhe, so dass die Kranken am Bett gefesselt werden mussten. Nach und nach ging die Aufregung in Betäubung und tiefes Coma über, welches die gewöhnlichste Form der cerebralen Störung darstellte. In

---

Bemerkenswerth ist, dass bereits Sydenham (Opera med. Genev. 1736, Tom. I, Sect. I, Cap. V, p. 60) von Geistesstörungen berichtet, welche nach Wechselfiebern zurückblieben und bei Anwendung eines ausleerenden Heilverfahrens bald in Blödsinn übergingen. Er wundert sich, dass Niemand diese Thatsache welche ihm häufig vorgekommen sei, erwähnt habe.

mehren Fällen bestand der Schwindel ohne Kopfschmerz längere Zeit fort, nachdem das Fieber beseitigt war, und zwar mit solcher Intensität, dass die Kranken beim Gehen wiederholt niederstürzten. Die Anämie war nicht in dem Maasse entwickelt, dass aus ihr diese Zufälle sich hätten erklären lassen. (Febris vertiginosa Paccinotti.)

Die leichten Grade der Betäubung, aus welchen der Kranke durch lautes Anrufen geweckt werden konnte und vernünftige Antworten gab, steigerten sich meistens nach kurzer Frist zu tiefem Sopor. Zuweilen liess der letztere zur Zeit der Intermission nach, um während des Paroxysmus wiederzukehren.

Viel seltener, als die Störungen des Bewusstseins, waren Anomalieen der Bewegung, Convulsionen und Lähmungen. Die ersteren begegneten mir in acht Fällen, sie traten bald als leichte Zuckungen einzelner Muskeln des Rumpfes und der Extremitäten auf, bald als ergiebige, rotirende oder schlenkernde Bewegungen der Extremitäten und des Kopfes, bald endlich als allgemeine, den epileptischen gleiche Convulsionen, welche meistens 5 bis 10 Minuten dauerten und in kürzeren oder längeren Pausen wiederkehrten. Lähmungen waren nur ausnahmsweise vorhanden. Sie betrafen bald die bei der Articulation der Sprache oder beim Schlingen betheiligten Muskeln, bald dagegen die Extremitäten; im letzteren Falle war die Paralyse einseitig oder doppelseitig. Die Lähmung entwickelte sich in einem Falle plötzlich, und hier war capillare Blutung vorhanden, in einem anderen, wo reine Pigmentanhäufung vorlag, dagegen allmälig.

Dass zwischen den Anomalieen der Hirnthätigkeit und der Pigmentirung der Hirnsubstanz ein Causalnexus bestehe, ist eine naheliegende Annahme, welche um so mehr Gewicht zu gewinnen scheint, als im Allgemeinen die Intensität beider eine gewisse Gleichmässigkeit nicht verkennen lässt. Die früheren Beobachter, besonders **Planer**, trugen daher kein Bedenken, die cerebralen Symptome auf

Rechnung der Pigmentverstopfung der Capillaren zu schieben.

Ich kann diese Ansicht, so viel Bestechendes sie auf den ersten Blick auch haben mag, nicht unbedingt theilen, weil die genauere Analyse der Beobachtungen, ein sorgfältiger Vergleich des anatomischen Befundes mit den während des Lebens vorhandenen Zufällen, den Causalnexus beider, wenigstens in vielen Fällen, in ein zweifelhaftes Licht stellt. Ausgedehnte Kreislaufstörungen mit Capillargefässapoplexieen des Hirncortex, welche zu Gefässzerreissung und capillärer Hämorrhagie führen, bilden unstreitig eine zur Erklärung der cerebralen Zufälle genügende anatomische Basis; allein bei weitem nicht immer ist die Störung der Blutbewegung in dem Maasse vorhanden, auch wenn die Färbung eine dunkele ist. Der grösste Theil des Pigments passirt frei hindurch, und in den venösen Gefässen findet man dasselbe in reichlichem Maasse. Der dunkele Inhalt der Capillaren tritt nirgend so markirt hervor, als auf dem weissen Grunde der Hirnsubstanz, sie erscheint daher hier jedes Mal bedeutender, als in anderen Organen, deren Parenchym ein tieferes Colorit hat. Wenn hie und da in einzelnen Gefässchen die Blutbewegung sistirt wird, so ist damit noch nicht genügende Veranlassung functioneller Störungen gesetzt, weil das reich verzweigte Gefässnetz collaterale Strömungen gestattet.

Vergleichen wir den Befund mit den Symptomen während des Lebens, so finden wir einerseits Fälle, wo trotz der dunkelen Färbung des Hirns keine cerebralen Störungen vorlagen, andererseits cerebrale Störungen ohne jegliche Pigmentirung. Letzteres beobachtete ich unter 28 Fällen von Intermittens cephalica 6 Mal. Aehnliche Erfahrungen machten die älteren Beobachter, wie Lancisi, Senac, Bailly, ferner Maillot und Haspel. Wir dürfen daher nicht bezweifeln, dass die beschriebenen cerebralen Störungen bei Intermittens auch ohne Melanämie vorkommen können, dass mithin noch andere Ursachen bestehen, welche sie hervorzurufen vermögen.

Ihre Nachweisung war bislang nicht möglich. Dass sie periodisch im Organismus entstehen und wieder verschwinden, dafür scheint die Intermission jener Erscheinung zu sprechen. Ich machte oben darauf aufmerksam, dass in der Melanämie die massenhafte Zersetzung von Blut nicht bloss morphologische Residuen, sondern auch chemische Umsetzungsproducte, die der mikroskopischen Untersuchung sich entziehen, periodisch in den Kreislauf überführen dürfe. Ein genaueres Studium dieser kann uns der Quelle der cerebralen Zufälle näher führen.

Das dritte Organ, in welchem bei der Melanämie Anomalieen der Textur und Functionen zur Beobachtung kommen, ist die Niere.

Von den Pigmentpartikeln, welche mit dem arteriellen Blut hierher gelangen, bleiben die grösseren Zellen und Schollen nicht selten in den capillaren Gefässknäueln der Malpighischen Körper stecken und veranlassen durch die Veränderung des Blutdruckes Störungen der Harnabsonderung, die auf den weiteren Verlauf des Krankheitsprocesses wesentlich influiren. Es entwickelt sich Albuminurie leichterer oder schwererer Art, je nach der Menge des in der Niere sich vorfindenden Pigments. In den Fällen, wo das Fieber einen deutlich intermittirenden Typus zeigte, wo die Intermissionen weit auseinander lagen, wie bei Quartana, bemerkte man während des jedesmaligen Fieberparoxysmus eine ansehnliche Vermehrung des Albumingehalts, zur Zeit der Intermission eine beträchtliche Abnahme, zuweilen ein vollständiges Verschwinden desselben.

Häufig besteht die Albuminurie rein, und in diesem Falle kann der Process lange währen, ohne tiefe Texturveränderungen der Nieren herbeizuführen. In anderen Fällen geht aber mit dem Eiweiss noch Faserstoff in den Harn über; ich sah wiederholt Fibrincylinder, welche zum Theil Pigmentschollen und Körnchen derselben Art wie das Blut enthielten; es kamen ausserdem Fälle vor, wo blutiger Harn entleert wurde. Vollständige Suppression der Urinabsonderung war wiederholt vorhanden. Wo die Ausscheidung von Eiweiss und Faserstoff neben Intermittens oder nach dem Aufhören derselben längere Zeit bestand und schliesslich durch Erschöpfung den lethalen Ausgang einleitete, wurden in den Nieren verhältnissmässig geringfügige Alterationen gefunden. Zahlreiche, flache, narbige Einziehungen waren an der Oberfläche sichtbar, deutliche Granulationen fehlten; in einigen Fällen kam speckige Degeneration vor.

Neben der Leber, dem Gehirn und den Nieren kamen in anderen Organen und Geweben auffallende Fehler der Textur oder Störungen der Functionen nicht zur Beobachtung. In dem Capillargefässsystem liess sich zwar überall, so weit sie mit Blut gefüllt waren, Pigment nachweisen, allein Anhäufungen desselben und Verstopfung der Haargefässe pflegt in ausgedehntem Maassstabe nur da zu Stande zu kommen, wo die Enge der Capillaren oder die eigenthümliche Art ihrer Vertheilung der freien Bewegung der Pigmentschollen hinderlich ist. Dyspnöe und Lungenödem auf Verstopfung der Lungencapillaren zurückzuführen, dazu gab der Befund, wenigstens in den von mir gesehenen Fällen, keine Veranlassung. Entzündliche Anschwellungen, welche an einzelnen, beschränkten Heerden in der Parotis, im Muskelfleisch des Herzens von mir beobachtet wurden, glaube ich nicht von ausgedehnter Verstopfung der Gefässe ableiten zu dürfen. Die genauere Untersuchung der Heerde im Herzfleisch liess jedenfalls keine ungewöhnliche Pigmentansammlung im Heerde constatiren.

Von Wichtigkeit für die Diagnose ist das eigenthümliche Hautcolorit, welches durch den Pigmentreichthum des Blutes in den Gefässen der Cutis erzeugt wird. Dasselbe ist bei leichterem Grade der Melanämie aschfarbig, bei intensiverem schmutzig graubraun, zuweilen intensiv gelbbraun. In den meisten Fällen genügten einige Tropfen durch Scarification der Haut gewonnenes Blut, um unter dem Mikroskop zahlreiche Pigmentpartikel nachzuweisen.

Die eben beschriebenen Störungen werden eingeleitet

und begleitet von einem Fieber, dessen Form und Typus sehr verschiedenartig sich gestalten kann.

In den meisten Fällen war das Fieber ein intermittirendes und zwar gewöhnlich eine Quotidiana oder Tertiana duplex, seltener eine einfache Tertiana und am seltensten eine Quartana. In legitimer Form mit deutlich ausgeprägten Stadien trat das Fieber gewöhnlich nicht auf; die Apyrexie war nur ausnahmsweise rein, meistens verlor sich die Temperaturerhöhung und die Pulsfrequenz nicht vollständig, nur die wiederholten Frostanfälle und die in ihrem Gefolge auftretende Verschlimmerung der Symptome deuteten den wahren Typus des Fiebers an. Nach zwei und drei unvollständigen Intermissionen, wobei der Paroxysmus vorsetzte, war das Fieber meistens ein anhaltendes geworden. Zuweilen hatte es von vorn herein diesen Typus; Kranke dieser Art wurden wiederholt mit der Diagnose des Typhus dem Hospital übergeben. Als allgemeine Regel stellte sich heraus, dass der intermittirende Typus des Fiebers um so undeutlicher wurde, je intensiver örtliche, insbesondere cerebrale Störungen hervortraten.

Die Pulsfrequenz gestaltete sich sehr verschiedenartig. Gewöhnlich überstieg dieselbe auch bei den schwersten Formen die Zahl 80 bis 90 nicht, was für die Unterscheidung vom Typhus wichtig ist, nur in einzelnen Fällen wurden 120 bis 140 Pulse gezählt. Zuweilen liess beim Eintritt der Hirnstörungen die Pulsfrequenz nach.

Die drei Stadien der Intermittens traten selten klar hervor; oft fehlte das Froststadium gänzlich, deutliche Krisen durch Haut und Harn wurden gewöhnlich vermisst. Zwei Mal kamen Paroxysmen von ungewöhnlicher Dauer (48 und 60 Stunden) vor. Die schweren Zufälle, welche diese Art von Intermittens gewöhnlich begleiten, traten in der Regel gleichzeitig mit dem Fieber auf. Zuweilen entwickelten sich schon nach wenigen Stunden unbestimmten Unwohlseins schwere Hirnzufälle, welche in kurzer Frist tödteten, ohne dass ein deutlicher Fiebercharakter sich gezeigt hatte.

In anderen Fällen bestand ein einfaches Wechselfieber Wochen und Monate lang, bis plötzlich ein schwerer, oft augenblicklich lethal endender Anfall auftrat. Letzteres geschah auch wiederholt bei Recidiven scheinbar einfacher Tertianen oder Quartanen.

Der Verlauf gestaltet sich verschieden; es giebt Fälle, die in wenigen Stunden oder Tagen tödten, während andere Monate lang sich hinziehen: acuter Art sind fast immer die cephalischen Formen, die übrigen verlaufen ebenso häufig chronisch. Unter 51 Fällen, welche ich beobachtete, waren 24 acute und 27 chronische.

Dies sind die wichtigsten Störungen, welche bei dem vorliegenden Krankheitsprocesse beobachtet werden; sie sind selten alle vereinigt, meistens ist die eine oder die andere Anomalie vorwiegend, während die übrigen fehlen oder schwächer entwickelt sind. Es entstehen auf diese Weise Krankheitsformen, welche in den Symptomen dem Verlauf und den Ausgängen nach sich sehr verschiedenartig gestalten. Man kann hiernach vier Formen unterscheiden:

I. Fälle mit vorwiegenden Hirnstörungen;
II. solche mit vorwiegender Betheiligung der Nieren;
III. solche mit vorwiegenden Störungen im Gastrointestinaltractus und den zu letzterem gehörigen Drüsen, besonders der Leber.

In eine vierte Gruppe lassen sich die Formen unterbringen, bei welchen die örtlichen Störungen wenig hervorstechend sind und auf den weiteren Verlauf des Processes nicht wesentlich influiren, wo dagegen die Anämie und Hydrämie, welche in Folge der Milzaffection sich entwickelten, die wichtigsten Anomalieen darstellen. Der Pigmentgehalt des Blutes ist hier von untergeordneter Bedeutung, derselbe wird, weil die Menge und Beschaffenheit des Pigments ausgedehntere Läsionen des capillaren Blutlaufes nicht veranlasst, ohne wesentlichen Nachtheil ertragen, sofern es gelingt, der Anämie mit Erfolg entgegenzutreten.

Um eine Uebersicht über die Frequenz der einzelnen Störungen und der ihnen zu Grunde liegenden anatomischen Läsionen zu geben, lasse ich eine kurze Analyse von 51 hier in Breslau beobachteten Fällen folgen. Die Ergebnisse gelten natürlich nur für die hiesige Epidemie und dürfen keineswegs unbeschränkt verallgemeinert werden.

Von ihnen endeten 38 Fälle lethal, 13 mit Genesung [1]). Schwere Hirnsymptome, wie Delirien, Convulsionen, Coma etc., kamen unter 51 Fällen 28 Mal vor; darunter waren 7 Fälle ohne Pigmentirung des Hirns, 2 Fälle von Hirnhautblutung neben Pigment und 1 Fall von Cysticercus cerebri.

Unter den 51 Beobachtungen fanden sich 20 mit Albuminurie, darunter 2 von Hämaturie und 5 von Suppressio urinae. 4 Mal kam Albuminurie ohne Pigment vor, darunter waren 2 von speckiger Degeneration der Nieren; in 5 Fällen konnte Pigment nachgewiesen werden ohne Eiweissgehalt des Harns, die Quantität war hier eine geringe.

Unter 51 Beobachtungen waren 17 Fälle mit profuser Diarrhoe, darunter fanden sich 5 Fälle von Dysenterie; ausserdem wurde profuse Darmblutung 3 Mal gesehen. Icterus war in 11 Fällen vorhanden, jedoch stets nur wenig ausgeprägt; Gallenpigment in den serösen Ergüssen der Pleurahöhle etc. kam ausserdem oft ohne deutliche Färbung der Haut und des Harns zur Beobachtung.

Die Leber war in allen lethal endenden Fällen pigmentreich. 10 Mal erschien sie vergrössert und blutreich, 8 Mal atrophisch, in 9 Fällen waren die Zellen fettreich, Speckstoffe konnten in 3, jedoch nur in beschränktem Maasse, nachgewiesen werden.

[1]) Von den günstig verlaufenden Fällen wurden nur diejenigen hierher gezählt, in welchen Pigment im Blute nachgewiesen wurde. Einen Maassstab für die Mortalität geben jene Zahlen nicht, weil die Untersuchung des Blutes oft unterblieb, weil keine schweren Zufälle dazu aufforderten.

Die Milz war, mit Ausnahme eines Falles, stets pigmentirt; 3 Mal speckig, in 30 Fällen überschritt ihr Volumen die gewöhnlichen Grenzen.

Die zur ersten und zweiten Gruppe gehörigen Formen können hier, wo es sich um Affectionen der Leber handelt, nur eine beiläufige Berücksichtigung finden; ich theile nur einige Beispiele mit, um die gleichzeitige Theilnahme der Leber zu zeigen. Ausführlicher können uns hier nur die Fälle beschäftigen, wo die Erkrankung der Leber und die von ihr abhängigen Störungen das Hervorstechende sind.

I. Formen mit Hirnstörung.

Nro. 32.

Intermittens tertiana von dreimonatlicher Dauer, zuletzt mit Coma während des Anfalls. Pneumonie, zur Induration übergehend. Plötzlicher Tod. Pigmentmilz und -Leber. Induration der Lunge, das Hirn frei von Pigment.

W. Klein, Schlosser, 65 Jahre alt, wurde im bewusstlosen Zustande am 7. Januar 1855 aufgenommen. Er soll seit einem Vierteljahr an Tertianfieber gelitten haben, welches in der letzten Zeit einen unregelmässigen Typus annahm und während der Paroxysmen mit Bewusstlosigkeit sich verband. Am 8. ist die Besinnung zurückgekehrt. Die Untersuchung ergiebt eine mässige Vergrösserung der Milz; am linken Thorax besteht von der Mitte der Scapula bis zur Basis Dämpfung und bronchiales Athmen, Sputa fehlen. 96 Pulse. Der Kranke berichtet, vor acht Tagen während eines Frostes Stechen in der linken Seite empfunden und saffranfarbige Sputa ausgeworfen zu haben.

Der nächste Fieberanfall wurde durch Chin. mit Salmiak coupirt.

Die consonirenden Erscheinungen und die Dämpfung blieben unverändert; dabei geringe Expectoration grauen Schleimes, Pulsfrequenz zwischen 80 und 90 Schlägen schwankend, Appetit normal, Stuhlausleerungen regelmässig, ruhiger Schlaf; Albuminurie und Oedem nicht vorhanden. Bedeutende Anämie.

Ord. Eisensalmiak.

Am 21. Morgens verzehrt der Kranke seine Suppe; wird, um das Bett zu ordnen, auf einen Stuhl gesetzt; verliert die Besinnung und stirbt.

Obduction 24 Stunden p. m.

Die Hirnhaut blutarm, ebenso das Gehirn, dessen Consistenz und

Farbe nichts Abnormes zeigen. Pigment wurde in den Capillaren der Cortikalsubstanz nicht gefunden.

Die Luftwege zeigen eine blasse Schleimhaut; die rechte Lunge trocken, blutarm, emphysematös; die linke sehr fest mit der Costalwand verwachsen, im Umfange verkleinert, ihr Parenchym derb, nicht brüchig, Schnittfläche sehr wenig granulirt, gleichmässig hellbraun gefärbt, die Bronchien etwas erweitert, die Auskleidung derselben geröthet; der obere Lappen blutarm.

Das Herz enthält locker geronnenes dunkeles Blut.

Magen und Darmcanal von blasser Schleimhaut.

Die Milz um ein Drittheil vergrössert, leicht gerunzelt, ihr Parenchym schlaff, zähe, von schwärzlich blauer Farbe.

Die Leber von normalem Umfange, ihre Farbe schwärzlich braun, Consistenz normal.

Galle gelb und trübe.

Die Nieren zeigen eine atrophische Rindenschicht.

Blase und Prostata normal.

Nro. 33.

Fieberhafter Gastrocatarrh, Schwindel, Convulsionen, Coma. Wiederkehr des Bewusstseins. Parotidenbildung. Albuminurie. Tod durch Erschöpfung.
Melanämie. Pigmentanhäufung in der Milz, Leber, dem Hirncortex und den Nieren.

Rosine Hornig, Tagelöhnersfrau, 61 Jahre alt, kam am 22. August 1854 ins Hospital, nachdem sie seit vier Tagen an Appetitlosigkeit, Kopfschmerz und Schwindel gelitten hatte. Die Untersuchung ergab Infiltration beider Lungenspitzen, grau belegte Zunge, leichte Auftreibung des Epigastriums, mässigen Milztumor. Puls zwischen 80 und 90 Schlägen wechselnd; Fieberfrost war nicht dagewesen.

Am 24. wurde die Kranke unruhig, klagte über lebhaftere Kopfschmerzen und verfiel sodann plötzlich in allgemeine Convulsionen, welche mit kurzen Pausen gegen 2 Stunden lang anhielten und vollständige Bewusstlosigkeit zurückliessen. Am 25. war das Bewusstsein noch nicht zurückgekehrt. Puls 84. Der mit dem Catheter entleerte Urin enthielt eine mässige Quantität Eiweiss, Fibringerinnsel wurden nicht gefunden; unwillkührliche Stuhlausleerungen, grosse Unruhe, viel Aechzen und Stöhnen, so dass die Kranke behufs der Isolirung auf eine andere Abtheilung verlegt werden musste.

Hier verhielt sie sich, wie uns berichtet wurde, ziemlich ruhig, das Bewusstsein kehrte allmälig wieder, jedoch blieb die Kranke schwer besinnlich, gab nur zögernd unzureichende Antwort auf die an sie gerichteten Fragen. Wenige Tage später entwickelte sich ein entzündliches Infiltrat am Winkel des Unterkiefers in dem die Parotis begrenzenden Bindegewebe. Mit Cataplasmen bedeckt erweichte dasselbe, brach auf und entleerte reichliche Quantitäten stinkenden Eiters. Die Kranke collabirte mehr und mehr und ging, ohne dass die Convulsionen wiedergekehrt wären, bei klarem Bewusstsein an Erschöpfung zu Grunde.

Obduction 11. Sept. 20 Stund. p. m.

Die Schädelknochen und die Hirnhäute sind blutreich, der Cortex des Gehirns erscheint chocoladefarbig und sticht scharf gegen die weisse Substanz ab; diese letztere ist von normalem Blutgehalt und richtiger Consistenz. Das Mikroskop weisst grossen Pigmentreichthum in den Haargefässen nach.

In den Lungenspitzen beiderseits liegen graue tuberkulose Infiltrate, weiter nach unten ist das Parenchym derselben frei und mässig blutreich.

Das Blut im Herzen ist geronnen, von dunkeler Farbe. Zahlreiche Pigmentzellen und Schollen lassen sich nachweisen.

Die Milz vergrössert um die Hälfte, dabei breiig, weich und schmutzig grau braun gefärbt; zahlreiche braune und schwarze Pigmentzellen und Körnchen sind auch hier wie im Blute vorhanden.

Die Leber hat scharfe Ränder und eine glatte Oberfläche; ihr Parenchym ist von normaler Consistenz und grau brauner Farbe; ihre Zellen enthalten zum Theil viel Fett. Die Galle blass und ohne Eiweiss. Der Magen enthält eine alte Ulcerationsnarbe, die Schleimhaut blass; ebenso verhält sich die Schleimhaut des Dünn- und Dickdarmes.

Die Nieren dem Anscheine nach normal; in den Glomerulis und in den Harncanälchen findet man jedoch bei genauer Untersuchung ziemlich viel Pigment.

Nr. 34.

Quotidianfieber, Milztumor, Coma, Tod.
Melanämie. Pigmentanhäufung in der Milz, Leber, den Nieren und dem Hirncortex.

Elisab. Ermler, Schneiderwittwe, 45 Jahre alt, kam am 13. Sept. 1854 ins Hospital. Sie will seit einer Woche täglich Fieberanfälle haben, früher aber vollkommen gesund gewesen sein. Ihre Angaben erscheinen jedoch bei der grossen Unbesinnlichkeit und Schwerhörigkeit, welche seit den letzten acht Tagen sich entwickelt hat, kaum zuverlässig: ob ein Froststadium das Fieber einleitete, weiss die Kranke nicht zu sagen. Die Respirations- und Circulationsorgane erweisen sich normal, der Puls weich und klein, 90 Schläge, Zunge trocken, Leib weich und platt, keine Diarrhoe. Die Milz überragt die falschen Rippen um 1 Zoll; kein Roseolaexanthem. Die Hautfarbe etwas graugelb, jedoch nicht auffallend, Temperatur erhöht.

Ord. Acid. mur. mit Chin.

Die Unbesinnlichkeit steigt rasch zum vollständigen Coma. Das Gesicht dabei blass, die Pupillen enger. Die Temperatur bleibt erhöht, der Puls 90 bis 100 Schläge. Der unwillkührlich abfliessende Urin wurde nicht untersucht. Tod am 18. Sept.

Obduction 20 Stunden p. m.

Hirnhäute mässig blutreich, in den Blutleitern schmale entfärbte Gerinnsel. Die Cortikalsubstanz des Hirns bleifarbig, in den Capillaren derselben eine mässige Quantität Pigmentkörnchen und Schollen; die weisse Hirnsubstanz von normaler Consistenz. Im Sacke der Arachnoidea eine geringe Menge Serum.

Die Schleimhaut der Luftwege blass, die Lungen zeigen in beiden Spitzen dunkeles obsoletes Parenchym, rechts mit einigen Bronchiectasien, welche Kalkbrei enthalten, unten und hinten Oedem.

Das Herz enthält wenig locker geronnenes Blut, in welchem zahlreiche Pigmentpartikelchen nachgewiesen wurden.

Die Milz um ein Dritttheil vergrössert, schlaff mit gerunzelter Oberfläche, dabei weich und von graubrauner Farbe.

Die Leber trägt einen Schnürstreifen über beide Lappen, die Oberfläche glatt, das Parenchym brüchig, chocoladefarbig, links ragt an der unteren Fläche ein in der Verödung begriffener Echinococcussack hervor. Die Leberzellen braun pigmentirt, arm an Fett.

Im Magen ist die Schleimhaut gewulstet und livid gefärbt, im Dünn- und Dickdarm zeigt sie stellenweise eine schiefergraue Farbe.

Die Nieren anscheinend normal, die Glomeruli pigmentreich. In der Harnblase findet sich eine kleine Menge wenig eiweisshaltigen Urins. Genitalorgane nichts Abnormes.

Nr. 35.

Fieber ohne bestimmten Typus, Delirien, Coma, Erbrechen, Tod am funfzehnten Tage. Pigment im Blut, Hirncortex, in der Leber, den Nieren und der Milz, letztere wenig vergrössert. Keine Albuminurie.

Bertha Meissner, 38 Jahre alt, Nätherin, wurde am 11. Sept. 1854 im bewusstlosen Zustande aufgenommen. Sie soll vor vierzehn Tagen erkrankt sein und seit Anfang der letzten Woche nach vorausgegangenen Delirien und grosser Unruhe das Bewusstsein verloren haben. Die Patientin ist von blasser schmutzig gelber Farbe, Kopf und Extremitäten sind kühl, die Augen mit Schleim verklebt, die Pupillen von mittlerer Weite und etwas träger Bewegung. Der Puls ist klein, macht 84 Schläge; Vergrösserung der Milz nicht zu constatiren. Der Leib weich, dünne, gesättigt braun gefärbte Ausleerungen gehen unwillkührlich ab. Der Harn frei von Albumen.

Die Kranke collabirte aller angewandten Reizmittel ungeachtet sehr rasch und war 14 Stunden nach der Aufnahme eine Leiche. Ein Frostanfall wurde von uns nicht wahrgenommen; auch die Angehörigen wussten von einem solchen nichts zu berichten.

Obduction 15 Stunden p. m.

Die Hirnschale auf der inneren Fläche mit einer dünnen Schicht von Osteophyten bedeckt, die harte Hirnhaut stellenweise fest verwachsen, die pia mater blutarm, unter der Arachnoidea ist eine geringe Menge klaren Serums ergossen. Die Cortikalsubstanz des Gehirns ist dunkel aschgrau gefärbt, ihre Capillaren sind mit Pigmentkörnchen überfüllt. Die weisse Hirnsubstanz blutarm, von normaler Consistenz; die Seitenventrikel von gewöhnlichem Umfange.

Die Luftwege und Lungen bieten wenig Abnormes; die hinteren und unteren Parthieen der letzteren sind hypostatisch und ödematös; die Pigmentirung ist bedeutend.

Das Herz nebst den grösseren Gefässen von normaler Beschaffenheit. Blut aus dem rechten wie aus dem linken Ventrikel reich an Pigment.

Der Magen hat eine etwas verdickte, schiefergraue Schleimhaut, welche auf den prominirenden Falten einige Ecchymosen zeigt. Mesenterialdrüsen und Darmcanal intact.

Die Milz wenig vergrössert, weit nach hinten gelagert, ihr Parenchym sehr weich und schmutzig graubraun; braunes und schwarzes Pigment in Schollen und Zellen liess sich reichlich nachweisen.

Die Leber von normalem Umfange, glatter Oberfläche und scharfen Rändern, ihr Parenchym weich, schmutzig graubraun gefärbt; die Zellen erscheinen blass, die Capillaren mit Pigment überfüllt. Die Gallenblase enthält neben zahlreichen kleinen Concrementen viel dünne, schleimige, blasse Galle.

Die Nieren von glatter Oberfläche und welker blutarmer Beschaffenheit; die Glomeruli enthalten Pigmentschollen. Die Blase vollkommen leer.

Uterus jungfräulich: in beiden Ovarien kleine corpora lutea.

Nr. 36.

Intermittens mit Convulsionen und Bewusstlosigkeit, irregulärem Typus, ohne Froststadium, Heilung durch Chinin.

Carl Grund, 28 Jahre alt, wurde am 27. October 1854 aufgenommen. Sein Leiden begann vor vierzehn Tagen und bestand aus anhaltendem Kopfschmerz, verbunden mit Sausen vor den Ohren, Uebelkeit und grosser Schwäche, auch Delirien sollen sich gezeigt haben, jedoch von Frost und anderen Zufällen der Intermittens keine Spur. Am 27. Octbr. bald nach der Aufnahme trat ein Anfall von Convulsionen mit Bewusstlosigkeit ein, welcher gegen eine halbe Stunde dauerte und über Nacht noch einmal sich wiederholte. Am 28. Morgens wurde ein ansehnlicher Milztumor constatirt, der Puls 78, viel Kopfschmerz, aber klares Bewusstsein; die Haut in lebhafter Absonderung, der Harn ohne Eiweiss, leicht sedimentirend, Stuhl normal.

In unregelmässigen Intervallen bald täglich, bald alle zwei Tage stellte sich vermehrte Pulsfrequenz und Erhöhung der Temperatur ein, verbunden mit Schwindel und heftigen bis zu Delirien sich steigernden Kopfschmerzen, welche nach Eintritt von Schweiss allmälig wiederum nachliessen. Diese Anfälle wurden niemals von Frost eingeleitet. In der Zwischenzeit war das Befinden wenig gestört. Vom 8. Nov. an wurde Chinin zweistündlich 3 Gran gereicht; Kopfschmerz, Schwindel und Erregung des Gefässsystems blieben darauf aus; allein vom 16. an traten sie von neuem heftig hervor in regelmässigem Tertiantypus, aber auch jetzt noch ohne Froststadium. Es wurde längere Zeit Pulv. c. Chin. reg. angewandt, worauf die Anfälle dauernd ausblieben.

Der Kranke war sehr heruntergekommen und bedurfte einer geordneten Stahlkur, ehe er ohne Milztumor geheilt entlassen werden konnte.

Nr. 37.

Intermittens mit unregelmässigem Typus, zwei Paroxysmen von 48stündiger Dauer, furibunde Delirien während derselben. Heilung.

Heinr. K., Gürtler, 39 Jahre alt, hatte vor einem Jahre mehrere Wochen lang an Intermittens gelitten und wurde Ende Juli von heftigen Schmerzen in der Milzgegend befallen, welche mit mässiger Intumescenz des Organs verbunden waren. Daneben bestand ein fieberloser Catarrh der Luftwege. Er wurde poliklinisch mit Amm. mur., später mit Senega behandelt.

Am 29. Juni Mittags 12 Uhr stellte sich ein mässiger, gegen eine Stunde dauernder Frost ein, worauf Hitze mit heftiger Cephaläe und furibunde Delirien folgten. Gegen Abend war der Kranke vollkommen bewusstlos, der Puls 130, die Haut von Schweiss triefend. Erst am 1. Juli Mittags liess Schweiss und Pulsfrequenz nach, kehrte das Bewusstsein wieder. Abends war der Kranke fieberfrei.

Ord. Chinin. sulph. gr. iij alle zwei Stunden.

Am 5. Nachmittags erhöhte Temperatur, 92 doppelschlägige Pulse, trockene Zunge, heftige Kopfschmerzen. Dieser Zustand dauerte bis zum 7., wo profuser Schweiss mit Sudaminabildung eintrat und der Puls auf 70 herabsank.

Bei fortgesetzter Anwendung des Chinins erholte sich der Kranke rasch und konnte am 16. entlassen werden.

Nr. 38.

Intermittens quotidiana mit heftigem Schwindel. Febris vertiginosa nach Puccinotti. Heilung durch Chinin.

Carl Forster, 30 Jahre alt, litt seit Mitte September an Intermittens mit Quotidiantypus, welche mit heftigem Schwindel verbunden war. Der

Kranke kann, ohne zu taumeln, kaum ein Paar Schritte machen; beim Versuche, quer über den Saal zu gehen, fällt er wiederholt hin und muss geführt werden. Seine Hautfarbe ist graubraun, mulattenartig, die Milz vergrössert, der Harn ohne Eiweiss. Vermehrte Pulsfrequenz, Kopfschmerz, Frost und andere Symptome des Fiebers sind nicht vorhanden; der Appetit ist ungestört, der Stuhl normal.

Schon vor der Aufnahme ins Hospital vergeblich mit Schröpfköpfen, Abführmitteln etc. behandelt, wurde Chinin angewandt, worauf der Schwindel rasch abnahm und sich nach und nach vollständig verlor.

Der Kranke konnte wenige Tage nachher entlassen werden, weil keine Anämie vorlag, welche eine längere Nachkur nöthig gemacht hätte.

II. Formen mit vorherrschender Erkrankung der Nieren.

Nr. 39.

Intermittens quotidiana von vierwöchentlicher Dauer; Diarrhöe; Albuminurie und Hämaturie: plötzlich Sopor, Convulsionen, Tod.
Pigmentreiche Milz, Leber, Nieren und Gehirn.

C. Runschke, 50 Jahre alt, kam am 3. Aug. 1854 in die Klinik. Der Mann will seit vier Wochen an täglichem Fieber leiden, zu welchem in der letzten Zeit noch Diarrhöe hinzugetreten sei: er sieht äusserst bleich graugelb aus, Oedeme sind jedoch nirgend vorhanden. Die Milz überragt den Rand der falschen Rippen um einen Zoll; der Leib weich, schmerzlos, kein Ascites; Leber von normalem Umfange; an den Respirationsorganen und dem Herzen nichts Abnormes.

Der Urin ist tief rothbraun, coagulirt auf Zusatz von Salpetersäure und in der Siedhitze. Der Puls 80, viel Klage über Kopfschmerz.

Ord. Chinin mit Opium.

4. August. Der Kranke will über Nacht einen Frostanfall gehabt haben, doch hat die Wärterin nichts davon bemerkt. Der Puls ist unverändert, 80, klein und weich, der Kopfschmerz hat sich beträchtlich vermehrt. Ein geformter Stuhl.

Ord. Chinin mit Elix. acid. Hall.

In der Nacht plötzliche Unruhe und lautes Stöhnen. Prof. Rühle, welcher hinzugerufen wurde, fand den Kranken in tiefem Coma, mit unregelmässiger, unterbrochener Respiration und kleinen häufigen Pulsen; die Pupille ist nicht erweitert; die Temperatur des Kopfes erhöht.

Gegen 7 Uhr früh erfolgte unter leichten Convulsionen der Tod.

Obduction 14 Stunden p. m.

Die innere Hirnhaut blutreich; die dura mater verdickt und mit der inneren Fläche des Schädeldaches verwachsen.

Nach Entfernung der Hirnhäute erscheint die graue Substanz dunkel chocoladefarbig, gegen die weisse scharf sich abgrenzend (Taf. X, Fig. 2, Fig. 1). Im Corpus striatum und im kleinen Gehirn ist dies sehr prägnant, auch im Pons Varolii tritt die starke Pigmentirung hervor. Die weisse Substanz ist von feinen schwärzlichen Linien durchzogen (Fig. 2); im Uebrigen lässt das Hirn keine Abweichung der Consistenz oder irgend welche anderweitige Anomalie erkennen.

Luftwege blass, die Lungen blutreich und ödematös.

Im Herzen eine mässige Quantität locker geronnenen dunkelen Blutes mit vielem Pigment in verschiedenen Formen.

Milz gross, weich, dunkelfleckig.

Die Leber von normalem Umfange, glatter Oberfläche, scharfen Rändern; das Parenchym graubraun pigmentirt, die Galle blass und reichlich.

Die Magenschleimhaut schiefergrau, die Auskleidung des Darms vollkommen normal. Pancreas dunkeler pigmentirt als gewöhnlich. Die Nieren gelappt, von homogener, brauner, glänzender Schnittfläche. Die Glomeruli der Malpighischen Kapseln enthalten zahlreiche Pigmentzellen und Schollen.

Die Blase hat hypertrophische Wandungen und enthält eine reichliche Menge blutigen Urins. Vor dem Bulbus der Harnröhre eine leichte Strictur.

Nr. 40.

Typhusähnliche Symptome, anhaltendes Fieber, Coma, eiweissreicher blutiger Harn mit schwarz pigmentirten Gerinnseln, rechtsseitige Pneumonie, Abortus, Tod am sechszehnten Tage.

Weiche pigmentreiche Milz und Leber, Verstopfung der Nierengefässe mit Pigment.

Rosalie Hellmann, 28 Jahre alt, wurde, nachdem sie bereits vierzehn Tage lang ausserhalb des Hospitals von einem Arzte an einer für Typhus gehaltenen fieberhaften Krankheit behandelt war, am 25. August 1854 aufgenommen. Die Frau war vollkommen bewusstlos, die gelblich graue Haut mit Schweiss bedeckt; Puls klein, weich, 120 Schläge, Respiration häufig, unregelmässig, stertorös. Der Thorax vorn von normaler Resonanz, stellenweise kurz tympanitisch, an der rechten Seite unten und hinten matt. Hier ist consonirendes Athmen hörbar, vorn vernimmt man laute Rasselgeräusche, Herztöne normal. Die Kranke ist im achten Monate der Schwangerschaft.

Abends 10 Uhr stellen sich Wehen ein, welche gegen 2 Uhr ein lebendes Kind zu Tage fördern. Das Allgemeinbefinden ändert sich nicht. Dyspnoe und Pulsfrequenz steigen, letztere erhebt sich auf 136. Die Haut warm und von Schweiss triefend. Unwillkührlicher Stuhl. Der mit dem Katheter entleerte Harn ist blutig, reich an Eiweiss und Fibringerinnseln. Tod Mittags um 1 Uhr.

Obduction 16 Stunden p. m.

Hirnhäute und Hirnsubstanz etwas hyperämisch, Consistenz und Farbe normal. Die Schleimhaut der Luftwege injicirt und mit schaumigem Schleim bedeckt. Die oberen Lungenlappen blutreich und ödematös, unten und rechts luftleer, brüchig, graugelb, auf Druck ein eitriges Fluidum entleerend. Der Rand des unteren Lappens der linken Lunge collabirt. Das Herz schlaff und welk, Klappen normal; das Blut in den Vorhöfen locker geronnen, viel Pigment enthaltend.

Die Milz beträchtlich vergrössert, breiig weich, chocoladefarbig. Das Blut der Milzvene stark pigmentirt.

Die Leber schwärzlich braun gefärbt, ohne deutliche Läppchenzeichnung; glatte Schnittfläche, scharfe Ränder, brüchige Consistenz. Die Zellen des Organs sehr blass, die Galle dunkel, zäh und dickflüssig.

Die Magenschleimhaut aufgelockert und injicirt, hie und da mit Ecchymosen bedeckt. Die Mesenterialdrüsen klein, ohne Infiltrat, Dünndarmschleimhaut blass, ohne Entwickelung des Drüsenapparates, im Dickdarm stärkere Injection.

Die Nieren von normaler Grösse und glatter Oberfläche, mässigem Blutgehalt. Die Glomeruli der Malpighischen Kapseln enthalten zahlreiche braune und schwarze Pigmentschollen.

Die Harnblase enthält eine geringe Menge blutigen Urins, mit blassen von Pigmentschollen durchsetzten, cylindrischen Gerinnseln.

Nr. 41.

Intermittens quartana, intermittirende Albuminurie, Anasarca, Dysenterie. Rasche Heilung durch Chinin und Eisen.

Henriette Schadek, Tagelöhnerfrau, 27 Jahre alt, 6 Monate schwanger, kam am 8. Nov. ins Hospital mit einem seit 6 Wochen bestehenden Quartanfieber. Die Kranke ist stark ödematös infiltrirt an den oberen und unteren Extremitäten wie im Gesicht, der spärliche Harn ist reich an Eiweiss und zum Theil schwarz pigmentirten Fibringerinnseln. Die Milz ragt 4 Centimeter über den Rand der falschen Rippen hervor. Die Eingeweide des Thorax sind normal. Das Anasarca soll bald nach dem Beginn des Fiebers sich eingestellt haben.

Die Eiweissmenge im Harn nimmt am 9. beträchtlich ab und verschwindet am 10. fast vollständig.

Am 11. trat ein starker Paroxysmus ein, worauf die Albuminurie wiederum mit erneuter Heftigkeit bemerklich wird.

Am 13. stellen sich häufige, mit Blut vermischte schleimige Stuhlausleerungen ein, begleitet von Tenesmus. Das Fieber wird durch Chinin coupirt; gegen die Dysenterie Klystiere von Tann. mit Opium.

Am 18. lässt die Dysenterie nach, die Albuminurie hat aufgehört.

Vom 19. an wurde Ferr. lactic. angewandt, die Urinmenge steigt auffallend, die Oedeme verlieren sich, so dass die Kranke schon am 8. Decbr. geheilt entlassen werden konnte.

III. Formen mit vorwiegender Theilnahme der Leber und des Gastrointestinaltractus.

Die Betheiligung der Leber kündigt sich in manchen Fällen durch ein Gefühl von Druck im rechten Hypochondrium, sowie durch Volumszunahme dieser Drüse an. Diese Zeichen können indess fehlen, auch wenn die Endverästelungen der Pfortader von Pigment überfüllt sind. Leichten icterischen Anflug der Haut und Conjunctiva nebst Gallenbraun oder verwandte Farbstoffe im Harn bemerkt man vielfach, indess auch diese Symptome sind nicht constant.

Wenn der Durchgang des Pfortaderblutes durch die Leber in höherem Grade gestört wird, so machen sich bald die Folgen der Stauungshyperämie auf der Gastrointestinalschleimhaut und am Bauchfell bemerklich: es erfolgen Blutungen oder vermehrte Darmsecretion, profuse Diarrhöen, mitunter auch acuter Ascites.

Darmblutungen beobachtete ich drei Mal, sie waren intermittirend, traten jedes Mal mit dem Fieberparoxysmus auf und widerstanden der direct gegen die Blutung gerichteten Therapie, wichen aber auf reichliche Gaben von Chinin.

Der erste Fall dieser Art, welcher mir vorkam, endete lethal, weil der Process wegen des anhaltenden Fiebers als Typhus aufgefasst wurde. Die Krankheit betraf einen 20jährigen jungen Mann in O., bei welchem, nachdem er seit 14 Tagen — wie die Aerzte berichteten — an einem leichten Typhus gelitten hatte, sich heftige Darmblutungen einstellten.

Der Kranke hatte, als ich ihn sah, mehre Pfunde dunkelen Blutes entleert und war in hohem Grade erschöpft, seine Haut graugelb gefärbt, Puls 110, kaum fühlbar. Die Hämorrhagie war in drei Anfällen, jedes Mal nach zweitägiger Pause, unter stärkerer Aufregung des Gefässsystems aufgetreten und dem Anscheine nach durch Styptica, Alaun und Ferr. mur., gehoben. Der vierte Anfall, welcher wiederum nach zwei Tagen erfolgte, brachte den Tod.

In demselben Orte sah ich bald darauf einen anderen Kranken, bei welchem man ebenfalls einen Typhus diagnosticirt hatte, weil nach vier Anfällen einer Quotidiana die Intermission undeutlich geworden war; auch hier bestand eine profuse Darmblutung, welche täglich zur selben Zeit exacerbirte. Styptica waren vergebens versucht. Chinin mit Elix. acid. Hall. beseitigte die Hämorrhagie und leitete die Reconvalescenz ein.

Bei einem dritten Kranken mit Quartanfieber kam die Darmblutung alle drei Tage und war jedes Mal begleitet von Hämaturie, auch hier genügte das Chinin.

Aehnliche Fälle kamen zu jener Zeit vielfach vor; ich erwähne nur die, welche ich genauer beobachten konnte. Als Residuen solcher Stauungen fanden wir bei Obductionen mehrfach dunkele Suffusionen der Darmserosa und des Mesenteriums. Ob sie während des Lebens von Darmblutung begleitet waren, liess sich nicht mehr eruiren.

In anderen Fällen, in welchen die Stauung des Pfortaderblutes weniger intensiv zu sein schien, waren profuse Absonderungen von Seiten der Darmschleimhaut und rasch erfolgende seröse Ergiessungen im Cavo abdominis vorhanden. Die Diarrhöen kamen besonders bei Individuen vor, welche während der Ueberschwemmung von 1854 bei Wasserarbeiten verwendet waren, sie steigerten sich nicht selten zur Dysenterie. Ob indess hier die Beeinträchtigung des Pfortaderblutlaufes die alleinige Ursache war, oder ob noch andere Causalmomente einwirkten, lasse ich dahin gestellt. Spontane, nicht von Intermittens begleitete Darmcatarrhe waren in jener Zeit selten.

Wo die Folgen der Pigmentanhäufung in der Pfortader weniger intensiv während des Bestehens der Intermittens sich offenbarten, liessen sich dennoch oft in späteren Perioden die entfernteren Folgen nachweisen. Ein Theil der Capillaren obliterirte, die Parenchymzellen in der Umgebung schwanden und es entstand chronische Atrophie, wie sie Cap. VI, Beob. 24 und 25 geschildert ist [1]).

Nr. 42.

Anhaltende oft wiederholte Intermittens, zuletzt mit Quartantypus: Albuminurie hohen Grades, Fibrincylinder mit Pigment. Oedem, rasch sich entwickelnder Ascites. Punction nach vergeblicher Anwendung von Eisen und Drasticis. Recidiv des Fiebers. Paroxysmus von zweitägiger Dauer. Tod durch Erschöpfung.

Pigment in der Milz, Verstopfung der Lebercapillaren, Atrophie der Leber. Pigmentanhäufung in den Nieren. Consecutive Pneumonie.

Doroth. Schirmer, 38 Jahre alt, Arbeiterfrau, war vom 17. Mai bis zum 31. Juli auf der klinischen Abtheilung. Sie litt oft und lange an Wechselfiebern mit verschiedenem Typus; während des letzten Winters fast ohne Unterbrechung an Quartana. Gegenwärtig bei der Aufnahme hat das Fieber die Form der Quartana duplex. Seit 14 Tagen bemerkt die Kranke Fussödeme und auffallende Verminderung der Harnabsonderung; der Urin ist trübe, graugelb gefärbt, enthält eine enorme Menge von Fibrincylindern, welche zum Theil mit Pigmentkörnchen und -Zellen von schwarzer Farbe bedeckt sind. In der Siedhitze gesteht der Harn zu einem festen Coagulum. Die Nierengegend auf Druck empfindlich. Die Milz überragt den Rand der falschen Rippen um 4 Centimeter. Das durch einen Schröpfkopf bei vorsichtiger Vermeidung fremdartiger Beimengungen entzogene Blut enthält bräunliche und schwarze Pigmentmassen in Form von Schollen und Zellen.

Nach Verbrauch von einer Drachme Chinin blieben die Fieberanfälle aus; der Harn verändert jedoch seine Beschaffenheit nicht, auch die Menge bleibt gering; wiederholtes Erbrechen schleimiger, grün gefärbter Flüssigkeit, ohne Kopfschmerz und Gesichtsverdunkelung. Ord. Succ. Citr. Die Harnmenge nimmt etwas zu, das Erbrechen hört auf, der Appetit hebt sich. Ord. Ferr. lactic. Die Fussödeme vermindern sich; aber sehr rasch entwickelt

---

[1]) Haspel (Malad. de l'Algérie, T. I, p. 335) scheint bereits einen hierher gehörigen Fall beobachtet zu haben. Er fand die Leber eines Individuums, welches nach einem Tertianfieber an hartnäckiger Diarrhoe mit Ascites litt und wiederholt punktirt werden musste, klein, schwer zerreisslich und schwärzlich im Innern.

sich Ascites und erreicht bald eine die Respiration beengende Höhe. Coloquinthen, Gummi Gutti und ähnliche Drastica vermogten gegen denselben wenig, eine energische Anwendung derselben veranlasste Digestionsstörungen, Erbrechen etc., so dass ihr Fortgebrauch nicht rathsam erschien.

Am 10. Juli wurden durch die Punction gegen 12 Pfund klaren Serums entleert. Das Volumen der Leber, welches hierbei genauer festgestellt werden konnte, war wenig verkleinert.

Am 12. Juli Nachmittags ein Fieberanfall, Frost, Hitze, Schweiss; am 13. Wohlbefinden.

Am 14. des Nachts trat des angewandten Chinins ungeachtet wiederum ein Paroxysmus auf, welcher in der gewöhnlichen Frist sich nicht entscheidet; die Pulse bleiben sehr frequent, sind bis auf 140 gestiegen und kaum fühlbar, ohne dass Hirnstörungen, Dyspnoe, physikalisch nachweissbare Veränderungen am Herzen oder Herzbeutel nachweisslich waren. Diese Pulsfrequenz dauerte vom 14. Abends bis zum 17. Morgens, wo sie plötzlich auf 88 herabsank. Neue Fieberanfälle stellten sich nicht ein, die Pulse blieben bis zum Ende zwischen 80 und 90 schwankend, allein der Ascites stieg rasch, die Fussödeme nahmen bedeutend zu, es entwickelte sich Decubitus und nach langer Agonie erfolgte am 31. der Tod ohne Gehirnerscheinungen.

Obduction am 1. August 12 h. p. m.

Schädeldach, Hirnhäute und Hirnsubstanz sind in Blutgehalt, Farbe und Consistenz nicht wesentlich verändert. Die Schleimhaut der Luftwege blass; die linke Lunge oben ödematös, unten von einem schlaffen, wenig umfangreichen Infiltrat durchsetzt, die Pleura ist hier mit einer dünnen Schicht grauen flockigen Exsudats bedeckt.

Die rechte Lunge hinten hypostatisch, am vorderen Rande emphysematös. Der Herzbeutel enthält gegen 3 Unzen klaren Serums, das Herz in seiner Muskulatur und dem Klappenapparat normal. Das Blut im rechten Vorhof fest geronnen. Oesophagus blass. Die Magenschleimhaut stellenweise ecchymosirt, in der Umgebung des Pylorus schiefergrau. Die Auskleidung des Darmes oben blass, im Dickdarm ödematös infiltrirt und stellenweise grob vascularisirt, Fäcalstoffe gelb. Pancreas und Mesenterialdrüsen normal.

Die Milz nicht vergrössert, schlaff, gerunzelt, die Kapsel verdickt, das Parenchym zähe, blaugrau gefärbt.

Die Leber links mit breitem atrophischen Saume, in der serösen Hülle sieht man weisse Stränge obliterirter Gefässe. Das Parenchym von glatter Schnittfläche, etwas brüchig, graubraun von Farbe. Das Gesammtvolum verkleinert. In der mit dem Colon und Magen verwachsenen, stark ausgedehnten Gallenblase findet sich grüne, schleimige, etwas eiweisshaltige Galle.

Die mikroskopische Untersuchung liess in der Milz, im Blute der Pfortader sowie in den Capillaren der Leber schwarzes Pigment in den bekannten Formen erkennen.

Die Nieren von normaler Grösse, die Oberfläche glatt, die Kapsel fester anhaftend, die Corkalsubstanz graugelb, schlaff, brüchig. Das Mikroskop wiess in den Glomerulis, sowie in den Gefässen des Cortex, hie und da auch innerhalb der Harncanälchen Pigment nach.

Die Blasenschleimhaut ecchymosirt, Harn spärlich und eiweissreich.

Die Genitalorgane nicht wesentlich verändert; im rechten Ovarium eine haselnussgrosse Cyste.

Nr. 43.

Siebenwöchentliche Intermittens mit Tertian- und Quotidiantypus, Darmcatarrh, Hydrämie, Anasarca. Besserung durch Eisenpräparate. Recidiv; rasche Zunahme der Hydropsie, Unbesinnlichkeit. Tod.
Pigment in der Milz und Leber, das Hirn und die Nieren unbetheiligt.

Franz Krocker, Bahnarbeiter, 45 Jahre alt, kam am 1. Nov. 1854 in das Hospital. Er litt seit 7 Wochen an Intermittens bald mit Tertian-, bald mit Quotidiantypus, seit 4 Wochen hat sich Anasarca hinzugesellt. Die Milz wird ansehnlich vergrössert gefunden, ragt gegen 3" über den Rand der falschen Rippen hervor; Herz und Lungen normal, im Urin kein Eiweiss, häufige dünne Stühle.

Nachdem das Fieber durch Chinin beseitigt war, befand sich der Kranke bei nahrhafter Diät, Wein und Eisenpräparaten leidlich, das Anasarca nahm ab, die Diarrhöen verminderten sich, bis am 8. Nov. die Temperatur stieg, der Puls sich auf 96 bis 100 hob, Dyspnoe, Pfeifen und Schnurren in den Luftwegen, lebhafte Cephaläe sich einstellte. Gleichzeitig konnte ein reichlicher Erguss von Flüssigkeit in der Bauchhöhle und bald darauf auch in den Pleurasäcken constatirt werden. Obgleich diese Veränderung keineswegs als deutlicher Fieberparoxysmus sich aussprach, so wurde in Anbetracht der Unsicherheit, welche die gewöhnlichen Anhaltspunkte bei bösartigen Formen haben, dennoch Chinin gereicht: allein der Kranke collabirte rasch, seine Farbe wurde erdfahl, es trat Schlafsucht ein und am 14. der Tod.

Obduction nach 24 Stunden.

Die Leiche stark hydropisch geschwollen. Hirnhäute und Hirnsubstanz von normalem Blutreichthum, Farbe und Consistenz der letzteren nicht verändert, in den Capillaren des Cortex kein Pigment.

Die Schleimhaut der Luftwege leicht geröthet und mit grauem Schleim bedeckt. In beiden Pleurasäcken mehre Pfunde Serum. Die Lungen oben blutarm, schmutzig grau, Ränder emphysematös, unten comprimirt und luftleer.

Der Herzbeutel enthält ein Pfund klaren Serums; im Herzen locker geronnenes Blut, in welchem Pigment in mässiger Quantität gefunden wird. Muskulatur und Klappenapparat normal.

Im Peritonealsack viele Pfunde klaren Serums. Magen und Darmcanal blass, im Uebrigen intact.

Die Milz sehr gross, ihre Kapsel prall gespannt, weiches, dunkel graubraunes Parenchym.

Die Leber an den Rändern geschrumpft; am vorderen Saume des linken wie des rechten Lappens ist die Serosa getrübt durch frisches Exsudat und bedeckt mit hellrothen neugebildeten Gefässen. Das Parenchym der Leber dunkel graubraun von Farbe und von mürber Consistenz. Hier sowohl wie in der Milz grosse Massen von Pigment.

Galle dünnflüssig, blass, eiweisshaltig.

Nieren anämisch.

Blase und Prostata normal.

Nr. 44.

Dysenterie geringeren Grades, Albuminurie, Tod durch Erschöpfung, keine Cerebralstörung. Pigmentanhäufung in der Milz und Leber, im Gehirn, den Nieren und dem Pancreas.

Josepha Weiss, Tagelöhnerfrau, 54 Jahre alt, kam am 29. August 1854 ins Hospital.

Die sehr herabgekommene, magere, anämische Frau will seit 3 Wochen an Diarrhöe leiden, durch welche blutiger Schleim mit lebhaftem Tenesmus entleert wurde. Sie leitet diesen Durchfall von einer Erkältung her: intermittirende Fieberanfälle hat sie nicht bemerkt. Bei der Aufnahme wurde der Sphincter ani so erschlafft gefunden, dass beständig blutig schleimiger Stuhl abfloss; die Harnblase war paralysirt, der durch den Catheter entleerte dunkele Urin enthält reichliche Mengen von Eiweiss.

Durch passende nahrhafte Diät, Wein, Columbodecoct und Tanninklystiere wurde eine vorübergehende Besserung erzielt: allein bald nahm der Process im Dickdarm von neuem an Intensität zu, die Erschöpfung machte rasche Fortschritte; die Kranke wurde mehr und mehr apathisch, lag schlafend da, gab indess auf Fragen jeder Zeit vollkommen verständige Antworten. Nach langer Agonie erfolgte der Tod am 9. September.

Obduction 26 Stunden p. m.

Die Hirnhäute mässig blutreich, leichtes Oedem der Arachnoidea. Die Cortikalsubstanz des Hirns ist von schiefergrauer Farbe, scharf abstechend gegen die blutarme Marksubstanz. Consistenz normal. Die Capillaren der Rinde sind mit Pigmentkörnchen und Schollen überfüllt.

Lungen trocken und blutarm. Im Herzblut viel Pigment.

Die Milz um ein Dritttheil grösser, breiig weich, schmutzig grau von Farbe, sehr reich an schwarzem und braunem Pigment.

Die Leber von normalem Umfange, schlaff, chocoladefarbig, ihre Zellen blass. Die Galle spärlich, dunkel, ohne Eiweiss. Die Capillaren der Leber im Umkreise der Läppchen, weniger gegen das Centrum derselben mit Pigment erfüllt. Die Magenschleimhaut schiefergrau, die Auskleidung des Dünndarms blass. Die Schleimhaut des Dickdarms von der Ileocoecalklappe bis zum Sphinkter mit grauer eitriger Flüssigkeit bedeckt, an vielen Stellen erodirt und hämorrhagisch suffundirt, jedoch frei von massenhaften Exsudaten und tieferen Substanzverlusten.

Pancreas stark pigmentirt. Die Nieren blutarm und welk, in den Glomerulis wie in den Harncanälchen eine mässige Menge von Pigment.

Die Harnblase enthält viel trüben Urin, welcher in der Siedhitze Eiweiss fallen lässt, aber keine Cylinder enthält. Genitalorgane normal.

Nr. 45.

Abdominaltyphus, wiederholt recidivirende Intermittens, Dysenterie, Erschöpfung, Tod. Pigmentreiche Milz und Leber, letztere atrophisch, dysenterischer Process im Dickdarm.

E. Hahn, 59 Jahre alt, überstand im September einen leichten Typhus, nach welchem ein mehre Male recidivirendes Wechselfieber sich einstellte. Während desselben entwickelt sich ohne anderweitige Ursache bei mässig guter Verdauung, ohne Diarrhöe und Albuminurie in kurzer Frist hochgradige Anämie, die Haut bekommt ein eminent bleiches Aussehen, wird trocken und schilfernd, weit verbreitetes Anasarca stellt sich ein.

Im November traten einige Paroxysmen im Quartantypus ein, welche zwar bald durch Chinin beseitigt wurden, indess eine Diarrhöe zurückliessen die allmälig alle Charaktere einer Dysenterie annahm. Ferr. mur., Argent. nitr. mit Opium und andere Mittel wurden vergebens dagegen angewandt; die Oedeme stiegen rasch, die Kranke collabirte und ging ohne Störung des Bewusstseins am 9. December an Erschöpfung zu Grunde.

Obduction 12 Stunden p. m.

Das Gehirn und seine Häute, sowie die Respirations- und Circulationsorgane, abgesehen von der Blässe und Blutarmuth, ohne wesentliche Veränderung.

Die Milz von normaler Grösse, mässiger Consistenz und graubraunem Parenchym. Ihre Kapsel stark gerunzelt.

Die Leber klein, von glatter Oberfläche und scharfen Rändern; das Parenchym mässig consistent, blaubraun gefärbt. Die Läppchen umgeben von dunkelen Ringen. In der Gallenblase eine kleine Quantität dunkeler Galle. Magen und Pancreas normal.

Die Flexura iliaca durch falsche Bänder nach rechts gezogen und fixirt; die Serosa des Rectums getrübt, die Schleimhaut stark gewulstet, mit dicken grünlich gelben Exsudatmassen bedeckt und mit zahlreichen Substanzverlusten übersäet. Diese Veränderungen erstrecken sich, an Intensität allmälig abnehmend, bis zur Valv. coli. Im Ileum ist die Schleimhaut blass und zeigt einige graue Typhusnarben.

Die Nieren etwas kleiner, stellenweise narbig eingezogen, sonst normal. Im rechten Ovarium eine faustgrosse einfache Cyste.

Aetiologie.

Bei der grossen Häufigkeit der Intermittenten sind Formen mit ausgeprägter Pigmentbildung verhältnissmässig selten; neben den gewöhnlichen Ursachen der Wechselfieber müssen also noch andere mitwirken, welche wir nicht genauer kennen. Ob eine besondere Qualität der Miasmen oder eine ungewöhnliche Intensität derselben dazu nothwendig sei, lässt sich bei unserer mangelhaften Einsicht in das Wesen der Infectionskrankheiten nicht entscheiden. Die Epidemie, welcher die von mir beschriebenen Fälle angehören, entwickelte sich nach der durch den Austritt der Oder veranlassten Ueberschwemmung Schlesiens im Jahre 1854. Nachdem dieselbe beendet war, kamen Fälle dieser Art sehr selten vor, obgleich es an gewöhnlichen Wechselfiebern hier niemals fehlt.

Die Diagnostik wird nur durch directe Untersuchung des Blutes vollkommen sicher gestellt; es genügen einige mit sorgfältiger Vermeidung von Verunreinigungen gesammelte Tropfen, um über die An- oder Abwesenheit grösserer Mengen von Pigment zu entscheiden. Dem geübten Auge giebt schon das eigenthümlich graue, aschfarbige oder graugelbe Colorit der Haut die Diagnose an die Hand. Weniger sicher ist das Auftreten schwerer Hirnstörungen mit gleichzeitiger Albuminurie oder Hämaturie, sowie der rasche Collapsus. Wichtiger ist das epidemische Auftreten, welches uns besonders dann leiten muss, wenn neben einem Fieber von undeutlichem Typus plötzlich schwere Hirnzufälle, Darmblutungen, Unterdrückung der Harnabsonderung etc. bemerkt werden, ohne dass eine genügende anderweitige Ursache hierzu vorläge. Die periodische Zunahme jener Symptome, die verhältnissmässig geringe Pulsfrequenz, die Vergrösserung des Milz- und Lebervolumens, die Hautfarbe etc. können dann weitere Anhaltspunkte gewähren. In einzelnen Fällen kann nur der günstige Einfluss des Chinins die Diagnose sichern.

Die Prognose bleibt stets eine zweifelhafte. Der Nachlass des Fiebers berechtigt noch nicht zu einer günstigen Vorhersage, weil nicht selten plötzlich und unerwartet Recidive auftreten, die sofort tödtlich enden können; ausserdem drohen Cachexie und Hydrämie als Folgen der Veränderungen, welche Milz und Leber zu erleiden pflegen. Die Albuminurie weicht, wenn sie periodisch auftritt und noch nicht lange bestand, leicht dem Chinin, später bekämpft man sie oft vergebens. Coma und Convulsionen sind im Allgemeinen von übler Vorbedeutung, jedoch heilen bei geeigneter rechtzeitiger Behandlung auch solche Fälle nicht selten.

Therapie.

Die Beseitigung der Intermittens ist die erste Aufgabe, deren Ausführung um so dringender ist, je schwerer die Zufälle während des Paroxysmus sich gestalten; jeder neue Anfall bedroht das Leben oder vermehrt jedenfalls die Summe der Störungen, welche das Leben gefährden. In solchen Fällen reiche man, sobald die Diagnose feststeht, grosse Gaben von Chinin, am besten in aufgelöster Form mit Säuren, wo es leichter und rascher aufgenommen wird. Contraindicationen dürfen, wenn sie nicht sehr gewichtiger Art sind, wie bedeutende Hyperämieen des Gehirns etc., keinen Zeitverlust veranlassen.

Bei leichteren Formen mit vorwiegenden abdominellen Störungen, starkem Gastroenterocatarrh, Icterus, hyperämischer Schwellung der Leber etc., ist es zweckmässiger, zunächst gegen diese letzteren in geeigneter Weise einzuschreiten, ehe man das Chinin anwendet. Mit dem Gebrauche des letzteren höre man nicht zu frühzeitig auf, weil Recidive hier vorzugsweise leicht eintreten und besonders gefährlich sind.

Nach der Beseitigung des Fiebers bleibt als zweite Aufgabe die Behandlung der zurückbleibenden localen Störungen in der Milz, der Leber, den Nieren, dem Gehirn etc. Einfache Milztumoren weichen gewöhnlich der Anwendung des Chinins und der leicht verdaulichen Eisenpräparate, wie des Eisensalmiaks, des milchsauren oder citronensauren Eisenoxyduls etc.; schwieriger ist es, die hie und da sich ausbildende colloide Infiltration des Organs zu beseitigen; es bedarf dazu der Jodpräparate, besonders des Ferr. jodat., der jod- und bromhaltigen Mineralwässer, des Carlsbader und verwandter Brunnen etc., welche, je nach dem Zustande der Blutmischung, mehr oder minder vorsichtig anzuwenden sind.

Die Hyperämie der Leber pflegt sich nach dem Aufhören des Fiebers und oft schon früher spontan zu verlieren, bleibt dieselbe längere Zeit stationär, so kann man Rheum, die Extr. sapon. mit Mittelsalzen, Eisensalmiak mit Extr. Aloes und analoge Dinge anwenden. Dieselbe Therapie ist angemessen, wenn Catarrhe des Duodenums und der Lebergänge eine auf Gallenstauung beruhende Vergrösserung des Lebervolums veranlassten.

Eine viel grössere Gefahr für das Fortschreiten der Reconvalescenz liegt in den Nutritionsstörungen, welche die Leber in Folge der Pigmentüberfüllung ihrer Capillaren und der vorausgegangenen Hyperämie in Verbindung mit der durch das Sumpfmiasma veränderten Blutmischung bedrohen. Am meisten zu fürchten ist die wegen Untergangs zahlreicher Capillaren allmälig sich einstellende Atrophie der Leber, deren Folgen wir bereits Cap. VI. kennen lernten. Ich kenne kein Verfahren, durch welches ein solcher Schwund abgewendet werden könnte. Wie die Folgen desselben, die Gastrocatarrhe, die erschöpfenden Diarrhöen, der Ascites, zu behandeln seien, ist bereits a. a. O. erörtert. Die intermittirenden Blutungen und der acute Ascites, welche ausgedehnteren Capillarverstopfungen auf dem Fusse folgen, bekämpft man am besten durch baldiges Coupiren der Intermittens; erst später kann man zu Adstringentien und Stypticis übergehen.

Die fettigen und die colloiden Infiltrationen der Leber, welche in anderen Fällen zur Ausbildung kommen, sind nach den in den späteren Abschnitten zu erörternden Grundsätzen zu behandeln.

Das dritte für die Therapie beachtenswerthe Organ sind die Nieren; sie erkranken bald gleich zu Anfang in Besorgniss erregender Weise, bald erst später. Albuminurie und Hämaturie, welche den Fieberparoxysmus begleiten und mit demselben remittiren oder intermittiren, weichen am besten dem Chinin und verlieren sich meistens, sobald das Fieber aufhört. Besteht die Secretionsanomalie noch fort, so passen tonische und adstringirende Mittel, wie das Chinaextract in einem aromatischen Wasser aufgelöst, die Gerb- oder die Gallussäure, die Eisenpräparate u. s. w. Ein ähnliches Verfahren, abwechselnd mit Ableitung auf die Haut und den Darm durch warme Bäder einerseits sowie durch Drastica andererseits (letztere jedoch nur bei intacter Darmschleimhaut), passt bei der chronischen Albuminurie und dem hierbei selten fehlenden Hydrops, welche als Folgen der nach dem Fieber zurückbleibenden Cachexie zur Ausbildung kommen. Der Erfolg hängt hier hauptsächlich davon ab, ob neben der Milz- und Nierenaffection noch tiefere Läsionen des Leberparenchyms und der Gastrointestinalschleimhaut vorhanden sind. Ist das letztere der Fall, so gelingt es selten, dem Process Schranken zu setzen. Bei hartnäckiger Albuminurie und festem Milztumor darf man colloide Infiltration der Nieren vermuthen und Jodeisen versuchen, so lange der Zustand der Digestionsorgane und die Hydrämie es gestatten; es gehört diese Form zu den schwierigsten.

Störungen der Hirnthätigkeit erheischen während der Anfälle des Fiebers ein besonderes Verfahren, wenn bedeutende Hyperämie sich einstellt oder Hirnlähmung droht; im ersten Falle sind Blutentziehungen nebst kalten Umschlägen, im zweiten flüchtige Reizmittel, Aether, Moschus, Ammonium causticum etc., anwendbar. Man versäume indess darüber den Gebrauch des Chinins nicht. Cephalalgie, Schwindel und andere Störungen, welche nach der Beseitigung der Intermittens zurückbleiben, weichen am besten dem Fortgebrauch des Alkaloids.

Die Veränderung der Blutmischung, die Anämie und Hydrämie macht fast in allen Fällen als Nachkur ein tonisirendes Heilverfahren durch leicht verdauliche animalische Diät nebst Eisen etc. nothwendig. Der Erfolg desselben ist bald sichtbar, wenn keine wichtigere Localaffectionen in Leber, Darm und Nieren, welche die Assimilation stören oder abnorme Ausscheidungen unterhalten, nebenher bestehen. Ist dies der Fall, so bemüht man sich oft vergebens.

IX.

Die Hyperämie der Leber und deren Folgen.

Die Leber ist vermöge ihrer Structur und der Anordnung ihres Gefässapparates Anomalieen der Blutvertheilung mehr ausgesetzt, als andere Organe. Auf den Blutstrom, welcher unter dem Druck des Herzens durch das enorme, viel verzweigte Gefässnetz dieser Drüse langsam hindurchfliesst, nachdem er bereits in den Wurzeln der Pfortader eine Capillarbahn überwunden hat, wirken eigenthümliche Verhältnisse ein, durch welche Geschwindigkeit und Spannung dieses Stromes vielfachem Wechsel unterworfen werden.

Es influiren auf denselben ausser der Herzthätigkeit zunächst die Organe, in welchen die Wurzeln der Pfortader liegen. Während der Verdauung, wo die reichlichere Absonderung der Magen- und Darmschleimhaut einen lebhafteren Blutzufluss veranlasst, und wo gleichzeitig durch die Resorption grosse Mengen von Flüssigkeiten aufgenommen werden, strömt das Blut lebhafter durch die Pfortader zur Leber, als es in anderen Zeiten der Fall ist [1]). Aehnliche Folgen kann der ungleiche Contractionszustand der muskelreichen Milzgefässe nach sich ziehen.

[1]) Nach Cl. Bernard bestehen, um während der Verdauungszeit die Leber vor dem starken Blutandrange zu schützen, besondere Communicationen zwischen V. portarum und V. cava, welche mit Umgehung der Pfortadercapillaren das Blut direct in die Hohlvene überführen.

Noch wichtiger für den Portalstrom ist die Thätigkeit des Zwerchfells und der Bauchmuskeln, durch welche der Unterleibsraum verengt, die Pfortader comprimirt und der Inhalt derselben gegen die stets offenen Gefässlichtungen der Leber weiter geführt wird [1]). In gleicher Weise wirken, wenn auch in beschränkterem Maasse, die Contractionen der Magen- und Darmmuskulatur auf die feinsten Anfänge dieser Vene.

Ein drittes für den Blutstrom in der Leber wesentliches Moment liegt in dem ungleichen Widerstande, welchen der Abfluss des Blutes durch die Vv. hepaticae findet. Derselbe vermindert sich bei jeder Einathmung und steigt während des Ausathmens. Bei dem Einathmen erfolgt eine Aspiration des Blutes aus den offenen Lebervenen zu dem Herzen, während gleichzeitig durch das absteigende Zwerchfell die Pfortader und Leber comprimirt und der Gefässinhalt gegen das Herz weiter gefördert wird. Unterstützt wird diese Bewegung durch die Contraction der stark entwickelten Muskulatur der Lebervenen.

Neben diesen, grösstentheils aus der Lagerung der Leber und ihres Gefässapparates sich ergebenden einfachen, ihrem Werthe nach jedoch sehr veränderlichen Bewegungskräften influiren noch andere, weniger genau gekannte. Es gehört dahin besonders die Contractilität der Wandungen der V. portae, sowie der Art. und V. hepat., welche hauptsächlich von der Innervation abhängig erscheint, seltener durch gestörte

[1]) Die älteren Aerzte hatten über die Blutbewegung in der Pfortader eigenthümliche Ansichten, worauf sie ihre Theorieen von den Obstructionen und Anschoppungen der Leber gründeten. Boerhaave glaubte, dass das Blut in der Pfortader unabhängig vom Herzen circulire: Sanguis venae portarum amittit omnem a corde acceptum impetum (Praelect. academ. Ed. Haller, Vol. III, p. 115.) Das Blut sollte hier bewegt werden durch die Muskulatur, welche die V. p. in der Capsula Glissonii erhalte (ibid. p. 115 bis 118), sowie durch die respiratorischen Bewegungen des Diaphragmas und der Bauchmuskeln (ibid. p. 183). Stahl läugnete ebenfalls die Mitwirkung des Herzens, das Blut der V. p. bewege sich unter dem Einflusse der Respiration und einer besonderen tonischen Bewegungskraft, welche in der Milz, den Gedärmen, dem Gekröse etc. ihren Sitz habe. Die Nachwirkungen dieser Ansichten machen sich noch gegenwärtig in der Lehre von der Abdominalplethora geltend. Vergl. oben S. 62.

Ernährung verändert wird. Nutritionsstörungen der Gefässwand als Ursache von Ectasieen der Pfortader haben wir bereits bei der chronischen Leberatrophie kennen gelernt, andere Formen werden sich später ergeben. Ueber den Einfluss, welchen die Nerven auf die Blutbewegung in den verschiedenen Abschnitten der Pfortaderbahn und in der Leberarterie äussern, wissen wir wenig Positives. Nach den Erfahrungen von Cl. Bernard veranlassen Verletzungen gewisser Regionen der Med. oblongata (Diabetesstich); elektrische Reizung des centralen Endes der durchschnittenen Nn. vagi, ferner Contusionen des Kopfes, Vergiftung mit Curare etc. hyperämische Schwellung der Leber; eine bedeutende Hyperämie derselben sah ich nach Durchschneidung der Nn. splanchnici und der Exstirpation des grössten Theils des Ganglion coeliacum. Es lässt sich voraussehen, dass in Betreff des Einflusses der Nerven auf die Blutbewegung dieses Gebietes viel complicirtere Verhältnisse obwalten, als wir kennen. Dieselben sind noch zu erforschen, weil wir keineswegs berechtigt sind, die Erfahrungen, welche an anderen Abschnitten des Gefässsystems gemacht wurden, auf die V. portarum etc. ohne Weiteres zu übertragen [1].

Nach dem eben Erörterten erscheint es begreiflich, dass in einem Gefässapparate, welcher so mannigfachen Einwirkungen ausgesetzt ist, Störungen sehr verschiedener Art vorkommen, deren Ursachen bald klar vorliegen, bald weniger zugängig sind. Wir beschäftigen uns zunächst mit den einfacheren Formen, deren Aetiologie sich leichter übersehen lässt, um erst später zu den complicirteren überzugehen.

---

[1]) Kölliker und Virchow beobachteten an der Leiche eines Hingerichteten auf galvanische Reizung des Pfortaderstammes keine Zusammenziehung, in der V. mesaraica sup. nur eine sehr geringe. Bei Versuchen, welche von Herrn Reichert und mir an einem lebenden Hunde angestellt wurden, ergab sich an der V. lienalis und V. mesenterica eine deutliche, wenn auch nur geringe Contraction; an dem Stamm der Pfortader war dieselbe undeutlich; an den Vv. hepaticis und der V. cava inferior, wo wegen der stärkeren Muskulatur auffallendere Wirkungen erwartet wurden, liess sich keine Veränderung bemerken.

1. Die Stauungshyperämie der Leber.

Bei Klappenfehlern des Herzens, vor allen bei solchen, welche frühzeitig Anhäufungen des Blutes in den Hohlvenen veranlassen, wie Stenosis ostii venosi sinistri, Insufficienz der Mitral- und noch mehr der Tricuspidalklappen, ferner bei Lungenaffectionen, welche den Blutstrom in der Art. pulmonalis wesentlich beschränken, wie Emphysem, ausgebreitete Induration oder Obsolescenz der Lunge, scoliotische Beengung des Thoraxraumes, grosse pleuritische Exsudate etc., kommen Hyperämieen der Leber regelmässig vor. Ein wichtiges Moment der Blutbewegung in dieser Drüse, die Aspiration beim Einathmen, fällt mehr oder minder vollständig aus, das Blut in den Hohl- und Lebervenen stellt sich unter einen höheren Druck, welcher den Austritt aus den Pfortadercapillaren erschwert, oder der Strom regurgitirt bei jeder Systole in die Lebervenen hinein, wie wir es an denen des Halses direct beobachten können.

Die Lebergefässe vom Gebiete der Vv. hepat. bleiben unter solchen Verhältnissen dauernd überfüllt, sie erweitern sich allmälig, ihre Wandungen werden hypertrophisch; von ihnen pflanzt sich die Stauung fort auf die Pfortader und die Organe, in welchen die letztere wurzelt; in der Leber und in den zum Bereich der V. portarum gehörigen Gebilden entwickelt sich eine Reihe von Anomalieen der Function und der Ernährung.

Die Leber vergrössert sich nach allen Richtungen ohne wesentliche Veränderung ihrer Gestalt; die Kapsel wird prall gespannt, die Consistenz des Parenchyms fester [1]. Auf der Schnittfläche zeigt das Organ eine muskatnussartige Zeichnung, welche auch durch die Kapsel hindurchscheint und je

---

[1] Hie und da ist das Parenchym teigicht, ödematös, lässt Serum auspressen und behält Gruben zurück.

nach dem Grade der Hyperämie in verschiedener Art sich darstellt. Gewöhnlich sieht man rundliche, oft auch einfach oder blattartig verästelte Figuren von dunkelbraunrother Farbe, welche von hellbraunen Parthieen umgeben sind (Taf. XII, Fig. 2). Die dunkelen Stellen entsprechen den Gebieten der Vv. hepaticae, und ihre Form hängt von der Richtung ab, in welcher der Schnitt das Gefäss trifft [1]). Die helleren Stellen des Parenchyms zeigen bei genauerer Besichtigung zarte blasse Ramificationen, welche der V. port. angehören. (Taf. XII, Fig. 2, und deutlicher in der zehnfach vergrösserten Fig. 3; die Aeste der Vv. hepat. sieht man hier mit schwarzrothen Blutcoagulis gefüllt.)

Erreicht die Hyperämie einen höheren Grad, so fliessen die dunkelen Stellen zusammen und umgeben ringsum helle, dem Pfortadergebiete angehörige Theile; letztere erscheinen dann meistens als rundliche oder ovale, zuweilen als langgestreckte oder dichotomisch getheilte, seltener als blattähnliche Formen (Taf. VIII, Fig. 3).

Bei den höchsten Graden der Leberhyperämie zeigt das Organ streckenweise eine gleichmässig dunkelrothe Farbe, in welcher die stärker gefüllten Lebervenenzweige als schwarzrothe Zeichnungen sichtbar sind [2]) (Taf. XII, Fig. 1).

Die Stauung in den Lebervenen wirkt nothwendig auf die Blutbewegung in dem ganzen Capillarsystem der Leber und von hieraus auf die Pfortader bis zu deren Wurzeln zurück. Die Secretion der Leber scheint hierbei keine wesentliche Veränderung zu erleiden; ich habe mich weder von einer Zunahme, noch von einer Abnahme derselben überzeugen können; in einzelnen Fällen enthielt die Galle Eiweiss. An der

---

[1]) Schon im Normalzustande bleibt hier das Blut in grösserer Menge zurück, und Andeutungen solcher Muskatnussfarbe sind ohne jede Bedeutung, besonders in Fällen, wo der Tod von den Lungen her erfolgt. Ueber andere Ursachen dieser Leberzeichnung vergl. S. 304.

[2]) Kiernan (Transact. of the Royal Society for. 1833) hat diese verschiedenen Grade der Leberhyperämie richtig beschrieben, jedoch entsprechen die vielfach copirten Zeichnungen desselben keineswegs der Natur.

Schleimhaut der Gallenwege macht sich oft Wulstung und vermehrte Absonderung bemerklich, wodurch partiell beschränkte, hie und da auch allgemeine Gallenstase mit leichtem Icterus entstehen kann. Die Ernährung der Leberzellen bleibt anfangs ungestört, später sieht man in den Zellen, welche neben den Anfängen der Lebervenen liegen, reichliche Fettablagerung, wie sie sonst nur neben den Pfortaderästen vorzukommen pflegt. (Auf Taf. VIII, Fig. 3 erkennt man graue und grünlich gelbe Inseln, die ersteren stellen Fettablagerungen dar, wie Fig. 4 bei 280facher Vergrösserung zeigt, die zweiten partielle Gallenstauungen.)

Bei anhaltenderem Bestande der Blutstauung entwickelt sich nach und nach ein eigenthümlicher Schwund des Leberparenchyms, welcher früher vielfach mit der Cirrhose zusammengeworfen wurde. Die Drüse, die bisher durch die Blutfülle geschwellt war, fängt an sich zu verkleinern, gleichzeitig erhält die Oberfläche, später auch das Parenchym, ein fein granulirtes Gefüge. Die Granulationen entstehen dadurch, dass die Vv. centrales lobulorum und die in sie mündenden Capillaren, also die Wurzeln der Lebervenen, sich unter dem starken Druck des aufgestauten Blutes erweitern und so einen Schwund der in ihren Maschen liegenden Leberzellen herbeiführen. Die in der Mitte der Läppchen liegenden Zellen atrophiren und an ihre Stelle tritt ein weiches blutreiches Gewebe aus erweiterten Capillaren und neugebildetem Bindegewebe bestehend, während die Zellen in der Peripherie der Läppchen neben den Pfortaderzweigen unversehrt bleiben [1]. Je weiter dieser Schwund vorschreitet, desto mehr nimmt das Gesammtvolum der Leber ab, desto deutlicher treten die Granulationen hervor.

[1] Man kann diese Verhältnisse am besten an der injicirten Leber verfolgen. In Taf. XII, Fig. 4 ist ein feiner Schnitt einer solchen gezeichnet; die V. hepat. ist mit rother, die V. port. mit gelber Masse gefüllt. Rings um die weite V. centralis sieht man Capillaren, deren Umfang die Norm beträchtlich überschreitet; die Maschen, in welchen die Zellen liegen, sind in hohem Grade verengt, so dass sie stellenweise kleiner gefunden werden als das umgebende Gefässrohr. Gegen die Pfortader zu verengen sich die Capillaren, die Maschen werden weiter und enthalten Zellen von normaler Beschaffenheit.

Von den Lebervenen aus wirkt die Stauung weiter auf die Pfortader und die Gebilde, in welchen die Wurzeln der letzteren Vene liegen. Die Gefässe der Magen- und Darmschleimhaut, der Milz, des Pancreas etc. werden mit venösem Blute überfüllt, und in Folge dessen entstehen in ihnen Störungen der Ernährung und Absonderung. Am frühzeitigsten und am deutlichsten machen sich diese Folgewirkungen auf der Gastrointestinalschleimhaut bemerklich; dieselbe nimmt eine mehr oder minder dunkele Röthung an, ihr Gewebe lockert sich auf, wird mit seröser Flüssigkeit infiltrirt und dadurch gewulstet, nicht selten entstehen Blutextravasate, welche bald schwarze Pigmentirung, bald dagegen Erosionen und Ulcerativprocesse nach sich ziehen. Die Secretion pflegt vermehrt und qualitativ verändert, dünner und wässeriger zu werden; oft bleibt sie beschränkt. Gleichzeitig entstehen wässerige Ergüsse von den serösen Membranen der Bauchhöhle. Die Milz nimmt an Volumen zu, jedoch nur vorübergehend und niemals bedeutend, später wird das Organ dichter und fester, sein Umfang reducirt sich auf das gewöhnliche Maass [1]. Zwischen den Platten des Mesenteriums findet man in manchen Fällen ältere Blutextravasate und livide Färbung der Drüsen, am Pancreas hyperämische Schwellung und seröse Durchfeuchtung. — In Folge des vermehrten Seitendrucks in der Pfortader erleidet die für die Ernährung wichtige Resorption aufgelöster Ingesta aus dem Darmrohr wesentliche Beschränkungen.

Es ist bemerkenswerth, dass, obgleich vom Stamme der Pfortader aus der Druck sich gleichmässig über die Wurzelzweige dieses Gefässes vertheilen muss, dennoch die Wirkungen der Stauung in den verschiedenen Gebieten keineswegs gleichmässig sich kundgeben. Von der Gastrointestinalschleim-

[1] Bei dreizehn Fällen von organischen Herzfehlern, welche Männer betrafen, war das mittlere Gewicht der Milz = 0,28 Kg., das Verhältniss zum Körpergewicht = 1:276; bei neun Fällen von Frauen = 0,17, das relative = 1:282; bei dreizehn Fällen der letzteren mit starker Hydropsie = 0,14, das relative = 1:464; vergl. oben S. 26 und 27.

haut sind immer nur einzelne Partliicen tiefer erkrankt, während die übrigen wenig verändert erscheinen. Am constantesten und am meisten ausgeprägt ist die Erkrankung der Magenschleimhaut, sie war unter 20 Fällen 12 Mal dunkel geröthet und 7 Mal mit Ecchymosen und Erosionen bedeckt, nur 4 Mal erschien die aufgelockerte Membran von blasser Farbe. Im Dünndarm stellt sich das Verhältniss ganz anders, hier findet man die Auskleidung in der Regel blass und wenig verändert, nur 5 Mal unter 20 war das Ileum mässig stark injicirt, jedoch niemals in der Art, wie der Magen. Etwas häufiger beobachtet man Hyperämieen im Dickdarm, besonders im Coecum und in der Flexura iliaca; sie kamen unter 20 Fällen 7 Mal vor, waren bald gleichmässig über grössere Strecken der Schleimhaut verbreitet, bald mehr beschränkt auf den Falten und der Umgebung von Solitärdrüsen; an Intensität erreichten sie in keinem Falle die Injection des Magens.

Diese Ungleichheiten in der Vertheilung der Hyperämie scheinen abhängig zu sein von Differenzen, welche die einzelnen Theile des Darmcanals in Bezug auf den Reichthum, die Weite und die Lagerung ihrer Gefässe darbieten; ausserdem dürften in manchen Fällen noch Nebenumstände anderer Art mitwirken, wie Reizung durch Ingesta oder Medicamente, ferner Unterschiede in der Ausgleichung der venösen Hyperämie nach dem Tode, veranlasst durch Gasanhäufung in einzelnen Theilen des Darmrohrs etc.

Unabhängig vom Pfortadersystem kommt in Begleitung der eben beschriebenen Störungen fast regelmässig Albuminurie vor, welche bald anhaltend besteht, bald nur von Zeit zu Zeit sich bemerklich macht. Sie ist für die Affection der Leber insofern von Bedeutung, als letztere sowie alle Veränderungen im Gebiete der Pfortader, um so mehr zurücktreten, je grösser der Eiweissverlust durch den Harn und je bedeutender die von diesem sowie von der gestörten Digestion und Darmresorption etc. allmälig herbeigeführte Blutarmuth wird.

Symptome.

Die Stauungshyperämie der Leber lässt sich in ihren einzelnen Entwickelungsphasen am Krankenbette gewöhnlich leicht verfolgen. Die Intumescenz der Drüse kündigt sich zunächst durch ein Gefühl von Druck und Schwere im rechten Hypochondrio an, gewöhnlich verbunden mit den Erscheinungen eines mehr oder minder intensiven Gastrocatarrhs, nicht selten auch mit schwachem Icterus. Percussion und Palpation weisen leicht die Volumszunahme der Drüse nach. Die letztere steigt und fällt, je nachdem die Kreislaufsstörung stärker oder schwächer sich kundgiebt: während eines Anfalls heftiger Dyspnöe und Cyanose vergrössert sich die Dämpfung bald um mehre Centimeter. Die Oberfläche des Organs fühlt sich anfangs glatt und prall an, später uneben, granulirt. Bei längerem Bestehen der Krankheit verkleinert sich allmälig das Volum, was um so rascher geschieht, je intensiver die Stauung ist, und je früher ein hoher Grad von Anämie sich ausbildet.

Neben den örtlichen Veränderungen der Leber bestehen die Zufälle der Pfortaderstauung, sich hauptsächlich durch gestörte Magenverdauung[1]), Schmerzen und Spannung im Epigastrio, Uebelkeit etc., hie und da auch durch Schwellung der Hämorrhoidalvenen kundgebend. Der Stuhl ist in der Regel angehalten, selten stellt sich vorübergehend Diarrhoe ein (unter 20 Fällen nur vier Mal). Der spärlich gelassene hoch gestellte Harn enthält fast immer kleinere Mengen von Eiweiss, zuweilen auch Gallenpigment; das letztere meistens nur vorübergehend neben leicht icterischer Färbung der Conjunctiva und der Haut.

Diese Störungen der Unterleibsorgane sind begleitet von den Zufällen der Herz- oder Lungenkrankheit, welche den

[1]) Man findet bei der Obduction nicht selten alle Zeichen des chronischen Magencatarrhs, Wulstung, livide Färbung, dicken Schleimbelag etc., wo während des Lebens keine Zeichen gestörter Digestion bestanden.

Ausgangspunkt der Kreislaufsstörung bilden und früher oder später durch Lungenödem, Apoplexie, allgemeine Wassersucht etc. den Tod herbeiführen.

Bei der Behandlung der vorliegenden Leberaffection muss man im Auge behalten, dass dieselbe nur ein Glied in der langen Kette pathologischer Vorgänge ist, welche von einer und derselben Ursache veranlasst und unterhalten werden, und dass es von der Beschaffenheit der letzteren abhängt, ob nur vorübergehende oder dauernde Resultate sich erzielen lassen. Gewöhnlich ist nur eine Palliativkur möglich, weil die zu Grunde liegenden organischen Läsionen nicht beseitigt werden können. Aufgabe der Therapie ist, die Blutüberfüllung des Pfortadergebiets zu regeln und die nachtheiligen Folgen derselben für die Digestion und Ernährung zu beschränken. Eine umsichtige Ausführung dieser Indicationen trägt wesentlich dazu bei, die Beschwerden, welche mit Herzkrankheiten nothwendig verbunden sind, zu erleichtern und den übelen Ausgang derselben hinauszuschieben. Bedeutende Anschwellung der Leber, verbunden mit Schmerzhaftigkeit des rechten Hypochondriums, mässigt man am besten durch milde salinische Abführmittel, deren Wirkung man durch ein Inf. rad. Rhei längere Zeit unterhält; gleichzeitig kann man einige Schröpfköpfe auf die Lebergegend und Blutigel ad anum applieiren lassen. Wo die Kreislaufsstörungen nicht allzu drohender Art sind, gelingt es oft durch vorsichtige Anwendung des Kissinger Ragoczy oder des Carlsbader Mühlbrunnens anhaltende Erleichterung zu schaffen. Ich behandelte einen Kranken mit Stenosis ostii venosi sinistri, welcher vier Jahre lang durch Gebrauch der kühleren Carlsbader Quellen sich einen erträglichen Winter bereitete; ähnliche Resultate erzielte ich wiederholt durch vorsichtigen Gebrauch der Marienbader und Kissinger Wässer. Wo die Erkrankung der Klappen oder der Muskulatur des Herzens einen höheren Grad erreicht, werden Mineralbrunnen nicht mehr ertragen.

Beim Beginn der Hydropsie vermeide man die salinischen

Mittel und wähle statt ihrer bittere Pflanzenstoffe, wie Rheum, Aloë und verwandte Präparate, denen man bei Tympanie aromatische Stoffe, ätherische Oele, kleine Mengen von Aether etc. zusetzt. Ist die Empfindlichkeit des Magens gross, so lasse man einige Blutigel anlegen oder beschränke sich auf den Gebrauch der wässerigen Rhabarbertinctur mit Aq. Lauroceras., Extr. Bellad. und ähnlicher Dinge. Magenblutung, die jedoch selten profus wird, ferner Ulceration des Magens, indicirt die Anwendung von Eispillen und Adstringentien.

Man hüte sich, durch anhaltenden Gebrauch der Digitalis den Digestionsorganen dauernden Nachtheil zu bringen.

Nr. 46.

Stenose des linken venösen Ostiums des Herzens, Insufficienz der Tricuspidalklappe, starker Venenpuls, Hämoptoe, Albuminurie, Stauungshyperämie der Leber, des Magens und des Dickdarmes.

Carl Scholz, Bäckergeselle, 38 Jahre alt, wurde am 19. Dec. 1854 aufgenommen und starb am 19. Febr. 1855. Vor fünf Jahren überstand der Kranke einen acuten Gelenkrheumatismus, welcher Herzklopfen und Athembeschwerden mit blutigem Auswurf zurückliess.

Bei der Aufnahme bedeutende Dyspnöe, weit verbreitete Rasselgeräusche und fein schaumige blutig tingirte Sputa. Der Herzstoss an der normalen Stelle; an der Spitze hört man ein systolisches und diastolisches Geräusch; das systolische Blasen vernimmt man noch lauter unter dem Brustbein oberhalb des Schwertfortsatzes; nach oben zu verlieren sich beide, der zweite Ton in der Pulmonalarterie verstärkt. Die Herzdämpfung sehr breit; das Gesicht, besonders die Lippen von cyanotischer Färbung; die Venen am Halse sind stark ausgedehnt und zeigen systolische Pulsationen in exquisiter Form. An der Radialarterie 80 kleine Pulse. Die Leber überragt den Rippensaum um $1^1/_2$", die Dämpfung beträgt in der Mammarlinie 11 Centimeter; ihre Oberfläche fühlt sich uneben an und theilt der aufgelegten Hand die Empfindung einer Pulsation mit. Die Zunge rein, der Appetit wenig gestört, die Stuhlausleerung träge. Der Urin spärlich, dunkel, schwach eiweisshaltig.

Ord. Inf. hb. Digit. p., daneben täglich 2 Gr. Extr. Aloes.

Die Athmungsbeschwerden und die Spannung des Unterleibes werden erleichtert, jedoch nur vorübergehend. Es findet sich nach und nach Oedem der Füsse und Ascites ein, wiederholt tritt blutiges Lungenödem auf, welches durch Digit., Acid. benzoic. etc. abgewendet werden musste. Bis Anfang Februar blieb der Zustand erträglich, der Appetit erhielt sich, der Schlaf war wenig gestört; von nun an nahmen ohne Aenderung der oben angeführten auscultatorischen Zeichen die Dyspnöe, Cyanose und der Hydrops bei vollständig darniederliegender Digestion täglich zu, bis am 19. ein Anfall von Asphyxie den Tod herbeiführte.

Obduction 17 h. p. m.

Die Hirnhäute blutreich und verdickt, die Hirnsubstanz von normaler Beschaffenheit, am Halse bemerkt man eine bedeutende Erweiterung der V. jugularis interna, welche oberhalb des Schlüsselbeins einen wallnussgrossen Bulbus zeigt, die V. jugularis externa ist ebenfalls erweitert.

Die Schleimhaut der Luftwege ist hyperämisch und stellenweise blutig suffundirt; die Lungen beiderseits durchweg lufthaltig, sehr blutreich, ohne Oedem. Der Herzbeutel weiss getrübt und verdickt, auf dem rechten Ventrikel, welcher an der Basis 3¼" Breite hat, bemerkt man einen grossen Sehnenfleck; die Tricuspidalklappe ist verdickt und trübe, ihre Ränder sind abgerundet, die Sehnenfäden sowie zwei Klappenzipfel mit einander verwachsen; das Ostium venosum ist in Folge dessen sehr erweitert, ihr Klappenapparat insufficient. In dem erweiterten Vorhof erscheint das Endocardium weiss getrübt, das Foramen ovale hat eine liniengrosse Oeffnung; die Klappen der Art. pulmon. normal. Die Wandungen des linken Ventrikels unverändert; die Bicuspidalklappe ist zu einem starren Ringe verwachsen, an ihrer Basis liegen zackige Kalkablagerungen; Kranzvenen stark erweitert; Aorta normal.

Die Magenschleimhaut enorm hyperämisch, blau schwarz, stellenweise mit grauen Flecken bedeckt, die Auskleidung des Jejunum und Ileum blass, Coecum und Colon stellenweise hyperämisch und ecchymosirt. Mesenterialdrüsen und -Venen nicht verändert.

Die Milz von normalem Umfange, ihre Kapsel verdickt, Parenchym braun roth, derb und blutreich.

Die Leber gross, die Kapsel trübe, die Oberfläche uneben granulirt; das Parenchym sehr blutreich; die Farbe erscheint stellenweise gleichmässig dunkelroth mit schwärzlichen den Vv. hepaticis entsprechenden Zeichnungen, stellenweise erkennt man theils weiss-, theils grünlichgelbe Flecken, welche von dunkelen hyperämischen Parthieen umgeben sind. Die V. cava descendens und die Vv. hepaticae sind enorm erweitert, ihre Wandungen verdickt. Diese Erweiterungen erstrecken sich, wie die Injection zeigt, bis zu den Capillaren der Läppchen; die Leberzellen theils atrophisch, theils mit Fetttröpfchen gefüllt; in den grünlichgelben Stellen sind sie mit Gallenpigment überladen. Die Gallenblase enthält wenig dickes dunkeles Secret.

Die Nieren zeigen in der Corticalsubstanz vereinzelte flache Narben.

Nr. 47.

Stenose des linken venösen Herzostiums, wiederholte Anfälle von Lungenödem, Albuminurie, Stauungshyperämie der Leber, hämorrhagische Erosionen des Magens, blasse gewulstete Darmschleimhaut.

Veronica Gräser, Tischlerfrau, 29 Jahre alt, wurde am 31. October 1854 aufgenommen und starb am 6. December. Sie war bereits vor drei Jahren im Hospital wegen Lungenödem behandelt worden, welches bald nach einer Entbindung als Folge einer Stenose des linken Ostium venosum des Herzens sich ausgebildet hatte. Schon damals waren am Herzen dieselben physikalischen Zeichen wahrnehmbar, wie bei dieser letzten Aufnahme. Man hörte ein diastolisches mit Fremissement verbundenes Geräusch, am lautesten an der Spitze des Herzens, welches an der normalen Stelle anschlägt, daneben eine bedeutende Verstärkung des zweiten Tones links am Sternum im zweiten Intercostalraum, die Breite der Herzdämpfung ist vergrössert und überschreitet den rechten Sternalrand; 90 kleine unregelmässige Pulse; weit verbreiteter Bronchocatarrh, mässiger Erguss im rechten Pleurasack und in der Unterleibshöhle, Fussödem. Die Nierensecretion beschränkt, im Harn eine geringe Menge von Eiweiss. Die Leber überragt den Rippenrand um 2½", die Dämpfung in der Mammarlinie beträgt 14 Centimeter, die Oberfläche der Drüse ist glatt, der Rand scharf, die Consistenz derb. Bei reiner Zunge liegt der Appetit darnieder, die Stühle erfolgen etwas träger und sind von dunkelbrauner Farbe.

Ord. Inf. fol. Digit. p. mit Tinct. Rhei und Kal. acet.

Die Respiration wird freier, Vermehrung der Diurese und der Darmsecretion; das Oedem der Füsse verliert sich; die Leberdämpfung verkleinert sich um 3½ Centimeter.

Bis zum 18. Nov. hielt die Besserung unter dem Gebrauch eines leichten Inf. rad. Rhei Stand; die Digestion war gebessert, die Ausleerung erfolgte regelmässig, die Dyspnöe war erträglich. Am 18. wurde der Puls sehr unregelmässig, die Athemnoth stieg von neuem; dünne feinschaumige Sputa; das Lebervolum erreichte den früheren Umfang. Durch Anwendung der Tinct. Digit. aeth. wurde zwar die Arythmie der Herzaction gebessert, allein die bald hervortretende Uebelkeit und das vollständige Schwinden des Appetits nöthigten uns, das Präparat mit leichten bitteren Mitteln zu vertauschen. Der Harn wurde immer spärlicher, sein Eiweissgehalt blieb gering, Ascites und Fussödem stiegen rasch.

Am 5. December wiederholtes Erbrechen, grosse Hinfälligkeit, Schwinden der Pulse, Lungenödem. Tod am 6. Dec.

Obduction 25 h. p. m.

Hirn und Hirnhäute blutarm, sonst normal. Im rechten Pleurasack finden sich gegen 3 Pfd. klares Serum, links ist die Lunge überall fest angewachsen. Die Schleimhaut der Luftwege lebhaft geröthet und mit kleinen Ecchymosen bedeckt. Die Lungen zeigen ein dunkelbraunes, etwas derberes ödematöses Parenchym; der untere Lappen rechts ist comprimirt, im mittleren findet sich ein wallnussgrosser hämoptoischer Infarct.

Im Herzbeutel gegen 7 Unzen seröser Flüssigkeit; das Herz selbst beträchtlich breiter, sein rechter Ventrikel erweitert und besonders im Conus arteriosus hypertrophisch, die Klappen normal; links ist der Vorhof erweitert und in seiner Muskulatur verdickt; das Ostium venosum sinistrum zeigt sich zu einem kaum die Spitze des Zeigefingers durchlassenden ovalen Spalt verengt, die Klappenränder und ein Theil der Sehnenfäden sind zu einem dicken glatten Ring verwachsen. Die Muskulatur des linken Ventrikels sowie die Aorta normal.

In der Bauchhöhle gegen 7 Pfund Flüssigkeit. Die Schleimhaut des Magens, welche mit einer zähen schwärzlichen Masse bedeckt ist, zeigt je weiter nach dem Pylorus zu um so zahlreichere hämorrhagische Erosionen, ihr Gewebe ist überall gewulstet und hyperämisch. Die Darmschleimhaut dagegen ist überall blass und aufgelockert.

Die Milz von normalem Umfange, dunkelbraun und derb.

Die **Leber** ist vergrössert, ihre Oberfläche leicht granulirt, die Ränder scharf; das Parenchym zeigt die Taf. XII, Fig. 1 und Fig. 4 dargestellten Veränderungen. Die Gallenblase enthält eine ansehnliche Menge dünner eiweisshaltiger Galle.

Die linke Niere von normalem Umfange, auf der Oberfläche bemerkt man kleine narbige Einziehungen, das Parenchym etwas fester; die rechte viel kleiner, stark narbig eingezogen, ihr Cortex geschwunden; am convexen Rande bemerkt man einen sechsergrossen gelben Infarct.

Die Harnblase und Genitalorgane zeigen keine wesentlichen Veränderungen.

Ausser den Krankheitszuständen des Herzens und der Lungen, welche, weil durch sie die Gesammtmasse des Blutes hindurchtreten muss, vorzugsweise Stauungen in diesem Abschnitte der venösen Blutbahn bedingen, beobachtet man jedoch ungleich seltener Verengerungen der V. cava inferior oberhalb der Einmündung der Vv. hepaticae, sowie Stenosen der letzteren Gefässe bei ihrem Uebertritt in die Hohlvenen als Ursachen mechanischer Leberhyperämie. Watson[1]) beschrieb eine bis zum Darmbeinkamme hinabragende hyperämische Schwellung der Leber, welche durch Compression

[1]) Die Grundgesetze d. prakt. Heilk. Bd. I, S. 26.

der V. cava von Seiten eines Aortenaneurysmas bedingt war. Nach der Berstung des letzteren liess der Druck auf die Hohlvene nach, das gestaute Blut entleerte sich und, noch ehe die Obduction gemacht werden konnte, war das Organ nahezu bis auf den gewöhnlichen Umfang zurückgebildet. Geringere Stauungen beobachtete ich bei Compression der V. cava durch carcinomatöse Retroperitonealgeschwülste. Eine Stenose der Lebervenen mit klappenartigen Vorsprüngen in der Lichtung dieser Gefässe sah ich neben cirrhotischer Induration der Drüse; hier hatten sich als Folgen der Stauung zahlreiche apoplektische Heerde im Parenchym der Leber gebildet.

Störungen dieser Art lassen sich am Krankenbette, so deutlich auch die Folgen hervortreten, bei weitem nicht immer im Detail übersehen; man kann sie leicht mit anderweitigen Anschwellungen der Drüse verwechseln. Dasselbe gilt von der partiellen Stauungshyperämie, welche unter tiefen Schnürfurchen der Leber sich ausbildet; ferner von Schwellungen des einen oder des anderen Lappens bei Induration des anderen oder bei Obliteration eines Pfortaderastes, wovon mir mehre Beobachtungen vorliegen.

2. Congestivzustände und atonische Hyperämieen der Leber.

Wir fassen unter diesen Bezeichnungen die Hyperämieen der Leber zusammen, welche unabhängig von einer Rückstauung des Blutes sich entwickeln. Sie sind zum Theil activer Art und bedingt durch erregende Einflüsse, welche das Leberparenchym treffen, zum Theil dagegen passiver Natur, auf Atonie der Gefässe oder abnehmender Herzenergie [1]) be-

[1]) Die einfachsten Formen passiver Blutanhäufungen in der Leber beobachtet man bei alten decrepiden Individuen mit tief gesunkener Herzthätigkeit, besonders wenn gleichzeitig die Bauchmuskeln in Folge grosser Erschlaffung ihren fördernden Einfluss auf den Portalstrom mehr und mehr einbüssen. Unter solchen Umständen sind, was Virchow (dessen Archiv Bd. V, S. 289) mit Recht hervorhebt, gleichzeitig die Venen des Mesenterii, der Milz und des Magens mit dunkelem

ruhend, und in diesem Falle meistens von längerer Dauer. Eine scharfe Grenze zwischen beiden lässt sich jedoch nicht ziehen, weil offenbar Uebergänge von einer Form zur anderen vorkommen, und weil der Mechanismus in den einzelnen Fällen sich nicht immer mit der nöthigen Sicherheit übersehen lässt. Ebensowenig kann man nachweisen, in wie weit die Capillaren der Art. hepatica neben denen der Pfortader sich betheiligen; dass auch in dieser Beziehung Differenzen obwalten, dürfte nach dem verschiedenartigen Einflusse, welchen die Hyperämieen auf die Nutrition äussern, kaum zu bezweifeln sein [1]).

Congestivzustände der Leber bilden den Ausgangspunkt fast aller Texturkrankheiten dieses Organs, sie leiten überdies die Entstehung der Pseudoplasmen ein und begleiten die Entwickelung derselben. Für die ärztliche Praxis ist eine genaue Kenntniss und sorgfältige Ueberwachung dieser Zustände vorzugsweise wichtig, weil die Therapie in dieser Periode der Erkrankung noch Aussicht auf Erfolge hat, welche später gewöhnlich vergebens erstrebt werden.

a. Congestionen, abhängig von den Vorgängen der Verdauung.

Schon im Normalzustande unterliegt der Blutgehalt der Leber einem steten Wechsel, vermittelt durch den Digestionsprocess. Der vermehrte Blutzufluss zur Gastrointestinalschleimhaut und die lebhafte Resorption, beide nothwendige Begleiter des Verdauungsactes, steigern den Blutandrang zur Leber und veranlassen eine vorübergehende Schwellung der Drüse, welche durch die vermehrte Secretion und

Blut überfüllt. Das Pfortadergebiet ist solchen Störungen vorzugsweise ausgesetzt wegen seiner doppelten Capillärbahn, der verhältnissmässig schwachen Muskulatur und der geringen Contractilität dieses Gefässrohres.

[1]) Hyperämie der Leber durch Abusus spirituosorum führt leicht zur cirrhotischen Degeneration der Drüse, während andere Congestionen lange bestehen können, ohne solche Wirkungen herbeizuführen. — Kreislaufsstörungen scheinen übrigens in der Leberarterie oft vorzukommen, indem schwarze Pigmentirungen der feineren Zweige dieses Gefässes sehr gewöhnlich gefunden werden.

durch den gesteigerten Stoffumsatz in den Parenchymzellen wieder ausgeglichen wird. Diese Hyperämie überschreitet nicht selten die physiologischen Grenzen, wenn scharf irritirende Stoffe, wie Alkohol, Pfeffer, Senf, starker Caffee etc., in grösserer Menge aufgenommen werden. Am bekanntesten ist in dieser Hinsicht die Einwirkung der Spirituosen, welche, wenn sie sich oft wiederholt, eingreifende Veränderungen zurücklässt; in unserem Klima führt sie allmälig zur cirrhotischen Entartung, in heissen Gegenden trägt sie, nach den Erfahrungen von Annesley [1]), Twining [2]), Cambay [3]) u. A., wesentlich zur Entwickelung der suppurativen Hepatitis bei.

Die anderen eben erwähnten irritirenden Stoffe pflegen, schon weil ein Uebermaass derselben gewöhnlich nur vereinzelt vorkommt, weniger nachhaltige Folgen zu haben. Die Wirkung solcher Schädlichkeiten äussert sich meistens durch ein Gefühl von Druck und Völle, zuweilen auch von lebhaften Schmerzen im rechten Hypochondrio, verbunden mit einer durch das Plessimeter nachweisbaren Vergrösserung der Drüse, Beschwerden, welche bald nach der Mahlzeit aufzutreten pflegen und in der Regel rasch wieder vorübergehen. Man beobachtet sie vorzugsweise in der warmen Jahreszeit, sowie bei Individuen, welche bereits an einer Leberaffection leiden oder deren Organ ungewöhnlich reizbar ist.

Beau [4]) suchte durch eine Reihe von Beobachtungen den Nachweis zu liefern, dass durch die gleiche Veranlassung heftige neuralgische Schmerzen der Leber hervorgerufen werden können; ein Versuch, welcher bei der Schwierigkeit, die Mitwirkung von Gallensteinen auszuschliessen, meines Erachtens vorläufig zu keinem sicheren Resultate führt. Wir werden später bei der Colica hepatis auf diesen Gegenstand zurückkommen.

---

[1]) Annesley, Diseases of India, London 1828, Vol. I, p. 488.
[2]) Twining, Diseases of Bengal, Vol. I, p. 247.
[3]) Cambay, De la Dyssenterie des pays chauds, p. 217.
[4]) Archives général. de Médic. 1851. Avril.

Man hat vielfach die Frage discutirt, auf welche Weise scharfe Ingesta auf das Leberparenchym einwirken. Broussais meint, die Reizung der Darmschleimhaut werde durch die Gallenwege zur Leber und auf das Parenchym derselben fortgepflanzt, Andere nehmen eine sympathische Erregung vom Darm her an, während Beau vor Allem die directe Einwirkung nach der Aufnahme der Stoffe ins Pfortaderblut hervorhob [1]. Eine scharfe Grenze lässt sich hier nicht ziehen; Substanzen, welche, wie der Alkohol, leicht in das die Leber passirende Blut übergehen, äussern auf diesem Wege vorzugsweise ihren Einfluss, andere dagegen, welche weniger leicht resorbirt werden, vermitteln denselben von der Schleimhaut her durch die Nerven; eine directe Fortleitung, wie sie Broussais annahm, kommt viel seltener vor und hat meistens andere Folgen, welche weniger das Drüsengewebe, als die Ausführungsgänge betreffen, nämlich Katarrhe der Gallenwege, Stauung des Secrets etc.

Die eben berührte Art von Hyperämie geht gewöhnlich ohne wesentlichen Nachtheil vorüber; nur bei vielfältiger Wiederkehr oder bei ihrem Zusammentreffen mit anderen Schädlichkeiten führt sie zu tieferer Erkrankung; häufiger noch wird der Zustand chronisch.

Man beobachtet das Letztere besonders bei Individuen, welche den Freuden der Tafel mehr als billig huldigen und bei sitzender Lebensweise, beschränkter Muskelthätigkeit und relativ ungenügender Respiration eine succulente erregende Diät führen. Die Nahrungsaufnahme übertrifft hier den Stoffverbrauch, und es stellt sich früher oder später, gewöhnlich in der mittleren Lebensperiode, bei Kranken mit hereditärer Anlage, schlaffer Muskulatur etc. schon früher ein Missverhältniss zwischen Herzkraft und Blutmenge heraus, wo-

[1] Eine vierte Art der Fortpflanzung pathologischer Processe vom Darm auf die Leber, nämlich die vermittelst der Venen, welche besonders Bibes (Andral a. a. O. S. 290) hervorhob, werden wir später bei den Krankheiten der Pfortader berücksichtigen.

durch Blutüberfüllung in demjenigen Theile des Gefässapparates veranlasst wird, in welchem die Widerstände am grössten sind. Es pflegt dies das Pfortadergebiet zu sein, um so mehr, als auf dasselbe unter solchen Umständen gleichzeitig die durch Diätfehler vermittelte Reizung der Darmschleimhaut, sowie die reichliche Resorption störend einwirken. Man sieht auf diesem Wege sehr oft chronische Gastrointestinalkatarrhe entstehen mit anomaler Verdauung und unregelmässiger, meistens retardirter Defäcation, begleitet von Anschwellung der Hämorrhoidalvenen, Tympanie, hypochondrischen Beschwerden etc. Zu ihnen gesellt sich häufig eine habituelle Hyperämie der Leber, welche von Zeit zu Zeit zunimmt und durch schmerzhafte Auftreibung des rechten Hypochondrii, icterischen Anflug der Conjunctiva etc. sich kundgiebt [1]). Dieser Zustand kann lange bestehen, ohne tiefere Läsionen dieser Drüse als fettige Infiltration der Zellen und Katarrhe der Gallenwege nach sich zu ziehen. Es gelingt meistens ohne Schwierigkeiten durch sorgfältig geregelte Diät, Vermeidung aller schwer verdaulichen, fetten und übermässig nährenden Substanzen, durch gesteigerten Stoffumsatz mittelst activer Bewegung in freier Luft, Reiten etc., sowie durch den Gebrauch bitterer eröffnender Medicamente, der Extr. resolventia mit Salzen, Rheum, Aloë und verwandte Stoffe, durch Hirud. ad anum, besser noch durch Kissinger, Homburger, Marienbader, Carlsbader Brunnen die Darmsecretion zu regeln, die Hyperämie der Leber zu mässigen oder zu heben; allein, wenn der Zustand inveterirt ist, selten für die Dauer. Es scheinen hier frühzeitig Nutritionsstörungen der Muskulatur des Darmrohres, wahrscheinlich auch der Gefässhäute des Pfortadergebiets zu Stande zu kommen, durch welche Recidive eingeleitet und die Beschwerden in die Länge gezogen werden. Ge-

[1]) Jede ausgebreitete Gasentwickelung im Darmrohre kann, indem sie das Blut von den Wurzeln der Pfortader gegen den Stamm und die Leber drängt, vorübergehende Hyperämie dieses Organs herbeiführen; ebenso wirken bedeutende Anhäufungen von Fäcalstoffen etc.

nauere Untersuchungen des anatomischen Verhaltens der hier in Betracht kommenden Gewebe sind nothwendig, um in diese Verhältnisse, mit welchen vorzugsweise theoretische Speculationen ihr Spiel hatten, einige Klarheit und Sicherheit zu bringen. Neben den angedeuteten mechanischen Störungen bestehen gewöhnlich Anomalieen des Stoffwandels, welche man von Alters her in Beziehung brachte zur Arthritis, zur Bildung von Harngries etc. Sie verdienen genauer festgestellt zu werden als es bisher geschah; in wie weit das Leberparenchym sich hierbei betheiligen kann, werden wir später sehen.

Es ist hier nicht der Ort, die verschiedenartigen Processe, welche die Aerzte unter dem Namen Abdominalplethora zusammenfassten, ausführlich zu erörtern; die Theilnahme der Leber, wo eine solche vorkommt, was jedoch keineswegs die Regel ist, beschränkt sich meistens auf Hyperämie oder fettiger Infiltration (s. diese), selten sind es tiefere Läsionen, wie Cirrhose, Induration oder speckige Entartung. Die Wechselbeziehungen, welche zwischen ihnen und den Vorgängen auf der Darmschleimhaut obwalten, ergeben sich aus dem Vorausgeschickten von selbst.

b. Traumatische Hyperämie.

In Folge von Contusion der Lebergegend beobachtet man nicht selten Blutanhäufungen in diesem Organe, welche eine beträchtliche Schwellung desselben nach sich ziehen. Piorry beschrieb einen Fall dieser Art, veranlasst durch das Aufschlagen einer matten Pistolenkugel; die bedeutende Volumszunahme der Drüse, welche mit Dyspnöe und Fieber verbunden war, verlor sich nach einer reichlichen V. S. schon am folgenden Tage. Eine ähnliche Vergrösserung der Leber sah ich bei einem Eisenbahnarbeiter, dessen rechte Brustseite beim Wagenschieben gequetscht war. Die Rückbildung erfolgte hier viel langsamer; der Kranke blieb drei Wochen hindurch icterisch, worauf er geheilt entlassen wurde. In vielen Fällen bleibt die Wirkung der Contusion örtlich beschränkt, die

Hyperämie geht dann gern in Entzündung über, welche unvermerkt zu Abscessbildung führen kann. Die meisten Leberabscesse, welche in unseren Gegenden vorkommen, haben diesen traumatischen Ursprung. R. Bright theilte einige Erfahrungen mit, welche den Beweis zu liefern scheinen, dass die durch äussere Gewalt veranlasste Hyperämie auch in eine chronische mit Induration endende Entzündung übergehen kann.

c. Hyperämieen, abhängig von dem Einflusse hoher Temperatur und miasmatischer Effluvieen.

In heissen Klimaten, besonders in den Sumpfdistricten derselben, welche deletäre Stoffe aushauchen, gehören Leberhyperämieen und die aus ihnen hervorgehenden Folgeübel zu den gewöhnlichen Krankheitsformen. Zu ihrer Entstehung trägt ausser der hohen Temperatur sehr wesentlich die miasmatische Infection des Blutes bei; wie viel indess auf Rechnung des einen oder anderen Factors komme, ist schwer zu entscheiden. Es liegen Thatsachen vor, welche dafür sprechen, dass man, geleitet von der Ansicht, die Leber vicarüre bei hoher Temperatur für die Lunge, den Einfluss der Wärme überschätzte. Haspel berichtet, dass im Jahre 1846, wo die Hitze in Oran eine ungewöhnliche Höhe erreichte, die Sümpfe austrockneten und die Quellen der Malaria versiegten, Leberaffectionen nicht zu-, sondern erheblich abnahmen. In Indien richtet sich die Frequenz der Leberkrankheiten weniger nach der Temperatur der Ortschaften, als nach ihrer Lage in der Nachbarschaft stagnirender Wässer und Sümpfe. Gewöhnlich erreichen Leberaffectionen die Höhe ihrer Frequenz im Herbste, wenn die Temperatur zu sinken beginnt. Pringle sah unter dem kühlen neblichten Himmel Hollands ganz ähnliche Processe in der Leber, wie sie in den Tropen gefunden werden. Es dürfte demnach die Malaria für das einflussreichere Causalmoment der Leberhyperämie zu halten sein, wenn auch die Mitwirkung hoher Temperatur nicht bezweifelt werden kann.

Die Hyperämie der Leber, welche in heissen Klimaten zur Entwickelung kommt, erreicht gewöhnlich eine bedeutende Intensität und führt nicht selten in kurzer Frist zu eingreifenden Texturveränderungen. In der von dunkelem Blute strotzenden Drüse, deren Ausführungsgänge und Blase von Secret überfüllt zu sein pflegen, können Blutextravasate und subperitoneale Ergüsse sich bilden, welche Erweichung des Parenchyms nach sich ziehen; in anderen Fällen entstehen begrenzte Entzündungsheerde, welche über kurz oder lang zur Abscessbildung übergehen, oder es entstehen Nutritionsstörungen, welche bald Hypertrophie oder fettige Infiltration, bald dagegen Verhärtung, seltener cirrhotische Entartung mit Schrumpfung des Parenchyms veranlassen [1].

Die Leberhyperämieen der Tropen bestehen oft für sich, häufiger treten sie neben Dysenterie auf oder in Begleitung von Malariafieber mit intermittirendem, remittirendem oder anhaltendem Typus. Im letzteren Falle bestehen neben der Leberaffection hyperämische Schwellungen der Milz, oft auch des Nierenparenchyms, es entstehen auf diese Weise die complicirten Processe, deren anatomische Grundlage und Symptomatologie wir bereits oben S. 185 ff. kurz berührten.

Der Verlauf der einfachen Hyperämie ist ein acuter oder chronischer; bei der ersteren treten die Störungen prägnanter hervor als bei der zweiten, welche sich schleichend und unvermerkt zu entwickeln pflegt und daher oft erst erkannt wird, wenn so eingreifende Veränderungen des Leberparenchyms, wie Abscesse, Induration etc. ausgebildet sind, dass für die Therapie keine erfreulichen Aussichten mehr übrig bleiben.

Bei der acuten Hyperämie entsteht eine mehr oder minder schmerzhafte Auftreibung des rechten Hypochondriums, verbunden mit beschwerter Respiration, oft auch mit Spannung der Milzregion und ziehenden Schmerzen in der rechten

---

[1] Von den Pigmentablagerungen und ihren Folgen, welche unter solchen Umständen vorkommen, ist schon Cap. VIII. gehandelt.

Schulter sowie in der Lumbargegend. Dazu gesellt sich bei reiner, zuweilen auch grau belegter Zunge Cephaläe, Uebelkeit, Erbrechen von schleimigen oder grünen biliösen Stoffen; die Stuhlausleerungen werden unregelmässig, in einigen Fällen tritt Obstipation ein, häufiger Diarrhöe mit gallereichen, gelben, zuweilen auch blutigen Ausleerungen; dabei grosse Abgeschlagenheit und rascher Verfall der Kräfte, meistens ohne vermehrte Pulsfrequenz und Temperaturerhöhung. Nach einigen Tagen oder Wochen verlieren sich die Beschwerden vollständig oder es bleiben leichte, nur dem aufmerksamen Beobachter bemerkliche Störungen zurück, welche den Uebergang der acuten Form in die chronische ankündigen.

Obgleich die unangenehmen Empfindungen im rechten Hypochondrio nachlassen oder verschwinden, bleibt doch die Leberdämpfung umfangreicher; die Esslust kehrt nur theilweise wieder, manche Speisen, besonders animalische, erregen Widerwillen, die Neigung zu Diarrhöe dauert fort. Von Zeit zu Zeit treten Exacerbationen ein, der Lebertumor vergrössert sich, die Störungen von Magen- und Darmfunction werden deutlicher. Unter wechselnder Ab- und Zunahme der Symptome verfallen die Kranken mehr und mehr, sie bekommen eine trübe und muthlose Stimmung, ihre Hautfarbe wird cachectisch bleich, zuweilen auch icterisch, hydropische Ergüsse in der Bauchhöhle, im subcutanen Zellengewebe etc. stellen sich ein. Gegen das Ende der Krankheit entwickeln sich häufig erschöpfende Darmkatarrhe oder dysenterische Processe, ferner Intermittenten mit irregulärem Typus, begleitet von Verjauchung der Parotis etc., oder es treten die Erscheinungen einer Febris suppuratoria auf, welche die Abscedirung der Leber ankündigen.

Diese Symptome des Ausgangsstadiums der chronischen Hyperämie sind im Wesentlichen abhängig von den Texturveränderungen, welche das Organ im weiteren Verlaufe erleidet, sie gestalten sich, der Mannigfaltigkeit derselben entsprechend, verschieden. Man findet bei der Obduction die Leber bald blutreich und erweicht, bald blass und icterisch oder fettreich, bald indurirt oder cirrhotisch, bald endlich mit Abscessen durchsetzt. Wie sich hiernach die Symptome modificiren, ergiebt sich aus der Geschichte jener Veränderungen von selbst.

In kühlen Klimaten verläuft der Process gewöhnlich auf mildere Weise, die Zufälle treten minder intensiv hervor, auch die Ausgänge gestalten sich anders. Die Hyperämie kann hier lange Zeit bestehen, ehe wichtigere Nutritionsstörungen sich ausbilden; Abscesse kommen kaum je vor. Am häufigsten beobachtet man Volumszunahme der Leber, beruhend auf Fettablagerung oder auf Infiltration des Parenchyms mit Albuminaten, welche allmälig die Colloidmetamorphose eingehen, selten kommt es zur cirrhotischen Degeneration.

Die acute Hyperämie der Leber sieht man besonders während der heissen Sommermonate, die chronische mit ihren Ausgängen pflegt erst im Herbste sich zu entwickeln.

Die Therapie der acuten Form hat zur Aufgabe, zunächst Alles fern zu halten, was erregend auf die Leber einwirken kann. Die Diät ist auf milder schleimiger oder säuerlicher Pflanzenkost zu beschränken; animalische Stoffe, Fett, scharfe Gewürze, alkoholhaltige Getränke sind zu meiden. Um die Blutfülle im Pfortadersysteme und in der Leber zu beschränken, dienen am besten Hirud. ad anum., laue Sitzbäder, kühlende salinische Abführmittel: Pulpa Tamarind., mit Tart. depur., Natr. sulph. etc. Bestehen spontane Diarrhöen, so unterdrückt man sie nicht zu früh; muss man einschreiten, so wählt man am besten Rad. Ipecac. in refr. dosi oder als Brechmittel. Die letzteren sind von grosser Wirkung auf die Blutbewegung in der Leber durch die allseitige Compression, welche das Organ während des Brechactes erfährt. Ausserdem kann man Mineralsäuren anwenden.

Wird der Zustand chronisch und passiver Art, so ist ein Luftwechsel, Vermeidung der Sumpfregion rathsam. Zur Förderung der Darmabsonderung wählt man hier besser kleine

Gaben von Rheum, Aloë, Colocynth. etc. in Verbindung mit Eisensalmiak oder bitteren resolvirenden Extracten. Ein Brechmittel kann auch hier versucht werden, um die Blutbewegung in den Lebercapillaren mechanisch zu fördern. Eine strenge Diät erscheint für diese Form unpassend; leicht verdauliche nährende Kost ist nothwendig, um dem Vorfall der Blutmischung und der Atonie des Gefässapparates entgegen zu arbeiten; für denselben Zweck bedarf man gewöhnlich im weiteren Verlaufe die Martialien. Wo die Umstände es gestatten, ist ein Besuch von Kissingen, Homburg oder Marienbad rathsam. Pringle, Lind, Portal und Haspel empfehlen Vesicatore, Haarseile und Moxen auf der Lebergegend zu appliciren und längere Zeit zu unterhalten. Calomel und Ung. ciner., welche vielfach gerühmt wurden, sind bei drohender Cachexie nur mit Vorsicht zu gebrauchen. Wo erratische Intermittensformen die Leberaffection begleiten, sei man mit der Anwendung des Chinins nicht voreilig; bevor die Leberhyperämie durch anderweitige Mittel beschränkt ist, versagt das Febrifugum gewöhnlich den Dienst (vergl. Andral a. a. O. 311, ferner Portal). Wenn die Zeichen der Abscessbildung, der speckigen Infiltration oder der Cirrhose sich einstellen, so tritt die Therapie dieser Zustände in ihre Rechte.

Verwandt mit der chronischen Leberhyperämie der Malariagegend ist die Blutfülle dieses Organs, welche man beim Scorbut und verwandten Zuständen mit Schwellung der Milz beobachtet. Schon Baillou[1]) und Portal[2]) beschrieben Fälle von enormer Ueberfüllung der Lebergefässe mit dunkelem Blute, welche bei Scorbutischen vorkamen und Erweichung des Parenchyms veranlasst hatten. Andral[3]) vermisste dieselbe unter solchen Umständen niemals. So constant begegnete mir in den Leichen Scorbutischer diese Veränderung nicht; ich fand das Organ zu wiederholten Malen weich,

---

[1]) Ballonii Opera T. III, p. 30.
[2]) Portal a. a. O. S. 377.
[3]) Andral Clinique médic. T. II, p. 244.

fettig infiltrirt und blutarm. Portal erzielte günstige therapeutische Erfolge durch den antiscorbutischen Heilapparat, welchen er in Verbindung mit leicht eröffnenden Mitteln anwandte.

d. Hyperämie der Leber nach Unterdrückung habitueller Blutflüsse.

Während der klimacterischen Jahre beobachtet man beim Ausbleiben der Menses nicht selten Leberanschwellungen, welche jedes Mal, wenn die Uterinblutung in längeren Epochen wiederkehrt, verschwinden und sich auf diese Weise mehrfach wiederholen. Aehnliche Erfahrungen kann man auch in früheren Lebensaltern bei plötzlicher Suppressio mensium machen, und Portal sowie in neuester Zeit Henoch [1]) theilen hierauf bezügliche Krankheitsfälle mit. Das Ausbleiben habituell gewordener Hämorrhoidalblutungen zieht unter Umständen dieselben Folgen nach sich. Es ist indessen bekannt, dass diese Wirkung keineswegs constant sich einstellt; die Leber bleibt in vielen Fällen gänzlich unberührt; es müssen also noch andere Causalmomente mitwirken, um solche Congestionen einzuleiten. Wesentliche Störungen der Nutrition der Leber als Folgen dieser Hyperämie sind, so viel mir bekannt ist, nicht beobachtet worden; es liegt jedoch auf der Hand, dass bereits bestehende Leberkrankheiten dadurch verschlimmert und in ihrem Verlaufe beschleunigt werden können, weshalb die Therapie für die Wiederherstellung solcher Blutungen oder für einen Ersatz derselben durch künstliche Blutentziehung frühzeitig Sorge zu tragen hat.

Es unterliegt keinem Zweifel, dass ausser den angegebenen Ursachen der Leberhyperämie noch andere bestehen, die wir nur unvollkommen oder auch gar nicht kennen, und dass aus diesem Grunde die Entstehung einer solchen Störung nicht ganz selten unerklärt bleiben muss. Die Formen der

---

[1]) Henoch a. a. O. S. 85.

Leberhyperämie, welche wir bis jetzt berücksichtigten, können also dieses Feld nicht erschöpfen, sondern sollen nur die wichtigeren Vorkommnisse auf demselben vertreten. Es sind besonders drei Factoren, welche für die weitere Aufklärung dieser Verhältnisse wichtig werden dürften. Zunächst der Einfluss der Nerven, welcher durch Cl. Bernard u. A. theilweise experimentell begründet, jedoch noch keineswegs genügend erkannt ist, um klinisch verwerthet zu werden. Dass derselbe unter Umständen energische Wirkungen äussern kann, ergeben die Fälle von diffuser Leberentzündung und acuter Atrophie, welche unmittelbar nach heftigen Gemüthsaffecten sich ausbildeten (vergl. oben S. 244). Ein zweites, nur unvollkommen gekanntes Moment ist die Blutmischung, deren Bedeutung bei der Malariainfection, beim Scorbut etc. sich deutlich kund giebt, wahrscheinlich aber auch noch in manchen anderen Fällen mitwirkt. Ausserdem dürfte endlich drittens die veränderte Nutrition der Wandungen der Lebergefässe, welche bisher wenig berücksichtigt wurde, über manche Punkte, wie über die chronischen, grösstentheils auf Atonie der Gefässe beruhenden Formen der Hyperämie, ferner über partielle Blutanhäufungen und über Apoplexie der Leber Aufklärung versprechen. Diese Gegenstände bleiben der weiteren Forschung vorbehalten.

Als Anhang zu den Hyperämieen berücksichtigen wir noch in aller Kürze

die Leberblutung, Apoplexie und hämorrhagische Erweichung der Leber.

Sie kommt im Allgemeinen selten vor, und meistens im Gefolge der intensiven Congestionen, welche durch miasmatische Infection der Blutmasse eingeleitet werden. Man beobachtet sie daher besonders neben den Malariafiebern der Tropen, hie und da auch neben perniciösen Wechselfiebern kühlerer Klimate. Das ergossene Blut ist bald in einzelnen Heerden angesammelt oder unter dem serösen Ueberzuge der

Drüse abgesackt, bald dagegen ist das Parenchym mehr gleichmässig blutig infiltrirt und in eine dunkele, mürbe, stellenweise breiartig weiche Masse verwandelt, welche nur spärliche Ueberreste des normalen Gewebes erkennen lässt. Die Gallenblase enthält gewöhnlich ein dunkeles dickflüssiges Secret [1]. Während des Lebens wird dieser Vorgang begleitet von den Symptomen perniciöser Sumpffieber, von Schmerzen im rechten Hypochondrio und fast immer von Icterus mit biliösem Erbrechen; häufig kommen auch Blutungen an anderen Körperstellen gleichzeitig vor. Annesley, Haspel u. A. theilen zahlreiche Erfahrungen dieser Art mit.

Aehnliche Veränderungen der Leber beobachtet man hie und da beim Scorbut und verwandten Processen (Portal, Abercrombie). Ausserdem entstehen Blutextravasate im Leberparenchym oder unter der Kapsel derselben im Gefolge von äusserer Gewalt, hie und da auch von Stauungshyperämie; man beobachtet solche Fälle besonders bei Neugeborenen nach schweren Entbindungen und neben Atelectasie der Lungen [2].

Sehr merkwürdig sind Hämorrhagieen der Leber, welche ohne vorausgegangene Beschwerden plötzlich sich einstellen und in kurzer Frist den Tod herbeiführen. Andral [3] theilte Erfahrungen dieser Art mit, welche keine sichere Deutung zulassen. Der eine Fall betraf einen Verwalter der Münze in Paris, welcher des Morgens beim Erwachen über leichtes Unwohlsein klagte und den Wunsch aussprach, liegen zu bleiben. Einige Stunden nachher fand man ihn todt. Bei der

---

[1] Ob und in wie weit das ergossene Blut in die Lebergänge übertritt und von ihnen mit der Galle zur Blase und zum Darm geleitet wird, ist noch nicht genügend festgestellt. Saunders glaubt in einzelnen Fällen Blut in der Galle gefunden zu haben; dieselbe war fast schwarz gefärbt, coagulirte und liess beim Zusatz von Wasser ein aus rothen Kügelchen bestehendes Sediment fallen.

[2] Bei einem todtgeborenen Kinde mit Hernia umbilicalis congenita fand ich auf der convexen Fläche des linken Leberlappens ein subperitoneales Blutextravasat von 1⅓" im Durchmesser und nebenher kleinere im Parenchym der Drüse. Vergl. ferner F. Weber, Beiträge zur patholog. Anat. der Neugeborenen, Bd. III, S. 56.

[3] Andral, Clinique médicale, T. II, p. 247.

Obduction zeigten sich die Organe der Kopf- und Brusthöhle vollkommen normal, die Bauchhöhle enthielt eine grosse Menge zum Theil coagulirten Blutes. In der Mitte des convexen Theiles des rechten Leberlappens war eine Oeffnung sichtbar von dem Umfange einer Fingerspitze; dieselbe führte in eine hühnereigrosse, mit Blut gefüllte Höhle, auf deren Grunde man die gerissene Wandung eines grösseren Astes der Pfortader entdeckte; im Uebrigen war die Leber gesund. Andral theilt leider über den Zustand der Membranen der V. portae nichts mit. In einem anderen Falle, welchen Honoré beschrieb, enthielt die Leber mehre mit Blut gefüllte Höhlen; die Verletzung eines Gefässes wurde nicht aufgesucht. Louis[1]) fand in der Leber eine nussgrosse, mit concentrisch geschichteten Blutgerinnseln gefüllte Höhle. Es ist wahrscheinlich, dass diesen Blutungen locale Erkrankungen der Gefässhäute zu Grunde lagen, denen nicht die nöthige Beachtung geschenkt wurde. Ich werde in der zweiten Abtheilung einen Fall von fettiger Entartung der Pfortaderhäute mittheilen, welche eine Zerreissung dieser Gefässe vor ihrem Eintritt in die Leber und somit eine tödtliche Hämorrhagie veranlasste. Aehnlichen Nutritionsstörungen dürfte diese Vene innerhalb der Leber ausgesetzt sein.

Schliesslich möge hier noch ein Fall von Leberblutung Platz finden.

Nr. 48.

Schwere Entbindung, Symptome der Bauchfellentzündung, Icterus, Erbrechen schwarzer Flocken, Delirien, Tod. — Eitriges Peritonealexsudat, hämorrhagische Erweichung der Leber, Blutextravasat unter der Kapsel.

Caroline Herbst, 38 Jahre alt, überstand am 10. Januar 1856 zum zwölften Male eine schwierige Entbindung. Schon am folgenden Tage soll sich Erbrechen und Durchfall eingestellt haben mit Suppression der Lochien.

Bei ihrer Aufnahme am 18. fand sich eine bedeutende tympanitische Auftreibung des Abdomens; in den Region. iliacis war gedämpfter Percussionston nachweislich; dabei nur geringe Schmerzhaftigkeit; der Uterus überragte eine Handbreit die Symphyse; Leber und Milz von normalem

[1]) Louis, Recherch. anatomico-patholog. 1826. p. 381.

Volum; Stuhlausleerung braun gefärbt, hart und geballt. Die Organe der Brusthöhle normal, Puls 110, klein. Ord. Tamar. mit Natr. sulph. Warme Cataplasmen.

Am 19. stellte sich die blutige Ausscheidung aus den Geschlechtstheilen wieder ein, das rechte Hypochondrium war indess schmerzhaft geworden, der Puls auf 120 gestiegen, geringe Abnahme der Tympanie; die Conjunctiva und das Gesicht hatten eine icterische Färbung angenommen; keine Ausleerung. Fortsetzung derselben Medication, Clysma.

Am 20. war der Icterus bereits sehr intensiv; dazu gesellte sich typhoide Somnulenz, grosse Hinfälligkeit und wiederholtes Erbrechen brauner flockiger Massen. Der mit dem Catheter entleerte Harn war reich an Gallenpigment, sauer, frei von Albumen, specif. Gew. 1014. Ord. Acid. phosphor. und Analeptica. Unter Zunahme der Tympanie und Somnulenz erfolgte schon am folgenden Morgen der Tod.

Obduction 17 h. p. m.

Die Leiche dunkelgelb gefärbt, wenige Todtenflecke. In den Organen der Kopf- und Brusthöhle keine wesentliche Anomalie; das Herz enthielt dunkeles, fest geronnenes Blut. Im Peritonealsack war eine mässige Quantität eitriger, deutlich gallig tingirter Flüssigkeit ergossen, das Bauchfell injicirt und trübe.

Im Magen fand sich ein graugelbes, mit schwarzen Flocken vermengtes Fluidum, die Schleimhaut blass und ohne Substanzverlust; das Darmrohr enthielt oben dünne, gelbe, unten feste und braune Fäcalstoffe, die Schleimhaut normal.

Die Milz in ihrer Grösse und Consistenz unverändert; sie wog 0,17 Kg. Die Nieren icterisch gefärbt, sonst normal.

Der Uterus, welcher die Schambeinfuge um 3 Zoll überragte, war auf seiner Innenfläche von braunrother Flüssigkeit bedeckt, zeigte aber keine wesentliche Abnormität; Venen und Lymphgefässe frei; das linke Ovarium enthielt eine wallnussgrosse, mit klarem Fluidum gefüllte Cyste, die Vagina livid gefärbt, ohne Exsudate.

Die Leber zeigte sich vergrössert, sie wog 2,3 Kg., ihre Form nicht wesentlich verändert; die Consistenz schlaff und weich, einzelne Stellen im rechten Lappen sowie der Lobul. quadrat. fühlten sich breiig an. Unter dem serösen Ueberzuge bemerkte man zahlreiche Blutextravasate von der Grösse eines Groschens bis zu der eines Thalers, am äusseren Rande des rechten Lappens lag eine über 1½" breite, schlaffe, mit blutiger Flüssigkeit gefüllte blasige Erhebung der Kapsel. Im Parenchym der Drüse fanden sich zahlreiche grössere und kleinere Blutergüsse; stellenweise war dasselbe rothgelb, gelb und zeigte eine deutliche Läppchenzeichnung, stellenweise schmutzig braunroth. Eine grosse Menge blutig seröser Flüssigkeit quoll aus der Schnittfläche, besonders aus dem stärker injicirten Portalsaume der Läppchen. Die Leberzellen waren in der Mitte der Läppchen wohl erhalten, an dem Rande derselben stark mit Detritus und freien Kernen vermengt; viele von ihnen enthielten Fetttröpfchen; körniges und diffuses Gallenpigment kam sehr spärlich vor.

Die Gallenwege enthielten wenig blassgelben Schleim, die Blase ein kleines Quantum dicker, grünbrauner, eiweissfreier Galle. Die Pfortaderäste, welche, so weit es thunlich war, verfolgt wurden, waren von normaler Beschaffenheit, auch das flüssige Blut in ihnen zeigte unter dem Mikroskop nichts Abnormes.

Dieser Fall reiht sich, was die Läsion des Leberparenchyms anbelangt, den Veränderungen an, welche diese Drüse bei tropischen Klimafiebern und beim Scorbut zu erleiden pflegt. Eine ähnliche Veranlassung ist indessen hier nicht nachweislich; für eine putride Infection des Blutes sprechen weder die Symptome, noch der anatomische Befund. Auf Unterdrückung der Lochien kann die gewaltsame Hyperämie der Leber nicht geschoben werden, weil der Icterus erst auftrat, nachdem die Blutung wiedergekehrt war. Es scheint, dass hier derselbe Process vorlag, welcher, weniger stürmisch verlaufend, bei Schwangeren nicht selten diffuse Hepatitis und acute Atrophie der Leber herbeiführt; der beginnende Zerfall der Leberzellen an den Rändern der Läppchen, ihre Verfettung und Durchtränkung mit flüssigem Exsudat etc. redet dieser Annahme vor anderen das Wort.

Anhang.

Beläge.

I. Krankheitsfälle.

Nr. 1. [Seite 61.] Tertiäre Syphilis, Lebertumor, welcher bis zur zweiten Rippe aufsteigt und durch Echinococcen nebst speckiger Infiltration der Leber gebildet wird. Prominenz und Fluctuation der Intercostalräume. Dislocation des Herzens, Unbeweglichkeit der Geschwulst bei tiefer Inspiration. Diagnostischer Werth des Explorativtroikars.

Nr. 2. [Seite 69.] Carcinom des kleinen Netzes, Compression der Pfortader und Atrophie der Leber, blutiger Ascites, Ecchymosen auf der Darmserosa und dem Bauchfelle.

Nr. 3. [Seite 78.] Carcinom der rechten Niere, Dislocation der Leber nach oben und links.

Nr. 4. [Seite 110.] Pneumonia duplex, Icterus, gallige Stühle, grüner Auswurf bis zehn Tage nach dem Aufhören der Pneumonie und acht Tage nach dem Verschwinden der icterischen Hautfarbe.

Nr. 5. [Seite 142.] Gestörte Magenverdauung, Erscheinungen des Ulc. chronic. simplex Ventric. Icterus. Ausdehnung der Gallenblase. Pleuritis der rechten Seite, Hydrops, Petechien, Tod. — Carcinom des Duodenums und Ectasie der Gallenwege, einfaches Magengeschwür, rechtsseitiges, pleuritisches Exsudat.

Nr. 6. [Seite 146.] Carcinom im Kopfe des Pancreas und im Duodenum. Verschliessung und Ectasie der Gallenwege und des Wirsung'schen Ganges, Anfüllung des ersteren mit Schleim, Icterus, Dysenterie. Verminderte Harnabsonderung, Infiltration der Nieren mit festen Depositis von Gallenpigment. Tod durch Erschöpfung.

Nr. 7. [Seite 153.] Carcinom des Pancreaskopfes, Verschliessung des Ductus choledochus und Wirsungianus; Ectasie des letzteren und der Gallenwege. Icterus. Darmblutung. Diabetes mellitus, Dysenterie. Tod durch Erschöpfung.

Nr. 8. [Seite 159.] Abschnürung des Ductus choledochus durch neugebildetes Bindegewebe in Folge von Perihepatitis. Icterus, Ectasie der Gallenwege. Hydrops, secundäre Pneumonie. Tod.

Nr. 9. [Seite 170.] Quetschung der Beckenknochen, Schüttelfrost, Somnulenz, Icterus, Albuminurie, Tod. — Phlebitis der Beckenvenen, metastatische Heerde in den Lungen, blutarme mürbe Leber.

Nr. 10. [Seite 171.] Acuter Gelenkrheumatismus, Endocarditis, wiederholte Schüttelfröste, schmerzhafter Milztumor, Icterus, Albuminurie und Hämaturie, Petechien, Convulsionen, Coma, Tod. — Frische Auflagerungen auf der Bicuspidalklappe, Milzinfarcten, schlaffe, anämische Leber, Ecchymosen auf der Schleimhaut des Darms, der Luftwege etc.

Nr. 11. [Seite 175.] Exanthematischer Typhus, Icterus, Albuminurie, Darmblutung, Ecchymosen der Haut, Parotisinfiltrat, Tod am zwölften Tage. — Kleine Milz, Anämie der Leber, normale Leberzellen, freie Gallenwege, Darm und Mesenterialdrüsen unverändert.

Nr. 12. [Seite 176.] Petechialtyphus, Icterus, Albuminurie, Suppression des Harns, Pneumonia dextra, Dysenterie, Tod am siebenten Tage. — Aeltere Speckmilz, Leberanämie, Infiltrat der rechten Lunge, Dysenterie, frisches Niereninfiltrat.

Nr. 13. [Seite 177.] Abdominaltyphus; während der Reconvalescenz heftiger Schüttelfrost, neuer Milztumor, grosse Empfindlichkeit der Lebergegend, später des ganzen Abdomens, Icterus, Athemnoth, Somnulenz, Tod. — Vernarbende Typhusgeschwüre im Ileum, frisch geschwellte Milz, runde, zollgrosse, braune Erweichungsheerde in der Leber, freie Gallenwege, Peritonitis.

Nr. 14. [Seite 209.] Wiederholte Anfälle von Lumbago im siebenten Monate der Schwangerschaft, Gastrokatarrh, Icterus, Delirien, Convulsionen, Coma, Tod unter Erscheinungen der Blutintoxication.— Acute Atrophie der Leber, vollständig zerfallene Zellen, krystallinische Ausscheidungen in dem Parenchym und im Blute der Lebervenen, Milztumor, Abortus.

Nr. 15. [Seite 212.] Erscheinungen des Gastrokatarrhs und Icterus im siebenten Monate der Schwangerschaft, Delirien, Convulsionen und Coma, Abortus, Tod am siebenten Tage der Krankheit. — Acute Leberatrophie, Blutung im Darmkanale, auf der Schleimhaut der Luftwege etc., eigenthümliche Zusammensetzung des Harns.

Nr. 16. [Seite 218.] Icterus im sechsten Monate der Schwangerschaft, heftige Kopfschmerzen, grosse Unruhe, Abortus, Erbrechen von schwarzer Flüssigkeit, hartnäckige Obstipation, Coma, Petechien, Tod acht Tage nach Beginn der Gelbsucht. — Acute Atrophie der Leber, kleine Milz, fettig degenerirte Nieren, Harn reich an Leucin und Tyrosin, Harnstoff und Leucin im Blute.

Nr. 17. [Seite 221.] Vierzehn Tage die Erscheinungen eines leichten katarrhalischen Icterus, am fünfzehnten plötzlich Delirien mit maniatischen Zufällen, Magen- und Darmblutung, Tod. — Atrophie der Leber mit theils zerfallenen, theils fettig infiltrirten Zellen.

Nr. 18. [Seite 222.] Abdominaltyphus, profuse Epistaxis, heftige Delirien, Icterus am fünften Tage, Verschwinden der Leberdämpfung, allgemeines Muskelzittern, Coma, Tod am achten Tage. — Kleine, welke Leber mit theilweise zerfallenen Zellen und leeren Gallenwegen, Milztumor, Infiltration der Peyer'schen und solitären Drüsen des Ileums.

Nr. 19. [Seite 249.] Carcinom am Duodeno, Verschliessung des Ductus choledochus. Icterus hohen Grades, Convulsionen, Coma, Tod.

Nr. 20. [Seite 253.] Ascites, Anasarca, Diarrhöe, Delirien, Coma. Cirrhose der Leber, Leucinausscheidungen in den Vv. hepaticis, normale Nervencentra.

Nr. 21. [Seite 254.] Ascites, Diarrhöe, Unbesinnlichkeit, Coma, Cirrhose der Leber; Leucin im Blute und Harn, normales Gehirn.

Nr. 22. [Seite 255.] Icterus von vierzehntägiger Dauer, Somnulenz, Erbrechen, plötzlich auftretendes, heftiges Delirium, Coma, Tod. — Fettleber höchsten Grades, Milztumor.

Nr. 23. [Seite 263.] Chronische Atrophie der Leber mit beträchtlicher Erweiterung der Pfortaderäste, kleines Geschwür am Pylorus ohne Stenose desselben, deutlich sichtbare peristaltische Bewegungen des Magens. Tod durch Erschöpfung.

Nr. 24. [Seite 268.] Intermittens tertiana und quotidiana von etwa dreimonatlicher Dauer, Anasarca, Ascites, Diarrhöe, Tod durch Erschöpfung. – Atrophische Pigmentleber und Pigmentmilz.

Nr. 25. [Seite 269.] Anhaltende, oft recidivirende Intermittens quotidiana, Hydrämie, Anasarca, Ascites, profuse Durchfälle, Tod durch Erschöpfung. — Atrophie der Leber, Verstopfung der Capillaren mit Pigment.

Nr. 26. [Seite 270.] Leberatrophie mit fettiger Infiltration, dysenterische Narben, allgemeine Hydropsie.

Nr. 27. [Seite 271.] Chronische Dysenterie, Dislocation des Darmkanals, Leberatrophie, Tod durch Erschöpfung.

Nr. 28. [Seite 273.] Sehnenartige Verdickung des Mesenteriums nebst fester Verwachsung des Dünndarms und des Omentums mit der Bauchwand, blauschwarze Pigmentirung und vernarbende Ulceration einer drei Fuss langen Dünndarmschlinge, chronische Leberatrophie, Ascites und allgemeine Hydropsie.

Nr. 29. [Seite 276.] Heftige Dyspnöe, blutige Sputa, systolisches Geräusch in der Pulmonalarterie, Ascites, Blutungen aus Magen und Darm, Tod durch Asphyxie. — Verschliessung der Pulmonalarterie durch Thrombose in Folge von Entzündung des Gefässes, Gerinnung des Blutes in der Pfortader, Ecchymosen des Peritoneums, sowie der Magen- und Darmschleimhaut; atrophische Leber.

Nr. 30. [Seite 280.] Duodenalgeschwür, Obliteration der Pfortader durch Compression, Tod in Folge von Magen- und Darmblutung. — Leber und Milz von normalem Umfange.

Nr. 31. [Seite 321.] Anhaltende Intermittens, Anämie und Hydrämie, gallenarme, erschöpfende Diarrhöen, Tod unter Hirnerscheinungen. — Fettige Degeneration der Leber, kleine Speckmilz, local beschränktes Krebsgeschwür im Coecum.

Nr. 32. [Seite 348.] Intermittens tertiana von dreimonatlicher Dauer, zuletzt mit Coma während des Anfalls. Pneumonie, zur Induration übergehend. Plötzlicher Tod. — Pigmentmilz und Pigmentleber, Induration der Lunge, das Hirn frei von Pigment.

Nr. 33. [Seite 349.] Fieberhafter Gastrokatarrh, Schwindel, Convulsionen, Coma. Wiederkehr des Bewusstseins. Parotidenbildung. Albuminurie. Tod durch Erschöpfung. — Melanämie. Pigmentanhäufung in der Milz, Leber, dem Hirncortex und den Nieren.

Nr. 34. [Seite 350.] Quotidianfieber, Milztumor, Coma, Tod. — Melanämie. Pigmentanhäufung in der Milz, Leber, den Nieren und dem Hirncortex.

Nr. 35. [Seite 351.] Fieber ohne bestimmten Typus, Delirien, Coma, Erbrechen, Tod am fünfzehnten Tage. — Pigment im Blute, Hirncortex, in der Leber, den Nieren und der Milz, letztere wenig vergrössert. Keine Albuminurie.

Nr. 36. [Seite 352.] Intermittens mit Convulsionen und Bewusstlosigkeit, irregulärem Typus, ohne Froststadium, Heilung durch Chinin.

Nr. 37. [Seite 353.] Intermittens mit unregelmässigem Typus, zwei Paroxismen von 48stündiger Dauer, furibunde Delirien während derselben. Heilung.

Nr. 38. [Seite 353.] Intermittens quotidiana mit heftigem Schwindel. Febris vertiginosa nach Puccinotti. Heilung durch Chinin.

Nr. 39. [Seite 354.] Intermittens quotidiana von vierwöchentlicher Dauer;

Diarrhöe; Albuminurie und Hämaturie; plötzlich Sopor, Convulsionen, Tod. — Pigmentreiche Milz, Leber, Nieren und Gehirn.

Nr. 40. [Seite 355.] Typhusähnliche Symptome, anhaltendes Fieber, Coma, eiweissreicher blutiger Harn mit schwarz pigmentirten Gerinnseln, rechtsseitige Pneumonie, Abortus, Tod am sechszehnten Tage. — Weiche, pigmentreiche Milz und Leber, Verstopfung der Nierengefässe mit Pigment.

Nr. 41. [Seite 356.] Intermittens quartana, intermittirende Albuminurie, Anasarca, Dysenterie. Rasche Heilung durch Chinin und Eisen.

Nr. 42. [Seite 359.] Anhaltende, oft wiederholte Intermittens, zuletzt mit Quartantypus; Albuminurie hohen Grades, Fibrincylinder mit Pigment. Oedem, rasch sich entwickelnder Ascites. Punktion nach vergeblicher Anwendung von Eisen und Drasticis. Recidiv des Fiebers. Paroxysmus von zweitägiger Dauer. Tod durch Erschöpfung. — Pigment in der Milz, Verstopfung der Lebercapillaren, Atrophie der Leber. Pigmentanhäufung in den Nieren. Consecutive Pneumonie.

Nr. 43. [Seite 361.] Siebenwöchentliche Intermittens mit Tertian- und Quotidiantypus, Darmkatarrh, Hydrämie, Anasarca. Besserung durch Eisenpräparate. Recidiv; rasche Zunahme der Hydropsie, Unbesinnlichkeit, Tod. — Pigment in der Milz und Leber, das Hirn und die Nieren unbetheiligt.

Nr. 44. [Seite 362.] Dysenterie geringeren Grades, Albuminurie, Tod durch Erschöpfung. — Keine Cerebralstörung. Pigmentanhäufung in der Milz und Leber, im Gehirn, den Nieren und dem Pancreas.

Nr. 45. [Seite 363.] Abdominaltyphus, wiederholt recidivirende Intermittens, Dysenterie, Erschöpfung, Tod. — Pigmentreiche Milz und Leber, letztere atrophisch, dysenterischer Process im Dickdarm.

Nr. 46. [Seite 379.] Stenose des linken venösen Ostiums des Herzens, Insuffienz der Tricuspidalklappe; starker Venenpuls, Hämoptoe, Albuminurie, Stauungshyperämie der Leber, des Magens und des Dickdarms.

Nr. 47. [Seite 381.] Stenose des linken venösen Herzostiums, wiederholte Anfälle von Lungenödem, Albuminurie, Stauungshyperämie der Leber, hämorrhagische Erosionen des Magens, blasse, gewulstete Darmschleimhaut.

Nr. 48. [Seite 397.] Schwere Entbindung, Symptome der Bauchfellentzündung, Icterus, Erbrechen schwarzer Flecken, Delirien, Tod. — Eitriges Peritonealexsudat, hämorrhagische Erweichung der Leber, Blutextravasat unter der Kapsel.

II. Experimente zur Erläuterung der Lehre von Icterus.

Injectionen von reiner Galle in das Blut lebender Thiere.

Um den Einfluss kennen zu lernen, welchen das Auftreten einer grösseren Menge von Galle im Blute auf die functionellen Vorgänge äussern, insbesondere aber, um zu verfolgen, was aus der Galle im Blute werde, ob sie sich umwandele, oder als solche ausgeschieden werde, und im ersteren Falle, welche Umwandlungen sie erleide, wurde eine Reihe von Versuchen ausgeführt, deren Ergebnisse hier Platz finden mögen. Zur Injection wurde frische Ochsengalle benutzt, aus welcher durch Alkohol der Schleim, durch Thierkohle der Farbstoff vollständig entfernt war. 2 bis 3, in einzelnen Fällen auch 4 bis 5 Gramm der trockenen Galle wurden in 30 bis 45 Gramm destillirten Wassers gelöst und filtrirt, die farblose, oder schwach gelb gefärbte Flüssigkeit wurde vorsichtig in die Jugularvene, seltener in die Schenkelvene eingespritzt, nachdem vorher, um eine Ueberfüllung des Gefässsystems zu verhüten, durch Anstechen der Vene ein der zu injicirenden Flüssigkeit entsprechendes Quantum Blut entleert war. In einigen Fällen wurde statt der frischen Galle das Fel tauri inspissatum der Pharmacop. borussica verarbeitet. Zu den Versuchen wurden stets Hunde benutzt, welche meistens vorher leicht ätherisirt waren, in der Art, dass zur Zeit der Injection die Aetherwirkung bereits aufhörte und etwa eintretende Störungen der Nerventhätigkeit nicht mehr verdecken konnte. Nach der Einspritzung wurden die Thiere in einen für das Auffangen des Harns eingerichteten Kasten gebracht und sorgfältig überwacht. Gewöhnlich wurde indessen der Harn durch Compression der Blase direct in das Gefäss entleert, so dass die Möglichkeit fremdartiger Beimengungen vollständig ausgeschlossen war. Einige Thiere gingen wegen Lufteintritt in die Vene, oder wegen allzu dickflüssiger Beschaffenheit der Injectionsmasse unter den Zufällen heftiger Dyspnöe (Verstopfung der Lungencapillaren) zu Grunde; in anderen Fällen wurde der in den Kasten gelassene Harn verunreinigt; 29 Versuche gelangen in der Weise, dass die Ergebnisse derselben verwerthet werden können [1]).

1. Einfluss der ins Blut gebrachten Galle auf die Functionen der Nerven etc.

Auffallende Störungen der Nerventhätigkeit traten nach der Injection in keinem Falle hervor. Gewöhnlich gaben die Thiere, sobald die Galle ins Blut übergetreten war, durch Lecken mit der Zunge eine Geschmacksveränderung zu erkennen, allein Betäubung, Convulsionen, Pulsretardation etc. wurde in keinem Falle beobachtet; nur Erbrechen stellte sich wiederholt ein (etwa bei einem Viertheil der Versuche) und besonders da, wo Fel tauri inspissatum angewandt war; hier schien einige Mal auch etwas Somnolenz zurückzubleiben. Bald nach der Injection

---

[1]) Ich übergehe hier die Versuche, welche schon vor sieben Jahren in Göttingen und Kiel mit filtrirter Ochsengalle von mir angestellt wurden; sie sind, weil die Veränderung der Harnsecretion keine Berücksichtigung fand, nur nach einer Seite hin zu gebrauchen.

war im Verhalten der Thiere so wenig Abnormes zu bemerken, dass bei einem und demselben Individuo der Versuch an verschiedenen Venen vier Mal wiederholt werden konnte, ohne dauernden Nachtheil zu hinterlassen.

2. Veränderungen der Harnsecretion, Auftreten von Gallenpigment etc.

Die Beschaffenheit des Harns, welcher nach der Injection entleert wurde, war verschieden, er enthielt bald mehr oder minder reichliche Mengen von Farbstoff, bald dagegen war er frei davon; unter 29 Versuchen kam das Erstere 19, das Zweite 10 Mal vor.

Der farbstoffhaltige Harn wurde stets in spärlicher Menge gelassen, war von braungrüner Farbe, trübte sich beim Erkalten und schied grüne, rasch sich absetzende Flocken aus, welche unter dem Mikroskop ein feinkörniges Aussehen zeigten. Auf einem Filter gesammelt, bildeten dieselben einen dunkel grasgrünen, leicht trocknenden Ueberzug, welcher, frisch wie eingetrocknet, die für Gallenfarbstoff charakteristische Eigenschaft zeigte, durch unreine Salpetersäure oder durch eine Mischung von Schwefelsäure und Salpetersäure unter lebhaftem Farbenwechsel von Grün, Blau, Violet und Roth zersetzt zu werden. Suspendirt in dem Urin zeigten die Flocken denselben Farbenstoffwechsel, zwar weniger lebhaft, jedoch in nicht zu verkennender Weise. Die Reaction des Harns war meistens neutral oder alkalisch, dem Absatz der Farbstoffflocken folgte bald eine reichliche Ausscheidung von Tripelphosphaten; das specif. Gewicht desselben schwankte zwischen 1012 und 1019. In 17 Fällen unter 19 war der Urin eiweisshaltig, und nach dem Abfiltriren der grünen Flocken erschien die Farbe desselben blutigroth, allem Anscheine nach durch aufgelöstes Blutroth; Blutkörperchen wurden in dem Bodensatz nicht gesehen. In zwei Fällen konnten neben reichlichem Farbstoff nur Spuren von Eiweiss nachgewiesen werden. Die Entleerung dieses veränderten Harns erfolgte 4 bis 20 Stunden nach der Injection; in einem Falle von 48stündiger hartnäckiger Retention war die Färbung deutlich vorhanden; meistens war der 24 bis 48 Stunden nach der Injection secernirte Urin bereits wieder von normaler Beschaffenheit.

3. Chemische Untersuchung des Harns, welcher in den ersten 24 Stunden nach der Galleninjection entleert wurde.

a. Untersuchung des farbstoffhaltigen Urins.

In 5 Fällen von 19 wurde der von den Pigmentflocken abfiltrirte Harn zur Trockne verdunstet und der Rückstand mit Aether und darnach mit Alkohol ausgezogen. Der Aetherauszug enthielt in keinem Falle eine erwähnenswerthe Menge färbender Substanz, sondern nur Spuren eines gelben Fettes; der Alkoholauszug war braun gefärbt und reagirte gewöhnlich nicht auf Gallenpigment, nur in einem Falle, wo das Thier einige Stunden nach der Injection dyspnoëtisch zu Grunde gegangen war, wurde von dem Alkohol ein grünbrauner Farbstoff aufgenommen, welcher beim Verdunsten in Form von Flocken sich ausschied und die Eigenschaften des Gallenpigments an sich trug. Zur Syrupsconsistenz eingeengt, zeigte dieser Alkoholauszug den Farbenring der Gallenchromogene, man bemerkte in der Schale grüne, blaue, violette und rothe Ringe, welche unter der Einwirkung der atmosphärischen Luft beim Verdunsten der Lösung sich bildeten.

Substanzen, welche mit Zucker und Schwefelsäure die Pettenkofer'sche Probe gegeben hätten, wurden nicht gefunden.

In 4 von diesen 5 Fällen enthielt der Alkoholauszug Leucin in nicht unerheblicher Menge.

In 8 Fällen wurden Krystalle erhalten, die ihrem Verhalten nach für Taurin genommen werden mussten, die Menge war jedoch zu gering, um weitere Versuche zu gestatten.

In 5 Fällen wurde der von den Flocken abfiltrirte Harn mit neutralem und basisch-essigsaurem Bleioxyd ausgefüllt, der Niederschlag getrocknet, mit Alkohol digerirt und ausgekocht. Die alkoholische Lösung, welche nur kleine Mengen einer Bleiverbindung aufnahm, wurde mit Schwefelwasserstoff vom Blei befreit und eingeengt. Es blieb eine myelinartige Substanz zurück, ferner Leucin in Form von concentrisch geschichteten Kugeln oder aus Nadeln bestehenden Drusen, und endlich vereinzelte Harnstoffkrystalle. Letztere, sowie das Leucin, schienen wegen unvollständigen Auswaschens in der Bleiverbindung zurückgeblieben zu sein. Die Masse wurde wiederholt umkrystallisirt; allein Formen, welche den Gallensäuren entsprochen hätten, traten niemals auf, auch ergab die Pettenkofer'sche Probe in keinem Falle ein deutlich positives Resultat.

Um die Zuverlässigkeit der Bleibehandlung für das Aufsuchen der Gallensäuren im Harn zu prüfen, wurde eine kleine Menge farbstofffreier Ochsengalle in normalem Urin aufgelöst, dieselbe konnte grösstentheils aus dem Bleiniederschlage wieder gewonnen werden und der Rückstand des vom Blei befreiten Alkoholextracts zeigte deutlich die Pettenkofer'sche Reaction. Wir dürfen also schliessen, dass unveränderte Gallensäuren nicht mit dem Nierensecret ausgeschieden waren.

b. Untersuchung des nach der Galleninjection ausgeschiedenen farbstofffreien Urins.

In den 10 Fällen, wo der Harn klar und blass entleert wurde, war stets eine bedeutende Zunahme der Nierensecretion bemerklich; die 24stündige Menge betrug nicht selten gegen 1000 C. C. Genauer untersucht wurde dieser Harn in 8 Fällen. Das specif. Gewicht betrug zwischen 1008 bis 1012; die blassgelbe Farbe veränderte sich durch Zusatz von Salpetersäure in keiner an Gallenpigment erinnernden Weise; Eiweiss wurde nicht gefällt. Um die etwa unverändert übergetretenen Gallensäuren zu isoliren, wurde die in den ersten 24 Stunden entleerte Menge des Secrets mit neutralem- und basisch essigsaurem Bleioxyd gefällt, der gesammelte Niederschlag getrocknet, mit Alkohol digerirt und gekocht; das Filtrat sodann durch Schwefelwasserstoff vom Blei befreit und eingeengt. Der Rückstand musste die Gallensäuren und deren nächste Derivate enthalten. Die Menge der in Alkohol löslichen Bleiverbindung erschien ungleich, je nachdem der Niederschlag längere oder kürzere Zeit mit destillirtem Wasser ausgewaschen war; im ersteren Falle war dieselbe gering, im zweiten grösser. Das nach der Entfernung des Bleies und dem Verdunsten des Weingeistes bleibende Residuum zeigte in 5 Fällen Leucin in sehr schönen Formen, zwei Mal, wo das Auswaschen nur oberflächlich geschehen war, auch Harnstoff; gewöhnlich wurde nebenher das sogenannte Myelin gesehen. Mit Zucker und Schwefelsäure behandelt, gab der Rückstand nur in zwei Fällen die rothe Farbe, welche auf Spuren von Gallensäure hinwies, in allen anderen war das Ergebniss negativ. Ein Mal zeigte die vom Blei befreite farblose Weingeistlösung kurz vor dem vollständigen Eintrocknen im Wasserbade die Farbe der Gallenchromogene; freie Schwefelsäure war hier nicht in grösserer Menge vorhanden, wenigstens zeigte sich Leucin in dem Rückstande unzersetzt.

In einem anderen Falle, wo der farbstoff- und eiweissfreie Harn direct eingeengt wurde, bildeten sich während des Verdunstens Flocken von grünem Farbstoff, welche mit Salpetersäure ebenso wie die spontan niederfallenden der ersten

19 Fälle die bekannte Reaction zeigten. Bei zwei späteren in derselben Weise angestellten Versuchen kamen sie nicht zum Vorschein.

Zu wiederholten Malen wurde der mit Blei ausgefällte Harn, nachdem der Ueberschuss dieses Metalls entfernt war, eingedampft. In dem sehr harnstoffreichen Rückstande konnten gewöhnlich vereinzelte Leucinkugeln gefunden werden, zuweilen wurden sie unter der Masse anderer Krystalle vergebens gesucht.

Aus der vorstehenden Versuchsreihe ergaben sich folgende Sätze:

1. Das Auftreten grösserer Menge von Galle im Blute lebender Thiere äussert keinen wesentlich störenden Einfluss auf die Functionen derselben.

2. Nach der Injection grösserer Quantitäten von farbstofffreier Galle in die Blutgefässe wird meistens mit dem Harn ein Farbstoff ausgeschieden, welcher die wesentlichsten Eigenschaften des Gallenpigments an sich trägt [1]). Der Farbstoff stimmt in seinem Verhalten genau mit den Producten überein, welche durch Einwirkung von Schwefelsäure künstlich aus den Gallensäuren hergestellt werden können (s. S. 95).

3. In seltenen Fällen findet man statt der Farbstoffe chromogene Körper, welche erst beim Abdampfen des Harns an der Luft in Farbstoffe sich umwandeln.

4. Neben dem Farbstoffe wurden unveränderte Gallensäuren nicht gefunden, dagegen kam gewöhnlich Leucin vor [2]). Taurin und Glycin liessen sich nicht mit Sicherheit nachweisen.

5. Die Ausscheidung von Farbstoff mit dem Nierensecret kommt nach der Injection von Galle in vielen Fällen nicht zu Stande, ohne dass grössere Mengen unveränderter Galle auftreten.

Die Ursachen, welche diese Abweichung vermitteln, sind nicht bekannt; mit dem Ausbleiben des Pigments ging eine profuse Harnausscheidung Hand in Hand, während das Erscheinen desselben fast immer von Albuminurie, oft auch von Hämaturie begleitet war. Das Auftreten des Farbstoffs schien befördert zu werden durch Einflüsse, welche die Respiration beschränken, wenigstens war die Menge desselben vorzugsweise gross bei einem Thiere, welches einige Stunden nach der Injection asphyktisch zu Grunde ging, so wie bei zwei anderen, denen, um die Athmung zu beschränken, Oel in die Luftwege gebracht war.

Auf diese Beobachtungen stützt sich hauptsächlich die oben S. 94 ff. erörterte Theorie des Icterus, welcher ohne materielle Läsion der Leber und Gallenwege zu Stande kommt. Es liegt auf der Hand, dass hier noch Lücken auszufüllen sind, ehe diese Ansicht als fest begründet betrachtet werden darf. Mit Sicherheit dargelegt ist nur die Möglichkeit der Umwandlung von Galle in Farbstoff, sodann die Abhängigkeit dieses Umsatzes von bestimmten Bedingungen, welche hauptsächlich in der Thätigkeit der Respirationsorgane und der Nieren zu liegen scheinen. Diese Bedingungen sind genauer festzustellen, auch müssen die einzelnen Momente der Umwandlung der Galle im Blute und der Zusammenhang der verschiedenartigen Pigmente unter sich weiter verfolgt werden, als es bisher geschehen ist.

1) Ein Unterschied scheint in der Schwerlöslichkeit des Pigments zu liegen. Dieselbe Eigenschaft besitzt indess häufig auch der Farbstoff des Harns von icterischen Kranken; wir konnten denselben in manchen Fällen durch Filtriren aus der Flüssigkeit vollständig ausscheiden.

2) Versuche, in faulender Galle Leucin nachzuweisen, misslangen im Sommer meistens; dagegen hatte sich neben Taurinkrystallen eine grosse Menge Leucin ausgeschieden in menschlicher Galle, welche während des Winters eine Woche lang im gefrorenen Zustande aufbewahrt war. Die Quantität des letzteren, welche durch Ausfällen der Gallensäuren mit neutralem und basisch essigsauren Bleioxyd isolirt wurde, erschien viel zu bedeutend, um etwa von einer Zersetzung des Blasenschleims hergeleitet zu werden.

III. Versuche über die Schnelligkeit der Gallenresorption nach Unterbindung des Ductus choledochus (s. S. 99).

IV. Versuche über den Einfluss fettreicher Nahrung auf die Entstehung von Fettleber (s. S. 289).

V. Versuche mit Oelinjection in die Pfortader (s. S. 290).

VI. Erklärung der Holzschnitte.

Fig. 1. [Seite 31.] Echinococcussack der Leber für die Diagnostik unzugängig.

Fig. 2 und 3. [Seite 45.] Abnorme viereckige Form der Leber, 2 obere, 3 untere Fläche.

Fig. 4. [Seite 45.] Ungewöhnlich langer linker Leberlappen; Schnürfläche.

Fig. 5. [Seite 45.] Verwachsung des linken Leberlappens mit der Milz.

Fig. 6. [Seite 46.] Cirrhotische Atrophie des linken Lappens.

Fig. 7. [Seite 48.] Siehe Fig. 4 Seite 45.

Fig. 8. [Seite 48.] Abschnürung des rechten Leberlappens mit Verdickung der Kapsel.

Fig. 9. [Seite 49.] Abschnürung des rechten und linken Lappens, Erweiterung der Gallengänge und der Venen unterhalb der Schnürfurche.

Fig. 10. [Seite 49.] Abschnürung des rechten und des linken Lappens, erweiterte Gefässe in der Schnürfurche.

Fig. 11. [Seite 52.] Verdrängung der Leber gegen die Medianlinie; Furche im oberen Theile des rechten Lappens; scheinbare Vergrösserung des Organs.

Fig. 12. [Seite 54.] Ueberdeckung der Leber durch Darmschlingen bei Atrophie derselben, *a* Colon ascendens, *b* Flexura iliaca, *c* Jejunum, *d* sechste Rippe.

Fig. 13. [Seite 56.] Verdrängung der Leber durch ein rechtsseitiges pleuritisches Exsudat; *a* Proc. ensiform., *b* unterer Rand des rechten Leberlappens, *c* abwärts gewölbtes Zwerchfell.

Fig. 14. [Seite 57.] Lagerung der Leber bei linksseitigem pleuritischen Exsudat. Das Zwerchfell überragt 4⅓ Zoll den unteren Rippensaum.

Fig. 15. [Seite 58.] Lagerung der Leber bei einem bedeutenden Pericardialexsudat; *a* Pericardium, *b* sechste Rippe.

Fig. 16. [Seite 62.] Aeusserer Habitus einer Kranken mit Echinococcusleber; *a* Proc. ensiform., *b* Symphyse, *c*, *d*, *e* Contouren der Leber, *g* Stelle des Herzstosses.

Fig. 17. [Seite 64.] Situs viscerum desselben Individuums; *b* obere Grenze der Leber unter der zweiten Rippe, *c* grosse Cyste, *d* Milz durch den linken Leberlappen hinaufgedrängt, *e* Herzbeutel, *f* Magen.

Fig. 18. [Seite 70.] Carcinom des kleinen Netzes, scheinbare Vergrösserung der Leber.

Fig. 19. [Seite 71.] Carcinom des grossen Netzes.

Fig. 20. [Seite 74.] Ueberdeckung des rechten Leberlappens durch die Flexura coli prima.

Fig. 21. [Seite 75.] Ueberdeckung der ganzen Leber durch das Colon.

FACULTE DE MEDECINE DE PARIS

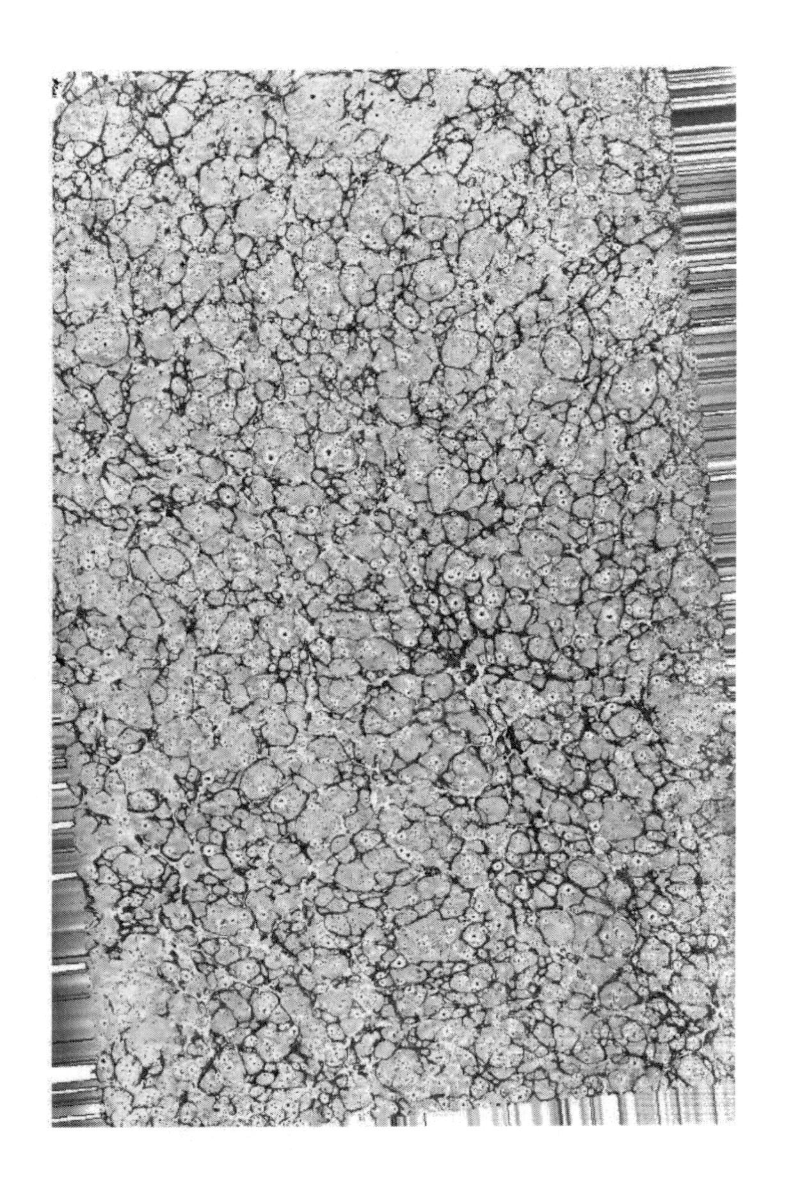

Druck:
Customized Business Services GmbH
im Auftrag der KNV-Gruppe
Ferdinand-Jühlke-Str. 7
99095 Erfurt